CE TERRIBLE
MONSIEUR
PASQUA

OUVRAGES D'ALAIN ROLLAT

Guide des Médecines parallèles (Calmann-Levy, 1973)
Les Hommes de l'extrême droite (Calmann-Levy, 1985)

Avec Edwy Plenel :
L'effet Le Pen (La Découverte-Le Monde, 1984)

Philippe BOGGIO – Alain ROLLAT

CE TERRIBLE MONSIEUR PASQUA

Olivier Orban

Ouvrage publié
sous la direction de
Gilles Herzog

ISBN 2-85565-409-2

Flânerie...

C'était un des derniers beaux jours de la fin de l'automne. Une de ces matinées lumineuses comme la Côte d'Azur en réserve, en novembre, entre deux averses. Les parfums de l'été restaient entêtants. Charles Pasqua, en visite à Nice, n'avait pas su y résister.

Il flânait sur la Promenade des Anglais. Un flic devant, un flic derrière. Il allait incognito, croyait-il, mains dans les poches, les yeux dissimulés par de grosses lunettes noires. Caricature de lui-même. Un vrai ministre de l'Intérieur en enquête dans un décor de feuilleton US sur façades trompeuses de fausse Floride...

Ceux qui le reconnaissaient en le croisant s'effaçaient avec courtoisie, après un sourire ou un bonjour.

A sa démarche, son dos voûté, sa tête légèrement penchée en avant, sa fatigue était perceptible. Nantes, l'avant-veille, avait frôlé la catastrophe. Il avait appelé Jacques Chirac en urgence sur la ligne directe.

« Jacques...

– Charles, rappelle-moi, je suis avec Monseigneur Lustiger.

– Au contraire, passe-le-moi...

« Monseigneur, priez pour nous! Un nuage toxique menace Nantes. »

Le cardinal de Paris n'avait pas marchandé sa bénédiction...

La campagne présidentielle allait commencer. Il nous parlait de François Mitterrand avec la précision et la passion d'un biographe. Longue dissertation solitaire sur un sujet obsédant : candidat?... pas candidat?...

Soudain, un groupe de jeunes virtuoses du patin à roulettes surgit à sa hauteur, sac en bandoulière, walkman aux oreilles. Les filles, en short, étaient bronzées. Parmi les garçons, deux « Blacks » et un « Beur ». La bande, ravie, lui offrit une brève ronde. Deux figures libres. Un freinage parfait.

Les flics, occupés à admirer les filles, n'avaient pas bronché. L'un des deux Noirs éclata de rire, heureux de vivre et patiner en France. Avant de reprendre son élan, le jeune Beur lança : « Salut Charlie! »

Charles Pasqua, songeur, regarda ces voltigeurs d'une autre génération s'égayer sur la Promenade. Il reprit sa marche, moins incertaine. C'était une belle journée, puisque tout pouvait arriver.

« Au fond, la politique, c'est comme le journalisme : pour en faire, il faut être un peu voyou. »

Charles PASQUA, 1982.

Il était une fois Casevecchie

La France émergeait à peine du cauchemar de la Grande Guerre. Le nouveau président de la République, Paul Deschanel, n'était pas encore tombé, par mégarde, du train Paris-Montbrison. Léon Blum, Édouard Daladier, Léon Daudet, Édouard Herriot, Robert Schuman, élus le 16 novembre 1919, entraient à la Chambre des députés. Marcel Proust venait enfin d'obtenir le prix Goncourt. Colette polissait son œuvre, Jean Giraudoux mûrissait la sienne. Pierre et Marie Curie réclamaient des crédits pour l'Institut du radium. Amedeo Modigliani mourait dans l'indifférence. Sur les scènes parisiennes, Maurice Chevalier, devenu le partenaire de Mistinguett, remportait ses premiers triomphes. A Ajaccio, la voix d'un garçon de treize ans qu'on appelait déjà Tino commençait à muer.

Meurtrie, mais joyeuse, la France partait à l'assaut du XXe siècle.

La France, sauf Casevecchie où la vie, immuable, restait rythmée par les arabesques millénaires tracées dans le maquis par les troupeaux de chèvres.

Ces « Vieilles-maisons » éparpillées comme une poignée de châtaignes sur les collines ourlant la côte est de la Corse n'avaient pas encore surmonté le choc de leur promotion au statut officiel de village, décrétée le 30 mai 1860. Elles s'étaient bien donné un maire et un registre d'état civil mais point de mairie. Le choix de son emplacement eut provoqué trop de disputes entre les différents hameaux...

C'est là, hors du temps, que vivait le clan des Pasqua. Un clan de bergers dont le chef s'appelait Antoine. On l'avait surnommé Capellone. Moins à cause de son penchant pour le port de la casquette qu'à cause de sa chevelure abondante et de son collier de barbe grise particulièrement fourni.

Capellone était un personnage, une « figure » comme on dit ici. Avant de se fixer à Teppa, le plus irréductible des promontoires de Casevecchie, il avait bourlingué à travers tout le canton de Vezzani. Sa maison de pierres sèches, cernée par les genévriers et les asphodèles, s'ouvrait, au nord, vers la plaine d'Aléria, l'antique capitale romaine, et, au sud, vers les terres insalubres de Ghisonaccia, qui n'était alors qu'une bourgade célèbre surtout pour sa malaria.

Cet homme farouchement accroché à son terroir ignorait qu'on découvrirait un jour que ses ancêtres avaient sans doute débarqué, jadis, sur cette même côte, en provenance d'Italie ou de la mer Égée, dans les impedimenta romains, parce que les racines de l'arbre généalogique des Pasqua remontent à la fois vers Vérone, la Sicile et l'île grecque de Chio, ancien fleuron de l'Empire byzantin.

Père de huit enfants – cinq garçons et trois filles – Capellone inspirait le respect. Sa simplicité et sa gentillesse n'avaient d'égales, assurent ceux qui l'ont connu, que sa rigueur morale et la force de ses convictions. Il incarnait parfaitement l'âme de cette frondeuse région du Fiumorbo dont l'histoire mouvementée, pleine de bandits d'honneur et faite de mille résistances aux Génois, aux Français, puis aux ennemis de l'Empereur, hantera éternellement la Corse.

Ses convictions politiques, Antoine Pasqua ne les cachait pas. Il se montrait fier de soutenir le parti radical social de la famille Gavini, honorablement connue au chef-lieu du canton. Il s'opposait donc au parti radical socialiste des Giaccobi, rivaux traditionnels des Gavini. Aujourd'hui, on dirait qu'il se situait plutôt au centre droit puisque ce sont les radicaux de gauche qui représentent maintenant le courant giaccobiste. Mais que valent, en Corse, les étiquettes politiques du continent?

Capellone faisait, en tout cas, partie de ces Corses prêts à mourir pour la République, et tout le monde se souvient encore, à Casevecchie, de son enthousiasme le jour où il accueillit chez lui le ministre gaviniste François Pietri, qui avait eu l'honneur d'appartenir à trois cabinets. Car ce jour-là, quand « Monsieur le Ministre » arriva au village, le chef des Pasqua le salua d'un ban tonitruant, en faisant force moulinets en l'air avec sa casquette et en criant à tue-tête : « Vive le triple ministre! »

Travailleur infatigable, Capellone avait trimé dur pour nourrir sa maisonnée pendant la guerre. Il avait été le plus heureux des hommes en voyant son frère revenir vivant de l'enfer de Verdun avec un extraordinaire paquetage de souvenirs qui allaient lui valoir, à lui, le surnom de « Baïonnette ». Il était adulé par ses fils, qui l'aidaient aux travaux agricoles. On le voyait souvent, en compagnie des deux aînés, André et Philippe, tresser en silence des cordelettes de poils de chèvres.

André, le futur père de Charles Pasqua, grandissait en adolescent tranquille. D'un caractère doux, il se montrait toujours disponible quand il fallait seconder son père pour conduire le troupeau vers les pâturages de l'intérieur de la chaîne montagneuse, en direction de Corte.

Pour les Pasqua et leurs chèvres, cette transhumance estivale aboutissait toujours au même endroit : à Tattone, sur la commune de Vivario, chez des amis forestiers, les Rinaldi.

Contrairement à Casevecchie, le hameau de Tattone possédait déjà d'éminentes lettres de noblesse. Il était entré dans la légende corse, deux siècles auparavant, grâce à un génial fait d'armes dont le héros, Antoine-Louis Muracciole, lui a laissé en héritage son propre surnom, Tatto. Les soirs de veillée on s'y raconte encore comment le clan des Muracciole, sous la conduite de Tatto, décida pendant la « Guerre d'indépendance » (1729-1769) de tendre une embuscade, au col de Vizzavona, à une colonne de Génois, et comment celle-ci prit la poudre d'escampette, se croyant menacée par une nombreuse troupe, à la seule vue du barrage de troncs de sapins dressé sur la route de Vivario.

Depuis cette incontestable victoire, les descendants de Tatto bénissent le généreux gouverneur de l'époque qui récompensa le chef du clan des Muracciole en lui offrant ce terrain – la « Colletta datta » (« Colline donnée ») – où Antoine-Louis Muracciole fit construire la première maison du hameau, sur les ruines – symbole de l'exploit – d'une tour génoise.

Devenue Tattone après la francisation des noms corses, la colline avait ensuite attiré plusieurs familles de Vivario, parmi lesquelles les Rinaldi, qui s'étaient unis aux Muracciole par les liens du mariage.

Autant dire que chaque fois que Capellone Pasqua et ses fils arrivaient à Tattone, l'été, ils éprouvaient ce trouble indéfinissable que connaissent bien les gens de modeste extraction au contact des gens d'ascendances réputées supérieures...

Or, c'est là, à Tattone, au début des années 20, qu'il s'en fallut de peu que l'histoire des Pasqua ne connût un destin aussi tragique que celui des Capulet affrontés aux Montaigu et que, depuis, l'ombre de Roméo et Juliette plane à jamais sur le passé de Charles Pasqua.

Car par l'un de ces beaux étés de transhumance, ce qui devait arriver arriva : le jeune André tomba amoureux fou de la fille cadette des Rinaldi, la ravissante Françoise. Il n'avait pas dix-sept ans; elle n'en avait que quinze. Il était fin, bien fait de sa personne, remarqué des jeunes filles; elle avait un regard d'ange. Le coup de foudre fut réciproque.

Ce roman d'amour aurait pu commencer sans entrave si le maître de la famille Rinaldi, père de la jeunette, Charles, dit Carletto, exploitant forestier de son métier, n'avait eu pour sa fille cadette des ambitions plus hautes qu'une union avec un berger. Lui-même possédait quelques biens et sa fille Françoise avait obtenu son brevet élémentaire au collège de Corte avant de poursuivre des études secondaires à Ajaccio. Il aurait peut-être pu se laisser convaincre, à force de persuasion, s'il avait été question du mariage de sa fille aînée, moins gâtée par le ciel. Mais Françoise, sa préférée, jamais!

Tous les ingrédients du mélodrame étaient réunis.

Renoncer à Françoise? Plutôt mourir! Éperdument épris, André Pasqua opta pour le coup de force : il enleva sa belle, consentante, dans la plus pure tradition romanesque! Décidés à braver non seulement le qu'en-dira-t-on mais aussi toutes les colères paternelles, les deux amoureux prirent ensemble le maquis pour une mémorable *scapatta*. Pas l'une de ces fausses fugues à la mode orientale qui amusent les invités les soirs de noces. Une vraie *scapatta*. Une fuite à dos de mulet pour une nuit sous les étoiles du maquis. Imparable.

Leur mariage, dès lors, devenait obligatoire. Mais la brouille des deux familles inéluctable et l'exil des deux fiancés inévitable. Si Capellone se montrait disposé à fermer les yeux sur les frasques de son fils, Carletto, lui, ne voulait rien savoir. Sa fille s'était enfuie de la maison, eh bien! elle n'y remettrait plus jamais les pieds!

C'est ainsi qu'André Pasqua et Françoise Rinaldi quittèrent leur île natale, par un matin triste, le cœur gros, pour chercher asile sur le continent. Ils se réfugièrent dans les Alpes-Maritimes, à Grasse, où les Rinaldi avaient quelques attaches familiales, et où de leurs premières amours naquit en 1921 le frère aîné de Charles Pasqua, prénommé Antoine, comme Capellone.

Subsistant chichement, André ayant trouvé un emploi de convoyeur à la Compagnie PLM des chemins de fer, le couple subit ce bannissement pendant plus d'un an, jusqu'au jour où Françoise et son bébé contractèrent la fièvre typhoïde. Alors, mais alors seulement, Carletto accepta enfin de rouvrir la porte de sa maison à sa fille, et seulement à elle. Ce n'est qu'au moment où il crut que Françoise allait mourir, la maladie ayant empiré, que le chef du clan des Rinaldi autorisa André Pasqua à franchir le seuil de sa maison après l'avoir fait attendre à l'extérieur sous la pluie, deux jours durant.

Il fallut le rétablissement de Françoise pour que la compréhension l'emporte sur le ressentiment, que les deux familles se réconcilient et que cette aventure connaisse un épilogue heureux.

Aujourd'hui, au hameau de Teppa, la maison de Capellone n'est plus qu'un amas de ruines. Le toit s'est effondré sur les débris de quelques meubles rongés par le vent, le soleil et la pluie. Seul un lit en bois massif, couché à ciel ouvert, semble encore défier le temps.

Casevecchie n'a toujours pas de mairie. Le village n'a même pas d'église à part entière. L'ancien monastère Saint-Michel, où est célébré le culte, appartient pour moitié au territoire de Vezzani sous prétexte que la frontière entre les deux communes épouse l'axe médian du chœur...

Peu importe! Casevecchie restera à jamais un lieu extratemporel. Les saisons continuent d'y régler la vie et, au printemps, le paysage ressemblera toujours aux cartes postales pleines de fleurs.

Les amandiers n'ont pas vieilli mais la vigne a rogné le maquis, et dans les plaines d'Aléria et de Ghisonaccia, sur le fond d'azur de la Méditerranée qui laisse parfois entrevoir l'île d'Elbe, s'épanouissent désormais les rectangles d'or que forment les champs de colza.

Le berceau des Pasqua – la plus ancienne famille des lieux – demeure aussi un endroit pauvre, à l'image des autres villages corses. Tout le commerce y est ambulant et le facteur vient chaque jour d'Aléria.

Selon les statistiques Casevecchie compte cent trois habitants recensés. En vérité, il y en a cinquante en hiver et cent cinquante en été. Ce sont surtout des retraités qui y vivent toute l'année. Il n'y a qu'un seul viticulteur et les bergers se comptent sur les doigts d'une main.

Par la force des choses, la vie est donc paisible à Casevecchie. La politique aussi, bien que cela soit plus surprenant si l'on considère que ce microcosme n'est pas épargné par la rivalité qui continue d'opposer, dans toute cette région, les gavinistes aux giaccobistes.

En dépit du fait que les subtilités locales soient absolument inaccessibles aux *pinzuti* – les continentaux – il est indubitable qu'à Casevecchie les deux clans politiques vivent en bonne intelligence. Et heureusement pour la réputation familiale de Charles Pasqua! Car à Casevecchie ce sont des parents à lui qui représentent, dans l'arène électorale, les deux clans antagonistes!

Le chef du parti giaccobiste, Jean-Toussaint Paolacci, maire du village depuis 1977, membre du Mouvement des radicaux de gauche – comme le conseiller général – n'est autre que le fils de l'une des grand-tantes de Charles Pasqua, Marie Paolacci, née Pasqua. Une maîtresse femme de soixante-huit ans, qui n'a pas son pareil pour mitonner le mouton aux haricots rouges dont raffole le ministre de l'Intérieur.

Et c'est l'un de ses cousins, Dominique Pasqua, dit « Mémé », l'un des éleveurs du village, réputé pour... les poèmes et les chansons de sa composition, qui est le porte-drapeau du parti gaviniste, apparenté ici, naturellement, au RPR.

La solidarité étant l'une des principales vertus cultivées chez les Pasqua, il ne viendrait à l'esprit de personne de frapper Marie Paolacci d'ostracisme au motif qu'elle a naguère épousé le camp adverse en se mariant.

Certes, « Mémé », en plaisantant, reproche parfois aux giaccobistes d'avoir « pris la mairie aux gavinistes, en 1943, avec la mitraillette à la main » – ce que l'Histoire, bien entendu, n'atteste pas – mais il est le premier à dire qu'à Casevecchie la vie politique est avant tout une affaire de famille.

Et l'affaire d'une famille unie : « Cela fait plus de trente ans que je suis assesseur à tous les scrutins et entre nous il n'y a jamais eu une seule dispute, pas un seul mot. Jamais! Jamais de contentieux! » La cohabitation tranquille...

Si les jours d'élection Marie Paolacci est trop fatiguée pour se déplacer jusqu'à l'isoloir, son fils Jean-Toussaint vote pour elle, avec l'accord de « Mémé ». Ce qui ne change strictement rien à l'issue du scrutin pour la bonne raison que, « ici, on connaît le vote de chacun ».

N'était le jeu des traditions politiques, la personnalité du maire, Jean-Toussaint Paolacci, ferait facilement l'unanimité. Cet employé de l'ODARC (Office de développement agricole et rural de la Corse) fait beaucoup pour le village. En plus il fait l'artiste puisqu'il est l'un des animateurs d'une fameuse troupe de comédiens amateurs, « A Ghizunacciu », qui perpétue depuis 1980 les meilleures histoires populaires de l'Île de Beauté.

Le maire de Casevecchie n'a d'ailleurs pas eu meilleur supporteur que « Mémé » quand il a sollicité du ministre de l'Intérieur, cet hiver, l'octroi de quelques « crédits spéciaux » pour la construction d'une petite salle communale. Charles Pasqua s'est fendu de quinze mille francs.

Autre particularité du village : on n'y compte aucun nationaliste. Sur les cent cinquante électeurs inscrits il y a bien deux socialistes et six communistes mais pas le moindre séparatiste. Au premier tour de l'élection présidentielle de 1981, c'est le candidat du MRG, Michel Crépeau, qui était arrivé en tête du scrutin, avec 39 voix, devant François Mitterrand (24), Valéry Giscard d'Estaing (23), Jacques Chirac (17) et Georges Marchais (5). Au deuxième tour, le report des voix de gauche s'était presque parfaitement effectué en faveur de François Mitterrand.

Si d'aventure Charles Pasqua voulait se présenter aux municipales de Casevecchie, il ne serait pas assuré, loin de là, de l'emporter. Comme le souligne à juste titre son cousin « Mémé », « il est plus difficile de se faire élire conseiller municipal en Corse que député à Paris où personne ne connaît personne ».

En outre, la position personnelle de Jean-Toussaint Paolacci paraît solidement établie : n'a-t-il pas gagné les municipales de mars 1983 avec 23 voix d'avance?

Le Front national est lui aussi inexistant à Casevecchie. S'il a bénéficié d'une voix aux dernières élections régionales, il ne s'agissait que de l'expression d'une marque d'amitié individuelle à l'égard du chef de la liste locale du parti de Jean-Marie Le Pen et non d'un suffrage politique. Sur ce point l'électeur concerné s'est montré catégorique pour que son vote ne suscite aucun trouble chez ses concitoyens...

S'il n'y a pas de nationaliste il y a, en revanche, des humoristes : certains des électeurs qui avaient voté pour Georges Marchais au premier tour de 1981 ont ensuite voté au second pour Valéry Giscard d'Estaing.

Bref, les giaccobistes ont encore de beaux jours devant eux et le maire de Casevecchie se plaît à faire remarquer que « tout le monde a participé à la dernière fête du village ». Jean-Toussaint ne fait pas grand cas, au demeurant, de l'esquisse de chicane qui l'a indirectement opposé à « Mémé » Pasqua avant les dernières élections : « Ils m'avaient contesté l'inscription de six personnes sur la liste électorale, où ils m'avaient demandé eux-mêmes d'inscrire trois de leurs amis, mais le juge a tranché en mon sens : il a accepté mes six inscriptions et rayé deux de leurs trois noms. Résultat : le score a été de 6 à 1 en notre faveur au lieu de 6 à 3... »

Ne chipotons pas.

Aussi légalistes les uns que les autres, giaccobistes et gavinistes se rejoignent aussi pour condamner les actes terroristes perpétrés au nom de l'ex-FLNC. On a beau être radical on n'est pas, ici, porté aux excès.

Malheur à qui touche aux Pasqua! Le jour où l'ex-FLNC a plastiqué, à Bastia, l'appartement de la fille de son frère Antoine – un ancien garde républicain – qui venait d'être mutée en Corse après une carrière commencée au ministère de l'Intérieur sous Gaston Defferre, « Mémé » a fait un malheur à la télévision régionale. Sa dénonciation musclée des actes de terrorisme lui a valu pendant trois jours, au téléphone, beaucoup plus de félicitations que de menaces. Rien n'a pu l'empêcher de dire ce qu'il avait sur le cœur, pas même Charles Pasqua qui l'avait aussitôt appelé pour le calmer et lui demander de s'abstenir de tout commentaire. On n'impose pas le silence à un « Mémé ».

Au lendemain de cet attentat le maire de Casevecchie est, lui aussi, monté au créneau : « Y aurait-il de bons et de mauvais Corses? », a-t-il demandé dans un communiqué. « Le fait de vivre en Corse et d'y travailler n'est-il que l'apanage de la racaille? Comme je travaille avec des militants nationalistes je m'attendais à des réactions mais il n'y en a pas eu, devait-il dire par la suite. Cette fois-là, le FLNC a vite réalisé que ses poseurs de bombes avaient commis une grosse erreur en croyant sans doute s'attaquer à une Corse du continent, sans véritables attaches locales. Ils s'étaient trompés lourdement, surtout en s'en prenant à la mère d'une fillette de quinze mois. »

« Moi, ajoutait Jean-Toussaint Paolacci, si l'on plastique les miens, je sais ce que j'ai à faire : j'en tue cinq et, comme tout le monde se connaît, je suis sûr, parmi ces cinq, de tuer celui du FLNC qui aura allumé la mèche... »

« Mémé » n'y est pas allé non plus par quatre chemins : « Je l'ai dit tout de suite à Léo Battesti, le chef des nationalistes : si moi je te condamne tu sais ce que ça veut dire... » Tout le monde a compris. Chez les Pasqua on sait se faire respecter.

Ainsi va la vie à Casevecchie.

Le village a connu son plus intense moment de gloire le dimanche matin 14 juin 1987, quand Charles Pasqua s'y est rendu pour la première fois en sa qualité de ministre de l'Intérieur.

Sa visite a été de courte durée. Le temps, toutefois, d'aller embrasser la tante Marie, de bavarder avec quelques vieux, d'écouter le discours fraternel de Jean-Toussaint, et surtout d'humer cet air si léger, de promener un regard circulaire sur cet antique repaire d'où toutes les générations de Pasqua ont tiré leur fierté ombrageuse, leur sens sacré de la communauté paysanne, leur convivialité austère.

Le temps aussi d'un mémorable repas en plein air, chez « Mémé », qui avait invité deux cents amis. Lorsque celui-ci s'est mis à déclamer la chanson qu'il avait spécialement composée pour la circonstance, en évoquant les souvenirs du Capellone, du Carletto et surtout d'André et de Françoise qui auraient été si fiers de voir leur fils en ministre, on a vu Charles Pasqua essuyer une larme.

Tentant de faire diversion, Jean-Toussaint, lui, se demandait si vraiment il fallait prendre au sérieux le vieux projet de « Charlie » : l'organisation à Casevecchie d'une course d'ânes qui opposerait à huis clos le ministre de l'Intérieur à son Premier ministre, Jacques Chirac.

Quant à Marie, elle montrait à tout le monde cette photo à laquelle elle tient désormais par-dessus tout, où l'on voit « le petit Charles », à dix ans, à Grasse, ressemblant à Gavroche avec son sourire éclatant, ses mains dans les poches et son large béret espièglement penché sur la tête.

A Grasse où Charles-Victor Pasqua est né le 18 avril 1927 : Charles, pour perpétuer Carletto; Victor, en souvenir d'un oncle décédé peu de temps auparavant et dont il deviendra la réplique physique.

En unissant leurs destinées contre l'avis de leurs parents, André Pasqua et Françoise Rinaldi ne se doutaient pas, en effet, que leur mariage provocateur allait avoir également des conséquences décisives pour toute leur famille.

Carletto Rinaldi fut le premier à estimer que l'avenir des jeunes époux passait par leur installation définitive à Grasse. A Casevecchie, comme à Tattone, l'horizon professionnel du couple apparaissait bouché par les difficultés économiques affectant le pays tout entier. André Pasqua et sa femme regagnèrent donc le continent, avec, cette fois, la bénédiction paternelle. Françoise trouva un emploi d'ouvrière dans une fabrique de parfums et André quitta les Chemins de fer pour entrer dans la police, en même temps que son frère Philippe. Tous deux y furent ensuite rejoints par leurs trois autres frères.

Mais en 1927, autour du berceau de Charles, il y avait aussi les chefs des deux clans, Capellone et Carletto, qui avaient décidé, deux ans auparavant, de larguer à leur tour les amarres insulaires pour finir leurs jours auprès de leurs enfants, comme il se devait.

Cette année-là, l'actualité s'internationalisait. Les intellectuels n'avaient d'yeux que pour Abel Gance, qui venait de présenter à Paris son *Napoléon*, jugé « trop long » et « trop lourd » par *Le Figaro* malgré de « belles images ». Les sportifs ne parlaient que de Johnny Weismuller, le futur « Tarzan », qui avait battu aux États-Unis trois records mondiaux de natation. Personne ne se préoccupait outre-mesure du premier discours public prononcé à Berlin par la coqueluche du nouveau Parti national socialiste, Adolf Hitler, ni de la « Charte du travail » édictée en Italie par le Grand Conseil fasciste de Benito Mussolini qui parlait de « supprimer la lutte des classes ».

A Grasse, Charles-Victor Pasqua apprenait les rudiments de la corsitude exilée.

Corse par le sang, Charles Pasqua l'est aussi devenu par l'esprit, en partageant la vie et surtout la mémoire de ses deux grands-pères qu'il vénérait et qui lui rendaient beaucoup d'affection.

Pépé Capellone lui a appris la langue de ses ancêtres, l'ardeur du travail de la terre, le culte du bon sens, le prix du silence et de l'humilité. Il lui a aussi transmis l'attachement bonapartiste à la France qui transcendera sa corsitude pour s'épanouir au service du gaullisme.

Ce n'était pas toujours, pourtant, un pépé-gâteau. A table, il ne supportait pas que les enfants discutent ou rient pour rien. Dans sa conception de la société familiale le repas avait valeur de rite, et si cette règle n'était pas spontanément comprise par l'un des garnements il en coûtait au coupable, après un avertissement solennel, quelques coups de cette cordelette tressée qu'il tenait souvent à la main et qu'il trempait, à toutes fins utiles, dans l'eau du bassin, avant les repas, pour la durcir et dissuader les téméraires, puis qu'il posait en s'attablant, entre son assiette et sa casquette.

Pépé Carletto a contribué à sa formation intellectuelle et à sa culture. Avant la guerre de 14-18, cet exploitant forestier avait sillonné l'Europe pour vendre ses produits, et il y avait noué de nombreuses relations en amassant des trésors de souvenirs qu'il faisait partager à ses petits enfants avides d'histoires. Son goût pour la vie publique et l'art de la politique l'avait aussi amené à échanger des correspondances avec quelques célébrités, en particulier Georges Clemenceau. Auprès de lui, le jeune Charles Pasqua a ainsi appris beaucoup de choses, et la portée incommensurable de la tradition orale qui lui laissera le goût du verbe.

Provençal par la naissance, Charles Pasqua l'est aussi devenu par nécessité. Parce que tout le monde à l'époque, à

Grasse, parlait la langue de Mistral et qu'il fallait bien communiquer avec les autres, à l'école maternelle du plateau Saint-Hilaire, puis à l'école primaire Carnot, enfin au lycée des Casernes. Mais il l'est devenu également dans l'âme, au contact d'un vieil instituteur, « Monsieur Chauvier », qui l'accueillait chez lui chaque après-midi jusqu'à ce que ses parents revinssent de leur travail, et qui lui fit partager sa passion du félibrige. C'est par respect de ce maître et par amour de sa langue maternelle que Charles Pasqua, entré au Parlement, s'interdira de gommer son *assent* malgré les donneurs de conseils parisiens selon lesquels il ne saurait y avoir de discours politique sérieux que déclamé avec des intonations aseptisées.

Si l'osmose de ces deux racines a été, chez lui, parfaitement réussie, cela tient surtout au cadre où elle s'est produite. C'est-à-dire tout simplement au caractère même de la ville de Grasse. Car si les Pasqua ont pu si facilement s'acclimater sur le continent c'est tout bonnement parce que Grasse est sans nul doute, par sa physionomie et son caractère, la plus corse des villes de Provence. Avec son dédale de venelles, de petites places, ses encorbellements, ses escaliers entrelacés, ses anciennes maisons de notables adossées aux remparts et ses vieux hôtels seigneuriaux édifiés sur le flanc pentu de sa cité moyenâgeuse, Grasse ressemble à Sartène, la plus corse des villes corses.

Charles Pasqua y a vécu une petite enfance heureuse. Même quand on habite d'abord à la périphérie avant de demeurer près de la place de la Poissonnerie, au cœur si palpitant de cette ville envoûtante, quel plaisir, lorsqu'on a dix ans, de se livrer à la sarabande autour de la place aux Aires, jouer à cache-cache entre la rue des Quatre-Coins et la rue des Fabreries, rentrer chez soi par le chemin des écoliers, via la rue des Moulinets, la rue de la Fontette, l'étroite rue du Miel, la rue Sans-Peur ou la traverse du Docteur-Colomban! Quelle joie de se réfugier ensuite au sein de la chaleureuse floppée de frères et de cousins!

Charles Pasqua dira lui-même, plus tard, qu'il aura vécu là les plus belles années de sa vie, au centre d'un tourbillon familial affectueux, généreux, mais où les parents ne badinaient pas avec l'éthique des gens simples au cœur noble : « Les souvenirs de mon enfance sont des souvenirs heureux. Mon père et ma mère nous inculquaient, à mon frère et à moi-même, les principes qui régissaient leur vie : le travail, la droiture, le sens des responsabilités, l'amour de la patrie, la croyance en Dieu, le service du prochain, bref, ce qui devait nous aider à devenir des hommes. Nous n'étions pas riches mais nous ne manquions pas du nécessaire... Quant au superflu, nous n'y pensions pas. »

A Charles Pasqua, Grasse a également donné la passion de l'Histoire. Comment résister, dans cette ville, à cette sollicitation permanente?

Voilà l'hôtel Russan de Thorenc et son écusson effacé par le temps, où logeait Catherine de Médicis. Voici l'hôtel de Clapiers-Cabris où séjournait Honoré Riqueti, comte de Mirabeau, chez sa comtesse de sœur. Là naquit Fragonard et là Louis Bellaud de la Bellaudière, « le Villon provençal ». Ici moururent, square du Clavecin, sous le couperet de la guillotine, trente Grassois condamnés à mort, en 1793 et 1794, par le tribunal révolutionnaire du Var siégeant rue du Cours.

C'est au fond de cette cour intérieure, rue de l'Oratoire, que vivait le général républicain Maxime Guidal, fusillé en 1812, sur ordre de Napoléon, pour avoir participé à la conspiration du général Malet au retour de la campagne de Russie.

C'est sur cette place, celle de la Foux, qu'en mars 1815, débarqué de l'île d'Elbe, l'Empereur, précédé de Cambronne, fit halte avec sa troupe avant de s'avancer dans les Alpes, fraîchement accueilli, par la route qui porte désormais son nom.

De la passion de l'Histoire à l'envie d'y prendre sa part il n'y avait qu'un pas... franchi plus tard.

De cette enfance heureuse, Charles Pasqua a surtout hérité un sens sacré de la famille : « Mon frère et moi grandissions entourés par l'affection d'une nombreuse famille, grands-parents, oncles, tantes, cousins, cousines, tous ces parents même un peu éloignés qui, à la mode corse, forment une tribu. »

Il a maintenu, comme ses parents et ses grands-parents l'avaient fait avant lui, des contacts fréquents avec les cousins restés au village. Le hameau de Teppa est devenu un lieu de pèlerinage après avoir été celui de ses vacances scolaires, et la branche de Capellone possède toujours, dans les environs de Casevecchie, quelques terrains.

Il arrive même que certains squatters y mettent en péril, sans s'en douter, la réputation du ministre de l'Intérieur. Durant l'hiver 1986-87, par exemple, un gendarme a mis la main sur soixante-quatre pieds de hachich cultivés clandestinement par un ressortissant étranger sur l'une de ces parcelles. Il a fait cette découverte inattendue – jure le maire de Casevecchie – en remontant les traces d'un âne qui ne lui était pas apparu très « frais », et pour cause : l'animal avait pris l' « herbe » pour de l'avoine...

Pour Charles Pasqua, famille rime aussi avec honneur : « J'ai reçu de mes parents un nom propre, dit-il, et je veux le laisser propre à mes petits-enfants. L'opinion que les gens ont de moi m'indiffère davantage que celle que j'ai de moi-même. Ce qui m'importe, c'est de ne pas me donner envie de vomir quand je me regarde dans la glace. »

Toute sa vie il vénérera son père André et sa mère Françoise : « Mon père, homme de devoir et de grande bonté, qui avait commencé dans la vie comme simple gardien de la paix, finit sa carrière, à force de travail, comme officier de paix principal, raconte-t-il. Ma mère, plus instruite, l'aidait à préparer les examens qui devaient lui permettre de grimper dans la hiérarchie; je les revois encore tous les deux travaillant le soir à la veillée. Elle était de ces femmes qui, sans bruit et sans se plaindre, savent à la fois tenir un emploi à l'extérieur et s'occuper de leur foyer. Elle ne vivait que pour sa famille, ses enfants, puis plus tard ses petits-enfants. »

Quand sa mère mourra accidentellement, en 1958, des suites d'une chute dans un escalier, alors que son mari et elle venaient d'arriver sur les lieux de leurs vacances d'été, en Dauphiné, Charles Pasqua sera rongé par un doute terrible. Il se reprochera longtemps d'avoir tellement insisté pour que sa mère prenne quelques jours de repos à la montagne...

Lorsque, longtemps plus tard, en 1984, il perdra son père, il disparaîtra pendant plusieurs jours du Sénat pour tenter de camoufler son indicible chagrin.

Et quand, nommé à la tête du ministère de l'Intérieur, il subira des menaces anonymes visant les siens, il fera tendre autour d'eux un rideau de protection infranchissable, à Grasse surtout.

Famille, honneur, patrie, trois valeurs-forteresses auxquelles Charles Pasqua ancrera, dès sa petite enfance, toute sa vie et qui pétriront sa chair.

Corse et Provençal, deux titres de noblesse qu'il défendra toujours haut et fort, et gare à qui oserait l'amputer de l'un ou de l'autre : « Je suis un hybride corse-provençal, insiste-t-il. Autant provençal que corse et autant corse que provençal. Cela n'a rien à voir avec cette étiquette de Marseillais que l'on m'a accolée parce qu'elle avait un certain côté péjoratif, comme on a ensuite raconté que je portais des cravates jaunes et des chaussures bicolores. Ce n'est pas vrai.

La Provence, comme la Corse, ce n'est pas l'exubérance; ce n'est pas l'outrance. Leur folklore est triste. »

La tristesse, Charles Pasqua l'a découverte très tôt. Il n'a que douze ans quand éclate la Seconde Guerre mondiale dont les retombées, dans sa famille, vont donner au fil de sa vie une orientation irréversible. Son enfance heureuse aura été de courte durée.

Mais c'est au lendemain même de son retour triomphal à Casevecchie, en juin 1987, que la pire des humiliations lui sera infligée. Lorsqu'il se fera traiter, au cours d'une visite officielle à Ajaccio, de « Corse du continent ». Alors, ce lundi 15 juin, devant le conseil général de la Haute-Corse, il s'est mis froidement en colère : « Les Corses du continent, comme on tendrait à le dire désormais avec une connotation péjorative, sont restés corses, autant et mieux que ceux qui sans pudeur veulent nous donner des leçons, a-t-il répliqué. Nous restons fidèles à l'esprit de famille, au sens de l'honneur, aux lois de l'hospitalité, au culte de l'amitié et à la passion de la justice. Ces valeurs, il faudra bien à nouveau qu'elles éclatent au grand jour, comme étant celles de l'immense majorité des Corses, et il faudra aussi que l'unité de la Corse française se ressource au tréfonds de ses sentiments patriotiques et du souvenir de ceux qui ont tout donné, jusqu'à leur vie, pour que la Corse reste libre au sein d'une communauté républicaine et démocratique. »

Malgré cette riposte, Charles Pasqua boira le calice jusqu'à la lie. A peine avait-il regagné le continent, après avoir invité les Corses à coopérer avec la police pour mettre les terroristes de l'ex-FLNC hors d'état de nuire (« Les plastiqueurs, ici, tout le monde les connaît et nous les arrêterons le jour où nous déciderons que cette pantalonnade a assez duré »), que lesdits terroristes assassinaient à Ajaccio le docteur Jean-Paul Lafay. Le ministre de l'Intérieur essuyait les critiques de tous les parlementaires de l'île, y compris de son vieux compagnon Pierre Pasquini. Commencé dans l'allégresse des retrouvailles de Casevecchie, son retour au pays ancestral s'achevait dans le drame et l'isolement politique, par l'un de ces singuliers contrastes qui ont toujours jalonné sa route.

Les maquis buissonniers

Si Charles Pasqua n'existait pas, Jacques Chirac aurait dû l'inventer. De tous les gaullistes qui l'ont fait roi, il est le plus pur produit du terroir. Il n'est pas né baron de la croix de Lorraine. « Godillot », grosse pointure et fier de l'être, il n'en incarne pas moins la fidélité originelle. Celle qui puise sa légitimité dans la clandestinité des maquis de la Résistance et qui l'a même rapproché, un demi-siècle plus tard, de son adversaire préféré, François Mitterrand.

Le président du Sénat, Alain Poher, a perçu un jour cette surprenante complicité.

La scène se passe avant les élections du 16 mars 1986, au palais de l'Élysée, lors d'une remise de Légion d'honneur à un ancien sénateur RPR. Charles Pasqua, alors président du groupe RPR du Sénat, est présent, chez l'ennemi, malgré les conseils contraires de son entourage.

Après la cérémonie, il se retrouve nez à nez, devant le buffet, avec le chef de l'État. François Mitterrand lui fait servir une orangeade. Les deux hommes bavardent, tout en s'amusant du manège du président du Sénat, qui tourne autour d'eux en faisant des cercles de plus en plus étroits. Finalement, François Mitterrand se tourne vers Alain Poher et lui dit, d'un ton faussement agacé : « Vous vous demandez ce que peuvent se raconter ce terrible Monsieur Pasqua et le président de la République? Eh bien! figurez-vous qu'ils étaient résistants dans le même réseau! »

Le capitaine Morland, à l'époque, ignorait l'existence du deuxième classe « Prairie », qui appartenait comme lui au réseau « Tartane », composante de l'organisation « Combat ». Ce nom de guerre, qui lui rappelait ses jeux de pistes chez les scouts, Charles Pasqua en avait hérité en octobre 1942, à quinze ans et demi, quand il jouait les agents de renseignements en culottes courtes entre Nice et Grasse.

Quand la guerre explose, en effet, tous les Pasqua et tous les Rinaldi entrent en résistance comme on part en croisade. Ils mesurent parfaitement les dangers du nazisme, dont ils ont suivi la progression en étant attentifs aux discours de la gauche.

Sous la contrainte de la crise économique, toute la famille Pasqua a rallié en 1936 le Front populaire. Que de chemin parcouru, en dix ans, depuis le départ de Casevecchie! Comme les autres ouvrières, Françoise Pasqua a occupé la fabrique de parfums lorsqu'il a fallu se mobiliser pour obtenir de meilleurs salaires. Non seulement son mari, André, n'a rien trouvé à redire à cette révolte contre l'ordre social établi, mais il a lui-même fait partie des policiers grévistes. Mine de rien, il s'est converti au socialisme. Quant à son frère Philippe, il épouse ouvertement les vues du Parti communiste, dont l'une des sections locales est animée par sa femme.

Mais l'ennemi, à Grasse, depuis plusieurs années, c'est moins Hitler que Mussolini qui multiplie les vociférations de l'autre côté de la frontière alpine, et les Corses sont les adversaires les plus acharnés des fascistes italiens. Ils ont tous repris à leur compte la fameuse envolée de Napoléon, « le plus français des Corses », que Charles Pasqua aimera citer : « Le plus beau titre sur la Terre est d'être né Français; c'est un titre dispensé par le ciel, qu'il ne devrait être donné à personne sur la Terre de pouvoir retirer. Pour moi, je voudrais qu'un Français d'origine, fût-il à sa dixième génération d'étranger, se trouvât encore Français s'il le réclamait. Je voudrais, s'il se présentait sur l'autre rive du Rhin, disant : " Je veux être Français ", que sa voix fût plus forte que la loi, que les barrières s'abaissassent devant lui et qu'il rentrât, triomphant, au sein de la mère commune. »

Aussi, quand en Italie, après les accords de Munich, les fascistes mussoliniens organisent des manifestations pour revendiquer l'annexion de la Corse en même temps que celle de la Savoie et de la Tunisie, le cœur des Pasqua vibre à l'unisson des foules qui descendent dans la rue à Ajaccio et à Bastia pour dire non à tant d'outrecuidance.

Françoise Pasqua brode sur les chemises d'Antoine et de Charles le serment des patriotes bastiais : « Sur nos tombes et nos berceaux, nous jurons de vivre et de mourir Français. »

Le soir, autour de la table familiale, les visages sont graves.

Il règne une atmosphère étrange où se mêlent les exaltations et les peurs. Charles Pasqua, qui a onze ans, grandit dans cette fièvre. Il musarde moins dans le labyrinthe de la vieille ville. Il met plus d'attention à suivre les conversations des adultes. La passion du drapeau tricolore ne le quittera plus. En entendant, un soir, la foule grassoise reprendre en chœur, d'une voix lourde, *la Marseillaise,* entonnée par les Petits Chanteurs à la croix de bois, il ne retient pas ses larmes.

Deux ans plus tard il a déjà appris à serrer les dents.

1940. La France est vaincue par le IIIe Reich, coupée en deux. Mussolini fait le matamore. André Pasqua, nommé officier de paix peu de temps avant la débâcle, refuse de prêter serment au maréchal Pétain et se retrouve en pèlerine sur la voie publique.

Comme les autres scouts de France, Charles participe à l'organisation de l'accueil des réfugiés. Il n'a pas entendu l'Appel du 18 juin mais pour lui, comme pour tous les Pasqua, le général de Gaulle sera désormais le phare dans la nuit : « Je suis gaulliste comme je suis français : sans complexe, écrira-t-il quarante ans après. Le général de Gaulle a été pour moi, depuis ces années d'adolescence, un héros mythique, à l'instar des héros grecs de l'Antiquité. Je lui ai donné ma foi et ne l'ai jamais reprise. »

Charles Pasqua n'a que quinze ans mais il est présent, en ce soir de l'été 1942, au commissariat de Grasse, où un émissaire de l'antenne niçoise du réseau « Tartane », auquel, dans un autre coin de France est affilié François Mitterrand, vient rencontrer son oncle Philippe et son père André pour mettre sur pied, avec eux, une antenne de résistance locale. « *Goupille* » – c'était le nom de guerre de cet émissaire – se souviendra toujours de « ce jeunot silencieux, en culottes courtes, avec un béret vissé sur la tête ». Un pied au collège, l'autre, déjà, dans la clandestinité.

« Le gamin était un acharné qui voulait tout casser, se souvient l'oncle Philippe. Et il avait, pour son âge, une autre qualité : il savait tenir sa langue. »

Ainsi naît à Grasse le groupe « Tartane-Piraterie », lié au groupe niçois « Tartane-Masséna » et enregistré à Londres sous l'appellation « Tartane-Phratrie », à la suite d'une mauvaise transmission radio.

Par la force des règles ancestrales c'est l'aîné du clan, Philippe, qui en assure le commandement et, dès l'occupation de la zone sud par les troupes allemandes, la famille s'installe dans une vie souterraine. Les envahisseurs et leurs séides trouveront en face d'eux un « commando Pasqua », invisible mais parfaitement organisé et, entre les pères, les fils, les oncles et les femmes qui, naturellement, suivent les hommes, les uns très vite au maquis, les autres restés en ville, les Occupants s'y perdront un peu.

Philippe, du commissariat, tient le rôle du chef d'orchestre. Sa famille travaille à la chaîne : ici on fabrique les faux papiers, là on assure la liaison avec les maquisards, là encore on espionne. La dispersion de la famille dans plusieurs quartiers de Grasse aide à donner le change aux « collabos ».

Mais les sympathies de Philippe et de sa femme pour le Parti communiste sont connues et la police allemande le soupçonne très vite d'appartenir à la résistance. Il est arrêté et incarcéré à la prison de Nice, puis à Marseille.

Par la force des choses, c'est son frère, André, qui le remplace à la tête du « commando » occulte. Et si André Pasqua dit alors à son fils Charles : « Quand un Pasqua tombe, un autre prend sa place », ce n'est pas parce que la répartie est théâtrale mais parce que dans la famille cela va de soi.

A quinze ans et demi Charles Pasqua entre donc, officiellement, dans la confrérie secrète des agents de la France libre. Dans les venelles de l'antique cité où courait l'enfant insouciant, l'adolescent revenant du collège marche en retenant son souffle. La place du Petit-Puy, la place du Barri, les rues Trecastel, Rêve-Vieille, de la Délivrance ne délimitent plus un périmètre de jeux mais un théâtre d'opérations.

La mission du groupe « Tartane-Phratrie » consiste uniquement à recueillir des renseignements pour les Alliés. Il ne participe pas physiquement aux opérations de sabotage, prises en charge par les maquisards de l'arrière-pays.

Pendant deux ans, Charles Pasqua – pardon! « Prairie » – va prendre une part quotidienne à cette tâche de collecte d'informations. Après les heures de cours au collège, il fait équipe avec son meilleur copain chez les scouts, Raymond Dupont, dont les parents – des fleuristes – présentent l'avantage stratégique d'habiter un carrefour qui constitue l'un des meilleurs postes d'observation de la ville pour noter les mouvements des convois de troupe.

Tous deux jouent les gamins facétieux, musardant à travers les collines environnantes, entre Grasse et Nice, histoire de situer les emplacements des batteries de défense de l'ennemi et d'opérer des relevés topographiques. Une mission excitante comme un jeu de piste! « Nous avions le sentiment que tout, à cette époque, était possible et qu'il ne pouvait rien nous arriver, racontera Charles Pasqua. J'ai toujours eu le goût des actions héroïques. Tout petit, je me voyais général sur un cheval blanc. J'étais hanté par Jeanne d'Arc, Napoléon... »

Chargés de photographier un champ de mines, « Prairie » et « Bosquet » désamorcent, avec leurs couteaux de scouts, une trentaine d'engins anti-personnels destinés à empêcher les parachutages. Ils en ramènent gaillardement un exemplaire à leur chef de section qui les sermonne vertement. Installé place Beauvau, Charles Pasqua sera fait « démineur d'honneur » par les spécialistes de la police et sa « mine d'honneur » ne quittera pas son bureau.

Une mission excitante mais très dangereuse. Surtout au printemps de 1944, lorsque les Occupants se retrouvent acculés à la défensive. « Prairie » manque de peu de se faire arrêter à son tour alors qu'il descend à Nice en car livrer le courrier grassois à « Tartane-Masséna ». L'autobus est contrôlé deux fois. La première par une patrouille de la Wehrmacht. Charles Pasqua lit ostensiblement le journal des « collabos » et le soldat qui l'inspecte ne s'intéresse pas au paquet qu'il a déposé dans le filet à bagages. Un paquet soigneusement camouflé, par « Bosquet », en colis adressé par un notaire à un confrère. Au deuxième contrôle, à Saint-Laurent-du-Var, ce sont les SS qui, cette fois, fouillent l'autobus et l'un d'eux commence à interroger le jeune homme au sujet de ce paquet. Charles Pasqua fait mine de ne rien comprendre. C'est un gendarme corse qui lui sauve la mise en s'adressant à lui dans la langue de ses grands-pères et en rassurant faussement le SS. Ce jour-là, « Prairie » a toutefois connu la plus grande trouille de sa vie, et le courrier de « Tartane-Phratrie », attendu dans la matinée dans un restaurant proche de la gare de Nice, ne sera livré qu'en début d'après-midi, le jeune « facteur » ayant fait mille détours pour éviter toute filature...

Un mois plus tard, c'est le débarquement de Normandie. L'oncle Philippe, toujours emprisonné, a été transféré à Compiègne et, en ce 6 juin 1944, il est déporté au-delà du Rhin.

A Grasse, comme ailleurs, les représailles allemandes contre les maquisards se font encore plus dures. Tous les Pasqua sont considérés comme des suspects en puissance. Ils sont surveillés. Il s'en faut de peu que les gendarmes ne découvrent un jour un revolver caché dans la chambre de Charles. En voyant les gendarmes et les Allemands arriver devant la maison pour la fouiller, l'une des tantes du clan, Adelaïde, a heureusement la présence d'esprit de les devancer discrètement et de faire disparaître le " Parabellum " compromettant.

Une autre fois, deux des frères cadets d'André Pasqua, prévenus par un ami, ont tout juste le temps d'enfourcher un vélomoteur pour s'enfuir à l'approche de la patrouille qui venait les arrêter et qui ne les reconnaît pas lorsqu'ils passent par hasard à côté d'elle à un carrefour...

Malgré cet art familial de l'esquive, André Pasqua et son fils Charles sont arrêtés par les Waffen-SS au début du mois de juillet. « Prairie », qui n'a pas son pareil pour « *faire l'innossent* » est libéré presque aussitôt mais son père est incarcéré à la caserne Kellerman, la mâchoire brisée par un coup. Faute de pouvoir prouver qu'il appartient à la Résistance, les Waffen-SS le remettent à la Wehrmacht.

Charles Pasqua est déjà devenu, à dix-sept ans, cet « animal à sang froid » – selon sa propre expression – qui fera ultérieurement merveille dans les joutes politiques. Une obsession l'habite : empêcher à tout prix les Allemands de déporter son père. Pas question qu'André subisse le même sort que Philippe. Le clan met au point un plan d'évasion. Charles sert d'agent de liaison, car, par chance, il existe un moyen de communiquer avec le prisonnier. La cellule d'André Pasqua s'ouvre en effet juste en face de l'un des appartements de la famille situé sur l'avenue Sidi-Brahim, et il peut converser en corse, par-dessus la rue, avec son fils cadet.

Au bout de dix jours de détention, Charles Pasqua et ses parents décident de passer à l'action. Tout est prêt pour délivrer son père. Il va le prévenir : « C'est pour cet après-midi. » André tente de dissuader son fils : « Ne faites pas les imbéciles, ça va s'arranger. »

Charles n'en croit pas un mot. Pourtant, quand, à midi, il redescend du centre ville vers la caserne Kellerman pour participer à l'opération il est tout surpris de rencontrer son père, à hauteur du Jardin des Plantes. André Pasqua vient d'être relâché par la Wehrmacht qui n'a rien trouvé à lui reprocher. Et il veut rester à Grasse ! Pour obéir aux ordres de Londres : ne pas bouger, rester sur place pour préparer le débarquement de Provence.

Charles, au contraire, insiste pour que son père rejoigne le maquis, car il craint que les SS ne viennent le rechercher pour le remettre en prison. Ils le feront l'après-midi... mais André Pasqua aura finalement suivi les conseils de son fils.

A 16 heures, ce jour-là, tous deux prennent le car pour Thorenc; ils vont rejoindre le maquis de Saint-Vallier. Leur autobus est stoppé par un barrage de Waffen-SS qui commencent à fouiller les valises des voyageurs. Cette fois, c'est l'intervention véhémente du chauffeur, pressé par ses horaires, qui écourte ce contrôle. Les valises d'André et de Charles Pasqua ne seront pas ouvertes. Si elles l'avaient été le père et le fils auraient sans doute été fusillés après interrogatoire tellement elles contenaient de preuves de leurs activités clandestines.

Ils partageront la vie des maquisards pendant deux mois environ. Jusqu'au succès de l'opération « Dragoon », déclenchée à l'aube du 15 août 1944.

C'est chez un cantonnier communiste que le soir du 14 août Charles Pasqua a entendu les messages annonçant le débarquement de Provence et demandant aux maquisards de saboter les ponts et de se mettre à la disposition des troupes régulières : « *Nancy a le torcicolis... Je répète : Nancy a le torticolis* », puis : « *Le chasseur est affamé... Le chasseur est affamé...* » Il a pris un vélo pour rejoindre son père au milieu des maquisards. La nuit était belle. Il se sentait des ailes. Jamais il n'avait pédalé aussi vite. Les grillons chantaient comme s'ils avaient senti approcher, eux aussi, l'heure de la victoire.

A l'excitation du jeune combattant de l'ombre s'ajoutait l'envie irrésistible de participer aux combats à visage découvert. Sans le dire à son père, il désire se rendre où l'on va se battre. Le lendemain matin il saute dans la première camionnette en partance vers la côte. Le chef du groupe lui ordonne de quitter le véhicule en le rappelant à la discipline. Il s'exécute, humilié. Quelques dizaines de kilomètres plus loin ce groupe de maquisards est exterminé dans une embuscade tendue par les Allemands.

Charles Pasqua découvre que l'euphorie de la Libération n'élimine pas la mort. Il en fait même une expérience encore plus directe dans les jours qui suivent, alors que les maquisards de la région de Puget-Théniers aident les troupes alliées à libérer le pays. Parfois les balles sifflent à ses oreilles. Un soir, un éclaireur à peine plus âgé que lui, un lieutenant que tout le monde appelait « Jeannot » tombe devant lui, mortellement atteint par une sentinelle allemande. Ce n'est qu'en 1986 qu'on connaîtra l'identité exacte de cet adolescent : Hannès-Prandi. Son nom figure aujourd'hui sur la liste des trente-deux martyrs grassois victimes du nazisme.

Ce premier contact physique avec la mort, Charles Pasqua ne l'oubliera pas mais il n'en parlera jamais.

Les bonnes nouvelles, alors, chassent vite les mauvaises. En Provence, l'opération « Dragoon » est une réussite totale.

De Gaulle vient de constituer son premier gouvernement et toute la famille Pasqua est fière d'y voir un Corse y participer en la personne de Paul Giaccobi, nommé ministre du Ravitaillement. Tant pis pour les Gavinistes!

Pour les Français de la région, la guerre est presque terminée. Comme tout le monde les Pasqua rentrent chez eux, à Grasse. Tous sauf l'oncle Philippe dont ils n'ont plus aucun signe de vie.

André Pasqua est affecté au comité d'épuration mais la plupart des collaborateurs ont pris la fuite depuis longtemps. Charles, lui, appartient, avec d'autres jeunes maquisards, à une « unité de sécurité », chargée de veiller au maintien de l'ordre et de contrôler, au besoin, les maquisards des FTP, portés parfois, dans leurs représailles, à certains excès. Pour la première fois il s'oppose aux militants communistes, conformément aux consignes gaullistes. Son efficacité est remarquée.

Le spectacle des troupes alliées triomphantes lui donne plus que jamais l'envie de partir avec elles jusqu'à Berlin. Ses parents ne veulent pas en entendre parler. Si la guerre se termine les règles familiales doivent reprendre leurs droits. André et Françoise Pasqua veulent que leur fils finisse ses études secondaires et passe son baccalauréat. Charles en éprouve une pointe d'amertume : le bac ne vaut pas la marche de l'Histoire.

Il n'en dit rien mais il donnerait cher pour foncer sur Berlin, ou à défaut sur Turin, avec les armées alliées qui bousculent les dernières défenses nazies et fascistes.

Quelle rage de devoir se contenter de suivre les ultimes exploits à la radio et dans les journaux!

Dans les Alpes, la bataille continue de faire rage. Les troupes du général Doyen confirment leur bravoure à l'assaut de l'Authion, où elles prennent un à un les forts de la Forclaz, Mille-Fouches, Sept-Communes, Plan-Caval.

De Gaulle en personne vient à Nice, le 9 avril 1945, pour annoncer à la foule en liesse que « nos armées vont franchir les Alpes ». C'est fait! Les Français ont « nettoyé » les hauteurs de la vallée de la Roya et entrent à Tende et La Brigue. Toute la Provence explose de joie. Le 2 mai, les forces nazies et fascistes d'Italie déposent les armes. En Allemagne, la capitulation intervient six jours plus tard.

La tribu Pasqua a déjà repris son sillon, fidèle aux préceptes de Capellone et Carletto : quand on a fait son devoir il n'y a pas de remerciements à attendre, encore moins d'honneurs. On recommence à travailler. Un point, c'est tout.

Françoise Pasqua continue de pointer à la fabrique de

parfums. Son mari a repris du service au commissariat de police; il va vite rattraper les galons que les pétainistes lui ont fait perdre. Mais la joie, la vraie joie, la famille ne l'éprouve que quelques semaines après la Victoire. Le jour où réapparaît, épuisé mais vivant, le cher oncle Philippe qui raconte son incroyable odyssée : de Compiègne il a été déporté, le jour du débarquement en Normandie, dans un stalag allemand par les renégats russes du général Vlassov, et ce sont les troupes soviétiques qui l'ont libéré. Mais comme ces Russes-ci ne lui inspiraient pas plus confiance que ces Russes-là, il a voulu rentrer au pays par ses propres moyens et, pendant huit jours, avec quelques compagnons, il a progressé entre les lignes soviétiques et les troupes alliées avant de se mettre sous la protection de ces dernières, allergique pour toujours à la main de Moscou.

Maintenant, oui, la vie des Pasqua peut reprendre son cours. La Résistance appartient déjà au passé. Les membres du réseau Tartane reçoivent les félicitations du chef d'état-major du général Eisenhower « pour les magnifiques résultats obtenus », par « ces hommes courageux restés calmement à leur poste, accomplissant une tâche essentielle et qui ont fourni aux Alliés d'abondants renseignements militaires » grâce à « sept cents rapports télégraphiques » et « trois mille documentaires ».

A la Libération, rendant hommage à l' « admirable courage » de Charles Pasqua et à son « patriotisme ardent », son chef de réseau racontera comment, « toujours volontaire pour les missions dangereuses », il avait « tenu tête à un officier allemand, gardant un silence magnifique sur tout ce qu'il savait alors qu'il avait été arrêté avec son père, le brigadier-chef de police André Pasqua ».

Au collège, Charles Pasqua décrochera aussi son bac. Il doit se résoudre à redevenir un garçon comme les autres. Les vacances qui suivent ont pour lui un terrible goût de nostalgie...

L'entrée en religion

Cette nostalgie de la Résistance, qui a consumé son adolescence mais qui a forgé son caractère, ses comportements, son engagement militant, sa carrière politique, Charles Pasqua la gardera toute sa vie.

« A l'époque, soupirera-t-il plus tard, il y avait les bons et les méchants... » Il y aura désormais, pour lui, les Résistants et les autres.

Si à dix-huit ans ce jeune homme svelte et bien charpenté est encore moins bavard qu'avant la guerre, ce n'est pas simplement parce que l'expérience lui a appris les vertus de la discrétion.

S'il ne parle guère, c'est tout simplement parce qu'en se taisant il a l'impression de freiner la fuite du temps, de protéger ses souvenirs, conserver intacte la mémoire de cette époque à la fois si proche et déjà si lointaine, retenir les images, les sons, les parfums, les émotions, les empêcher de s'effacer : « Je me souviens de tout ça comme si c'était hier », dit-il aujourd'hui.

Son regard sur le monde et les hommes en sera pour toujours acéré : « Cette époque transcende tout. Le vrai clivage entre les hommes politiques se situe entre ceux qui ont connu la guerre et ceux qui ne l'ont pas connue. Le compagnonnage de ceux qui l'ont connue transcende les clivages politiques. Voilà pourquoi j'ai de la sympathie pour certains " cocos " et pour certains socialistes; je ne ferais rien contre eux. » Avec dans la voix, une pointe de regret : « Nous sommes à une époque charnière. Les hommes de conviction ont aujourd'hui la soixantaine et les jeunes qui forment la relève n'ont pas connu l'épreuve du feu et les vraies choses difficiles. Chirac, lui non plus, n'a pas connu la guerre... »

Le culte de l'amitié deviendra sa référence suprême : « Quelqu'un qui n'a pas le sens de l'amitié n'est rien. L'amitié doit tout dépasser. »

Personnellement, il a acquis la maîtrise de lui-même, appris à ne pas mésestimer l'adversaire, à se mettre à sa place pour anticiper ses coups, à ne pas parler pour ne rien dire, à savoir écouter et à trouver le mot juste lorsqu'on parle. Il sait tout de la guérilla et des méthodes qui permettent de gagner face à des adversaires supérieurs en armes. Il saura adapter ces connaissances à ses futurs combats politiques.

Plus rien ni personne n'impressionnera Charles Pasqua. Sauf ses parents et le général de Gaulle.

Pouvait-il y avoir, entre 1940 et 1945, un gaullisme « raisonnable »? Celui de Charles Pasqua relevait et relèvera toujours de la mystique. Il ne l'avait pas vu, ce grand escogriffe dominateur, mais il le vénérait comme un dieu : « De Gaulle, c'était un mythe! S'il avait été Tito j'aurais été communiste. S'il avait été communiste, j'aurais été " coco " sans hésitation. Et s'il m'avait demandé de mourir pour lui je l'aurais fait aussi sans hésiter. » Et puis, « on n'a pas besoin de voir quelqu'un pour y croire. Les chrétiens croient bien au Christ sans l'avoir vu! »

Charles Pasqua sera gaulliste comme on devient « combattant de la foi ».

Il sera donc, d'abord, farouchement anticommuniste et il le restera. Car dès 1945 les « bons » sont divisés en deux camps : ceux qui se regroupent autour du Parti communiste et de son Front national, pour tenter de poursuivre dans la France libérée l'œuvre sociale engagée en 1936 par le « Front popu », et ceux qui ne jurent plus que par de Gaulle et son Mouvement de libération nationale. Les disputes gauloises ont repris le dessus.

Certes, Charles Pasqua accepte volontiers, un soir, l'invitation d'un militant de la SFIO, qui cherche à le convaincre de rejoindre les rangs socialistes. Mais, quand il constate que la salle de réunion est remplie de tout ce que Grasse compte de fils de bourgeois et autres parfumeurs, il tourne les talons. Il ne supportera jamais les privilèges du sang et le fera savoir, entre 1981 et 1986, à certains des dirigeants socialistes, en particulier à Laurent Fabius et Michel Rocard.

La situation économique du pays, au sortir de la guerre, est désastreuse. Les Français manquent d'électricité, de viande, de pommes de terre. L'intendance ne suit pas. De Gaulle ne fait plus l'unanimité. Sa popularité et celle de son gouvernement d'union nationale sont ébranlées.

Les communistes exploitent les mécontentements en appelant à l'union de la classe ouvrière. Dès le 18 novembre 1945, devant les cadres de l'Union des syndicats de la région parisienne, le secrétaire général de la CGT, Benoît Frachon, déclare : « Nous n'avons pas le gouvernement que nous souhaitons. Il faut que cela change. Nous ne doutons pas que la classe ouvrière soit convaincue de la nécessité d'un gouvernement audacieux s'appuyant sur une solide majorité parlementaire. »

Les socialistes font chorus pour ne pas être en reste. Ils s'opposent déjà à la « politique de grandeur » du général de Gaulle et l'accusent de « planer un peu trop au-dessus des réalités quotidiennes ». Classe contre classe. La France des partis a renoué avec ses démons.

Ce sont d'ailleurs les socialistes qui provoquent la crise, le 1er janvier 1946, en dénonçant les dépenses militaires du gouvernement. Comme le MRP lui-même ne le soutient plus que du bout des lèvres l'Homme du 18 Juin est prié d'aller méditer sur l'ingratitude humaine. Il est 21 h 30, le 20 janvier, quand la lettre de démission de De Gaulle est remise par le directeur de son cabinet civil, Gaston Palewski, au président de l'Assemblée constituante, Félix Gouin. Une demi-heure après, Gaston Palewski convoque la presse pour lui dire : « Le général de Gaulle ne démissionne pas : il quitte son poste et cela irrévocablement. »

Renonçant à s'adresser aux Français par le canal de la radio, Charles de Gaulle se retire au château des Sept-Fontaines, près de Mézières, chez son beau-frère, M. Jacques Vendroux. Le 23 janvier Félix Gouin lui succède à la tête du gouvernement.

Charles Pasqua, la tête encore pleine des mythes nourris pendant la Résistance, découvre, effaré, le jeu politique. Il abhorre, instantanément, ces partis trop sots pour ne pas voir le génie du Général.

Bien qu'il n'ait pas encore l'âge de pouvoir voter il a participé, en famille, à Grasse, à la campagne électorale d'octobre 1945 pour les élections à la première Assemblée constituante et le référendum qui a donné à cette assemblée un délai de sept mois pour préparer une Constitution. Un tel « schisme », pourtant, lui paraît inconcevable. Stupeur. Et dire qu'il y a quelques jours à peine, début janvier, de Gaulle était en vacances tout près d'ici, à Juan-les-Pins, à la villa « Sous le vent »! Il a même tenu des propos anodins aux journalistes en leur parlant de l'avenir touristique de la Côte d'Azur.

Comment faire pour qu'il revienne au pouvoir et clouer le

bec à tous ces politiciens prétentieux qui ne lui arrivent pas à la cheville?

Charles Pasqua adhère sur-le-champ à l'Union gaulliste créée par l'ancien ministre de l'Éducation du général, René Capitant. Il ne s'agit pas d'un parti politique mais son objectif est néanmoins d'entrer dans l'arène pour faire aboutir les vues de de Gaulle.

L'atmosphère est des plus lourdes. Aux difficultés économiques et aux querelles politiques s'ajoutent – déjà! – plusieurs scandales dénoncés par le nouveau ministre du Ravitaillement, Yves Farge. Le « scandale du vin » oblige Félix Gouin en personne à s'expliquer dans les colonnes de *Combat,* et l'un de ses jeunes secrétaires d'État, Gaston Defferre, se bat en duel au pistolet avec le directeur de *L'Aurore* (il n'y a eu aucune égratignure mais les deux hommes ne se sont pas réconciliés). Le « scandale de la production industrielle » met en cause un ministre communiste, Marcel Paul, accusé de transformer la répartition des produits en instrument de propagande.

Lassés, les électeurs boudent le référendum du 13 octobre 1946 demandant aux Français d'approuver la nouvelle Constitution, dont le contenu a été très vivement critiqué par le général de Gaulle. Celui-ci reproche à ses auteurs de n'avoir pas adopté le principe de la séparation des pouvoirs, de ne pas avoir donné des prérogatives suffisantes au président de la République et, surtout, de laisser s'installer au-dessus de l'État l'omnipotence de partis divisés et incapables de faire en sorte que la France soit gouvernée par « une équipe d'hommes unis par des idées et des convictions semblables, réellement et obligatoirement solidaires dans tous leurs actes ».

Dans son discours du 22 septembre 1946, à Épinal, le général de Gaulle a ajouté : « Dans ce monde dur et dangereux où le groupement ambitieux des Slaves, réalisé bon gré, mal gré, sous l'égide d'un pouvoir sans bornes, se dresse automatiquement en face de la jeune Amérique toute débordante de ressources et qui vient de découvrir à son tour les perspectives de la puissance guerrière, alors que l'occident de l'Europe est pour un temps ruiné et déchiré, la France et l'Union française n'ont de chances de sauvegarder leur indépendance, leur sécurité et leurs droits que si l'État est capable de porter dans un sens déterminé une responsabilité pesante et continue. »

La grandeur de la France, l'autorité de l'État. Deux thèmes que Charles Pasqua, devenu militant par passion et fidélité, ne cessera de cultiver.

Sa vie personnelle en devient presque accessoire.

Quand le 16 janvier 1947 Vincent Auriol est élu président de la République, Charles Pasqua étudie négligemment le droit à l'Institut d'études juridiques de Nice, une annexe de la faculté d'Aix-en-Provence, installée dans une villa appartenant à la municipalité. Il y rencontrera, à l'automne de cette année-là, le fils du maire de Nice qui succédera plus tard à son père, un certain Jacques Médecin, avec lequel il nouera des relations amicales.

Il découvre aussi, en même temps, le charme des petits boulots pour aider ses parents à payer ses études. C'est ainsi qu'il travaille, à l'occasion, pour un négociant en vins de l'avenue Sidi-Brahim. On le verra également encaisser des créances pour le compte d'un détective privé. Mais son esprit est ailleurs.

Sous la façace de ses certitudes politiques accrochées à l'astre gaullien Charles Pasqua est mal dans sa peau. Il n'a que vingt ans, l'âge, d'habitude, de tous les rêves, de toutes les espérances. En vérité, la guerre lui a volé sa jeunesse et il ne parvient pas vraiment à s'intégrer dans cette société féroce, si différente de la Résistance fraternelle. La guerre a également distendu ses racines corses. Les souvenirs des vacances d'été chez les cousins de Casevecchie ressemblent à ces cartes postales jaunies par le temps. A vingt ans Charles Pasqua est un soldat démobilisé et qui découvre que sa spécialité guerrière devient obsolète dans le monde où il retourne. S'il s'arrime à de Gaulle c'est aussi parce qu'il a besoin de croire.

La France, elle aussi, a du mal à retrouver une stabilité.

Le nouveau président socialiste du Conseil, Paul Ramadier, est parti en campagne contre les prix. Il prend des mesures pour interdire le stockage abusif des marchandises et assainir la profession commerciale. « Il est temps enfin de moraliser le commerce en faisant le départ entre le commerçant honnête, respectueux de ses engagements et soucieux de la loi, et le spéculateur d'occasion qui vend n'importe quoi, n'importe comment, trafiquant en chambre, carambouilleur sans vergogne, qui fait fortune au hasard des cours sur un coup de téléphone, déclare-t-il le 8 février. Le commerçant honnête ne peut être victime du margoulin. »

Mais si l'on veut que les prix baissent, il vaut mieux que la production augmente. Or, c'est le contraire qui se produit. La production houillère est en train de diminuer; les hauts fourneaux fournissent moins d'acier; les usines d'automobiles, l'industrie chimique, les papeteries et même les chemins de fer tournent au ralenti. Partout l'on manque de main d'œuvre et les grèves se multiplient pour réclamer de meilleurs salaires. Malgré les sages réflexions de Léon Blum qui écrit le 5 février, dans *Le Populaire* : « En l'état des choses actuel il ne me paraît pas possible de mener de front une opération de baisse des prix et une opération de relèvement général des salaires. Chacun a le droit de choisir mais il faut choisir. »

La tâche de la reconstruction de la France apparaît au-dessus des forces des partis politiques, qui se déchirent au fil des crises ministérielles alors que de nouveaux « scandales » éclatent.

L'affaire Joanowici : un ancien brocanteur d'origine roumaine a réussi à édifier une fortune de plusieurs milliards en vendant des métaux non-ferreux aux Allemands pendant l'Occupation. Il est arrêté, accusé d'avoir collaboré avec la Gestapo, puis libéré, menacé d'une seconde arrestation et finit par disparaître au moment où l'on apprend qu'il a aussi été le bailleur de fonds du mouvement de résistance « Honneur et police ». Le préfet de police est suspendu, le préfet du Loir-et-Cher révoqué, plusieurs policiers inculpés.

L'affaire de la prison de Fresnes : on découvre que des détenus, à la demande de personnalités extérieures mal identifiées, ont préparé de faux documents destinés à compromettre Vincent Auriol, Georges Bidault, le général de Gaulle lui-même.

L'affaire du couvent d'Alfortville : une quarantaine de mitrailleuses ont été découvertes chez des religieuses qui ont donné asile à des miliciens en les aidant à se soustraire à la justice.

Il règne une atmosphère de complot permanent. La fébrilité générale occulte, en Afrique du nord, les violences annonciatrices de la guerre d'Algérie.

La famille Pasqua vit avec ce qui est devenu son obsession et sa prière : quand les Français prendront-ils conscience que seul de Gaulle peut mettre fin à cette chienlit?

Le Général sort de son silence le 30 mars 1947 à Bruneval, en pays de Caux, où il est venu commémorer l'exploit d'un commando allié. Devant cinquante mille personnes il lance : « Le jour va venir où, rejetant les jeux stériles et réformant le cadre mal bâti où s'égare la nation et se disqualifie l'État, la masse immense des Français se rassemblera avec la France. »

Les dirigeants politiques et les observateurs s'interrogent sur cette petite phrase et le sens du rassemblement annoncé.

Les Pasqua, eux, ont compris que le Général va bientôt, une nouvelle fois, faire publiquement appel à eux. Paul

Ramadier lui aussi l'a compris et il perçoit une menace contre le régime parlementaire. A ses yeux, de Gaulle n'est alors qu'un autre général Boulanger : « Toutes les forces françaises se rassemblent victorieusement parce qu'elles sont nées par une idée mais non par la grandeur d'un homme, réplique-t-il en Avignon. Il n'y a point de sauveur suprême. »

De Gaulle n'en a cure. Une semaine plus tard, le 7 avril, à Strasbourg, il précise sa pensée : « Nous devons refaire l'Europe et demeurer des Occidentaux. Voilà ce qui nous attend. Pour mener à bien une telle tâche il faut réformer l'État. Il est temps que les Français et les Françaises qui pensent et sentent ainsi, c'est-à-dire, j'en suis sûr, la masse immense de notre peuple, s'assemblent pour le prouver. Il est temps que se forme et s'organise le rassemblement du peuple français qui, dans le cadre des lois, va promouvoir et faire triompher, par-dessus les différences des opinions, le grand effort de salut commun et de réforme profonde de l'État. »

Le Rassemblement du peuple français (RPF) est officiellement créé le 14 avril, par la déclaration suivante du général de Gaulle remise à la presse :

« *Dans la situation où nous sommes, l'avenir du pays et le destin de chacun sont en jeu. Cela chaque Français le sait.*

Pour nous assurer la prospérité économique, la justice sociale, l'unité impériale, la puissance extérieure, sans lesquelles nous perdrions jusqu'à la liberté des citoyens et l'indépendance de la France, la nation doit se rassembler dans un long et puissant effort de travail et de rénovation. Cela, chaque Français le voit.

Pour marcher droit vers son but il faut que la nation soit guidée par un État cohérent, ordonné, concentré, capable de choisir et d'appliquer impartialement les mesures commandées par le salut public. Le système actuel, suivant lequel des partis rigides et opposés se partagent tous les pouvoirs, doit donc être remplacé par un autre où le pouvoir exécutif procède du pays et non point des partis, et où tout conflit insoluble soit tranché par le peuple lui-même. Cela chaque Français le sent.

Aujourd'hui est créé le Rassemblement du peuple français. J'en prends la direction. Il a pour but de promouvoir et de faire triompher, par-dessus nos divisions, l'union de notre peuple dans l'effort de rénovation et la réforme de l'État.

J'invite à se joindre à moi dans le Rassemblement toutes les

Françaises et tous les Français qui veulent s'unir pour le salut commun, comme ils l'ont fait hier pour la libération et la victoire de la France.

Vive la France!

Vive la République! »

Dans les Alpes-Maritimes le RPF existe déjà depuis quatre jours. Il s'est officiellement institué le 10 avril, à l'initiative d'un autre ancien résistant, le commandant Camille Rayon – « Archiduc » dans le maquis – qui avait été chargé de mission auprès de De Gaulle et mis au parfum par Gaston Palewski.

Ce délégué du Général s'est donné deux jeunes adjoints choisis parmi les membres les plus actifs de l'Union gaulliste : un avocat qui a fait une brillante campagne d'Afrique et de France, d'Alger à Strasbourg, Pierre Pasquini, et Charles Pasqua. Le premier s'occupera du RPF sur la rive gauche du Var, côté Nice; le second sur la rive droite, côté Grasse. Un tandem corse de choc.

Dès lors, Charles Pasqua consacre plus de temps au militantisme qu'à l'étude du droit, et cette activité débordante va le conduire... au mariage. Au nombre des premiers adhérents du RPF figure, en effet, une jeune blonde douce, discrète, timide, Jeanne Joly, d'ascendances canadiennes, dont les parents sont installés sur la Côte d'Azur depuis 1933. Tous deux ont vingt ans. Coup de foudre. Comme le fils de Capellone et la fille de Carletto un quart de siècle auparavant. Mais Charles et Jeanne n'auront pas besoin, eux, de s'enfuir à dos de mulet pour pouvoir se marier. Ils le feront très vite, dès le 14 septembre de la même année, en pleine préparation des deux premières vraies campagnes électorales de Charles Pasqua.

Sa première victoire politique, l'actuel ministre de l'Intérieur l'a remportée aux dépens des vaincus italiens. Et même si lui-même ne pouvait pas le prévoir, elle a eu quelques prolongements, près de quarante ans plus tard, sur son propre rôle... en Nouvelle-Calédonie.

Le traité de paix signé le 10 février 1947 entre Paris et Rome avait entraîné des modifications de frontières qui provoquaient le rattachement à la France de cinq communes des vallées supérieures de la Tinée, de la Vésubie et de la Roya : Tende, La Brigue, Molliers, Pienne, Libri.

Toutefois la Constitution du 27 octobre 1946, disposait – avant celle de 1958 – que « *nulle cession, nul échange, nulle adjonction de territoire n'est valable sans le consentement des populations intéressées* ».

Un référendum d'autodétermination avant la lettre fut organisé, en conséquence, pour les populations concernées et le délai de résidence requis pour avoir le droit de voter fut alors de vingt-cinq ans pour tous les habitants qui n'étaient pas nés sur place ou qui n'étaient pas les enfants d'une personne née elle-même sur place. Transposées au cas de la Nouvelle-Calédonie, lors du référendum du 13 septembre 1987, ces modalités auraient bouleversé les données du scrutin.

Mais en cet automne 1947 les affaires calédoniennes ne faisaient pas encore partie des préoccupations du RPF. Pour ses délégués de la région niçoise l'important était d'assurer le rattachement de ces cinq communes à la France. Les Tendasques et les Brigasques eurent ainsi l'insigne privilège de voir en action, dans leurs vallées reculées, pendant plusieurs semaines, camouflés en vulgaires colleurs d'affiches, un futur ministre de l'Intérieur – Charles Pasqua – et deux futurs notables du Parlement – Pierre Pasquini et Jacques Baumel – qui créèrent de toute pièce un Comité de rattachement de Tende et de Brigue à la France, sous l'œil attentif d'un futur président du Conseil constitutionnel, Gaston Palewski.

Ce fut un festival de pinceaux et de colle, sous la protection rapprochée de Charles Pasqua, pour appeler les vaillantes populations de ces cinq communes ligures à se rallier à « *la France immortelle* », « *au sein de la glorieuse nation qui par ses sacrifices et sa valeur incarne aujourd'hui sur le continent* – disaient les affiches – *avec une force et une jeunesse nouvelles, les grands principes républicains et démocratiques* ».

Avec, au bout de cette campagne un succès franc et massif, 2 603 contre 219 des 2 845 électeurs inscrits votant pour leur réintégration au sein de la République française.

Cette expédition électorale avait constitué un bon entraînement pour la campagne des élections municipales des 19 et 26 octobre 1947.

De Gaulle avait pris le mors aux dents, accomplissant un tour de France qu'on eût appelé plus tard « à l'américaine ». Son discours du dimanche 5 octobre sur l'hippodrome de Vincennes, préparé par le colonel Rémy, avait donné lieu à une publicité considérable et à une mise en scène grandiose : une haie de mâts gigantesques ornés d'oriflammes à la croix de Lorraine encadrait le podium. La foule avait répondu à l'appel : il y avait eu près de cinq cent mille personnes pour acclamer le Général quand il avait raillé « ces petits partis qui cuisent leur petite soupe au petit coin de leur feu ».

Le RPF voulait frapper un grand coup et il s'était organisé

comme un vrai parti, avec un vrai service d'ordre, le SO, qui donnera dix ans plus tard naissance au SAC.

Entre les militants gaullistes et les militants communistes la concurrence se révélait très musclée. Les organisateurs de réunions politiques, à cette époque, ne manquaient pas de volontaires pour porter la contradiction aux adversaires et les débats se terminaient souvent en bousculades.

C'est dans cette chaude ambiance que Charles Pasqua mena campagne, au service armé d'un ancien déporté d'origine alsacienne, Pierre Ziller, provençal d'adoption, qui avait été désigné pour conduire la liste gaulliste à Grasse. Une campagne difficile, les communistes ayant en matière de militantisme plus d'expérience que les gaullistes.

Charles Pasqua y fait pourtant remarquer, pour la première fois, son sens de la repartie, un soir, au cours d'une réunion publique à Plan-de-Grasse, où son candidat est en difficulté face au candidat communiste auquel il est venu porter la contradiction. L'orateur du PCF professant son patriotisme avec fougue, Charles Pasqua l'interrompt pour citer un article du journal *Pravda* disant que pour les patriotes français la guerre a commencé le 21 août 1941, date de l'assassinat à Paris d'un aspirant de la marine allemande par le colonel Fabien. « Il me semble pourtant, ajoute-t-il d'une voix forte, que le 21 août 1941 la France était depuis longtemps au combat; mais vous, vous avez attendu que l'Allemagne attaque l'Union soviétique, que les Allemands déchirent le pacte germano-soviétique! » Sa flèche fait mouche. Un orateur est né.

Au soir du deuxième tour, le RPF triomphe en recueillant à lui seul plus de voix que les autres partis : plus de 38 %. Il conquiert non seulement Paris mais les treize plus grandes villes de France, même celles au sud de la Loire qui cesse d'être une frontière politique naturelle.

Les Pasqua exultent : leur région a suivi le mouvement et leur ville de Grasse est elle aussi conquise.

Comme les autres militants gaullistes, Charles Pasqua pense que le général de Gaulle n'a plus qu'à se laisser porter par ce flot. Erreur! Car l'apogée du RPF n'aura pas les suites qu'il pouvait légitimement espérer au lendemain du scrutin municipal d'octobre 1947.

Malgré la pression des urnes et du général de Gaulle, l'Assemblée nationale élue l'année précédente refusera de prononcer sa dissolution, de modifier le régime électoral pour instaurer le scrutin majoritaire et de préparer une révision de la Constitution de 1946.

Paul Ramadier se bornera à remanier son cabinet. De

Gaulle continuera de prêcher en vain et, comme il n'aura pas les moyens d'imposer sa volonté au Parlement, le RPF perdra peu à peu son audience aux élections suivantes, jusqu'à sa disparition totale de la vie publique, en 1952, quand la rupture sera consommée entre le Général et ses élus divisés.

Lorsque Charles de Gaulle se retirera à Colombey-les-Deux Églises pour entamer sa traversée du désert, Charles Pasqua aura vingt-cinq ans et l'attitude des parlementaires à l'égard de son « héros » accroîtra son dégoût des partis politiques. Il ne s'en départira jamais complètement. Écœuré par les manigances des « petits partis », il décidera de se mettre en congé de la politique, calquant sa décision sur celle de l'homme qu'il vénère. « Le cheminement normal aurait dû me conduire à briguer un mandat électoral afin de parcourir le *cursus honorum* classique. Je ne l'ai pas fait, dira-t-il, d'abord parce que les gaullistes de l'ère militaire éprouvent un attrait mitigé pour la carrière politique... » Ensuite parce que Charles Pasqua, en désespoir de cause gaulliste, a décidé de se consacrer enfin à son avenir professionnel.

Entre-temps, toutefois, il aura réalisé son rêve de jeune maquisard : approcher de Gaulle, vivre dans son ombre. L'occasion lui en a été donnée, justement, au lendemain des élections municipales de 1947 quand il a été pressenti, en même temps que Pierre Pasquini, pour rejoindre les rangs du SO dirigé par le « Gorille », Dominique Ponchardier. Protéger le Général ! Charles Pasqua n'en espérait pas tant et il s'est investi totalement dans cette mission, au détriment de sa vie familiale et sans se préoccuper outre-mesure de sa carrière professionnelle, alors qu'il a interrompu ses études de droit après son mariage. Il vivote en étant plagiste à La Napoule. Il faut bien faire vivre sa jeune femme, Jeanne, qui attend un bébé pour 1948. Ils le baptiseront Pierre.

Protéger le Général ! Ce n'est pas une partie de plaisir, à cause, toujours, des communistes.

Le premier congrès du RPF, en avril 1948, à Marseille, donne des sueurs froides au préfet de police qui parvient, *in extremis*, à négocier un compromis par lequel les gaullistes et leurs adversaires s'engagent à éviter la confrontation de deux manifestations prévues le même jour. Sur le Vieux-Port, de Gaulle brocarde à nouveau les partis qui « répugnent par nature à l'union des citoyens qui forcément réduirait leur rôle et les ferait s'effacer devant l'intérêt général ».

Les partis font la sourde oreille.

Quelques mois plus tard un autre résistant, le jeune

François Mitterrand, entre au cabinet du nouveau président du Conseil Henri Queuille, qui lui offre le strapontin de secrétaire d'État auprès de la présidence.

Les deuxièmes assises nationales du RPF, en février 1949, à Lille, confirment que le mouvement gaulliste est déjà affaibli. Il a perdu le concours des radicaux et les chances d'une autodissolution de l'Assemblée nationale sont devenues nulles. Dans *Le Monde*, Jacques Fauvet souligne que « *la question qui se pose au RPF est désormais moins celle de la conquête du pouvoir que de son attente : il s'agit de calmer les impatients, de prévenir les découragements; la tâche est ingrate* ».

Charles Pasqua ne se pose pas de question. Il accomplit son travail d'apprenti « godillot » sans découragement, même – et surtout – quand les contre-manifestants du PCF viennent défier les membres du SO, comme c'est le cas, violemment, lors du meeting du Général du 18 septembre 1948, à Grenoble, où les affrontements font un mort et une vingtaine de blessés.

Sa récompense personnelle, il la trouve un jour de 1949, après le congrès de Lille, lorsque de Gaulle vient en visite à Grasse, où il décore André Pasqua et où Charles est préposé au logement de l'hôte illustre. Charles Pasqua veillera toute la nuit devant la villa du quartier Saint-François qu'il a dénichée pour le repos du Général.

Sa religion est faite : « On ne comprend rien de moi si l'on ne comprend pas que je suis un militant. »

Un militant qui, à vingt-cinq ans, en 1952, promène sur le petit monde hexagonal le regard d'un grognard fatigué.

L'épopée du pastis

Pour un Niçois, Marseille c'est l'ennemie. La rivale canaille, métèque et prolétaire, qui pollue l'image de la Côte d'Azur par son folklore de bazar aux odeurs d'anis et de merguez.

C'est vrai aujourd'hui. Ce l'était plus encore au sortir de la guerre, quand la cité phocéenne vivait de l'octroi, ce pourboire imposé sur tous les échanges, tous les trafics entre la métropole et ses colonies. Ville confondue avec son port, à la population incertaine, déracinée, cosmopolite, elle faisait peur à la Provence aux douces harmonies de lavande et de mimosa.

Charles Pasqua, élevé dans les collines parfumées de Grasse, partageait cette animosité, mêlée de crainte, des méridionaux de l'arrière-pays pour Marseille. Il avait plus de vingt ans quand il débarqua un jour à la gare Saint-Charles. Il se rappelle ses premières impressions : « Quand on arrive des Alpes-Maritimes, qu'on est peu expansif, qu'on garde son jardin secret et qu'on tombe sur cette ville où l'on parle fort et où tout est excessif, vous parlez d'un choc ! »

Ce choc, il se le serait volontiers épargné. Mais le dévouement aux services d'ordre gaullistes ne remplace pas un bon salaire à mensualités fixes. Et Charles Pasqua, au début des années 50, n'est guère qu'un étudiant empêché – pour cause de militantisme –, un collectionneur de petits métiers d'attente. Il s'est vite lassé des encaissements opérés pour le compte du recouvreur de créances. Son apprentissage du « plagisme » à La Napoule l'a dégoûté des bains de mer : le matin les matelas à étaler sur les plages, le soir les matelas à ranger, avec en prime l'accent et le sourire obligatoire au service des touristes... Pas une vie digne d'un jeune résistant frondeur en mal de démobilisation. Et, de toute façon, ces activités blessantes pour son orgueil ne lui permettaient pas de nourrir décemment Jeanne et leur petit Pierre.

Les compagnons de réseau? Ils connaissaient eux aussi le chômage. Les filières de l'emploi sont ailleurs. A Marseille, par exemple. André Pasqua, son père, vient d'être muté dans la police phocéenne. Il y restera jusqu'à sa retraite, avec le grade d'officier de paix principal. Sa famille, comme celle des Rinaldi, prendra désormais l'habitude de considérer Grasse comme la résidence de l'arrière-pays, une autre terre d'origine qu'on retrouve aux vacances. Presque une autre Corse. Jeanne et Charles décident de s'expatrier eux aussi, et de se soumettre à l'attrait de la grande cité bruyante.

La préfectorale ferait bien l'affaire du jeune militant. Pourquoi pas la coloniale? Il en prépare le concours, en regardant les bateaux charger pour Saigon, Dakar ou Alger. Un jour, il souffre d'une sinusite. Le médecin qui le soigne – et le familiarise avec le félibrige provençal – lui déconseille d'épouser toute carrière dans l'empire. Comme beaucoup d'autres à Marseille, ce praticien sent bien que les liens des colonies avec la France s'épuisent peu à peu. Chaque jour, des troupes embarquent à la Joliette pour la guerre d'Indochine.

Les gros transitaires, les savonniers, les armateurs de la bourgeoisie locale se préparent sans le dire à rapatrier leurs filiales, leurs capitaux du bout du monde tricolore.

En 1952, lorsque Charles Pasqua hésite encore à faire sienne la conviction de son médecin, Marseille s'essouffle à n'être que le lieu magique des échanges clos avec l'outremer. Le canal de Suez entre dans la zone des turbulences diplomatiques. L'Algérie montre des signes d'agitation et, sur le plan économique, conteste à la cité phocéenne son monopole séculaire de la transformation et des plus-values. Avant l'indépendance politique, Alger, Oran, mais aussi Rabat ou Tunis choisissent d'exporter elles-mêmes leurs oléagineux ou leurs dattes. Ailleurs. Marseille comprend rapidement que ces rébellions commerciales sont autant de révélateurs de contestations latentes, plus radicales.

Charles Pasqua renonce donc à la coloniale. Il ne se présente même pas au concours et, l'esprit toujours préoccupé, passe quelques semaines à décharger des ballots à l'entrepôt des tabacs. C'est son père qui lui donnera le coup de pouce décisif, grâce à l'association des anciens combattants et déportés de la police. La filière mène cette fois à la société Ricard, où travaille, bien sûr, un ami d'ami.

L'histoire qui suit est célèbre. C'est l'une des rares anecdotes concernant sa vie que Charles Pasqua aime raconter, sans doute parce que le dialogue qui la sert illustre à la fois un fond de bon sens proche de Marcel Pagnol et la rencontre de deux caractères bien trempés. Des caractères comme les apprécie Charles Pasqua.

Cet hiver-là, Charles monte donc à Sainte-Marthe, une banlieue des hauteurs de Marseille. La société Ricard, des pastis du même nom, y a son siège, juste à côté du camp militaire qui, après la guerre d'Indochine, se remplira des vagues incessantes du contingent en partance pour l'Algérie.

« Quelle est votre ambition, jeune homme?, demande Paul Ricard.

– J'irai aussi loin que je pourrai...

– Bien, vous commencez le 25 février. »

Pourquoi un 25 février? Pourquoi pas un 1er mars? Charles Pasqua se posera longtemps la question. Aujourd'hui, il met cet anachronisme sur le compte de l'originalité anticonformiste de celui qui devait tant marquer sa personnalité et sa carrière.

Après un compagnonnage de quinze ans, Paul Ricard et Charles Pasqua se sépareront brouillés, dit-on. Ils resteront longtemps en froid, puis se retrouveront de loin en loin. En 1987, le ministre de l'Intérieur assistera, sur le circuit Paul Ricard, au Grand Prix de formule un du Castellet. Les deux hommes, entourés de leurs anciens collaborateurs, regarderont les bolides foncer sur l'asphalte. Les représentants de la firme garderont secrets les échanges entre l'ancien chevalier d'industrie et son ex-directeur.

Que cette relation se soit ou non distendue avec le temps et les circonstances, Charles Pasqua ne cache pas sa profonde reconnaissance pour son maître professionnel. Les formules varient d'un interlocuteur à l'autre. Le général de Gaulle est parfois associé, dans l'hommage, au pastissier de Sainte-Marthe. Paul Ricard, selon certaines confidences, est « l'autre grand homme » de la vie de Charles Pasqua, un « grand frère », un parrain pour de longues années de formation dont l'usage lui servira tout au long de sa carrière d'homme politique.

Il le répète à qui veut l'entendre : « Je ne serai pas devenu ce que je suis si je n'avais pas rencontré Paul Ricard. » Variante gaullienne : « Ce que je suis aujourd'hui, je le dois à mes parents, au général de Gaulle mais aussi, en partie, à Paul Ricard. » Ou encore : « Je ne serais pas ce que je suis sans de Gaulle et Paul Ricard. »

On le voit, l'industriel est de tous les arbres généalogiques de la mémoire reconnaissante de Charles Pasqua. Il l'aurait été à moins : des représentants, des Marseillais se souviennent, pour avoir rencontré les deux hommes, du profond mimétisme qui fut, quinze ans durant sur le front du pastis, le premier signe de l'attachement de Charles Pasqua pour celui qui l'avait engagé un 25 février. « C'était même troublant parfois, explique un commercial. Quand on écoutait M. Pasqua, on croyait entendre le patron. Il pensait de la même façon, il avait les mêmes idées, la même fougue. » D'autres ajoutent : le même lyrisme autoritaire, la même sentimentalité un peu sentencieuse, qui emballaient les phrases-slogans, les ordres, pendant les réunions. Dans cette histoire de pastis, du côté de Paul Ricard ou de Charles Pasqua, Pagnol et son cortège de personnages ne sont jamais très loin.

Avant d'être fasciné par l'art de Paul Ricard, le jeune Charles le sera par sa destinée. Une trajectoire, à la fois folklorique et fulgurante, de self-made-man version méridionale, avec deux doigts d'opiniâtreté, cinq mesures d'astuce et une bonne dose de mauvaise humeur.

Quand il prendra sa retraite, en 1968, lassé des tracasseries administratives, pour s'adonner à la peinture et à ses goûts pour le mécénat, l'industriel marseillais pèsera la bagatelle de cinquante millions de litres d'anis vendus par an. L'empire Ricard, ce sont des usines dans le monde entier, des réseaux d'agents, de filiales sur les cinq continents, un aéroport – au Castellet – pour les avions privés, un circuit automobile, des avoirs dans d'autres marques d'apéritifs. C'est surtout une griffe, une conception originale de l'entreprise, paternaliste, tout entière tournée sur ses employés, l'actionnariat social et un esprit « maison » souvent poussé jusqu'à l'obsession. Ricard, en tout cas, est la seule entreprise marseillaise à n'avoir jamais connu de grève.

Dans la cité phocéenne, on parle de cet empire bonnasse et ultra-performant comme d'une secte mystérieuse. On ne dit pas « des hommes de chez Ricard », mais « des Ricardiens », comme on évoquerait les membres d'une société secrète. Les représentants croient dur comme fer à leur différence.

Ricard, c'est d'abord son « boss ». Un gosse né avec le siècle, qui quitta le lycée Thiers, dans la cité phocéenne, à dix-sept ans pour se consacrer à une étrange passion : l'alambic.

Ancien boulanger reconverti dans le négoce des spiritueux, son père l'avait initié très tôt à la magie du vin et des alcools. Vers 1910, la Provence regorgeait d'apéritifs variés.

On comptait jusqu'à vingt marques locales à Marseille, sept à Toulon, quelques-unes à Salon, Arles, Cavaillon. Dans des laboratoires de fortune, des fous entreprenants cherchaient des dosages savants à base de quinquina ou de gentiane.

Les trafics florissaient. Des cargaisons entières étaient discrètement acheminées, de nuit et par mer, entre Marseille et Cassis, au nez et à la barbe des gabelous. Dans la cave de la maison familiale de Sainte-Marthe, le jeune Ricard avais mis au point sa propre recette de marc, son rhum et une eau-de-vie détonnante qu'il avait baptisé « cantagas ».

Bientôt, il passa des nuits à chercher sa formule de pastis. Tout le monde sur la Côte buvait ce liquide blanchâtre de très mauvaise réputation. Par la faute de l'absinthe qu'il contenait.

Or l'absinthe tuait, comme la « fée verte » qui avait emporté Verlaine. Alors les autorités ministérielles l'avaient interdite. Le pastis se dégustait donc en cachette. Discrètement, les bistrots de la Joliette ou du Vieux-Port servaient un « pataclé », un « lait de tigre » ou simplement une « tisane ». Les policiers et les gendarmes laissaient faire, et une histoire fameuse circulait dans Marseille, laissant entendre qu'après le Rhône et la Durance, le pastis était le troisième fleuve de Provence. Et puis un jour de 1933, l'interdiction avait été levée et Paul Ricard s'était empressé de vulgariser la mixture de ses rêves.

Au Bosset, un village des collines, il avait rencontré un ancien coiffeur devenu courtier en vin. Tout au long de ses livraisons en carriole à cheval, celui-ci réfléchissait au meilleur anis possible. Il s'appelait le père Estanet. Il avait, par affection pour le jeune alchimiste, confié quelques-uns de ses secrets de fabrication, montré quelques plantes de la garrigue.

Dans le laboratoire, l'alambic chauffait nuit et jour. L'apprenti pastissier modifiait ses dosages, trouvait un mélange trop vert ou bien trop pâle, qu'il faisait goûter à quelques amis inconscients. Les premières bouteilles, déjà mises en vente à la hâte gardaient un contenu incertain qui, selon la légende, avait provoqué bien des maux de ventre. L'élixir mystérieux, fruit de tant d'attention, portait un nom, celui de son inventeur : Ricard.

La polémique sur le goût de ce fameux élixir ne finira sans doute jamais. Vaut-il mieux que le « Casa », un bon Pernod, un 51 ? Aujourd'hui, la bataille des clans fait encore rage dans les bars du Sud.

Paul Ricard a gagné. Non au baromètre de la papille mais grâce à ses dons formidables de vendeur, d'inventeur d'un marketing provençal haut en couleur. Grâce aussi à sa débrouillardise. Pagnol, encore. A vingt-quatre ans, avec quelques litres seulement en poches, il faisait la nique aux cinq grandes marques rivales par un étrange manège. L'un après l'autre, ses comparses se présentaient dans des bars du port :

« Un Ricard..., demandait le faux-vrai consommateur.

– Un quoi?, s'étonnait le patron.

– Un Ricard! », répétait le client énervé.

Et ainsi de suite, plusieurs fois par jour. Le lendemain, un représentant âgé d'à peine plus de vingt ans ouvrait la porte du bar en s'exclamant : « Maison Ricard! Combien je vous en mets? »

L'arnarque était payante. Suffisamment pour qu'en 1937, Paul Ricard se retrouve à la tête d'une société familiale et amicale qui écoulait plus de trois cent cinquante mille bouteilles dans toute la Provence. Le jeune patron avait bien sûr des ennemis : tous ceux qui vendaient leurs pastis sans conseiller de le noyer de cinq mesures d'eau. Le Ricard était plus cher à la vente mais il permettait, avec une seule bouteille, de remplir beaucoup plus de verres... « Buvez-le à la marseillaise, pas à la parisienne! », conseillait un des premiers slogans chocs de Ricard. Pagnol, encore.

Fin des années 30. La France, grâce à Alibert, Vincent Scotto, Raimu, Fernandel et Tino Rossi, se prend de passion pour le Midi, son parlé chantant et sa pétanque. Paul Ricard en profite pour vendre quatre millions de bouteilles dans l'Hexagone et dans quelques colonies. Sa société, aux fameuses couleurs jaune et bleu, devient peu à peu une secte à la puissance industrielle, avec son capital social, ses cinémas, ses foyers, ses centres de vacances. La France découvre les congés payés : Ricard a dix ans d'avance. La firme, déjà, soutient des artistes, fait monter des pièces. Quand survient la guerre, Ricard est en pleine expansion.

La défaite stoppe le jeune capitaine d'industrie dans son ascension. Vichy rend, en effet, le vieux mythe de l'absinthe responsable du désastre. L'ordre moral s'en prend à l'anis comme à une perversion sociale. Plus prosaïquement, l'effort de guerre français puis nazi a besoin de l'alcool pour fabriquer de la poudre et du carburant.

Paul Ricard a trente-sept ans et six cents employés à nourrir. Il ne se décourage pas. L'usine de Sainte-Marthe met en bouteilles du jus de raisin, de l'eau minérale, du lait. En quinze jours, la direction reconvertit les activités de l'entreprise. Ricard s'instale à Méjanes, en Camargue. Les représentants se rendent en camion dans les Alpes pour acheter des vaches. Les pastissiers fournissent deux mille litres de lait par jour, le quart de la production des Bouches-du-Rhône, en temps de guerre.

On plante du riz; on dessale la terre de Camargue pour la rendre cultivable; on plante des arbres fruitiers; on coupe du bois pour les gazogènes.

Plus discrètement, le domaine du Pestrin, que Paul Ricard possède en Ardèche, produit un excellent alcool à 90 degrés, à base de prune ou de cerise, qui sert beaucoup aux voitures de la Résistance...

Après la guerre, l'anis demeure interdit. Sous la pression, cette fois, des ligues antialcooliques et, notamment, d'une avocate marseillaise, Me Poinso-Chapuis, militante du MRP. Alors Paul Ricard monte à Paris pour plaider la cause de l'anisé, expliquer que le pastis est frappé d'ostracisme anti-patriotique puisque le whisky made in USA coule à flot dans la France libérée. Mais, catastrophe, en 1947, son adversaire marseillaise devient ministre de la Santé.

Comme les autres pastissiers, Ricard se remet à frauder. Les livraisons reprennent, la nuit, le chemin maritime de Cassis. Des gangs de truands détournent des hectolitres d'anis dans les entrepôts. Le pastis déchaîne une courte guerre de quelques mois, émaillée de règlements de comptes et d'attaques à la mitraillette. C'est Chicago-sur-mer, dans la meilleure tradition des années 30. Paul Ricard repart en croisade, comme il le fera toute sa vie. Il est à la tête d'un syndicat de distillateurs. Il multiplie les démarches auprès des députés pour faire abolir ce qu'il considère comme des lois scélérates.

La victoire des « Ricardiens » sur l'adversité administrative survient le 31 mai 1949. Ce jour-là, l'usine de Sainte-Marthe connaîtra sa fête la plus folle. Tous les artistes marseillais, les chanteurs de rue, les gamins sont montés écouter sonner les cloches. Et, bien sûr, boire l'anis à la santé du patron.

Le camelot

C'est dans cette ambiance que Charles Pasqua épouse, un 25 février, le mythe fondateur de Ricard. Dans les jours qui suivent, le nouvel embauché écoute Paul Ricard – deux petits yeux en perpétuel mouvement, une voix haut perchée, un accent à ne pas s'y méprendre – lui expliquer que l'heure n'est pas à la sieste. La firme produit beaucoup plus qu'avant guerre – la nostalgie des années d'insouciance y est pour quelque chose –; Ricard exporte jusqu'à dix millions de bouteilles en 1950, mais doit faire face à une taxation importante... Surtout, si Berger, Casanis ont connu une reprise difficile, Pernod reste le géant du pastis.

« J'ai pris ce jour-là une première leçon, se souvient Charles Pasqua. Ma première leçon de guérilla commerciale. Par la suite, j'ai toujours appliqué, en l'améliorant, cette règle maison qui m'avait aussi beaucoup servi pendant la Résistance. Ricard n'avait rien à perdre et nous pouvions foncer, harceler le marché. Pernod, c'était comme une armée, lourde à se mouvoir. Cette firme ne pouvait que se battre en reculant. D'ailleurs, elle a reculé. »

Comme Paul Ricard aime le cinéma, comme il produit ses propres films – à perte – et possède ses propres studios, il a pris depuis longtemps l'habitude de faire passer des essais à ses commerciaux. Charles Pasqua s'y soumet : il est encore pataud. Il paraît d'un naturel un peu renfermé. Mais son accent le sauve.

Ses premières tournées de représentant, à Toulouse, à Bandol, puis à Marseille, ne sont pas toujours couronnées de succès. L'atavisme corse le contraint à une certaine réserve, une certaine timidité. D'abord, il n'aime pas boire. « On n'a jamais été porté sur la boisson dans la famille », dit-il.

Pendant plusieurs mois, Charles Pasqua se force un peu. Surtout qu'en 1952, la vente de pastis tient encore souvent de la descente musclée. Les supermarchés n'existent pas encore; alors on approvisionne les bars, les épiceries, les associations, les clubs de boule. La concurrence est farouche. Les truands n'ont pas encore renoncé à leur part – clandestine – du marché de l'anis, au profit des cigarettes américaines et de la drogue.

Un représentant se souvient : « Au début, et je crois que Charles Pasqua était déjà avec nous, ils nous arrivait encore de nous coltiner avec la concurrence. Ce n'était pas les bagarres de rue, mais presque. Un jour, j'ai même vu sortir les pétards. »

L'anis toutefois, c'est heureusement plus souvent le boniment. Cette capacité, en quelques minutes, d'atteindre la dimension d'une tragédie antique ou de faire crever de rire une salle de billard avec deux ou trois blagues dignes du répertoire de Marius. A l'époque, on place ses commandes « au comptoir ». Il y faut du bagou, du charme et de la conviction. Sur ce registre, Charles Pasqua est plus à l'aise.

Il apprend vite, d'abord, à jouer des galets de fond de Durance qui s'entrechoquent dans son accent. Il aime Fernandel. Il a entendu Paul Ricard. De toute évidence, il y a un « parler » ricardien dont le ministre de l'Intérieur de Jacques Chirac, en 1988, assaisonne encore certains de ses discours. Un art de la galéjade livrée, avec un sérieux presque religieux. Une façon de détacher les syllabes en les accompagnant d'un geste persuasif de la main. Pagnol, toujours.

Un soir de printemps, en 1987, un ancien représentant, dans un restaurant de Marseille, regarde Charles Pasqua parler à la télévision. Le ministre fait mine d'être irrité par une question. « Vous allez voir, il va froncer le sourcil... Là! Qu'est-ce que je vous avais dit? » L'ancien collaborateur se tord de rire, au risque de renverser son dixième verre de pastis : « Il n'a pas changé, le Charles! Ce geste, là, vous voyez, je l'ai vu le faire peut-être plus de mille fois! »

L'accent et puis, surtout, une forte psychologie du contact humain. La question qui fait d'un patron de bar soupçonneux un ami de vingt ans en quelques minutes. Tout l'art du camelot revisité par l'humanisme provençal et la technique de propagande Ricard. Charles Pasqua, explique l'un de ses plus fidèles collaborateurs, Laetizio Bourgeois, qui travaille encore aujourd'hui à ses côtés, « avait le don de comprendre tout de suite à qui il avait à faire. A La Ciotat, pendant une tournée, il avait été le plus jovial d'entre nous, simplement parce que nous avions eu la malchance de passer après les gens de chez Pernod. Dans ces cas-là, rien ne pouvait arrêter sa capacité de bonne humeur, son invention, un certain génie d'improvisation dans une situation difficile ».

Les « Ricardiens », d'hier et d'aujourd'hui, cultivent la mémoire de leurs plus fameux « comptoirs ». Les auteurs changent, selon les interlocuteurs, mais les histoires demeurent. Certaines ont certainement été inventées. D'autres sont authentiques. L'ensemble ressemble à un florilège de blagues de collégiens. Celle-ci qu'on prête à Charles Pasqua lui-même : Ricard doit augmenter ses prix. Le jeune représentant passe et repasse plusieurs fois, la mine sombre, devant la boutique de l'un de ses clients. Ce dernier, intrigué, n'y tient plus. Il sort. « Que se passe-t-il, Charles? – Pénurie, répond simplement le vendeur, au comble de l'embarras. Je ne suis pas sûr de pouvoir te livrer. » Le client triple sa commande, oubliant la hausse des tarifs.

Au début des années 50, la publicité pour les alcools reste interdite. Aussi Ricard patronne-t-il tout ce qui peut l'être. La marque, les slogans s'affichent partout où cela n'est pas illégal. Sur les casquettes de la Fête de l'Huma, sur celles du Tour de France, sur les prix du plus petit des concours de boules, au-dessous de l'orchestre du patronage. Des observateurs spécialisés, en fait, les clients inamovibles des bars les mieux achalandés, traquent les idées, les réunions à la recherche de nouvelles confréries, aussi démunies soient-elles, à soutenir. Pas la peine, à Marseille de prévoir un budget boisson. Ricard le fournit gratuitement. Aussi bien au PC qu'aux socialistes, aux gaullistes comme à la droite locale. Il suffit de monter à Sainte-Marthe. Il se trouvera toujours un commercial, politiquement proche du parti quémandeur, pour assurer qu'il fera « l'impossible ». Et, chez Ricard, on se flatte de toujours pouvoir l'impossible.

La firme irrigue ainsi de plus en plus d'activités marseillaises et hexagonales. Quand les fêtes viennent à manquer, on pense aux déshérités, aux vieux, laissés seuls sans rien à boire, aux soldats d'Indochine, bientôt à ceux d'Algérie. Le contingent ne manquera jamais de pastis...

Chaque VRP est prié de faire sa publicité lui-même. Même au fronton du sacré : un jour, un représentant a l'idée d'orner la grotte de Lourdes de quelques fleurs disposées dans deux magnifiques cruchons aux couleurs de la marque. Il faudra, deux jours plus tard, la plainte des autorités religieuses pour que Ricard tire sa révérence à la Vierge!

Bientôt, Charles Pasqua prendra toute sa part de cette

profonde originalité un peu canaille. Très doué, bosseur, il quitte son compagnon de tournée, l'ancien footballeur Sinibaldi, pour grimper rapidement les échelons de la carrière de pastissier. En 1955, il est nommé inspecteur des ventes. Il ira relancer le chiffre d'affaires en Corse. En 1960, il est directeur des ventes pour la France. L'année suivante, directeur des ventes pour la France et l'exportation. Soit à trente-quatre ans, le numéro deux du groupe. Dès lors, il devient difficile de faire le tri, dans la saga Ricard, de ce qui revient au « boss » ou à son impétueux directeur. A qui, par exemple, attribuer les formules qui font la fortune de la marque? Le fameux : « Ricard, c'est la santé par les plantes? » Ou celle-là, célèbre sur la Canebière : « Nous sommes les plus grands consommateurs d'eau de France! »

Au fur et à mesure que Charles Pasqua marque l'ascension de la firme de son empreinte personnelle, la mythologie, insensiblement, se modifie en sa faveur. Ce n'est rien, anecdotique, mais révélateur tout de même de l'osmose entre l'aventure des « Ricardiens » et l'ancien résistant. Charles Pasqua a compté au point qu'on lui offre, comme un bon souvenir, la paternité de ce qui pourrait parfois revenir à son aîné.

Une anecdote, à ce propos, est significative de ce glissement : en 1963, le jeune représentant est chargé par Paul Ricard d'aller distribuer des affiches aux cafetiers. Il se trompe de rouleaux et emporte les affiches destinées aux murs de Marseille. Elles sont beaucoup trop grandes. Le soir, Paul Ricard ne se démonte pas. Il transforme la méprise en coup de maître. Les affiches seront collées dans les cafés. Un peu de gigantisme ne peut pas faire de mal à la marque. Aujourd'hui, Marseille, la main sur le cœur, jure que Charles Pasqua avait pris seul cette décision.

Mais, au fond, peu importe l'exactitude des paternités, trop difficiles à remonter, du folklore Ricard. Charles Pasqua épouse, dès sa première promotion, « plus qu'une entreprise », comme il le dit lui-même, « mais une idée ».

Et il comprend si bien cette idée, il la fait si vite sienne, qu'il brûle les étapes. Dès ses nominations en cascade, il se passionne pour la psychologie de la vente. Les livres américains ne sont pas encore disponibles en France. Il les fait venir de Belgique. Il obtient de voyager aux États-Unis pour y apprendre les méthodes les plus modernes. Au cours de l'un de ces périples, il fait la connaissance des frères Fournier qui créeront plus tard la chaîne des magasins Carrefour. « L'idée force, poursuit-il, c'était notre force de conviction. J'étais porté comme les autres, peut-être plus que les autres, à croire que nous ne pouvions pas échouer. »

Mais pour convaincre, rappelle le ministre, « il faut avoir le sens du cliché, de l'image ». Devenu directeur, il théorise ses intuitions de jeune représentant. La force de l'accent, l'observation, la main tendue... Les réunions de formation des commerciaux deviennent alors, avec Charles Pasqua, des cours de théâtre et de psychologie appliquée aux mentalités des petits commerçants. « Je leur disais : vous entrez dans une épicerie. Le type est triste. Il n'a pas envie de vous donner de l'argent. Vous devez absolument lui faire oublier son tiroir-caisse, l'amener sur votre terrain. S'il garde l'impression que vous n'êtes venu que pour lui faucher sa recette, c'est fichu. Cette conception, valable pour la vente mais aussi pour tous les actes de la société, je l'ai par la suite appliquée en politique. Ne jamais se placer sur le terrain de l'autre, de votre adversaire, mais l'obliger à venir sur le vôtre. »

Charles Pasqua aimera ses représentants, qu'il conduira toujours comme des militants. A la tripe. Au coup de gueule et à la tendresse. Les VRP, eux, lui voueront une passion complexe, mélange d'admiration, de confiance aveugle et de crainte.

Les réunions, à Sainte-Marthe ou dans les restaurants du Vieux-Port, se finissent souvent autour d'un verre, au « Perroquet vert » ou à la « Guinguette », fréquentés par d'anciens résistants. Les bandes de « Ricardiens » rivalisent de joie bruyante avec d'autres convives, hommes politiques locaux ou membres de la bourgeoisie. On les regarde de biais parce qu'ils ont la tête de l'emploi, le costume voyant, la mise un peu ostentatoire. Ils sont perçus pour ce qu'ils sont, des vendeurs de pastis. Mais il s'en moquent. Ricard est leur maîtresse.

Avant les agapes et les soirées tardives, Charles Pasqua impose des heures éprouvantes de travail collectif. Les assemblées sont souvent houleuses. Le directeur tonne contre les mauvais scores, exige que le pastis se vende à la tonne. Ses colères ne sont pas toujours feintes. Il s'emporte lorsque ses collaborateurs – ils seront jusqu'à trois cents, immédiatement placés sous ses ordres – ne suivent pas assez vite le fil de sa pensée psychopublicitaire. Il râle, comme l'entraîneur d'une équipe sportive avant le match de la dernière chance.

« Qu'est-ce que c'est que le commerce? », demande-t-il un jour.

Les représentants hésitent, regardent le plafond pendant

que Charles Pasqua déplace de long en large sa haute silhouette dans la pièce. L'un d'eux se décide :

« Le commerce, c'est... de la comédie?

– Micelli, répond Charles Pasqua en toisant l'impertinent, tu es impérial! Retenez bien cela, vous autres! Le commerce, c'est de la co-mé-die! »

De tous ses VRP, ceux qu'il préfère ce sont les « Marseillais », sa véritable force de frappe au sein de l'entreprise. Ceux qu'il appelle ses « commandos », qui lui avaient enseigné les rudiments du métier, ceux qui avaient des amis partout, leurs entrées dans les entrepôts du port et dans toutes les arrière-salles.

Il les lancera, comme des vagues d'assaut, à la conquête de ce qu'on nomme, chez Ricard, « les terres de mission ». C'est-à-dire partout où le pastis n'est pas encore roi. Dans toute l'Europe, d'abord, puis sur les cinq continents. Charles Pasqua aime cette technique, très liée à son goût pour les services d'ordre, des groupes mobiles d'intervention.

Une année, Paris fait un mauvais chiffre d'affaires. La grogne gagne les commerciaux de la capitale. On parle même de démissions. Une équipe de « Marseillais » est chargée, clandestinement, de « doubler » les vendeurs officiels. « Je leur ai dit, raconte-t-il, soyez les meilleurs. » Ils l'ont été.

Selon la même méthode, des représentants sont envoyés depuis Marseille pour redresser les scores de vente en Italie et aux États-Unis. « Cela leur paraissait normal. Vous imaginez cela, il y a vingt-cinq ans, cette conquête de l'Amérique par des types qui ne parlaient même pas l'anglais? Ils l'ont fait! »

Ils l'ont même fait partout. A Madagascar et dans l'Ouest africain, au Canada comme au Proche-Orient. Comment? Ricard protège les secrets de ses « Marseillais ». Simplement, ces ambassadeurs très spéciaux de l'anis acceptent de dire qu'ils ont souvent servi de tête de pont aux « terres de missions ». A leur retour, lorsque la vente était bien amorcée, la marque connue, on créait une usine – une par an, telle était la devise –, ou une filiale.

Et comme Ricard ne fait pas de politique, que les représentants peuvent être idéologiquement ce qu'ils ont envie d'être – à condition de n'oublier aucun camp –, Charles Pasqua doit parfois taire ses convictions gaullistes pour la grandeur de la firme. Paul Ricard, proche de la Résistance puis, dit-on, des socialistes, est très vite devenu un pragmatique à force de dépits administratifs. Il méprise les clivages, passe son temps à les dépasser. Quand cela arrange les affaires de son pastis, il fait alliance avec le diable. Ou presque.

C'est ainsi qu'au plus fort de la rébellion pour l' « Algérie française », Charles Pasqua dirigera des représentants liés à l'OAS. On n'en fait pas mystère dans la firme. « Mon père aimait les âmes bien trempées, raconte Patrick Ricard. Alors, il a consciemment engagé des officiers qui militaient dans les rangs de l'OAS. » Dès le retour des pieds-noirs en métropole, l'entreprise est prête à vendre de l'anis aux exilés d'Alger ou d'Oran.

Ricard mène notamment une guerre-éclair en Espagne, contre l'anisette que les rapatriés ont emportée dans leurs maigres bagages. À Alicante, à Benidorm, hauts lieux de repli des familles de l'OAS et des commandos Delta condamnés par contumace, ce sont quelques-uns des pires ennemis du général de Gaulle qui vendent le pastis de Sainte-Marthe, sous l'autorité de Charles Pasqua... Martinez, Jo Ortiz, José Ginert – dit Jésus – adouciront la douleur des pieds-noirs à coups de Ricard, dans des bars de la conjuration permanente où transitent tous les soldats perdus. De tous les bistrots liés à la société Ricard, l'un des plus célèbres est sans doute le bar Max, à Alicante, où les mercenaires, à la fin des illusions coloniales, viendront reprendre du service actif pour le Biafra ou le Mozambique.

Le pragmatisme de Paul Ricard n'aura pas que des avantages. Il sera même indirectement à l'origine de l'un des chapitres de cette « mauvaise réputation » dont on accablera, plus tard, Charles Pasqua.

La « terre de mission », cette fois-là, c'était le Québec. Le correspondant officiel, l'importateur unique de Ricard, au début des années 60, s'appelait Jean Venturi. Ce Corse affable passait pour un truand. Les Canadiens, le FBI américain le surveillent, le suspectant de réceptionner un trafic de drogue en provenance de Marseille. Il avait un cousin, Dominique Venturi, Nick pour les amis et les policiers de la cité phocéenne, qu'on disait proche de la municipalité socialiste. Un truand, lui aussi, mais de plus grosse envergure. Lui aussi soupçonné par le FBI. Nick est arrêté pour une affaire de fausses factures.

Le scandale éclabousse Ricard. C'est Charles Pasqua qui est touché. L'entreprise a beau expliquer que Jean Venturi vendait du pastis bien avant que le futur ministre de Jacques Chirac soit nommé directeur des exportations, rien n'y fera. Des années plus tard, Charles Pasqua traîne encore ce vieux soupçon, le premier, souvent ravivé par ses adversaires, parfois par ses propres amis.

Les « Ricardiens », il est vrai, sont parfois des durs à cuire. Ils connaissent trop de monde, au point que certains, en oubli d'éthique, auront des comptes à rendre à la justice. Ils sont toujours amicaux, toujours prêts à rendre service. Tous les clients de bars les prennent pour confidents. Ils savent trop de choses. Quand Charles Pasqua prend, en second, les rênes de l'entreprise, c'est un véritable empire qui étend son influence jusque dans les clubs les plus discrets. Ricard se tient éloigné des querelles, en vertu d'un certain sens du repli sur soi, par orgueil aussi. Mais l'empire connaît toutes les musiques de Provence ou de la Canebière.

Même l'écologie n'a pas de secret pour Ricard. La firme se bat des mois durant contre Péchiney qui déverse ses boues rouges au large de Cassis. Elle finance le sauvetage de la forêt méditerranéenne, d'une réserve en Camarque. C'est même l'un des premiers mécènes de l'industrie française. Charles Pasqua commande à tout cela avec un égal bonheur. D'autres « commandos » traquent le patrimoine en mal de restauration, les concours de chanteurs de rue ou les jeux de plage.

« Il fallait tout partager avec Paul Ricard », se souvient-il. Son goût pour la peinture, comme les projets de développement. L'aventure du Castellet, comme l'édification d'un ensemble touristique dans l'île de Bandol. Peu à peu, le jeune directeur devient le grand orchestrateur des idées farfelues et diablement efficaces de son aîné. « Durant des années, j'ai dépensé beaucoup d'énergie à organiser, couper ici, redécouper là. » Paul Ricard invente. Charles Pasqua s'efforce de rendre rationnel. « Vendable. » Opérationnel.

Mais il lui arrive aussi de rivaliser sur le terrain de l'imaginaire. Il décide, par exemple, que les employés-associés de Ricard ne se rendront plus par le train ou en avion dans les villes retenues pour les congrès annuels de la firme. Ils iront en voitures. En voitures de la société, bien entendu, toute publicité dehors, le long des routes. Charles Pasqua adore faire converger sur un point précis des caravanes parties des quatre coins d'Europe. Avant de faire monter vers les Champs-Élysées des millions de militants, il apprendra à faire bouger, en bon ordre, l'empire de Paul Ricard.

Une année, il organise un beau voyage pour ses collaborateurs. Il loue le *Koutoubia*, un paquebot de la compagnie Paquet, qui fait la ligne du Maroc, et propose, d'Ajaccio à l'île d'Elbe, un pèlerinage sur les sites napoléoniens...

L'épopée aurait pu continuer ainsi longtemps mais, en 1965, l'année de la cotation au marché à terme de la firme, le siège social quitte Sainte-Marthe pour Paris. Charles Pasqua fait ses adieux professionnels à Marseille. Est-ce un mauvais signe? Deux ans plus tard, il s'en va avec une poignée de fidèles pour fonder sa propre entreprise, Euralim, qui exploite le brevet de l'apéritif Americano Gancia.

Aujourd'hui encore, les fanatiques du pastis sur la Canebière évoquent ce départ avec un fond de tristesse. Charles Pasqua a bien réussi, cela fait plaisir à tout l'empire Ricard. Il passe à la télé, ses représentants s'amusent à le regarder. Mais cette séparation demeure une énigme interne. En cédant son fauteuil de P-DG à son fils Bernard, le fondateur savait bien qu'il blesserait celui qui lui ressemblait le plus... Pourquoi le vieil original, anticonformiste comme peu de capitaines d'industrie le sont, a-t-il choisi, banalement, la voie de la normalité familiale? Bernard, dit-on, ne valait ni son père ni Charles Pasqua. Pourquoi cette décision? Ricard tait aussi ce mystère-là.

Americano Gancia se vendit mal. Charles Pasqua était fait pour Ricard. Avec Laetizio Bourgeois et quelques compagnons de la première heure, il tint bon jusqu'en 1972. Mais le démon de la politique l'avait repris. Il céda Euralim à Martini, une filiale de Saint-Raphaël. Il conservera jusqu'en 1977 un poste d'administrateur dans une société qui ne ressemblait pas au souk coloré de Sainte-Marthe.

Charles Pasqua adore raconter sa carrière de pastissier. Parce qu'il en est fier et qu'il a conservé une indiscutable fraternité philosophique – bon sens et roublardise – pour les « Ricardiens ». Mais cette trajectoire professionnelle est aussi lourde à porter. Le pastis n'a pas les mêmes odeurs que la banque ou l'ENA, qui n'a pas son siège à Marseille.

On a souvent évoqué, à propos de cette période de la vie de Charles Pasqua – et sur un mode péjoratif – le « style Ricard », le populisme paternaliste un peu racoleur, de ceux qui composaient l'entreprise. Les chaussures bicolores et les lunettes noires du jeune directeur. Les « Ricardiens » mettaient un point d'honneur à cultiver souvent une image outrancière. Celle-ci colle encore à la peau de leur ancien chef des ventes.

Est-il si marseillais, si « Ricard » que cela? Beaucoup sont prêts à jurer que oui. D'autres hésitent, gardant le souvenir d'un homme plus secret, plus renfermé que son apparence commerciale. Le « style Ricard », en tout cas, ne dépassait pas le seuil de l'appartement de Charles Pasqua, dans un immeuble du Prado. Jeanne, l'épouse, si fine, si distinguée, veillait.

Un ancien représentant, licencié récemment pour cause

de démêlés avec la justice, se souvient d'une soirée passée en compagnie de son directeur et de l'épouse de celui-ci. « Il nous avait invités, mon frère et moi, à dîner chez Fonfon. Nous nous tenions correctement à cause de la présence de sa femme. Elle jetait des regards inquiets autour de nous parce que Charles parlait trop fort. »

Les deux représentants furent ensuite conviés à venir prendre un dernier verre dans l'appartement du Prado. Jeanne Pasqua s'esquiva discrètement pendant que son mari passait des musiques napoléoniennes sur le pick-up, mimant les roulements de tambour avec ses mains.

Interdit de séjour rue de Paradis

Il tient sa revanche sur la ville, mais pour ne pas le montrer, pour mépriser son avantage sur cette salle archicomble, il fait mine de dormir. Charles Pasqua tel qu'on le voit souvent dans les meetings, avant son tour de parole : l'air las, la paupière affaissée, les mains sur le ventre et les jambes allongées. Comme enfoncé dans les langueurs d'un ennui profond. Renfrogné et absent.

Au micro de la tribune, Jean-Claude Gaudin tire sa berceuse en longueur. Jérémiades habituelles d'un président de conseil régional pour un ministre du gouvernement en visite officielle. Plainte d'une métropole en crise à un État désargenté. « Marseille a besoin... » « La France se doit... » Avenir, développement, urgence, bref, demande d'assistance à cité en danger. Sur sa chaise, Charles Pasqua n'écoute pas. Ou s'il écoute, il cache bien son jeu.

Le gouvernement de Jacques Chirac boucle sa première année de pouvoir. Le printemps, en cette année 1987, est plutôt en retard sur la Canebière. Marseille a offert au ministre de l'Intérieur un accueil de première classe, comme si la ville avait quelque chose à se faire pardonner, comme à un fils qui n'aurait pas eu, enfant, toute sa part de l'attention familiale.

Les yeux fermés, bercé par le discours de Jean-Claude Gaudin, Charles Pasqua doit beaucoup s'amuser des bruissements de déférence de l'auditoire. Dans la très belle salle de la chambre de commerce, à deux pas du Vieux-Port, il y a là, heureux et un peu gênés, tous ceux qui s'étaient opposés, vingt ans plus tôt, à l'entrée du jeune directeur de Ricard dans cette vénérable institution économique. Toutes les grandes familles, les armateurs, les huiliers, les savonniers qui lui avaient interdit l'intronisation dans le sanctuaire de la bourgeoisie phocéenne.

Ils le savent. Il le sait. Il y fera une brève allusion, plus tard, dans son discours. Et puis, souverain, il fera croire qu'il a oublié. Sans rancune.

Pour atténuer le poids de sa gaffe des années 60, Marseille a fait les choses en grand. Jamais on n'aura vu autant de monde, quelques heures plus tard, sous les lambris du salon d'honneur de la préfecture. Toute la ville, de la droite à la gauche, a tenu à s'y presser, au point qu'il a fallu ouvrir d'autres salles. Le plancher menace de s'écrouler sous le poids de l'hommage au ministre de l'Intérieur.

Celui-ci, sous les compliments, sous l'évocation enjolivée de souvenirs qu'il n'a pas oubliés, restera plutôt fermé. Bougon et taciturne. Il se montrera aimable mais marquera, de l'œil et de la commissure des lèvres, une imperceptible distance avec ces retrouvailles trop appuyées. Il embrassera quelques fidèles des deux bords, dont Irma Rapuzzi, sénateur defferriste, et décochera souvent un curieux regard en coin aux autres, avant de leur serrer la main.

Ses collaborateurs l'observeront, surpris. Le ministre a sa gueule des mauvais jours. Il trouve la visite des commissariats interminable. Ses blagues sont tristes, servies plus pour inquiéter que pour faire rire. Il aura deux jours durant, pour Marseille, l'humeur dérisoire d'un promeneur peu pressé, au fond, de fêter un quelconque anniversaire avec cette famille-là.

Une rumeur surtout l'énerve. Depuis la mort de Gaston Defferre, le vieux lion, Marseille répète sans cesse qu'il lui faut un homme de la même trempe. Un homme de poigne et d'accent. De sentimentalité et de clans. Un homme comme Charles Pasqua. Oubliant que leurs vérités ne sont jamais aussi simples, les Marseillais se sont mis à rêver d'un retour au pays pour celui qu'ils n'avaient pas songé, vingt ans plus tôt, à reconnaître comme l'un des leurs.

A chaque fois que la rumeur enfle, portée jusqu'à la capitale par le RPR local, le ministre de l'Intérieur répond avec morgue : « Ils se disent qu'ils m'ont laissé partir et qu'il faudrait rattraper le coup. C'est trop tard. Pour moi, cette période est révolue. »

Charles Pasqua aime-t-il Marseille et les Marseillais? Lorsqu'on l'interroge, il ne s'étend jamais. Il marmonne quelques réponses et préfère passer à autre chose. Réponses vagues mais empreintes d'une certaine amertume. La ville qu'il appréciait, « celle de Pagnol, des petits coins de calanque », a disparu, emportée par la mort de l'empire et les restructurations industrielles.

Pour le reste... Certains des amis de Charles Pasqua estiment que celui-ci a tiré définitivement une croix sur Marseille – politiquement et affectivement – en raison de l'aversion de Jeanne, sa femme, pour la cité phocéenne. D'autres pensent simplement que leur compagnon s'est éloigné de Marseille avant de sentir naître en lui toute ambition. « Sa carrière n'a vraiment débuté qu'en dehors des Bouches-du-Rhône, explique Dominique Vescovali, l'un des principaux collaborateurs du ministre de l'Intérieur. Quand il est arrivé à Paris. Et surtout après 1968, quand l'histoire nationale a changé. »

Plus profondément, Charles Pasqua n'a sans doute jamais adhéré au fonctionnement marseillais. A ses embrouilles, à ses alliances contre nature qui choquent encore aujourd'hui son engagement gaulliste peuplé d'évidences et de grands principes. De Marseille, il n'aime pas, assurément, sa bourgeoisie. Ses familles qui, comme à Lille, s'étonne-t-il, « ont choisi de faire acte d'allégeance avec le PS pour protéger leurs intérêts du péril communiste ».

Charles Pasqua a vu naître le defferrisme, formidable système d'ententes, et mourir, à Marseille, le gaullisme historique. Lors de sa visite officielle, l'an dernier dans la cité phocéenne, il jetait encore un regard incompréhensif sur ses amis du RPR, parti croupion, relégué sous la barre des 10 % et dont le sort est désormais scellé, très minoritairement, à celui de Jean-Claude Gaudin, peut-être à celui du Front national. « Je me suis battu des années, explique-t-il, pour que les gaullistes de la ville n'entrent pas à la mairie avec Defferre. On ne m'écoutait pas. Le résultat parle de lui-même. On n'a jamais intérêt à vendre son âme. »

Voilà le reproche qui brouille sa vision de Marseille : la bourgeoisie a politiquement vendu son âme, vingt ans durant, pour préserver une influence économique moribonde. « Defferre n'aurait jamais réussi à tenir cette ville de droite sans l'alliance des banques et des armateurs. » Manifestement, ces accords dépriment Charles Pasqua.

Regrets amers d'avoir vu, depuis son bureau de Sainte-Marthe, le RPF devenir peau de chagrin et l'UNR, l'UDR, simples vassaux de tous les centrismes opportunistes de la vie marseillaise.

Pourtant le gaullisme a eu son heure de gloire. Pas longtemps, juste le temps pour les élus de la vague RPF de 1947 d'inverser leurs alliances, pour ressembler à n'importe quel parti de droite d'avant-guerre. Aux élections municipales du 26 octobre, le RPF arrive bon premier avec 28,8 % des suffrages. Devant le PC, déjà en chute libre, mais encore puissant (27,7 %), et très loin devant la SFIO de Gaston Defferre et le MRP. Sa tête de liste, un avocat, Me Carlini, est élu au fauteuil de maire. A peine installé, celui-ci doit faire face à une situation difficile. Les finances de la ville, après neuf ans de « délégation municipale » – Marseille avait perdu son autonomie administrative après l'incendie des Nouvelles Galeries en 1938 –, sont exsangues. Une hausse des tramways est décidée, qui jette la CGT dans une série de grèves et de manifestations. Le 12 novembre, des jeunes s'en prennent aux boîtes de nuit du quartier de l'Opéra. Des truands font le coup de feu. Marseille, à peine libérée de sa tutelle, montre à nouveau des signes d'irresponsabilité.

De l'avis de Charles Pasqua, Me Carlini n'avait pas l'étoffe d'un grand maire pour une ville frondeuse, surtout face au jeune chef de la résistance, Gaston Defferre. « Il y avait un bon candidat à l'époque, l'avocat Henri Bergasse, principale figure de la droite modérée marseillaise, mais les gaullistes n'ont jamais réussi à faire de lui l'un des leurs. »

Henri Bergasse, après un an de rapprochement avec le RPF, rompt ce lien fragile et retourne à la droite classique, c'est-à-dire, à Marseille, claniste. Pourtant, face à une CGT encore puissante sur les docks de la pré-décolonisation (30 %), le RPF, avec 20 % des mandats, profite, sur le port et dans les entrepôts, de son succès électoral de 1947. Pour quelques mois seulement.

Charles Pasqua, dès son entrée chez Ricard, assiste à la déconfiture du parti du Général. A Colombey-les-Deux-Églises, l'exil commence, pour une dizaine d'années. Marseille cesse alors de parier sur le RPF pour la défense et l'illustration de sa bourgeoisie, qui s'allie très vite, sans remords, à plus sûr, à plus offrant. Le MRP, en 1953. Celui-ci s'empresse de signer un accord municipal avec Gaston Defferre. En 1956, aux élections législatives, la droite marseillaise devient poujadiste, parce que c'est la mode. Comme avant guerre, des clans patronaux se forment, associés au catholicisme, au protestantisme – première zone d'influence de Gaston Defferre – ou à la franc-maçonnerie radicale.

Chaque grande famille ou presque a son chef, qui finit toujours par se retrouver à la tête d'une liste électorale. Il en est ainsi chez les Bergasse, chez les Rastoin ou les Fraissinet... Les idéologies changent, comme changent, dans les années 50, les placements économiques. On était huilier. On devient banquier. Pinardier. On se fait armateur. La vie du port, toujours. L'écho des meurtrissures coloniales. La politique locale s'adapte sans état d'âme, sans autre sentiment de rejet que celui qui anime la bourgeoisie toutes tendances confondues, à l'égard du PC et de la CGT.

Marseille ne vit plus que de ses rentes. Et ces rentes « tiennent » la ville, au mépris de toute sociologie politique. Les investissements doivent quitter le grand large des exportations? Qu'importe! On placera ses deniers dans l'immobilier, à la faveur du « boom » du logement. A la politique, on ne demande guère que le calme dans les affaires.

Il y a là de quoi décourager un jeune gaulliste de la première heure, écœuré de voir le RPF de ses aînés prêter le flanc aux sirènes marseillaises de l'alliance permanente pour des causes d'épicier à très courte vue.

En 1953, Charles Pasqua assiste à l'élection de Gaston Defferre et à la naissance d'un pacte qu'il n'acceptera jamais : derrière Jean Rastoin, premier adjoint, s'engouffrent à l'hôtel de ville, au nom de l'union sacrée contre le PC, des indépendants, des radicaux, les élus du MRP et même quelques gaullistes. Chaque fois qu'il le peut, Charles Pasqua monte à Paris dénoncer ces ententes auprès des chefs gaullistes, dont Roger Frey. On lui répond qu'il n'a qu'à s'engager à son tour.

Il refusera toujours, fidèle au serment des réseaux : servir de Gaulle en se méfiant des partis, surtout ceux de Marseille. Veut-il partir à la bataille pour les municipales? Il refuse, mais persuade le professeur Joseph Comiti, longtemps le seul élu d'importance de la famille gaulliste, de se présenter. Veut-il rejoindre le parti que le jeune Valéry Giscard d'Estaing s'apprête à constituer sur la base d'une scission du CNIP? Il décline poliment l'offre faite par Michel Poniatowski, et qu'acceptera, dans le Var, François Léotard. Veut-il se présenter, en 1962, aux élections législatives? C'est non encore.

Durant toute sa période marseillaise, Charles Pasqua ne se départira jamais de son inconditionnel soupçon. Il se heurte souvent à ses propres amis, mais plus profondément à la bourgeoisie phocéenne. Comme Paul Ricard, il n'en fera jamais partie. « Entre le gaullisme et la bourgeoisie, la finance, il y a une incompatibilité définitive. » Aussi garde-t-il un souvenir franchement médiocre de son environnement social à Marseille. « On jaugeait la puissance des familles, raconte-t-il, à leur avancée géographique dans la rue de Paradis », une rue interminable qui coupe le bas de la Canebière à angle droit. « On pouvait leur parler de progrès social, idée chère aux gaullistes de l'époque militaire, ou de développement économique : ils s'en fichaient. »

Charles Pasqua n'aimera pas la scène marseillaise et n'en occupera jamais le devant. Il s'en tiendra prudemment en retrait, à l'image de son patron qui ne cache pas son aversion pour les « grandes maisons » du port, même s'il joue avec art de leurs contradictions. Comme Paul Ricard, il jugera sévèrement l'égoïsme de l'économie marseillaise. « C'est une ville d'octroi, de transformation rapide, qui ne compensera jamais par des innovations le déclin de l'ère coloniale. » Alors que Ricard devient, après guerre, une entreprise obsédée d'exportation et de grands horizons, la ville rapatrie ses capitaux, après les crises d'Indochine et surtout d'Algérie, et les immobilise. Le port n'est plus qu'un plan d'épargne. Les flibustiers sont devenus des petits commerçants.

Un jour de 1964, pourtant, cet esprit de sous-préfecture agacera suffisamment Charles Pasqua pour que celui-ci aille combattre cette bourgeoisie phocéenne en son sanctuaire, la chambre de commerce.

Pourquoi la chambre de commerce? Le jeune directeur de Ricard est un spécialiste de la vente mais il n'a pas d'intérêts à défendre dans la ville. « J'ai cru à l'époque qu'on pouvait battre Defferre par ce biais. Car tous les liens financiers de l'oligarchie locale passaient par la chambre de commerce. » En clair, en semant la zizanie dans les monopoles économiques, les gaullistes pouvaient espérer redistribuer les cartes biseautées du jeu politique local. Rendre la bourgeoisie à son berceau, la droite. Isoler Gaston Defferre et ses troupes socialistes, face au PC.

Le plan était audacieux. Trop, sans doute. La chronique marseillaise retient surtout, de ce qui allait devenir une véritable croisade pour la chambre consulaire, la présence, dans l'ombre, de Paul Ricard. Lui seul avait les moyens financiers de s'attaquer aux maîtres du port et des banques. Pas son jeune directeur. Lui seul, roi incontesté du pastis, pouvait exprimer électoralement son mépris de l'immobilisme local. On a beaucoup dit à Marseille que Paul Ricard s'était offert, en 1964, une autre danseuse, au même titre que l'île de Bandol ou le circuit du Castellet.

Manœuvre politique, contestation sociale ou nouveau « hobby », la campagne électorale de l'automne à la chambre de commerce permit en tout cas à Paul Ricard et à Charles Pasqua de mettre en pièces, de réunions publiques en distributions de tracts, le vieux système marseillais. « Marseille était en plein déclin, écrit Charles Pasqua. L'activité industrielle stagnait; à chaque diminution du trafic portuaire, la chambre de commerce répliquait par une augmentation des tarifs. En fin de compte, Marseille était devenu le port le plus cher du monde, et la plus grande partie du trafic des villes dont il constituait le débouché naturel, Lyon,

Saint-Étienne, Grenoble, passait par Rotterdam ou Anvers. Il en était de même pour la Suisse. Un président de la chambre de commerce, à qui le président d'Air-Inter faisait valoir l'intérêt des lignes aéronautiques intérieures, lui faisait cette réponse ahurissante : Mais qui, monsieur, a besoin d'aller de Marseille à Bordeaux? »

« Ils ont démarré trop tard, explique un ancien avocat de la société Ricard, sinon Charles Pasqua l'aurait emporté. » En fait, « Libre Entreprise », troisième liste, inattendue, de ces élections, naît quelques mois seulement avant le jour du vote. Deux, exactement, avant les scrutins du 29 novembre et du 12 décembre. Ricard met toutes ses forces au service de la campagne. Cinquante voitures aux couleurs de la marque sillonnent la ville, nuit et jour. Charles Pasqua s'offre de la publicité sur les ondes, des affiches. Il a installé son quartier général dans les caves d'un immeuble de la place Félix-Barret, le lieu préféré, symbolique, des réunions gaullistes de la première heure.

Le jeune candidat passe ses journées à convaincre les notables de soutenir sa liste et non, pour une fois, celle des dignitaires, qui regroupe les grandes familles, régulièrement élues, ou celle des petits commerçants, rituels perdants, toujours condamnée, au second tour, à l'alliance de dernière heure...

Les thèses de Charles Pasqua, autour d'un redéploiement des activités du port et d'une modernisation des entreprises et des marchés, plaisent à certains socialistes de la mairie. Paradoxe de la situation marseillaise : Antoine Andrieux, Irma Rapuzzi, Francis Siffredi apporteront leur soutien à la liste Libre Entreprise, malgré l'opposition officielle – on le dira ravi, en secret – de Gaston Defferre. Malgré, aussi, le peu d'empressement des élus de droite à se ranger aux côtés de Charles Pasqua. Le professeur Joseph Comiti fait la sourde oreille. On en appelle aux aînés du RPF, en particulier à Jean Bozzi, alors directeur du cabinet de Roger Frey.

Les compagnons, à Paris, ne prennent pas la peine de cacher leur désaccord : un homme des réseaux, un ancien de l'époque « militaire » doit s'épargner tout combat politique qui ne valorise pas en premier lieu la destinée du mouvement créé par le Général...

Pourtant, Charles Pasqua ne renonce pas. Il mobilise tous ses représentants, qui inventent encore mille trucs pour populariser l'originalité de la liste. On parle même, sans en fournir la preuve, de pressions exercées sur les épiciers et les inévitables patrons de bistrots. Les livraisons de pastis pourraient se faire plus rares... Mauvaises langues!

Conglomérat anachronique de gaullistes, de socialistes parfois en rupture de defferrisme et opposés à l'oligarchie locale, de « Ricardiens » et de quelques colleurs d'affiches au casier judiciaire souvent brouillé, Libre Entreprise mène sa campagne tambour battant, comme pour une prise de la ville. Au point que la rue de Paradis, celle que déteste tellement Charles Pasqua, a l'impression de vivre un scrutin national. Au point que le jour du vote, le 29 novembre, de nombreux Marseillais, non habilités à participer aux élections consulaires, voudront apporter leurs voix au concert des grands électeurs. La « pub » version Ricard a joué à plein!

Le soir du scrutin, la surprise est totale pour les responsables de la liste Défense du commerce, présidée par Félix Bellon, celle des grandes familles. Ils ne distancent Libre Entreprise que d'un peu plus de trois cents voix. La Sociam, regroupement d'artisans, arrivant bon dernier, se retrouve en position d'arbitre.

A l'écouter, les jours qui suivirent ce premier tour auraient suffi à dégoûter Charles Pasqua des mécanismes d'alliance marseillais. Avec l'aide de Gaston Defferre, la liste des « petits » accepte de s'associer, sans le dire, à Félix Bellon. De leur côté, des socialistes persuadent, toujours au nom de Defferre, Charles Pasqua de s'obstiner : le maire, comme à son habitude, avait placé ses amis à l'intérieur des deux groupes rivaux. Entouré de gros commerçants indépendants, en butte comme lui au mépris aristocratique de la bourgeoisie en place, de transitaires et de transporteurs d'origine étrangère parfois naturalisés depuis peu, Charles Pasqua s'obstine donc.

La campagne pour le second tour est lancée avec encore plus d'ardeur. Paul Ricard ressort son carnet de chèques. Les représentants recommencent leur porte-à-porte. Sentant le danger de cette liste dynamique, les grandes familles, par l'intermédiaire de certains émissaires « neutres » – c'est-à-dire defferristes – tentent d'obtenir le désistement du jeune chef de file. « Ils ont essayé de me récupérer au second tour, raconte-t-il dans un haussement d'épaules. Ils m'ont fait miroiter une vice-présidence si je renonçais, avec la promesse, trois ans plus tard, de me donner la présidence de la chambre de commerce. J'ai bien sûr refusé, car j'allais à la bataille pour les bousiller et non pour faire ami-ami. »

Charles Pasqua et Paul Ricard se sentent offensés. Le jeune directeur repart faire le tour de ses amis politiques. Sans plus de succès. Personne, à droite, ne veut faire du tort aux alliés politiques de Gaston Defferre, et les mieux disposés parmi les gaullistes opposés aux socialistes ne voient pas l'intérêt idéologique de cette rixe économique sur fond de bassins portuaires.

Alors les hommes de Ricard se battent un peu plus seuls. La société de la Sainte-Marthe s'offre des avions qui tractent dans le ciel d'immenses banderoles à la gloire de Libre Entreprise. Charles Pasqua se fait plus méchant : il poursuit en diffamation – déjà – ses rivaux. Paul Ricard multiplie les droits de réponse dans la presse locale, même au *Méridional,* dont Ricard est l'un des plus gros annonceurs. Rien n'y fait : les adversaires de Libre Entreprise ont senti le danger. Des privilèges sont menacés. Le doux ronron économique de la ville attaqué. Et puis, plus grave, n'entre pas qui veut dans l'étroite confrérie des dignitaires de la cité phocéenne. Le mot d'ordre est lancé : Charles Pasqua et son parrain, Paul Ricard, ne doivent pas pénétrer à l'intérieur du cercle.

« Mis à part quelques amis, même de l'autre bord, raconte le ministre de l'Intérieur, j'ai eu tout le monde contre moi, les syndicats patronaux, la mairie, les marques concurrentes de pastis et même un député gaulliste de Marseille. Il faisait faire du porte-à-porte à ses gars pour qu'on ne vote pas pour moi. » On ne vota pas pour lui. Le 12 décembre, les petits commerçants restèrent, pour quelques-uns, fidèles à la promesses faite à Libre Entreprise. Mais la plupart rejoignit les rangs de la liste du port. Charles Pasqua n'entrera jamais dans la bourgeoisie marseillaise.

Jeanne, sa femme, trouvera dans cet échec d'excellentes raisons de le persuader de quitter la ville. Un autre avenir, pense-t-elle déjà, s'offre à lui. Longtemps après, lorsqu'il évoquera sa déconvenue de l'élection consulaire, Charles Pasqua y trouvera malgré tout un bon souvenir. C'est à l'occasion de cette campagne qu'il rencontra pour la première fois Jacques Chirac, jeune chargé de mission auprès de Georges Pompidou à Matignon, envoyé à Marseille étudier les problèmes du port autonome. Une rencontre primordiale pour les deux hommes, mais qui, sur le moment, s'était réduite à quelques échanges de simple courtoisie...

Le pensionnaire de la rue Nau

Charles Pasqua a une autre bonne raison de ne pas aimer Marseille. Cette satanée cité, si allergique à la mythologie gaulliste, est le berceau de cette « mauvaise réputation » qui lui colle tant à la peau.

C'est sur la Canebière que s'est forgé, à la fin des années 50, le boulet porté jusqu'à aujourd'hui : le soupçon. L'effluve. La perversion des vertus du combat de l'ombre pendant la Résistance.

C'est à Marseille que Charles Pasqua est devenu un homme de service d'ordre. Mot magique, mais de magie noire. Pasqua, l'expert des officines plus ou moins discrètes de la Ve République. Pasqua, dont la trajectoire croise, à partir de ce moment-là, celle de personnages équivoques...

Car Marseille est, dans le passé de Charles Pasqua, indissociable d'un sigle : le SAC. Un sigle infernal, un service sulfureux, dont il n'aime pas évoquer l'histoire. La sienne et celle de quelques centaines de compagnons, pas toujours recommandables.

L'histoire, au sens propre comme au sens figuré, d'un recoin sombre...

Les lueurs du Vieux-Port ne parviennent pas jusqu'à ce quartier aux cent venelles où l'antique Massalia, à la nuit tombée, ressemble tant à Naples.

La rue Nau, étrangement silencieuse, résonne des pas pressés de quelques silhouettes fugitives.

L'éclairage est si blafard qu'il projette un doute sur la propreté du drapeau tricolore qui indique l'emplacement du numéro 84. En contrebas, au pied d'un minuscule escalier à pic, une lourde porte blindée donne accès à une ancienne cave transformée depuis trente ans en capharnaüm dérisoire de l'activisme gaulliste.

Voici donc l'antre de l'exubérant SAC marseillais, ou plutôt de ce qu'il en reste : collée au mur décoloré, derrière un mini-comptoir de bar, une collection de photographies du général de Gaulle, en pied, en buste, de face, de profil. A Marseille en 1948. Flanqué d'une Alsacienne en costume traditionnel. De Gaulle, fantomatique miroir. Omniprésent. Obsessionnel.

Dans un angle, incongrue, une photo de Georges Pompidou. Un fanion à la croix de Lorraine effilochée. Quelques souvenirs de parachutistes, insignes, breloques de régiments disparus. Une demi-douzaine d'hommes taciturnes boivent des bières, sans joie. A l'extrémité droite du comptoir une vieille TSF poussiéreuse...

– Vous admirez notre poste de radio? Vous avez raison. C'est avec ça que nous avons entendu l'appel du 18 Juin...

L'homme qui vient de parler est assis, seul, à la longue table qui traverse l'étroite pièce voûtée. La soixantaine grisonnante, les yeux bleus, le teint rougeaud, une forte carrure empâtée, et dans le regard blasé la condescendance du baroudeur sur le retour. Il s'appelle Gérard Kappé. Ancien adjudant parachutiste, primeuriste dans le civil. Souvent distingué dans la chronique des années troubles comme le prototype du soldat du SAC. Jusqu'à la fin, en 1982, après l'énigmatique tuerie d'Auriol, il a eu son trop-plein d'une gloire embarrassante. C'est l'homme qui a le plus contribué – certains disent involontairement – à la mauvaise réputation de Charles Pasqua.

« Charles », il le connaît bien. « Depuis toujours », si bien, trop bien peut-être. Comme lui, il a été un vrai résistant, dès l'adolescence, membre du groupe « Druide » du réseau « Alliance » de Marie-Madeleine Fourcade. Comme lui, il a milité au RPF. Avec lui, il a « fait » le 13 mai 1958 à Marseille, quand tous les anciens du « S.O. » furent mobilisés pendant dix jours, prêts à investir, armes à la main, la préfecture, pour imposer, au besoin par la force, le retour au pouvoir du général de Gaulle. Avec lui il a constitué l'un des premiers « comités de salut public », au moment où à Alger les généraux Massu et Salan se dressaient contre la République, et où à Paris, Roger Frey, Jacques Soustelle, Olivier Guichard, Michel Debré et quelques autres préparaient les retrouvailles de Charles de Gaulle avec la France.

Gérard Kappé se souvient de ces heures intenses comme si elles dataient d'hier. André, le père de Charles, avait été prévenu par Jules Muracciole, un ancien de la Légion étrangère, cousin de sa femme, que le Général allait reprendre du service actif et qu'il fallait sonner le rassemblement des compagnons. André Pasqua avait déjà réuni les policiers de l'Évêché (la préfecture de police) fidèles au RPF. Paul Gaillet, le futur secrétaire fédéral de l'UNR, s'était promu coordinateur de ces préparatifs de coup d'État. De Toulon, de Cassis et de la Canebière, tous les copains avaient répondu à ce second Appel.

Charles Pasqua avait été chargé, avec l'appui de ses « commandos » de « Ricardiens », d'organiser, comme par le passé, les groupes de sécurité et le service d'ordre.

Ses hommes couvraient une place de la ville et ses abords immédiats, les armes cachées dans des voitures garées en stationnement. Une vieille mitrailleuse, récupérée sur les docks où la seconde guerre égrenait encore ses dernières traces, était camouflée sous une couverture, derrière la grille d'un balcon. Ses serveurs, un ancien combattant du RPF d'Avignon et un gardien de la paix en civil, pouvaient ainsi tenir la rue en enfilade.

Charles Pasqua allait d'un groupe à l'autre, murmurant ses ordres, faux promeneur de ce printemps ensoleillé. Son garde du corps, un homme de chez Ricard, marchait derrière lui, à trois mètres.

Tout à coup, un passant s'arrête devant le chef des commandos de sécurité. Sourire aux lèvres, il interpelle Charles Pasqua. Le garde du corps porte promptement sa main à la poche de sa veste.

« Charles ! Qu'est-ce que tu fais là ? »

Charles Pasqua reconnaît celui qui lui passe l'accolade : lui aussi ancien du réseau des Alpes-Maritimes. Mais communiste. D'un coup d'œil, le comploteur en chef voit ses hommes prêts à intervenir, à quitter leurs postes de guet. Il improvise, tout en faisant un geste d'apaisement en direction de son garde du corps.

« J'ai décidé de me remettre à faire de la marche à pied. »

Les deux hommes parlent un moment de leur profession

réciproque, puis le compagnon communiste se met à évoquer les événements d'Algérie, les rumeurs d'un coup d'État. Charles Pasqua reste évasif, peu informé. Le communiste insiste, interroge... Charles Pasqua conclut ces retrouvailles, alors que derrière lui le garde du corps montre des gestes de nervosité.

« Tu sais, moi, je ne fais plus de politique. J'ai posé le fusil et j'ai jeté les munitions. »

L'autre s'éloigne, salue de la main. Songeur. Charles Pasqua, déjà, repart inspecter son dispositif. Le garde du corps se retourne une dernière fois, avant de retirer sa main de sa poche.

En fait, cette opération « Résurrection » ne compta jamais qu'un peu moins de trois cents hommes armés qui attendirent en vain, massés dans les caves d'un immeuble de la place Félix-Barret, proche de la préfecture, un ordre d'assaut qui ne fut pas donné. A Paris, comme à Alger, le Général avait triomphé sans violence, par la force des événements et d'un appui majoritaire au Parlement.

Ce soir, Gérard Kappé a le bourdon. Il avale au goulot une gorgée de bière et décape mille souvenirs qui lui remontent à la mémoire. Jamais il n'oubliera son compagnonnage militant avec « Charles » à l'UNR des Bouches-du-Rhône. Un compagnonnage au résultat décevant. Malgré le dynamisme du tandem Gaillet-Pasqua, constitué à la hâte par Jacques Soustelle, leur noyau gaulliste n'avait pas fait mieux que le RPF des années d'après-guerre.

Le pensionnaire nostalgique de la rue Nau ressasse encore la déception des législatives de juin 1958, marquées par l'élection d'un seul vrai gaulliste sur les onze circonscriptions marseillaises : Pascal Marchetti, vainqueur de Gaston Defferre dans les 12e et 13e arrondissements. Le seul de la famille. Comme d'habitude, l'avocat Bergasse et l'armateur Fraissinet avaient vite tourné casaque après avoir affiché un gaullisme de simple circonstance.

Quelques semaines après le scrutin, Charles Pasqua s'affrontera violemment avec les amis de Bergasse, lors d'une séance houleuse du comité fédéral de nouveau parti. Devant ses compagnons inquiets il règle, une nouvelle fois, ses comptes avec la bourgeoisie. Il ne choisit pas ses mots avec un soin des plus précieux : « Bande de cons!, lâche-t-il de sa voix forte. Vous avez autant de fidélité que les gigolos du port! Si vous le pouviez, vous changeriez de fille tous les jours! Vous êtes des escrocs, des pilleurs d'investitures. »

Les amis d'Henri Bergasse quittent la séance sur-le-champ. L'histoire remonte jusqu'à Paris. Si, au fond, on comprend la colère du jeune animateur de l'UNR, on ne peut pas en cautionner la forme. Charles Pasqua est donc prié de présenter, par lettre, des excuses aux alliés marseillais du mouvement gaulliste. Plus tard il ira même, par esprit tactique, jusqu'à se réconcilier avec Henri Bergasse, dans un restaurant du Vieux-Port. Mais la légende veut que Charles Pasqua refusa de retirer le mot de « gigolos ».

Gérard Kappé a le spleen. Jamais il n'oubliera, surtout, ce jour béni de 1965 où il rejoignit « Charles » avec ferveur, au Service d'action civique. Depuis trois ans, Pasqua était déjà le chargé de mission régional pour les Alpes-Maritimes, les Bouches-du-Rhône et le Var. Mais presque personne ne le savait. C'était le bon temps... Celui de la nouvelle clandestinité. Le temps des « purs ». Le temps des mythes et de la mythomanie. La légende d'un SAC au-dessus de tout soupçon, raconté aujourd'hui comme l'épopée d'une fraternité sans tache au service de son guide.

Gérard Kappé a le blues. Il revit ses interminables réunions parisiennes où il côtoyait « tous les deux mois » les plus proches collaborateurs du Général. « Quand Foccart arrivait tout le monde se levait. C'était le patron. » Jacques Foccart! Le dernier secrétaire général du RPF, l'ancien secrétaire général de la présidence de la République pour la Communauté, barbouze suprême des dossiers franco-africains, le personnage le plus mystérieux de la Ve République. Le pouvoir occulte incarné, à la fois père spirituel, président d'honneur et inspirateur de ce SAC qu'il considérait un peu comme son enfant.

Il y avait aussi, bien sûr, Paul Comiti, qui avait succédé, en 1960, au premier président officiel du mouvement, Pierre Debizet – « Debarge » dans la Résistance – l'ancien directeur du Service d'ordre du RPF. Partisan de l'Algérie française, celui-ci avait alors refusé de suivre le général de Gaulle dans la voie de l'autodétermination du peuple algérien.

Gérard Kappé avale une autre rasade de bière : « Je suis un inconditionnel du Général et j'aurais été " Algérie française " s'il l'avait été. Debizet, en 1961, a pris position contre le général de Gaulle. C'est la seule raison pour laquelle Paul Comiti, Charles Pasqua, moi et beaucoup d'autres nous ne l'avons pas suivi. J'avais aussi une grande admiration pour Paul Comiti. »

Comment aurait-il pu en être autrement? Personne n'a jamais mieux magnifié le SAC que Paul Comiti, cet ancien garde du corps de de Gaulle, dont la « galère » reste légendaire chez les gaullistes : condamné à l'âge de dix-huit ans par un tribunal de Pétain à dix ans de prison et vingt ans d'interdiction de séjour; enfermé à la prison militaire de Beyrouth, au temps du protectorat français au Liban; évadé en compagnie de ses deux gardiens; déguisé en moine pour rallier les forces de la France libre; victime du scorbut sur un bâtiment de la marine nationale puis, à la Libération, d'une méchante tuberculose qui avait bien failli l'emporter ad patres. Paul Comiti était une figure. Tous les membres du SAC étaient ses frères : « Nous sommes tous des militants bénévoles, expliquait-il aux esprits chagrins. Comme il y en a dans tous les partis politiques. Notre travail essentiel consiste à coller des affiches, à aller applaudir le général de Gaulle, à assurer le service d'ordre des meetings privés. Certes, nous sommes parfois passionnés comme peuvent l'être des chrétiens qui vont directement vers le Seigneur sans passer par le curé, mais pour nous le général de Gaulle, seul, compte. Nous nous bagarrons parfois avec nos adversaires mais que voulez-vous nous sommes de bons militants. »

Gérard Kappé termine sa canette de bière. Il lève à peine les yeux vers le dernier arrivé au comptoir, « un Viet qui a bouffé du communiste »... Il revit maintenant Mai 68. Son Mai 68. Avec ses heures noires : « Il n'y avait plus de pouvoir à Marseille, plus rien. J'étais partout, à la préfecture, à l'Évêché pour maintenir un semblant d'ordre dans ce bordel. Nous ramassions les ordures. Nous enlevions les drapeaux rouges et noirs. Nous éteignions les incendies allumés par les gauchistes... » Soupir : « On aurait dû nous décorer ! » C'était, insiste-t-il, « le merdier » : « Nos dirigeants politiques crevaient de trouille. » Une nuit il avait même fallu tirer du lit le nouveau secrétaire fédéral de l'UNR – Joseph Comiti, le cousin de Paul, « mais celui-là n'est pas de mes amis, ne l'a jamais été et ne le sera jamais », précise Gérard Kappé – pour qu'il opère d'urgence un militant touché à la cuisse par une balle du côté de la Joliette.

Mai 68, son Mai 68, avec ses heures de gloire. Comme, par exemple, cette fameuse journée du 30. De Gaulle avait appelé à l' « action civique » contre « une entreprise totalitaire ». La « chienlit » tenait toujours les facs, à Marseille comme à Aix-en-Provence, mais les bastions de la République étaient à prendre. Gérard Kappé savoure en souriant le souvenir de l'assaut donné à la tête de ses quatre cents « commandos » des Bouches-du-Rhône contre le central téléphonique, puis le bureau du préfet occupé douze heures durant.

Mai 68, versant réactionnaire, mais sans Charles Pasqua. Depuis trois ans, « Charles » avait quitté sa bande marseillaise pour des raisons professionnelles et Paul Comiti, le 20 mai 1967, avait promu le maître pastissier vice-président national du Service. Par ricochet, lui, Gérard Kappé, s'était retrouvé, sur décision de « Charles », responsable du SAC méridional. Ah! que ce SAC-là était flamboyant! Pour un peu, Gérard Kappé en aurait les larmes aux yeux.

Charles Pasqua n'avait pas vraiment abandonné ses hommes du SAC de la cité phocéenne. Chaque soir, le téléphone sonnait rue Nau. Gérard Kappé faisait son rapport, très détaillé. Son chef écoutait sans l'interrompre. Puis il ponctuait, simplement : « C'est bien, c'est bien. » Un jour, en catastrophe, il dut quand même descendre entre deux avions. Les Marseillais menaçaient de s'en prendre aux gaullistes de l'appareil politique officiel.

Kappé les jugeait trop mous. Pas assez violemment anticommunistes. L'éternelle histoire... Charles Pasqua, encore, écouta sans rien dire. Nerveusement, l'un des adjoints de Kappé frappait contre sa paume un coup de poing américain. « Je suis d'accord avec vous, mais chaque chose en son temps, expliqua Charles Pasqua, selon un témoin de la scène. On s'occupera plus tard de ceux de chez nous. »

Les hommes obéirent, de mauvaise grâce. Pour faire plaisir à « Charles ». A regrets. Deux ou trois plans de distributions de gifles anonymes ou d'appels téléphoniques avaient déjà été préparés par ces cerveaux embrumés par la rage d'en découdre avec la terre entière.

Grâce à la présence, parmi ces durs à cuire, ces analphabètes butés du gaullisme marseillais, d'une cinquantaine de policiers – celle, en particulier, du commissaire Lucien Galliani – Gérard Kappé pouvait se passer la plupart du temps de la protection lointaine et épisodique de Charles Pasqua. Il avait, lui, l'ancien para reconverti dans le légume, ses entrées permanentes à l'Évêché. Sa carte du SAC avait valeur de passe-partout. Autant dire de passe-droit. La hiérarchie policière ne lui refusait rien. C'était le Pérou. L'Eldorado des voyous.

Gérard Kappé fixe sa canette vide. Soudain son amertume affleure. Il ne comprend pas pourquoi « Charles » le traite aujourd'hui de mythomane. Tout ça par la faute de ce que le ministre de l'Intérieur appelle « la connerie de Levallois »? Broutille!...

Charter pour Levallois

Le drame de Charles Pasqua, c'est qu'en juin 1968 Marseille le rattrape à Paris. Au moment même où il s'est enfin laissé convaincre de briguer le mandat législatif qu'il avait toujours dédaigné dans la cité phocéenne.

Fatalité? Non. Charles Pasqua aime ses « Marseillais », laissés à la conduite de Gérard Kappé et, quoi qu'il en dise aujourd'hui, il les appelle à la rescousse. Ils sont disponibles depuis qu'ils ne veulent pas, pour la plupart, travailler localement pour Joseph Comiti. Alors que lui, au contraire, a décidé de défier les communistes dans leur fief de Clichy-Levallois, au cœur de ce département des Hauts-de-Seine qu'il commence à connaître puisque c'est là qu'il dirige sa nouvelle société.

La campagne est des plus viriles. Pour faire bon poids bonne mesure face aux bataillons du député sortant, Parfait Jans, Charles Pasqua a plus que jamais besoin de bras. De très gros bras. Gérard Kappé lui envoie donc son lieutenant, Jean Flosi, dit « Siflo », un solide ramoneur aux épaules de déménageur, et une quarantaine de piliers venus des bars du Vieux-Port qui font le voyage avec armes et bagages. Ce « charter » très spécial fait la jonction avec les Parisiens du SAC, dirigés sur ce théâtre d'opérations par Pierre Benhez Kollah, un colosse au visage d'ange, qu'on appelle « Pierrot-Quatre-Canons » parce qu'il assurait autrefois la protection du général de Gaulle avec un vieux pistolet bricolé. Organisée en équipes mobiles, disposant de voitures-radio aux pare-chocs renforcés, cette garde prétorienne, fort hétéroclite, sillonne la circonscription, traquant les « cocos », n'hésitant pas, çà et là, à aller « au contact », pour protéger les jeunes colleurs d'affiches, moins aguerris. Quand les affiches viennent à manquer, les hommes du SAC utilisent des pneus de poids lourds pour peindre des croix de Lorraine sur l'asphalte.

Tout se passe relativement bien et Charles Pasqua n'a qu'à se féliciter du zèle déployé par ses vaillants partisans jusqu'au jour où une « broutille » déclenche une cascade d'incidents et finit par dévoiler des dessous qui, avec le recul du temps, apparaîtront pour le moins singulier dans l'itinéraire politique d'un futur ministre de l'Intérieur.

Le 23 juin, un soir d'affrontement avec l' « ennemi », dont les militants n'y vont pas, eux non plus, de main morte lorsqu'il s'agit de faire pleuvoir des pavés et des boulons, un cheminot et un chauffeur de taxi communistes sont blessés aux jambes au cours d'une fusillade déclenchée par les « touristes » marseillais. Deux des tireurs, Cissoko le Malien et Valencia l'Espagnol, sont inculpés.

Charles Pasqua a beau prévenir l'Élysée et Matignon; il tente de toucher les journaux qu'il connaît, des députés influents; une vive querelle éclate entre « Siflo » et lui; il ne décolère pas. Mais le mal est fait, le scandale politique éclate.

Le SAC est cloué au pilori. Charles Pasqua fait des mises au point maladroites dans la presse des Hauts-de-Seine. L'un de ses amis tente une médiation avec Parfait Jans. Trop tard. Les Marseillais brûlants de zèle ont fait du tort à « Charles » et, à Marseille, noyé sous les flots d'insultes déversées au téléphone, Gérard Kappé ne dissimule pas son ennui. Il sait désormais qu'à la moindre occasion, Charles Pasqua lui fera payer les festivités charmantes de son équipe.

Pour longtemps, l'image de Charles Pasqua – qui n'en a pas encore au niveau national – sera altérée par ces tirs intempestifs sur cibles vivantes. Et plus encore, sans doute, par les effluves du soupçon : la police vient perquisitionner après les deux tentatives de meurtre dans l'ancien hôtel de passe, fermé par la brigade des mœurs, où « Siflo » et sa bande ont établi leur quartier général.

Un commissaire, proche du SAC, a prévenu le curieux comité électoral de Charles Pasqua. Les Marseillais les plus voyants ont été renvoyés vers les bars du Vieux-Port. Les armes, les grenades, les revolvers et les pistolets-mitrailleurs ont été déménagés. Charles Pasqua veille désormais personnellement au maintien de son équipe de gros bras. « Nous n'avions plus droit aux flingues, raconte un ancien de l'odyssée, qu'en cas de coup dur. Seuls nos chefs d'équipe, ceux en qui le candidat avait le plus confiance, avaient un pistolet. Charles Pasqua était inquiet de la tournure que prenaient les événements. Il détestait les rouges mais avait encore plus à cœur de se faire élire avec le respect des gens de Levallois. Alors, à la fin, il ne nous avait plus réellement à la bonne. »

Les policiers, cependant, ne repartent pas bredouilles de leur perquisition et des trois « descentes » successives qu'ils opèrent sur les équipes de nervis du candidat gaulliste. Ils relèvent les identités de tous les locataires de l'hôtel borgne. Que de surprises, pour des connaisseurs du fichier du banditisme! Ils apprennent ainsi que l'établissement est la propriété d'un certain Charly Lascorz, un autre dirigeant du SAC, qui sera le principal inculpé, trois ans plus tard, de l'affaire de l'ETEC : une société-paravent qui dissimulait, à Paris, une officine de trafics d'influence, de chantages et d'extorsions de fonds. « Je ne l'ai rencontré que deux fois », dira le futur ministre de l'Intérieur, d'un ton détaché.

Malheureusement pour sa réputation, cette « broutille » va avoir dans la rubrique des faits divers des rebondissements qui vont définitivement accréditer l'idée que les personnages qui gravitent autour de Charles Pasqua ne sont décidément pas des citoyens de tout repos.

C'est ainsi que parmi les Marseillais de Kappé et « Siflo » figurent trois anciens mercenaires rapatriés du Congo. L'un d'entre eux se fait prendre, peu de temps après la campagne électorale, avec un jeu complet de vrais passeports et un fichier de soldats perdus des guerres africaines. Les deux autres, de nationalité belge, sont arrêtés, en mai 1969, pour avoir dérobé des fusils-mitrailleurs dans une caserne de parachutistes, et tiré sur des gendarmes.

De même, les hasards de la chronique judiciaire apportent quelques mois plus tard des indications encore plus édifiantes sur le pedigree, décidément encombrant pour Charles Pasqua, de certains autres de ses gardes du corps marseillais de Levallois.

En janvier 1970, en effet, deux membres de la confrérie des truands, Antoine Angius et Michel Faure, sont arrêtés près de Toulon et inculpés, en compagnie de cinq complices. Ils se réclament tous du SAC, en espérant des protections politiques, au terme d'une impressionnante série de méfaits : un triple meurtre, l'attaque d'un consulat, une dizaine d'autres attaques à main armée, dont quatre hold-up contre des banques. La police tient là le « gang du cap Brun ». Or non seulement Antoine Angius et Michel Faure appartenaient à l'équipe marseillaise qui s'est illustrée à Levallois, mais il se révèle que le chef de cette bande, Antoine Granato, appartient lui aussi au SAC et qu'il est même l'un des adjoints régionaux de Gérard Kappé. On retrouve chez lui, cachés dans un buffet, onze pistolets et des munitions. Gérard Kappé se souvient bien de lui. Moins des autres. « Je ne peux pas connaître tout le monde... »

Lorsqu'Antoine Granato et ses complices se font arrêter par la police, ils portent sur eux, outre des cartes du SAC, des cartes de membres d'une honorable association de gaullistes de gauche constituée par Philippe Dechartre, secrétaire d'État au Travail au moment des faits.

Enfin, un autre comparse, ancien de l'épopée de Levallois, est arrêté pour vols de voitures.

S'il n'a pas été directement mêlé à la « broutille » de Levallois et à ses suites, Gérard Kappé, lui, n'en continuera pas moins, sans le vouloir, à porter préjudice, par ses propres actes, à son ami « Charles ». En avril 1969, il est impliqué, en compagnie de « Siflo » et d'un autre compère, Alfred Bruno, dans une affaire de vol de caisses d'armes à la caserne d'Istres. Il est condamné à un an de prison avec sursis. « Il ne s'agissait pas d'un vol, expliquera-t-il en 1982, devant la commission parlementaire d'enquête sur les activités du SAC. Deux de mes gars avaient récupéré des armes qui traînaient dans des mains peu recommandables »...

Quant à « Siflo », il se retrouve personnellement sur la sellette judiciaire, en 1970, en qualité de témoin dans l'affaire de Puyricard, un meurtre sur fond de tentative d'escroquerie, dont l'un des trois protagonistes n'est autre que le responsable du SAC à Aix-en-Provence, Sauveur Padovani.

Dans l'après-midi du lundi 28 juillet 1969, en effet, Mlle Lucia Isoard, la gouvernante d'un vieil homme, le vicomte Jacques de Régis, seigneur du château de la Rostolane, situé près de Puyricard (Bouches-du-Rhône), a été mortellement renversée, sur un chemin départemental, par une voiture volée.

L'enquête fait vite apparaître qu'il s'agit d'un meurtre, commandité par une rivale de la victime, Mme Harlette Boublès, l'intrigante compagne de Sauveur Padovani, un Corse au passé pied-noir et aux relations douteuses, dont les activités politiques au titre du SAC s'accommodent alors de la fréquentation de truands notoires.

Il est également établi que c'est l'un des colleurs d'affiches habituellement utilisés par Sauveur Padovani, un certain Gaston Costeraste – plus connu dans le milieu sous le surnom de « Jo l'Aixois » – qui pilotait la voiture meurtrière. Tout ce beau monde finira en prison, et devant le tribunal, « Siflo », après avoir tout fait pour disculper Sauveur Padovani, criera au complot perfide contre le gentil SAC.

Vingt ans après, Charles Pasqua n'aime pas évoquer ce passé, cet héritage marseillais qui lui a laissé des marques indélébiles. Il sait bien que même si personne ne prétend le tenir pour personnellement responsable des actes commis par les siens au cours et après cette campagne législative mémorable qui le conduisit sur les bancs de l'Assemblée nationale, la mémoire collective gardera néanmoins le souvenir peu banal d'un futur ministre de l'Intérieur qui se sera fait élire avec le soutien de malfrats en tous genres aimablement mis à sa disposition, sans qu'il y voie à priori le moindre inconvénient, par son successeur à la tête du SAC marseillais. Ce Gérard Kappé, auquel il ne tient pas rancune et sur lequel il s'apitoie aujourd'hui afin d'accentuer les distances qu'il tient à prendre, bien sûr, avec cet infortuné compagnon, perdu de vue depuis longtemps, presque oublié : « Ce n'est certainement pas un mauvais homme, ni un malhonnête homme, mais je crois qu'il est devenu un peu fou... »

Les lauriers de Mai 68

La seule image du SAC que Charles Pasqua aurait aimé perpétuer, c'est celle d'une estimable amicale de compagnons jusqu'au-boutistes dont le seul idéal était d'incarner le gaullisme dans toute sa pureté. Une image épurée des scories de sa propre histoire. Semblable, au fond, à la façade avenante que présente aujourd'hui, au numéro 5 de la rue de Solférino, à Paris, l'ancien siège national du RPF et du Service d'action civique, métamorphosé en un vénérable Institut Charles-de-Gaulle à l'abord des plus respectables avec son fronton altier, ses croisillons élégants, ses balustres graciles, ses trois étages de balcons aux fers forgés finement ouvragés, et auprès duquel le siège cadenassé du parti socialiste, sur le trottoir d'en face, ressemble à une austère et redoutable forteresse.

Charles Pasqua choisit la culpabilité de bonne foi pour réduire « la connerie de Levallois » à une expédition de nervis un peu voyante.

Le seul fait d'armes du SAC dont il revendique volontiers la paternité, c'est la victoire du gaullisme sur la « chienlit » de Mai 68. La République battait de l'aile sous la pression des « socialo-coco-gauchos », Charles Pasqua est arrivé, comme Zorro, et il l'a sauvée : « L'UNR était flageolante, le gouvernement faisait des conneries, alors j'ai mobilisé le SAC! » Jusqu'à l'apothéose : l'immense manifestation gaulliste du 30 mai sur les Champs-Élysées, la dissolution de l'Assemblée nationale par de Gaulle et l'annonce des élections législatives. Paternité redoutable...

En mai 1968, il y a longtemps que le SAC a perdu sa virginité, héritée du RPF. Le général Pasqua ne dispose pas, comme veut le faire croire sa légende, d'une cohorte déterminée et disciplinée. Le vice-président national du SAC se retrouve à la tête d'une petite troupe cosmopolite complètement déboussolée. Son Q.G. de la rue de Solférino tient moins d'un poste de commandement que d'une base extraterrestre peuplée d'hommes venus des galaxies les plus bizarres du microcosme politique. Il y a là des dirigeants de l'UDR apeurés et dépassés par les événements, des gaullistes de toujours, des revenants de l'OAS à la recherche d'une réhabilitation, des soldats perdus des guerres d'Indochine et d'Algérie, des professionnels du « noyautage », beaucoup de policiers en « heures supplémentaires », des manipulateurs et des manipulés, des gens sans scrupule et prêts à participer à toutes les activités marginales pourvu qu'elles rapportent de l'argent, quelques petits notables de la grande truanderie. Tout ce qu'il faut, en somme, pour composer un corps expéditionnaire.

Charles Pasqua se sent rajeunir de vingt-cinq ans. Il retrouve le plaisir des promiscuités ambiguës de la fin de la Résistance. Il enrage cependant devant l'incurie du gouvernement. Depuis le début du mois, la rue, le pays appartiennent aux étudiants contestataires et aux « casseurs ». Georges Pompidou se promène en voyage officiel en Iran et en Afghanistan. C'est Louis Joxe qui assure son intérim à l'Hôtel Matignon, mais il passe son temps en conciliabules avec les autres ministres alors qu'au quartier Latin tout explose.

La première émeute a eu lieu le soir du 2 mai. Deux mille étudiants ont harcelé quinze cents policiers. Plusieurs voitures ont été incendiées et des barricades édifiées autour de la Sorbonne. Le 6 mai, la manifestation organisée par l'UNEF pour protester contre les condamnations à deux mois de prison ferme infligées l'avant-veille à quatre étudiants prend de nouveau une tournure violente et se transforme en combat de rue entre le carrefour Mabillon et la place Saint-Germain-des-Prés. Les manifestants sont plus de vingt mille.

Le 5 de la rue Solférino s'est hérissé, tel un bunker, de treillages métalliques apposés sur les fenêtres; les persiennes ont été blindées; deux caméras auscultent la porte principale; le central téléphonique est en état de siège; le préposé à l'imprimerie s'agite; dans la cave réservée aux futurs « interrogatoires » des « gauchistes », les gros bras surveillent le matériel : grenades lacrymogènes, manches de pioches, matraques télescopiques, casques.

Tout le monde attend, l'arme au pied, des ordres qui ne viennent pas. La fébrilité gagne peu à peu les quelque cent cinquante hommes rassemblés depuis trois jours. En principe, le maître des lieux est cet ancien régleur-distributeur des NMPP, Georges Seigneuret, devenu officier de police contractuel, mis par l'Hôtel Matignon à la disposition permanente du SAC dont il est le responsable pour la région parisienne. Pendant qu'il s'égosille à appeler à la rescousse ses cinq mille adhérents de la capitale et de la banlieue, ses chefs de groupe s'impatientent. Luiz, l'ancien de la Légion espagnole qui s'est battu aux côtés de la Wehrmacht avec la division Azul, joue nerveusement avec un casse-tête. Ozon et son équipe de Hongrois ont envie, depuis 1956, de venger Budapest en « cassant » du communiste. Rachid le boxeur et son groupe de Kabyles et d'Africains arpentent les couloirs. « Pierrot-Quatre-Canons », déjà sur la brèche en tant que spécialiste des transmissions, paraît, au contraire, extrêmement calme. Un nouveau venu, Gilbert Lecavelier, ancien parachutiste, familier des groupuscules nationalistes, vient de proposer ses services à Georges Seigneuret. A peine embauché, ce 6 mai, il est promu chef d'un groupe improvisé chargé avec « Pierrot-Quatre-Canons » de protéger les fausses ambulances de Charly Kaiser qui partent vers la rue du Four pour « gauler » quelques « gauchistes » blessés et les livrer à la DST.

Charles Pasqua et les autres membres de l'état-major du SAC font de la résistance passive au troisième étage, sous les toits, au-dessus du bureau privé du général de Gaulle, sanctuaire interdit à la piétaille. C'est Jacques Foccart qui, de l'Élysée, distille les directives.

Le 7 mai, l'agitation s'amplifie : les contestataires sont vingt-cinq mille à défiler pendant cinq heures dans Paris et à se regrouper au quartier Latin où de nouveaux heurts les opposent aux policiers. Le général de Gaulle déclare aux membres du nouveau bureau de l'Assemblée nationale, venus lui rendre une visite protocolaire : « Il n'est pas possible de tolérer les violences dans la rue. »

Au 5 de la rue de Solférino, les dirigeants du SAC commencent à s'enhardir après avoir craint d'être attaqués. Presque tous les groupes d'action entrent enfin en piste pour donner « un coup de main » aux forces de l'ordre officielles. Seuls les chefs d'unité ont le droit d'emporter une arme à feu. Cela n'empêche pas Ozon et ses Hongrois de préparer quelques cocktails Molotov. Les autres « combattants » sont dotés de grenades lacrymogènes et de matraques. Toute la soirée, ces sections parallèles mettent du cœur à l'ouvrage partout où les « gauchistes » débordent les policiers.

C'est au cours de cette nuit du 7 au 8 mai que Gilbert Lecavelier assiste à son premier « interrogatoire de gauchistes » dans la cave dite « des aveux spontanés ». Il racontera cette scène, plus tard :

« La méthode est simple. On groupe les types non loin de la cave dans laquelle on les fait descendre un à un. Là, on les attache au mur, menottes aux poignets. Le futur interrogé reste une demi-heure seul, se demandant ce qui va lui arriver. L'imagination du détenu étant le meilleur allié de celui qu'on a chargé de procéder à l'interrogatoire, celui-ci n'a plus qu'à se composer un personnage collant parfaitement à l'idée que le détenu se fait habituellement d'un bourreau... Manches retroussées, l'air énervé, mains sales qu'il faut monter laver parce que le précédent " client " n'était pas " raisonnable " et qu'il a fallu mettre le paquet, petit sourire quand on précise qu'il a quand même parlé, parce qu' " après tout, de visage, on n'en a qu'un, hein? " etc. »

Pendant ce temps le gouvernement polémique au Parlement avec l'opposition, Georges Pompidou est toujours en Afghanistan et les principales centrales syndicales appellent à la grève.

Charles Pasqua comprend que ce n'est pas avec quelques centaines de militants du SAC, si zélés soient-ils, que les gaullistes peuvent espérer renverser le cours des événements. Or les autres mouvements qui s'opposent à la « chienlit » sur – et sous – les pavés du quartier Latin appartiennent à une extrême droite qui hait le SAC depuis la fin de la guerre d'Algérie.

Charles Pasqua – selon la légende – décide donc de créer une nouvelle organisation distincte du SAC, où pourront agir côte à côte les militants gaullistes et les adversaires de la politique menée jusqu'en 1962 par le général de Gaulle, en particulier les anciens de l'OAS, ainsi que tous les autres volontaires, d'où qu'ils viennent.

L'idée, en fait, est de Jacques Foccart qui a rappelé pour les besoins de la cause, du Gabon où il travaillait pour son compte... Pierre Debizet. La réapparition du premier animateur du SAC ne va pas sans vagues. Quand Pierre Debizet explique que la meilleure façon de recruter du « personnel qualifié », et notamment les démobilisés de l'OAS, c'est de les payer, Charles Pasqua proteste de toute sa vertu militante outragée. En vain. Il participe néanmoins – nécessité oblige – après une brève concertation avec René Tiné, le secrétaire général en exercice du SAC, et Jacques Belle, le directeur de cabinet de Robert Poujade, alors secrétaire général de l'UDR, à la naissance, le 7 mai, des Comités de défense de la République.

Deux jeunes vont immédiatement jouer auprès du vice-président du SAC un rôle important dans le travail de propagande qui va assurer le succès de cette entreprise. Le premier s'appelle Jacques Godfrain. Un « protégé » de Jacques Foccart qui lui a demandé l'année précédente de prendre la direction de la branche « jeunes » du Service. Il milite depuis trois ans au mouvement gaulliste et il a déjà fait ses preuves en participant, en 1967, aux services d'ordre des meetings de soutien à Georges Pompidou pendant la campagne des élections législatives. A l'occasion d'un face-à-face entre le Premier ministre et le leader de la Fédération de la gauche, François Mitterrand, le 22 février, à Nevers, on l'a même vu mettre tant d'abnégation dans sa tâche de garde du corps qu'il a essuyé quelques crachats destinés à ce dernier.

Le second est le meilleur ami de Pierre, le fils de Charles Pasqua, qui a vingt ans et milite discrètement, désormais, auprès de son père. Il se nomme Joël Gali-Papa et il dirige, dans le Val-de-Marne, la fédération de l'Union des jeunes pour le progrès (UJP), la plus importante de France avec ses huits cents adhérents.

Jacques Godfrain s'occupe des premières formalités pour officialiser la création des CDR. Le 8 mai au matin il se précipite pour déposer les statuts de cette nouvelle association à la préfecture, puis il rédige un premier tract. Il achète ensuite un carnet à souches dans une librairie du boulevard Saint-Germain et installe une table dans le hall de l'immeuble de la rue de Solférino pour prendre les inscriptions des premiers membres.

« Comment allez-vous numéroter vos cartes d'adhérent?, lui demande, ingénu, Charles Pasqua.

– Je commencerai par 001... »

Grimace amusée de Charles Pasqua :

« Puisque nous voulons lancer un mouvement de masse il vaut mieux commencer par 10 001... »

Ainsi fut fait.

Joël Gali-Papa, lui, envoie ses huit cents militants, presque tous de jeunes ouvriers, dans tous les azimuts pour distribuer les tracts. Personnellement, avec Pasqua junior, il participe à la mobilisation des militants du SAC en province en les incitant à démultiplier les CDR. Très vite, les adhésions affluent. On ne refuse personne, ni les élus qui montrent enfin le bout de leur nez ni les personnages douteux.

Joël Gali-Papa et son copain Pierre forment une paire joyeuse et efficace. Une solide amitié lie ces deux garçons passionnés d'action, qui ont fait presque en même temps leur préparation militaire au régiment parachutiste de Pau. Joël est entré dans l'intimité du clan Pasqua. Avec Pierre, le soir, dans l'appartement décoré par Jeanne, l'épouse, il s'amuse à faire hurler Charles Pasqua en passant à la puissance maximale des disques de chants mussoliniens. Le soir de la mort de Georges Pompidou, tous deux se livreront à une plaisanterie beaucoup plus sinistre : ils sableront le champagne. Ils participeront aussi, dans les Hauts-de-Seine, à un comité antidrogue créé par le fils de Robert Boulin, en se servant de cette structure pour... espionner les « gauchistes ».

En attendant, en ces nuits de mai 68 Joël Gali-Papa et son copain Pierre Pasqua passent leur temps à régler des problèmes d'intendance. En vingt-quatre heures, ils parviennent à approvisionner tous les ministères en essence et à garder les locaux de l'UDR, rue de Lille et boulevard Saint-Germain. Ils brocardent Robert Poujade qu'ils voient « mort de peur ». Ils sont tellement épuisés par les mille courses que leur imposent leurs missions quotidiennes que, dans la nuit du 9 au 10 mai, ils s'endorment pendant une vingtaine de minutes dans leur voiture arrêtée à un feu rouge...

La nuit suivante, du 10 au 11 mai, est la plus dramatique. Plusieurs dizaines de milliers d'étudiants sont redescendus dans la rue, à l'appel de l'UNEF et du Snesup, et à partir de 20 h 30 leur défilé rituel dégénère une nouvelle fois en émeute. A minuit, tandis que les négociations engagées à 22 heures entre les responsables de l'université de Paris et les représentants des étudiants n'aboutissent pas, tout le secteur de la place Edmond-Rostand est encombré d'obstacles. A 2 h 15 la police, restée jusque-là l'arme à la bretelle, reçoit la mission de « rétablir l'ordre public ». Il faudra cinq heures de combats acharnés aux CRS et aux gardes mobiles, épaulés par les groupes d'action du SAC, pour prendre d'assaut quelque soixante barricades, sous un déluge de pavés et de cocktails Molotov. Le bilan sera dramatique : 367 blessés dont 32 dans un état grave, 460 interpellations, 188 véhicules incendiés ou endommagés, des rues entières dépavées.

Toute la nuit, la rumeur a couru que les manifestants allaient attaquer l'Élysée. Dès minuit, sentant le danger, Charles Pasqua a réuni, rue de Solférino, les équipes de Joël Gali-Papa. Cette fois, il a fait distribuer les armes à chacun des membres du SAC présents. Interdiction de sortir, de partir en expédition au Quartier latin. Une seule consigne : attendre.

Charles Pasqua fait les cent pas dans le bureau des chefs. Il écoute la radio, fait préparer une vingtaine de voitures qui viennent se garer près du ministère de la Défense. Il voudrait aller aux nouvelles, n'ose pas. Inutile de traverser le quartier pour chercher de l'information au siège du parti : il est vide, simplement gardé par quelques jeunes gens casqués et armés de barres de fer. Les responsables du parti sont occupés ailleurs. Charles Pasqua ne saura jamais vraiment où.

Téléphoner à Jacques Foccart? Charles Pasqua a pour mission de répercuter les ordres du barbouze en chef, pas de les solliciter. On annonce pourtant que les gauchistes veulent marcher sur l'Élysée... Charles Pasqua a fait ce qu'il croyait devoir faire : tenir ses troupes prêtes à foncer sur le palais présidentiel pour prendre position dans les jardins, l'arme à la main, au cas où les gardes républicains se feraient déborder.

« La situation était insurrectionnelle, raconte Gali-Papa. C'est Pasqua qui avait donné les directives et moi, j'attendais avec mes hommes, de plus en plus énervés, de plus en plus difficiles à tenir. C'était crevant pour les nerfs, cette attente... Plus les informations nous parvenaient à la radio ou par les flics, plus Charles Pasqua nous disait d'attendre. »

Vers quatre heures du matin, Charles Pasqua tente toujours d'obtenir de Foccart l'ordre de marcher sur l'Élysée. Silence sur la ligne. L'Élysée, apparemment, ne semble rien redouter.

On signale bien du côté de la Concorde quelques groupes d'étudiants. Rien de dramatique. Le pouvoir ne veut pas risquer de bavures supplémentaires. Les policiers des voyages officiels ont prévenu : si les hommes du SAC mettent les pieds au palais présidentiel, ils se mettent en grève.

Au petit jour, tout danger semble écarté. La marche sur l'Élysée n'était qu'une fausse rumeur, née au sein même du SAC. Les militants maintenant s'engueulent, se reprochant mutuellement ces informations contradictoires, jamais vérifiées qui mettent l'immeuble du 5 de la rue Solférino, depuis huit jours, dans des états de transe et qui font douter Jacques Foccart du sérieux de ces troupes trop volontaires pour être vraiment coordonnables.

Le soleil est levé depuis une heure déjà lorsque Charles Pasqua obtient enfin son chef au téléphone. Son interlocuteur ne cache pas son mépris pour cette attente, toute une nuit, sur le pied de guerre. Alors que les policiers, dans d'autres coins de Paris, réclamaient des renforts. Charles Pasqua est furieux.

Mais il n'en dit rien. Il sait que le Général demande chaque matin à son homme de l'ombre un rapport sur les événements de la nuit au Quartier latin et... sur le SAC, déjà sur la sellette. Les hommes de Gali, ceux de Kemp ou de Lecavelier deviennent de plus en plus encombrants... Leurs commandos ne tapent pas toujours à bon escient. Les plaintes des élus gaullistes commencent à s'amasser. Pierre Pasqua et Joël Gali-Papa ont chahuté un responsable gaulliste qu'ils jugeaient un peu peureux : venant lui apporter de l'essence, ils ont trouvé celui-ci sur le point de partir en week-end avec toute sa petite famille.

Charles Pasqua, ce matin-là, garde pour lui sa colère. Les hommes ont fini par s'endormir sur des chaises, à même le sol, après avoir rendu leurs armes avec de mauvais regards pour Charles Pasqua. « Ce sera pour demain, leur promet-il. Il y a un plan pour prendre l'Élysée. Les gauchistes vont recommencer. »

Les gauchistes recommenceront, mais il n'y aura jamais de plan secret pour l'Élysée. Le 12 mai, Georges Pompidou rentre à Paris à l'issue de son voyage au Moyen-Orient. Le 13, c'est la grève générale. La France paralysée jusqu'au 29 mai. Le général de Gaulle maintient pourtant son déplacement en Roumanie. Les grévistes refusent, le 25 mai, le protocole d'accord de Grenelle, ainsi dénommé parce que les négociations ont lieu rue de Grenelle, au ministère des Affaires sociales. Le pouvoir est-il à prendre? François Mitterrand le croit. Il annonce, le 28 mai, qu'il est candidat à la présidence de la République et prêt, « s'il le faut », à former « un gouvernement provisoire de la République ». Le même jour Alain Peyreffite remet à Georges Pompidou, qui l'accepte, sa démission de ministre de l'Éducation nationale. Au même moment, Cohn-Bendit, qui avait été expulsé le 22 mai, revient clandestinement en France.

Le lendemain, de Gaulle disparaît pendant une demi-journée. Il s'est rendu à Baden-Baden pour y rencontrer secrètement plusieurs chefs militaires, dont le général Massu, commandant les forces françaises en Allemagne. Ceux-ci l'assurent de leur fidélité.

Le pouvoir semble vacant. A 21 h 10, Pierre Mendès France déclare aux journalistes qu'il accepte de prendre la direction du « gouvernement provisoire » préconisé par François Mitterrand. « Si M. Mendès France apporte la sauvegarde des libertés, s'il fait une politique européenne et sociale, nous n'avons pas à discuter les hommes qu'il choisira », indique Jean Lecanuet.

Au siège du SAC règne un certain désarroi. Les membres de l'état-major du Service d'action civique sont désemparés.

Alors Charles Pasqua lâche : « C'est Krieg qui a raison! » Depuis vingt-quatre heures, Charles Krieg, député gaulliste de Paris, propose à l'UDR d'organiser une gigantesque contre-manifestation à Paris mais Georges Pompidou et le préfet Maurice Grimaud trouvent cette idée stupide : ils sont persuadés qu'un tel pari est impossible à tenir. Charles Pasqua relève le défi : « Nous n'avons plus le choix. Si nous avons encore une chance d'arrêter cette révolution, c'est en utilisant les mêmes armes que nos adversaires. Oui, nous devons nous aussi descendre dans la rue. »

Tout le monde se met immédiatement au travail pour donner aux militants de province rendez-vous à Paris pour le mercredi 30 mai dans l'après-midi. Pour que le pari soit gagné il faut mobiliser beaucoup plus que les quelque vingt mille adhérents du CDR enregistrés en trois semaines. Charles Pasqua rameute tous ses « Ricardiens ». Les rois du pastis accourent au secours de la République.

Ces grandes remontées des quatre coins de France, Charles Pasqua sait les organiser. Il l'a fait tant de fois pour la firme d'anis! Il fait louer par des amis, par les gaullistes des régions les plus proches de Paris, tous les cars disponibles. Il fait donner les militants du SAC de Normandie, de la Somme, de toute la couronne parisienne. Au ministère de la Défense, il trouve des drapeaux tricolores par dizaines. Des voitures filent les porter au point de départ des cars. En cinq heures, sa cellule de crise a réussi à faire converger plusieurs milliers de sympathisants, de « Ricardiens », d'acteurs apeurés de la France profonde... vers les périphériques de la capitale. Distribution de sandwichs et de Ricard. Les fidèles de la République attendront là l'heure H de la reconquête.

Paul Comiti, René Tiné et Charles Pasqua étudient, dans la nuit, le minutage de l'opération avec Jacques Foccart. Celui-ci informe ses compagnons que le général de Gaulle s'adressera à la nation le 30 mai à 20 heures par le canal de la télévision.

Chacun se félicite. Sauf Charles Pasqua. Comme d'habitude il a laissé chacun parler en écoutant attentivement. Il a soupesé mentalement l'avis des uns et des autres. Il prend la parole le dernier : « Moi, je crois que l'heure est mal choisie... » Silence de Jacques Foccart et des autres. « Si le général parlait vers 16 heures, ce serait mieux parce que son appel pourrait faire sortir les gens dans la rue sans attendre et tout le monde rejoindrait notre manifestation que nous pourrions commencer à la place de la Concorde... »

L'argument convainc Jacques Foccart.

Toute la France, le lendemain matin, vit dans l'attente des décisions de Charles de Gaulle. Contrairement à son habitude, le ministre de l'Information se refuse à toute déclaration à l'issue du Conseil des ministres. La tension monte; le suspense tient les Français en haleine.

On annonce enfin que le général de Gaulle s'adressera au pays à 16 h 30 par le canal de la radio.

Le président de la République commence à parler à 16 h 31. Le vieux soldat a retrouvé son tonus. Sa voix chevrote un peu mais elle exprime une extraordinaire détermination. Il annonce ses résolutions : le maintien du Premier ministre à la tête d'un gouvernement remanié, la dissolution de l'Assemblée nationale, l'ajournement du référendum sur la régionalisation, l'organisation d'élections législatives. Il appelle aussi – et c'est surtout ce qu'attendent, rue de Solférino, Charles Pasqua et sa troupe – à l' « action civique » contre la menace de dictature du « communisme totalitaire ».

Branle-bas de combat! Tout le monde file immédiatement, drapeaux en tête, vers la place de la Concorde. Les militants et les sympathisants des CDR ont rendez-vous au pied de la statue représentant la ville de Strasbourg.

Les hommes de « Pierrot-Quatre-Canons », Luiz, Ozon, Rachid, au nombre de quatre cents, armés de grenades, de pistolets et de quelques mitraillettes, ont pris position autour de la place et en contrôlent tous les accès. Jacques Godfrain, Joël Gali-Papa et certains autres militants des CDR encadrent les députés UDR qui arrivent en cortège du palais Bourbon. Valéry Giscard d'Estaing a refusé de se joindre à eux. Il craint que la manifestation ne soit « ridicule ».

Une demi-heure plus tard Charles de Gaulle – et Charles Pasqua, ajoute la légende – triomphent. La manifestation réunit près d'un million de personnes qui défilent en chantant *la Marseillaise* et en criant : « De Gaulle n'est pas seul! » « Mitterrand, c'est raté! » « Liberté du travail! » En tête du cortège qui monte vers l'Arc de Triomphe, on reconnaît deux ministres, Michel Debré et André Malraux. Quand la nuit tombe les derniers manifestants n'ont pas encore atteint la place de l'Étoile. Durant une partie de la nuit, les voitures du SAC sillonneront le quartier en klaxonnant. L'insurrection est maîtrisée. Le soir même, Georges Pompidou signe un décret portant, à partir du 1er juin, le salaire minimum à trois francs de l'heure en supprimant toutes les zones de salaires. Un autre texte rétablit le contrôle des changes.

Le triomphe de Charles Pasqua? En vérité le vice-président du SAC est passé totalement inaperçu de la foule, qui ne le connaît pas. Il n'a pas de mandat électif, il ne fait pas partie de la classe politique. Qui accorderait une réelle importance à ce sergent recruteur? Si les Parisiens sont venus si nombreux c'est moins à l'appel du SAC qu'à celui de tous les parlementaires gaullistes et des militants de l'UDR qui depuis une semaine voyaient grossir les rangs de la « France silencieuse », tous les soirs, devant leurs permanences.

Peu importe. En guise de bâton de maréchal Charles Pasqua reçoit l'autorisation de faire acte de candidature aux élections législatives, ce qui est tacitement interdit, jusque-là, par la charte morale du SAC. Jacques Godfrain, qui s'est à nouveau fait remarquer par son dévouement, bénéficie du même privilège. Il accepte d'aller tenter sa chance dans les Pyrénées-Orientales où il échouera face au maire socialisant de Perpignan.

Charles Pasqua, lui, hésite. Il n'a pas plus envie aujourd'hui qu'hier à Marseille d'entrer dans le sérail politique. Mais l'Hôtel Matignon insiste; l'Élysée aussi, selon Jacques Foccart. Il accepte, à deux conditions : affronter un communiste et se présenter... près de chez lui. Direction Levallois. Sa carrière parlementaire commence. Elle continuera cahin-caha, au gré de sa réputation, terriblement marquée, longtemps, par les nuits chaudes de 1968.

SAC d'embrouilles

« Y a-t-il, à votre avis, les bons SAC et les mauvais SAC? »

Le rapporteur de la commission d'enquête sur les activités du Service d'action civique, M. Louis Odru, député communiste, sourit en posant la question. Sa religion est faite depuis longtemps. Cela fait près de trois mois, en ce 14 avril 1982, qu'il écoute de bien curieux récits. Vingt-deux ans de chronique politique et judiciaire ont défilé devant ses yeux au fil des quatre-vingt-quinze auditions précédentes. Il ne fait aucun doute, dans son esprit, que le sordide massacre d'Auriol, commis le 19 juillet 1981 et qui est à l'origine directe de la constitution de la commission parlementaire, aboutira à la dissolution de cette association occulte sur laquelle tous les pouvoirs, sous la Ve République, ont préféré, jusqu'ici, ne pas lever le voile. Cette fois l'horreur a atteint son paroxysme. Qui oserait voir la moindre justification politique dans ce règlement de comptes perpétré par six tueurs du SAC qui ont froidement exécuté un de leurs anciens comparses de l'ombre, le policier Jacques Massié et cinq membres de sa famille dont son fils, un enfant de huit ans? Cette affaire a révélé au contraire les pires perversions de certaines entreprises politiques.

Pourtant, en suivant le défilé des témoins, le drame s'est estompé, la politique a repris le dessus. Comme les autres membres de la commission réunie au palais Bourbon, Louis Odru s'est tantôt irrité, tantôt emporté ou carrément amusé de ce qui était dit sous la foi du serment. Le refus de témoigner opposé à la commission par Pierre Debizet, l'actuel secrétaire général du SAC, qui a été inculpé, n'a pas vraiment fait obstacle à une meilleure compréhension du fonctionnement de cette nébuleuse.

Louis Odru a mis beaucoup d'ironie dans sa question. Il sait que celui qui doit y répondre va s'en tirer par une pirouette. Il ne se trompe pas. Tranquille comme Baptiste, Charles Pasqua, président du groupe RPR du Sénat, entendu en tant qu'ancien vice-président du SAC, se prépare depuis trop de semaines à cet interrogatoire pour pouvoir être pris au dépourvu. Il a juré, bien entendu, de dire toute la vérité, rien que la vérité, mais l'expression de la vérité n'est-elle pas d'abord, en pareille circonstance, affaire de ton?

Cette première question, de toute façon, n'en est pas une. Charles Pasqua y répond avec la même dose d'ironie, par un précepte, qu'il prétend « chinois », digne d'un proverbe normand : « Dans le mauvais il y a du bon et dans le bon il y a du mauvais... » La théorie du yin et du yang à la mode pasqualienne...

Louis Odru passe aux choses sérieuses. Pour essayer de gêner l'ancien vice-président du SAC il évoque la « connerie de Levallois » : « Pourquoi avez-vous fait venir les Marseillais du SAC pour vous appuyer, en juin 1968, dans les Hauts-de-Seine? »

Il faudrait beaucoup plus que cette histoire ancienne pour embarrasser Charles Pasqua :

« Moi, je n'ai fait venir personne; je n'en avais pas besoin. Si j'avais voulu, à ce moment-là, avoir du monde je n'avais aucun problème pour trouver trente ou cinquante personnes...

– Pourquoi sont-ils venus?

– C'est à eux qu'il faut le demander... Pour la plupart d'entre eux, au demeurant, c'étaient des gens convenables, sérieux. Mais il y avait aussi quelques fous, je m'en serais bien passé... »

Le rapporteur de la commission insiste sur le rôle du chef politique des Marseillais venus à Levallois, Gérard Kappé : « N'est-ce pas vous qui en avez fait votre successeur? »

La parade est prête :

« Quand il est entré au SAC après mon départ de Marseille, c'était de toute façon un bon militant, un garçon solide et on n'avait aucune raison, à l'époque, de penser qu'il se comporterait différemment de ce qu'on était en droit d'attendre. Il n'y avait aucun problème.

– Vous avez été étonné de découvrir un personnage fou?

– Oui, un peu fou. »

Louis Odru, pince sans rire : « On a découvert qu'au SAC il y a des fous, des mythomanes, des gens sans intelligence, des "gros bras"; des intellectuels, on n'en a pas trouvé beaucoup. »

Charles Pasqua, apitoyé : « C'est dommage, parce qu'il y en a quand même... »

Le député communiste sort son atout : « Vous venez de créer une nouvelle association dans le Sud-Est et l'on y trouve Gérard Kappé. Cela est-il lié au SAC? »

Charles Pasqua fait une longue réponse alambiquée : « Non, pas du tout. C'est une association qui a été créée dans un but précis. Nous considérons que l'évolution du système, quelle que soit la volonté de ceux qui sont en charge de l'État, a une logique inquiétante et que cela comporte des risques de voir les libertés auxquelles nous tenons mises en cause; il ne s'agit pas de créer une organisation puissante. S'agissant de Marseille où je suis allé moi-même inaugurer les locaux, j'avais fait quelques vérifications préliminaires. Par conséquent, ni de près ni de loin, les gens liés au SAC ne sont associés à cette affaire. Kappé, pas question, et les autres non plus. Aucun responsable du SAC, ancien ou actuel... »

Louis Odru n'insiste pas. Charles Pasqua a de la chance. La commission vérifiera plus tard que Gérard Kappé fait bel et bien partie, en compagnie d'autres anciens du SAC, de l'association qui représente dans les Bouches-du-Rhône, ainsi qu'en témoignent ses statuts déposés le 4 février 1982, l'association nationale « Solidarité et défense des libertés » créée à Paris par Charles Pasqua et son compère corse le sénateur Paul d'Ornano pour doter l'opposition de l'époque d'un nouvel instrument de combat contre la gauche au pouvoir depuis mai 1981.

Louis Odru change heureusement de sujet et interroge le témoin sur sa participation personnelle à la fondation du SAC. Charles Pasqua minimise son rôle : « Je n'ai jamais été membre fondateur du SAC. Si je l'avais été je le dirais. Je n'aurais aucune raison de le cacher. »

L'ancien vice-président du SAC a une nouvelle fois de la chance. Louis Odru a la mémoire courte. Il ne se souvient pas de cette entretien, publié le 13 février 1979 par *L'Aurore*, dans lequel Charles Pasqua revendiquait, au contraire, toute sa part dans la fondation du Service d'action civique : « Oui, j'ai été un des créateurs du SAC, disait-il. Je n'en ai pas honte. »

Le président de la commission d'enquête, Alain Hautecœur, député socialiste, intervient : « Pouvez-vous nous expliquer les conditions dans lesquelles vous avez quitté le SAC en 1969? Vous l'avez quitté de vous-même ou il y a eu une mesure d'exclusion à votre encontre? »

Charles Pasqua est ravi. Voilà l'occasion de laisser entendre que s'il a rompu avec le SAC, un an après son triomphe de mai 1968, c'est justement parce que depuis le retour d'Afrique de Pierre Debizet le Service d'action civique avait tendance à se fourvoyer dans des activités contraires à son éthique gaulliste : « Je l'ai quitté de moi-même à la suite d'un comité directeur où nous avons eu une explication et où j'ai déclaré que je ne pouvais, en ce qui me concernait, accepter aucune collaboration d'aucune sorte avec M. Debizet s'il était nommé secrétaire général. J'ai donc quitté, de mon plein gré, le Service d'action civique. Je sais que par la suite il a été dit que j'avais été exclu, mais de toute façon je n'aurais pas reconnu à quiconque le droit de m'exclure de cette organisation dont j'étais parti de mon plein gré. »

Cette fois, Charles Pasqua ne travestit pas la vérité. Sa rupture avec Jacques Foccart et Pierre Debizet, le 4 octobre 1969, au cours d'un dîner houleux auquel avait aussi été convié Paul Comiti, dans une brasserie du boulevard Saint-Germain, s'est très mal passée. Françoise Sagan dînait quelques tables plus loin, en compagnie de quelques amis. Charles Pasqua portait les lunettes noires, souvenir du soleil marseillais, qui le quittaient rarement. A peine le vin servi, Jacques Foccart s'en prit aux amis du jeune député de Levallois, lui reprochant à la fois sa campagne législative et la réputation de ses Marseillais.

« Et les tiens d'amis, tu crois qu'ils sont mieux? répondit Charles Pasqua. Tu fais remonter Debizet en sachant très bien qu'avec lui, ce n'est plus des militants un peu énervés, mais carrément les mercenaires d'Afrique noire! »

Paul Comiti tente maladroitement de défendre son jeune ami sous le regard fiévreux de Pierre Debizet. Il rappelle le travail fait par les Comités de défense de la République, tout au long du printemps, pour la survie du gaullisme. Jacques Foccart, sans relever la tête de son assiette, laisse tomber :

« Ils sont aussi voyants que tes Marseillais. D'ailleurs, ce sont souvent les mêmes...

Ses trois convives, qui ne touchent pas à leur plat, n'ont rien à répliquer. Les CDR ont vite connu les mêmes dérapages que le SAC. Pierre Pasqua, Joël Gali-Papa s'y comportent en chefs de bande avec, sous leurs ordres, la base militante de la fameuse nuit de la marche ratée sur l'Élysée.

Charles Pasqua a, un jour, raconté à sa façon la création des CDR, qui tenait déjà de la scission d'avec le SAC mais qui était censée accueillir tous ceux qui voulaient servir de Gaulle sans pour autant appartenir au parti gaulliste.

« Avant la manifestation du 30 mai nous avions annoncé la création des Comités de défense de la République mais ils s'étaient créés d'une manière amusante, c'est-à-dire qu'avec Jacques Belle, directeur de cabinet de Robert Poujade, un de ceux qui à l'UNR étaient solides, nous avions rédigé un tract pour appeler les gens à réagir. Il fallait le signer. Il m'a dit : " Je ne peux pas le signer au nom de l'UNR "; j'ai répondu : " Je ne peux pas le signer au nom du SAC, il faut quelque chose de plus vaste. " On a eu l'idée de le signer au nom des Comités de défense de la République. D'ailleurs, sur le premier tract que nous avons sorti, il n'y avait pas d'adresse.

« Le lendemain, j'ai dit : il faut bien se décider à mettre une adresse. Il m'est apparu que la seule qu'on puisse mettre était le 5 de la rue de Solférino. On a fait poser la question au général de Gaulle; l'accord nous a été donné pour que nous utilisions le 5, rue de Solférino, pour domicilier les CDR.

« C'est comme cela que se sont développés, d'ailleurs d'une manière tout à fait spontanée, les CDR. C'était un peu mon idée parce que je pensais qu'il fallait une spontanéité, un peu organisée au départ, mais beaucoup de spontanéité. Car je partais du principe que confrontés à une agitation de type révolutionnaire, il fallait répondre par une méthode et des procédés de même nature. Ce n'était pas une organisation pyramidale, structurée, etc.

« Il fallait au contraire accepter une certaine diffusion, quelles que soient les conséquences et les risques qui étaient relativement mineurs par rapport à l'enjeu. »

Ce n'était pas le calcul de Jacques Foccart qui, tout au long du repas du boulevard Saint-Germain, à deux tables de Françoise Sagan, continua de harceler le député de Levallois. « Tu es en train de semer le doute parmi les militants. Il ne peut pas y avoir deux SAC. Et nous avons déjà bien assez de problèmes. »

Charles Pasqua ne dit plus rien jusqu'au café. Princier, l'éminence grise de l'Élysée pour les « affaires » réservées régla l'addition. Sur le trottoir, les deux hommes se serrèrent la main. Généreusement, avant de s'engouffrer dans sa DS noire, Jacques Foccart fit un cadeau, le dernier, au député du SAC.

« Tu peux prévenir tes copains de Marseille. Il va y avoir du linge sale à laver. Je vais bientôt envoyer quelqu'un faire le tri chez toi.

– Tu sais bien que ce n'est plus chez moi...

– Je sais que tu y comptes encore beaucoup d'amis. Méfie-toi. Ces Marseillais te portent tort.

– Ce sont aussi les tiens. Ils t'ont toujours été fidèles. Tu as oublié le 13 mai, les législatives à Marseille...

– Ils ne savent pas se tenir. Cela va leur occasionner quelques ennuis. Je t'aurai prévenu, Charles. »

Jacques Foccart s'engouffra dans sa DS noire et repartit vers l'Élysée. La rupture était consommée. L'époque des eaux sales du SAC allaient commencer, qui devait durer plusieurs années. Charles Pasqua fut parfois pris dans la tourmente, pour défendre un ami, un ancien compagnon. Il se tut devant les malheurs de beaucoup d'autres.

Devant la commission d'enquête en 1982, Charles Pasqua retourne à son profit cette rupture qui lui a alors été imposée : « Pour les gens qui étaient venus au Service d'action civique pour soutenir l'action du général de Gaulle, le général ayant quitté le pouvoir, la question du maintien du SAC ou de sa disparition se posait. Nous étions un certain nombre à penser qu'il n'y avait pas lieu de le maintenir. »

Il se drape dans sa dignité : « Je ne pense pas qu'on entre en inconditionnalité comme on entre en religion. On peut l'être une fois dans sa vie dans un moment exceptionnel. Je pense que je ne le serai jamais plus. Et c'est la raison pour laquelle, pour un certain nombre d'entre nous, il n'était pas question d'avoir ce type de relations et d'attitude vis-à-vis du président Pompidou. Mais je pense que d'autres, et notamment Jacques Foccart, pensaient que le SAC devait continuer à exister. Ils ont eu vis-à-vis du président Pompidou la même attitude d'allégeance que celle qui existait au temps du général de Gaulle. Et puis, lâche le " témoin ", Jacques Foccart préférait avoir à la tête du Service d'action civique quelqu'un dans lequel il avait pleinement confiance. »

C'est ainsi que le 14 avril 1982, devant la commission d'enquête sur les activités du SAC, Charles Pasqua avoua que quelques mois à peine après avoir été incité par l'Hôtel Matignon et l'Élysée à se présenter aux législatives, et avoir été élu député, il inspirait une défiance certaine à l'éminence grise de la présidence de la République devenue pompidolienne.

Le mystère n'est qu'apparent. Si Charles Pasqua avait déjà mauvaise réputation dans son propre camp politique, c'est tout bonnement parce qu'il apparaissait, surtout après les excentricités de « ses » Marseillais, comme l'incarnation même du SAC. Personnifiant le SAC, il devenait naturel qu'il fût tenu pour responsable, politiquement, de ses dérapages.

Les premiers à mettre en cause le laxisme de Charles Pasqua et de ses amis dans le recrutement des premiers membres des Comités de défense de la République furent ainsi certains dirigeants du SAC eux-mêmes, puis, avant le départ du général de Gaulle, les partisans de Georges Pompidou qui favorisèrent le retour au premier plan de Pierre Debizet.

Au 5 de la rue de Solférino, devenu depuis la manifestation du 30 mai une ruche joyeuse, les épurations commencèrent au lendemain des élections législatives et elles furent conduites par Georges Seigneuret, le « permanent » de Matignon. Les « gros bras » aux casiers judiciaires douteux furent priés sans ménagement d'aller exercer leurs talents ailleurs, de même que les militants d'extrême droite qui avaient fraternisé avec les gaullistes à l'intérieur des CDR.

Aux yeux de Charles Pasqua un tel « gaspillage » de forces militantes était stupide, mais les directives venaient du « Château ».

En quelques semaines les effectifs du SAC et des CDR, confiés aux soins de deux militants orthodoxes, Yves Lancien et Pierre Lefranc, furent ainsi réduits de quelque trois mille personnes. L'on vit, ici et là, la police se montrer plus ferme à l'égard des malfaiteurs cherchant à abriter leurs forfaits derrière la possession de cartes du SAC.

Ensuite, c'est Georges Pompidou en personne qui avait stigmatisé, au cours de sa campagne électorale de 1969, les déviations du SAC dont il avait pourtant accepté la présidence d'honneur un an auparavant : « Mon souci le plus urgent, avait-il prévenu, sera de rechercher et de briser tout ce qui pourrait exister dans le genre des polices parallèles ou des organisations armées clandestines. Je serai impitoyable. »

Enfin, Charles Pasqua a aggravé son cas, aux yeux de l'Élysée, en tentant de susciter l'organisation d'un SAC dissident après son refus de coopérer, à partir d'octobre 1969, avec Pierre Debizet, remis en selle par Jacques Foccart.

Bien qu'il s'en défende aujourd'hui, il a alors encouragé ceux de ses amis qui s'étaient solidarisés avec lui à faire sécession et à rappeler partout comment Pierre Debizet s'était opposé à la politique algérienne de de Gaulle. Parmi ses fidèles il y avait l'inévitable Gérard Kappé, qui avait aussitôt créé dans les Bouches-du-Rhône un SAC indépendant qui rassembla 90 % des troupes et consacra dès lors ses activités à militer violemment contre le SAC officiel avant d'être dissous et de se muer, jusqu'à nos jours, en un énigmatique « Comité français pour l'Union pan-européenne ».

Il y avait également le patron du SAC du Sud-Ouest, Pierre Camy-Peyret, venu au gaullisme, comme Charles Pasqua, par la Résistance et partageant son affection intransigeante pour le général de Gaulle. En novembre 1969 l'ancien vice-président du SAC était lui-même venu rejoindre Pierre Camy-Peyret à Artix pour expliquer aux compagnons des

Pyrénées-Atlantiques la nécessité de faire barrage à la dérive parisienne du Service.

Trois autres fédérations dissidentes s'étaient constituées dans les départements de la Côte-d'Or, l'Isère, la Somme.

Charles Pasqua affirme aujourd'hui qu'il n'avait participé à cette entreprise que pour mieux la contrôler, puis faire en sorte de l'annihiler afin de ne pas déclencher « une guerre fratricide » au sein du mouvement gaulliste. C'est encore sa façon, de réécrire l'histoire.

Élu député, l'ancien vice-président du SAC a surtout compris très vite, après le départ du général de Gaulle, qu'une telle dissidence le conduisait à une impasse et que son avenir parlementaire risquerait fort d'être obstrué par des activités fractionnistes.

A la même époque, Charles Pasqua fut aussi soupçonné par certains d'avoir voulu, sur la lancée de son succès de mai 1968, transformer le SAC en garde prétorienne à son propre service, et par d'autres d'avoir voulu en faire le service d'ordre ordinaire de l'UDR. « Pasqua est un orgueilleux et ce qu'il aurait souhaité, c'est que le SAC soit le SAC de Pasqua, affirme aujourd'hui Georges Seigneuret. On a fait en sorte – et moi notamment – que Pasqua s'en aille. Le SAC voulait rester gaulliste en étant apolitique. »

Cet ancien responsable du SAC pour la région parisienne est aussi un de ceux qui ont alors mis en doute la probité du secrétaire général du Service de 1962 à 1969, René Tiné, cet ancien sous-officier de carrière, mort en 1971, qui démissionna, lui aussi, en même temps que Charles Pasqua. « Tiné faisait partie de beaucoup de sociétés qui n'avaient rien à voir avec le SAC et qui ont été amalgamées au SAC, a affirmé Georges Seigneuret devant la commission d'enquête. Nous pensions qu'il fricotait un peu dans des affaires malsaines et nous avons fait en sorte qu'il s'en aille. Il était un ami de Charly Lascorz (le propriétaire de l'hôtel de Levallois et l'homme du scandale de l'ETEC!) et il est probable qu'il tirait les ficelles d'un certain nombre d'affaires. 80 % des affaires résultent d'ailleurs de la gestion de Tiné. Il a participé à des coups. On m'en a proposé aussi. Si l'on accepte une fois c'est fini. Il y a des tentations qu'il faut savoir refuser. »

Charles Pasqua conserve naturellement de René Tiné, qui l'avait officialisé dans sa charge de responsable régional du SAC à Marseille, en 1962, un souvenir plus nuancé : « C'était un homme loyal, discipliné. Il pouvait faire illusion lorsqu'on le voyait une ou deux fois. Lorsqu'on le connaissait un peu mieux on s'apercevait qu'il n'avait pas tout à fait les qualités pour tenir le poste qu'il avait. Il était limité pour certaines choses et pas pour d'autres... »

Ces frictions internes n'allèrent pas, après mai 1968, sans règlements de comptes à l'intérieur du SAC. Avant de regagner la Canebière l'équipe des Marseillais envoyés dans les Hauts-de-Seine pour soutenir la campagne de Charles Pasqua laissa à Georges Seigneuret un paquet-cadeau qui ne passa pas inaperçu puisqu'ils firent exploser sa voiture en la piégeant avec du plastic agricole.

Concluant sa déposition devant la commission d'enquête le 14 avril 1982, Charles Pasqua se montrait philosophe : « J'ai un tempérament qui de toute façon ne me porte ni aux regrets ni au retour en arrière. Quand une page est tournée, elle est tournée... »

Mais certaines pages tournent plus vite que d'autres et celles de l'histoire du SAC mettront longtemps à se refermer sur le passé de Charles Pasqua, qui sera inévitablement mêlé à tous les amalgames facilités par son goût du secret, son penchant pour la clandestinité et la persistance de ses relations équivoques.

La mémoire politique retiendra qu'à l'époque de Charles Pasqua entre 1962 et 1970, la chronique judiciaire n'épinglera pas moins de vingt et un faits délictueux imputables à des membres du SAC : à Paris des trafics de drogue, de proxénétisme, de fausse monnaie, des malversations, des rackets, des agressions à main armée, des incendies volontaires; à Nancy, des vols et recels de vols; à Cambrai des cambriolages; à Marseille des coups et blessures volontaires; à Montélimar des violences sur les agents de la force publique; à Combourg un attentat par explosif contre une perception; un mort à Arras au cours d'une bagarre entre colleurs d'affiches; l'assassinat à Grenoble d'un truand « infiltré »... Soixante-cinq affaires, au total, commises par cent trois membres du SAC depuis sa création.

Des policiers témoigneront qu'à cette époque le SAC servait de paravent aux activités de trafiquants internationaux et comment, par exemple, à la fin de 1969, le responsable du SAC dans les Alpes-Maritimes, Marcel Galvani, très lié aux élus locaux, qui était en contact quasi permanent avec les Marseillais de Gérard Kappé, avait organisé une filière pour le trafic de la drogue entre la France et les États-Unis en utilisant les services de deux autres membres du SAC bien connus dans le milieu niçois, Jean Audisio, un repris de justice, et Yves Lahovary, un professeur de judo.

Ils diront aussi comment un autre gangster niçois transfuge de l'OAS, Germain Sarlanga, « militait » à sa façon à l'intérieur du SAC marseillais dissident.

Des historiens expliqueront, pour essayer de relativiser la responsabilité des dirigeants gaullistes, que la bienveillance du SAC envers certains malfaiteurs tenait à des complicités nées pendant la Résistance et à la fin de la guerre, quand les troupes américaines, par exemple, firent appel au renfort des hommes de main de « Mémé » Guérini pour lutter à Marseille contre les dockers communistes, ce qui provoqua de sanglants affrontements sur les quais où étaient déchargées les marchandises livrées à l'Europe dans le cadre du plan Marshall.

Ils raconteront comment bon nombre des grands truands marseillais, lyonnais et parisiens, tout heureux d'avoir été investis de missions officielles contre les « collabos » et attirés par les avantages du pouvoir politique, s'immiscèrent ensuite au RPF et au SAC, par lieutenants interposés.

Devant la commission d'enquête un observateur rapportera qu'à la porte de la clinique marseillaise de Joseph Comiti, au début de la Ve République, un policier nommé Sarocchi était spécialement chargé, les soirs de réunions politiques, de faire déposer les revolvers au fur et à mesure qu'arrivaient les « gardes du corps » commis d'office par leurs caïds à la protection électorale du candidat de l'UNR...

Un autre évoquera l'histoire du « beau Serge », Christian David, le meurtrier, en 1966, du commissaire Galibert, protégé dans sa fuite vers l'Amérique du Sud par le milieu lyonnais du proxénétisme puis par le gangster marseillais « Tintin » Tramini qui se vantait de son appartenance au SAC jusqu'à son propre assassinat par la bande à Guérini...

La saga du SAC avait trop épousé celle de la grande truanderie pour que Charles Pasqua ne subît pas les éclaboussures de cette cohabitation particulière.

Les anciens du RPF avaient eux-mêmes mis le doigt dans l'engrenage en sollicitant directement la collaboration des malfrats grands et petits, à partir de 1958, pour lutter contre le FLN en métropole. C'était l'époque où par l'intermédiaire de certains avocats la police nationale recrutait à la prison des Baumettes et à la Santé des voyous aptes à s'infiltrer dans les réseaux algériens de Marseille et Paris.

Il leur avait fallu, ensuite, lutter contre l'OAS et, à Marseille comme ailleurs, les anciens compagnons de la Libération n'avaient pas suffi à faire le poids face aux activistes d'Alger et d'Oran. Ce fut le temps des barbouzes dirigés du ministère de l'Intérieur par Roger Frey et ses collaborateurs et, sur le terrain, par deux faux enfants de chœur, Lucien Bitterlin et Pierre Lemarchand, qui ont tordu le cou, en 1982, devant la commission d'enquête, à la légende selon laquelle le SAC avait joué un rôle déterminant contre l'OAS.

« Je n'ai jamais eu de relations avec le SAC, à ceci près que dans le cadre de la lutte contre l'OAS menée en Algérie nous avons reçu à la fin de 1961 trois membres du SAC qui ont d'ailleurs été tués dans l'explosion d'une villa qui nous servait de PC, le 29 janvier 1962, expliquera Lucien Bitterlin, qui représentait à Alger le Mouvement pour la Communauté (MPC). Il y avait trois filières. Une filière locale, d'abord : nous avons recruté quelques Algériens, ce qui n'allait pas sans risque pour eux, car le FLN pouvait leur demander des comptes mais de ce côté-là les choses se sont assez bien passées. La seconde filière, c'était celle des militants de l'UNR et du MPC, qui prenaient un mois de congé pour venir nous aider en Algérie. Enfin, nous avions aussi dans notre équipe des Français qui habitaient en Algérie et trouvés sur place par Pierre Lemarchand, mais pas tellement par Paul Comiti et le SAC. »

Témoignage confirmé par l'avocat Pierre Lemarchand : « Si certains membres du SAC ont pu figurer parmi les trois cents hommes qui ont participé à la lutte contre l'OAS, leur proportion n'a pas dépassé deux ou trois pour cent. Je peux garantir qu'en Algérie le SAC n'a jamais eu d'activité. Je ne veux pas dire du mal du SAC, ses membres ont été mes compagnons de lutte politique mais jamais, jamais, en quelque façon que ce soit, il n'a participé à la lutte contre l'OAS en Algérie. »

Au même moment, en métropole, la police retournait contre l'OAS les malfrats qu'elle avait utilisés contre le FLN. La boucle était bouclée.

Enlevé en Suisse par la Sécurité militaire, le 25 février 1983, à Munich, le colonel Antoine Argoud, réputé comme le dirigeant le plus dangereux de l'Organisation armée secrète, reconnaîtra parmi les « aides » de ses ravisseurs les trois truands de la bande de Jo Attia, Boucheseiche, Le Ny et Palisse, qui participeront plus tard au rapt de Mehdi Ben Barka, le chef de l'opposition au roi du Maroc.

La seule trace de Charles Pasqua, dans cette guerre souterraine, se trouve à Marseille où, en 1961, sans être encore dirigeant du SAC, il servit un soir de chauffeur à Lucien Bitterlin qui était venu accompagner à l'hôpital de la Timone l'un de ses hommes blessés par l'OAS à Alger.

R.A.S.

Le dossier Pasqua ne figure pas dans les archives des Renseignements généraux. A-t-il jamais existé? En 1986, nommé ministre de l'Intérieur, Charles Pasqua peut enfin savourer le plaisir de faire descendre sa fiche des sommiers. « Il n'y avait rien à se mettre sous la dent, plaisante-t-il l'air ingénu. Joxe s'était épuisé pour rien. Dans mon dossier, il n'y avait qu'une vague liste de noms de gens mystérieux ou réputés tels, que j'étais censé connaître. Deux sur onze me disaient quelque chose. Un seul m'était familier. »

Ce jour-là, Charles Pasqua n'aurait pas eu matière à diligenter une enquête sur son double. R.A.S. pour le ministre de l'Intérieur. Mais y a-t-il quelque chose à dire, policièrement parlant, de ce qui pourrait intéresser le premier flic de France, sur Charles Pasqua? Sous le septennat de Valéry Giscard d'Estaing, l'un des plus farouches adversaires de Charles Pasqua, Michel Poniatowski, chercha de toutes ses forces, avec l'aide d'Hubert Bassot, grand organisateur de services d'ordre, rival supposé, version giscardienne, des officines de sécurité chiraquiennes. Il ne trouva rien.

En 1981, Gaston Defferre, après lui, s'épargna cette fatigue inutile, sachant d'expérience qu'on n'avance pas dans la vie, lorsqu'on s'appelle Charles Pasqua... ou Gaston Defferre, sans effacer ses traces. Pierre Joxe, qui n'avait pas cette sagesse, relança les limiers du ministère de l'Intérieur sur la piste du passé de son successeur. Sans plus de chance. R.A.S.

D'ailleurs, y aurait-il quelque chose à dire, que l'époque ne s'y prêterait pas : on n'a que fort peu de mémoire sur le passé d'un ministre de l'Intérieur. Depuis 1986, Charles Pasqua compte surtout des amis. Beaucoup d'amis. Les autres se taisent, comme par exemple Pierre Debizet qui s'interdit « tout commentaire sur l'un des premiers personnages de l'État ».

Pertes de mémoire... Marseille se souvient très mal, ces temps-ci, de la période phocéenne de Charles Pasqua. L'Évêché a égaré ses archives. Les policiers, en poste à l'époque, confondent, sans plaisanter, Charles Pasqua avec Paul Ricard. « Vous savez, c'est si loin, tout ça... » Les patrons de restaurants, ceux qui se targuent de tout connaître, « depuis la guerre », de leur clientèle bigarrée, ont beau réfléchir, ils sont incapables de redresser les vieux tours de tables. Les avocats, ceux surtout qui, deux ans plus tôt, tenaient sans un oubli la chronique des mariages marseillais entre la politique et les voyous, ont de terribles trous. « Vous savez, c'est si loin tout ça... » Et ce communiste qui savait tout, mais tout, sur les détails du recrutement des agents anti-OAS parmi les détenus de la prison des Baumettes! Il n'a plus une minute à consacrer à la biographie de Charles Pasqua.

Oui, Marseille a la mémoire qui flanche. Et le cœur plutôt aux professions de foi : « Ne comptez pas sur moi pour que je dise du mal de mon ami Charles », s'insurge, à la moindre question, le sénateur socialiste Bastien Leccia. Les defferristes n'ont que des compliments à faire sur leur ancien adversaire. Leurs hommes de main, ceux surtout des grandes époques du face-à-face électoral, ne se souviennent vraiment plus d'avoir fait le coup de poing avec les militants du SAC.

La droite « classique », celle que le jeune gaulliste « militaire » avait tellement détestée durant les années 50, ne lui trouve, réflexion faite, que des qualités. Joseph Comiti a oublié ses querelles. Les anciens compagnons des heures chaudes sont à la retraite. « Tout le monde a vieilli. » Les souvenirs s'estompent... La saga « ricardienne » mise à part, on jurerait que Charles Pasqua est, sur la Canebière, un personnage inconnu.

Heureusement que François Mitterrand, lui, tient ses archives à jour. Acceptant la nomination, au printemps 1986, de Charles Pasqua place Beauvau, il tint à évoquer brièvement avec son nouveau Premier ministre, Jacques Chirac, ce point d'histoire : « Pasqua, c'est le SAC, ne l'oubliez pas, monsieur le Premier ministre. » Et comme Jacques Chirac avait l'air d'entendre parler de ce sigle pour la première fois, le président, se crut obligé de préciser : « Il va vous truffer Matignon de micros. Surveillez votre téléphone, c'est un conseil. »

Les pertes de mémoire provoquées par l'entrée au gouvernement n'ont pas tout effacé. Charles Pasqua porte toujours sa croix du SAC. Curieusement, il est le seul. Les autres s'en sont mieux tirés. Pour eux, le soupçon s'est éloigné. Pourquoi Charles Pasqua? D'abord parce que, durant des années, ses amis gaullistes, ses rivaux giscardiens n'ont jamais manqué une occasion, en coulisses, de décrire l'ancien directeur de Ricard comme un « homme de souffre », bien utile, certes, mais tellement encombrant. La vie des partis, à la fin des années 60, ne pouvait pas se passer de ces grands orchestrateurs de l'ombre, habiles à faire vibrer, surtout en période électorale, les services d'ordre. Quelqu'un devait bien s'y coller. A l'UNR, à l'UDR, puis au RPR, c'est lui qui assuma cette responsabilité.

Il n'y avait pas là que du dévouement. Charles Pasqua aime ces confréries de l'ombre. « Il prend son pied, dit un de ses amis, dans les contacts discrets, les réunions secrètes. Même lorsqu'il n'y a aucun sujet d'urgence à traiter. »

Il n'était pas le seul, après 68, chez les gaullistes ou les pré-giscardiens, mais lui seul, finalement, en porte la tache indélébile. Et ce n'est pas toujours justice. Beaucoup de ses compagnons, même parmi les mieux placés au sein de l'appareil gaulliste, ont pu achever leur carrière sans ombrage. Alors, pourquoi lui? Parce qu'il est l'un des rares spécialistes des services d'ordre à avoir brigué aussi une place sur le devant de la scène. D'autres, souvent, sont retournés à l'anonymat après le reflux de la grande vague mythomaniaque du SAC.

Il est aussi l'un des rares survivants politiques de cette époque peu regardante sur le chapitre de la morale. Vingt ans déjà. Jacques Foccart est retourné, plus discrètement, à ses affaires africaines. René Tomasini et Alexandre Sanguinetti sont morts. Hubert Bassot et ses nervis d'extrême droite attendent à nouveau leur heure...

Lui aussi, parce que cette époque héroïque a disparu et que lui en a un peu, dans sa manière, son apparence, sa nostalgie, gardé le style... Il a, par la suite, parfois détonné parmi le personnel politique de la droite. On a cru – à tort, on le verra – qu'il ne savait pas s'adapter aux mœurs nouvelles. La Vᵉ République s'est mise – jusqu'au retour de Jean-Marie Le Pen – à priser la distinction. Les voyous sont moins souvent conviés, ou moins visiblement, aux campagnes législatives. Au temps de la cohabitation et des « affaires » en rafales, un député de Levallois ferait long feu si des Marseillais, comme ceux de 1968, venaient faire des cartons sur des colleurs d'affiches. Le plus imprudent des hommes politiques hésiterait aujourd'hui à entretenir des rapports trop directs avec tous les égarés de la décolonisation. Même Marseille soigne sa mise, c'est dire...

Pourquoi lui? Aussi, et il l'a dit devant la commission parlementaire de 1982, parce qu'il était entré « en inconditionalité ». Gaulliste un jour, gaulliste toujours. Et qu'il n'a jamais, à l'époque des faits, laissé passer ses intérêts avant la fibre. Des intérêts politiques qu'en 1970 il ne voyait pas encore très bien. Après le retour de de Gaulle, en 1958, beaucoup ont joué, sans toujours y croire, à l'histoire revisitée des réseaux, des coups d'État, à cette atmosphère de putsch permanent qui alourdissait le climat gaulliste. Charles Pasqua connaît encore par cœur la liste, entre Marseille et Paris, de ceux qui, parmi ses compagnons, trichaient.

Il a pu pardonner bien des trahisons ultérieures. Pas celles-là. Lui était, comme ses gros bras du Vieux-Port, au premier degré de l'engagement. Sans distance, sans recul. Sans réelle prudence. Au début des années 60, Charles Pasqua n'a pas d'autre intelligence politique que celle des idées toutes faites, caricaturales, pour tout dire grossières, du SAC. Sa finesse naîtra plus tard. Son instinct lui sert à faire vendre du pastis à la tonne. Il se sent extérieur, rejeté, par l'oligarchie marseillaise. Mais sa femme Jeanne n'a pas encore l'influence apaisante qu'on lui attribue aujourd'hui. Lui-même a encore l'esprit carré. A vos rangs, fixe! En 1960, son anticommunisme ressemble à celui de ses militants. Il ébauche les mêmes plans sur la comète.

C'est pour cela qu'il prête le flanc aux fraternités que d'autres auraient immédiatement trouvées suspectes. C'est pour cela que Gérard Kappé lui plaît. Qu'il laisse le SAC marseillais se gonfler de tous ses truqueurs.

Charles Pasqua a raison de dire, comme il ne s'en prive pas à chaque fois qu'il est attaqué sur le sujet, qu'avant lui, c'est-à-dire avant 1962, « le SAC subissait une dérive fascisante » et qu'après lui, en 1965, lorsqu'il céda la place, à Marseille, à Gérard Kappé, l'organisation devint l'abri de nombreux truands. A le croire, il aurait échappé aux deux travers successifs. Mais il exagère, il fausse un peu la réalité historique lorsqu'il affirme qu'à son époque « le SAC était une organisation élitiste ». De 1962 à 1965, sous son commandement, des incidents se sont produits. Pas plus qu'ailleurs. Simplement comme ailleurs. Tous les partis marseillais, à partir de 1958, ont leur service d'ordre. Gaston Defferre utilise, pour la défense de la municipalité de gauche, des truands qui ne doivent rien à ceux qui viennent prêter main-forte à ses adversaires. Parfois, comme lorsqu'il s'agit de la famille Venturi, la gauche et la droite ont tout bêtement recours aux mêmes.

En 1958, les SO ne sont pas encore bien méchants. Charles Pasqua dirige des réseaux qui sont surtout occupés à entretenir leur nostalgie. Il y a des armes mais qui servent beaucoup moins qu'au lendemain de la guerre, quand les communistes et les gaullistes se battaient pour la prise des docks par l'intermédiaire de gangs. Il y a des envies d'en découdre mais qui sont vite étouffées dans l'œuf, après un nombre suffisant de verres de pastis.

Charles Pasqua, chef occulte ou très officiel du SAC marseillais, ne pouvait ignorer les arrangements de ses amis avec la police phocéenne, avec certains avocats qui passaient les offres de services des détenus des Baumettes. Charles Pasqua et ses amis de la rue Nau n'ont pas participé à la lutte anti-OAS, mais il apprenait chaque semaine que certains de ses militants, parfois de ses représentants de chez Ricard, véhiculaient des personnages beaucoup plus mystérieux, venus de Paris et qui, eux, étaient bien là pour sortir des Baumettes quelques experts en lutte antiterroriste.

Pourquoi lui ? Aussi par fidélité. Cela ne le justifie pas. Cela l'explique. Charles Pasqua, au regard de l'histoire, s'est fait parfois piégé par loyauté à la parole donnée, au moment de la dislocation des premiers réseaux. Il placera, quand il le pourra, ses compagnons de la guerre chez Ricard. Il les enrôlera au SAC. Et quand il ne le pourra pas, parce que certains sont allés s'égarer du côté de l'OAS, il fera tout pour leur sauver la mise.

Témoin cette anecdote, racontée par Charles Pasqua lui-même. « Un jour, chez Ricard, ma secrétaire entre dans mon bureau pour m'annoncer un visiteur qui n'avait pas rendez-vous et qui refuse de donner son nom. Cela m'intrigue. On est en pleine guerre d'Algérie. Les commandos Delta faisaient des ravages. Je me suis méfié. J'ai ouvert le tiroir de mon bureau et j'ai armé mon pistolet. »

Charles Pasqua avait tort de craindre un piège. L'intrus est un ancien du RPF, compagnon de Résistance que le jeune directeur n'a pas revu depuis la guerre.

« Charles, excuse-moi de te déranger, mais je suis dans le pétrin, explique le visiteur, manifestement très angoissé.

– Que puis-je faire pour toi?, lui demande Charles Pasqua.

– Bien voilà : je suis obligé de me cacher parce que je suis recherché par la police. Je suis membre de l'OAS et je viens de débarquer à Marseille. Je ne sais pas ou aller. »

Charles Pasqua ne bronche pas sous le choc. Il referme doucement le tiroir de son bureau. Il soupire.

« Tu as déjà parlé à quelqu'un depuis que tu as débarqué ?

– Non, tu es le premier...

– Eh bien, on peut dire que tu as de la chance ! Mon vieux, tu ne le sais pas, mais j'appartiens à l'autre bord. Gaulliste, tu comprends ? »

Le vieux compagnon baisse la tête, piégé, abandonné à la décision de Charles Pasqua. Pris, si l'autre veut le dénoncer.

Charles Pasqua raconte ainsi la fin de l'histoire : « Bien sûr, je ne l'ai pas dénoncé. Je lui ai fait la leçon, lui expliquant que son combat était perdu d'avance. Contre le cours de l'histoire. Enfin, vous voyez... J'ai prévenu discrètement quelques compagnons et nous l'avons caché dans la montagne durant toute la période de la lutte contre l'OAS. »

L'amitié. L'amitié qui ne se renie pas. Même, au fond, pour Kappé, que Charles Pasqua n'aura jamais le cœur, plus tard, de faire radier du RPR des Bouches-du-Rhône. L'amitié qui fait resurgir encore aujourd'hui quelques personnages revenus, comme des fantômes, de ce passé enfoui et qui feront toujours de Charles Pasqua un homme à part, capable d'oublier parfois toute prudence sur un simple coup de téléphone.

Face-à-face chez Pompidou

L'installation de Charles Pasqua sur la scène politique parisienne n'a pas été facile. Il ne faut pas croire la bande dessinée qu'il a consacrée lui-même à sa carrière pour les besoins de sa propagande électorale, en 1973 – lors d'une campagne législative d'ailleurs perdue – et qui métamorphose abusivement son parcours du combattant en une voie royale illustrée par quelques tableaux dignes d'Épinal :

• *Le courage personnifié :* ce fils de « petit fonctionnaire » et d'une humble « ouvrière d'usine à parfums » a été « un vrai résistant comme ses parents et toute sa famille ». Il a même été « arrêté deux fois par les Allemands et – à seize ans ! – il a réussi à sauver le courrier ».

• *Le jeune homme méritant :* après la guerre « il a eu des débuts difficiles », reprenant « courageusement le chemin de l'école ».

• *Le père dévoué :* il a été « contraint d'abandonner ses études pour subvenir aux besoins de sa famille » et d'exercer « des petits métiers ».

• *Le chef d'état-major sorti du rang :* il entre enfin chez Ricard, « comme représentant » et là, « par son intelligence et sa puissance de travail, Charles Pasqua, rapidement promu, est chargé d'organiser les services des ventes en France et à l'étranger », avant d'être récompensé de ses efforts « en étant nommé directeur général des ventes, de la publicité et des relations publiques ».

• *Le militant intègre :* en 1958, notre héros, qui, bien entendu, « ne fait pas de politique », mais s'est tout simplement « engagé derrière un grand homme pour servir la France », prend « une part active au grand mouvement populaire pour le retour au pouvoir au général de Gaulle ».

• *Le sauveur de la patrie :* en mai 1968 « c'est l'anarchie ». Charles Pasqua « est à l'origine de la réaction contre la chienlit » et il « coordonne la manifestation des Champs-Élysées, reflet de la volonté de tous les Français pour l'ordre et la liberté ». (« Ha! Ha! Et alors il a sauvé la France??... », demande l'un des personnages de la bande. – « Oui Monsieur!!... », répond un autre.)
• *Le leader politique :* en juin 1968 il est élu député, devient « un ténor de la Chambre » puis du bureau politique de l'UDR. A lui la gloire nationale! Fermez le ban!

Non. Ce scénario pour roman photo à l'eau de rose ne traduit pas la vérité d'un homme qui a fait irruption dans le microcosme parisien par la petite porte, précédé moins par sa réputation d'organisateur que par celle de chef de bande, héritée du SAC, dont il ne dit pas un mot dans sa bande dessinée...

Malgré ses « exploits » de mai 1968 le valeureux petit résistant est encore un inconnu pour le bataillon des notables du Parlement et les éminences de la politique. Le « gaulliste de l'ère militaire » ne perce pas vraiment sous le vendeur de pastis dont la carte professionnelle suscite des sarcasmes élitistes qu'accentue cet accent rocailleux qu'il porte aux lèvres avec la même farouche intransigeance que Cyrano aime sa rapière. Ses blagues de garçon de bains et son genre voyou, composé pour séduire les soiffards et les galéjeurs méridionaux, produisent un effet repoussoir sous les lambris ministériels. Aux yeux des familiers des antichambres parisiennes Charles Pasqua n'est pas présentable. On le considère comme un parlementaire de circonstance à l'avenir limité, apte uniquement aux minables emplois de seconds couteaux dans les officines des bas-fonds politiques.

Paradoxalement, c'est pourtant sa mauvaise image qui va lui servir de protection et de tremplin. Car il est bien connu que même lorsqu'ils méprisent les lampistes les grands hommes sont très heureux de les mettre à leurs menus services...

Cet homme est malin et il peut être dangereux. Il vaut mieux l'avoir dans son camp que dans celui de l'adversaire. Il faut que je le tienne en laisse.

C'est ce que pense Georges Pompidou, en ce soir de mai 1969, en recevant Charles Pasqua dans son quartier général du boulevard de Latour-Maubourg où il achève sa traversée du désert.

Le général de Gaulle s'est définitivement retiré à Colombey-les-Deux-Églises depuis l'échec du référendum sur la régionalisation et la réforme du Sénat. Le « non » l'a emporté avec, en métropole, 11 943 233 voix, soit 53,17 % des suffrages exprimés. À 0 h 11, le lundi 28 avril, sans attendre les résultats complets de la consultation, Charles de Gaulle a confirmé sa décision irrévocable : « Je cesse d'exercer mes fonctions de président de la République. Cette décision prend effet à midi. »

Sur cette déclaration laconique a pris fin la décennie qui aura sans doute le plus marqué l'histoire de la Ve République mais Georges Pompidou, lui, ne pleure pas. Il s'apprête à prendre la succession du Général.

Charles Pasqua, en sa présence, affiche une mine taciturne. Face à l'ancien Premier ministre il s'est composé le rôle qu'il affectionne par-dessus tout, celui du bonasse déprimé, cousin germain du héros triste de *La Femme du boulanger,* du cocu moqué par les copains, calomnié par les coquins. Georges Pompidou ne sait pas que c'est dans ces moments-là qu'il faut vraiment se méfier de lui, car il use de la mélancolie comme d'un piège à sympathie, pour endormir l'allié ou affaiblir l'adversaire.

Mentalement, Charles Pasqua serre les poings, rongé par plusieurs sentiments. L'affliction du compagnon devant l'obligation où se retrouve le Général de reprendre le chemin de l'exil intérieur. Le dépit du militant d'avoir perdu la bataille électorale. La volonté de l'élu de régler quelques comptes avec les faux alliés. L'amertume du citoyen devant tant d'incompréhension pour les desseins du grand homme.

Il n'aime guère Georges Pompidou. Il n'a pas envie de courber l'échine devant cet homme qui le dévisage en souriant de son regard roublard. Il perçoit, sous les gros sourcils, une certaine condescendance qui l'humilie. Il conçoit mal que le grand chêne abattu par la coalition des mesquineries puisse être bientôt remplacé à l'Élysée par cet Auvergnat venu de la banque, par ce professeur qui commentait *Britannicus,* sous l'Occupation, pendant que lui trimait dans la Résistance.

Quand Georges Pompidou lui tend la main Charles Pasqua a l'impression de serrer celle de Brutus. Il n'a pas oublié le coup de poignard porté dans le dos du Général par cette fameuse déclaration du 17 janvier 1969 à Rome : « Si le général de Gaulle venait à se retirer je me porterais candidat à sa succession. » Certes, l'ancien Premier ministre, remplacé par Maurice Couve de Murville à l'Hôtel Matignon, avait enjolivé son coup de Jarnac de fleurs oratoires : « Pour succéder à de Gaulle, il faut deux conditions : qu'il ait quitté la présidence et que son successeur soit élu, avait-il ajouté. Ce n'est, je crois, un mystère pour personne que je serai candidat à une élection à la présidence de la République lorsqu'il y en aura une. Mais je ne suis pas du tout pressé. »

Le crime, toutefois, avait été clair pour tout le monde et Charles Pasqua ne parvient pas à le chasser de son esprit. Dès lors que Georges Pompidou offrait une éventuelle solution de rechange au pays, en cas de crise, le départ du général de Gaulle devenait une éventualité malheureusement acceptable par l'opinion.

Le général de Gaulle, d'ailleurs, ne s'y était pas trompé. Sa réponse, communiquée le 22 janvier par le secrétaire d'État à l'information, Joël Le Theule, à l'issue du Conseil des ministres, avait été cinglante : « Dans l'accomplissement de la tâche nationale qui m'incombe j'ai été, le 19 décembre 1965, réélu président de la République pour sept ans par le peuple français. J'ai le devoir et l'intention de remplir ce mandat jusqu'à son terme. »

Charles Pasqua esquisse un sourire, fait semblant d'avoir l'esprit ailleurs. Il n'a pas été dupe de l'engagement personnel de Georges Pompidou dans la campagne pour le référendum du 27 avril. En se plaçant en première ligne du combat militant de l'UDR, à côté de Robert Poujade, secrétaire général du mouvement, l'ancien Premier ministre avait pris peu de risques. Si le « oui » l'avait emporté il aurait pu légitimement revendiquer sa part de louanges et d'honneurs. Si le « oui » n'avait été ni « franc » ni « massif » il aurait pu faire comprendre que s'il avait été maintenu aux affaires après les élections de juin 1968 la victoire du Général aurait été plus nette. Le « non » ayant été majoritaire il pouvait dire sans difficulté que la responsabilité principale de l'échec incombait plus à de Gaulle et à Couve de Murville qu'à son propre rôle. En aucun cas sa position personnelle n'avait été vraiment menacée.

Tant d'opportunisme avait agacé le soutier Charles Pasqua qui préférait boire les paroles d'un André Malraux s'écriant le 23 avril, lors du dernier meeting de la campagne du Général, au Palais des sports de Paris, en faisant allusion à la stratégie de Georges Pompidou : « Aucun gaulliste d'avant-hier et de demain ne pourrait maintenir la France appuyée sur les " non " qui auraient écarté de Gaulle. » Ce soir-là tous les observateurs avaient d'ailleurs noté que l'ancien Premier ministre n'avait fait qu'applaudir du bout des doigts l'avertissement du ministre-écrivain.

Charles Pasqua avait préféré, au fond, l'opposition franche

de François Mitterrand, cet ancien ministre de la Quatrième qui avait mis le Général en ballottage en 1965 et dont le jugement sur le référendum avait été sans appel : « Un référendum n'est démocratique, avait-il déclaré, que s'il est clair, honnête et conforme à la Constitution. Il est évident que celui que nous propose le général de Gaulle ne répond à aucune de ces trois conditions. »

Pendant que Georges Pompidou s'installait dans un fauteuil très design en l'invitant à en faire autant, Charles Pasqua revivait ainsi la récente campagne. Il ravivait son écœurement devant l'acharnement du camp centriste. Il reprocherait toujours à Giscard d'Estaing, l'ancien ministre des Finances de Georges Pompidou, d'avoir attendu la curée des derniers jours précédant le scrutin pour porter le coup de grâce : « En ce qui me concerne, avec regret mais avec certitude, je n'approuverai pas le projet de loi référendaire. » Il ne pardonnerait pas à ce faux noble. Il lui en voudrait toujours plus qu'à la populace socialiste dont le porte-parole de l'époque, Guy Mollet, n'avait pourtant pas fait dans la dentelle en clamant à Toulouse, la veille du scrutin : « Lundi matin vous serez en République ou vous n'y serez plus! Ce que l'on vous offre, c'est le régime Salazar : un vieil homme choisissant son successeur. »

Georges Pompidou essaie de lancer la conversation : « Alors, monsieur Pasqua, comment trouvez-vous le Palais-Bourbon? » L'ancien vice-président du SAC fait la moue : « On n'y rigole pas tous les jours... »

Machinalement, Georges Pompidou se surprend à fixer les chaussures de son interlocuteur. Est-il vrai, comme on le lui a rapporté, qu'il porte parfois des chaussures bicolores? Pour sa part il ne voit pas ce qu'il pourrait reprocher à cet homme. Il s'est fort bien tiré d'affaire quand il lui a demandé, en 1967, de s'occuper du service d'ordre au cours de ses face-à-face publics avec Pierre Mendès France à Grenoble, puis avec François Mitterrand à Nevers. Il n'y a eu aucun incident sérieux et pourtant la tâche n'était pas facile. Et puis, contrairement à ce que certains avaient laissé entendre en évoquant ses responsabilités au SAC, il n'a pris aucune part à la sordide campagne de calomnie qui a porté atteinte à l'honneur de sa femme, cette répugnante affaire Markovic. Il ne figure pas sur la liste de ceux qui ont eu, selon sa propre enquête, une part de responsabilité dans cette odieuse machination à base de montages photographiques sur fond d'assassinat. Le premier responsable, c'est Couve de Murville en personne.

Même si ce Pasqua a parfois un genre louche, il me semble

facile à apprivoiser, se dit Georges Pompidou. N'est-ce pas ce que me susurrent mes deux conseillers préférés, Pierre Juillet et Marie-France Garaud? Surtout « Marie-France », qui se délecte déjà à la pensée de pouvoir distiller le talentueux savoir-faire de ce « Marseillais » sulfureux dans l'alambic indéchiffrable de ses manigances... Et comme le jeune Jacques Chirac, mon « poulain », a lui aussi de la sympathie pour cet homme d'action sans complexce devant les socialo-communistes, que le sort en soit jeté : « Puis-je compter sur vous? »

Charles Pasqua attendait cette question depuis qu'il était entré dans cet ancien salon de la princesse Radziwill. Il fixe Georges Pompidou dans les yeux : « Pour défendre le gaullisme on peut toujours compter sur moi... Mais je vous avoue franchement que comme la plupart des militants de base j'en ai gros sur le cœur. Je n'ai jamais eu, depuis la Résistance, qu'une sympathie modérée pour la classe politique et aujourd'hui, pour vous parler sans détours, je vous dirai que j'ai plutôt envie de retourner m'occuper de mes affaires... »

Georges Pompidou se fait encore plus patelin : « A quoi ça sert de vous occuper de vos affaires quand celles de la France ne vont pas? »

« Il m'a pris au sentiment », dira plus tard Charles Pasqua en résumant ce moment où il s'engagea dans la voie sinueuse qui lui permit ensuite de se poser en mainteneur du gaullisme à travers les âges de la Ve République.

Georges Pompidou avait cru maîtriser un ours pataud; il avait fait entrer un renard dans le poulailler. Un renard tout joyeux, lui, à la perspective d' « infiltrer » l'Élysée...

Mais en ce printemps 1969, avec l'effacement de de Gaulle, un univers s'écroulait et tout le reste devenait dérisoire. Dans le monde entier c'était la stupeur. En France, des manifestations et quelques bagarres avaient salué le départ du Général. Au même moment, en URSS, Soljenitsyne était exclu de l'Union des écrivains soviétiques; au Viêt-nam Hô Chi Minh vivait ses derniers jours; aux États-Unis, deux inconnus nommés Neil Armstrong et Edwin Aldrin se préparaient à marcher sur la Lune.

Le 15 juin 1969 Georges Pompidou est élu président de la République française et nomme Jacques Chaban-Delmas Premier ministre. Espéré par les uns, redouté par les autres, l'après-gaullisme commence plus tôt que prévu.

La France tourne définitivement la page un an plus tard, le 9 novembre 1970, quand Charles de Gaulle, prématurément usé par le désaveu de son pays, tombe, victime d'une rupture d'anévrisme, dans sa propriété de Colombey : « Nous pressentions qu'il tomberait d'un coup, comme ses frères, écrira André Frossard, comme l'un de ces grands arbres de cette forêt de l'Est où nous l'avons confiné deux fois... »

Ce jour-là, Charles Pasqua est en mission en Israël. Son fils Pierre se déplace à Orly pour lui apprendre la terrible nouvelle à sa descente d'avion. Mais dans les services de l'aéroport, comme partout ailleurs, l'émotion est tellement perceptible ! Charles Pasqua comprend aussitôt qu'il se passe quelque chose de grave. Il interroge le premier CRS venu. « De Gaulle vient de mourir ! » Pour la première fois de sa vie Charles Pasqua a l'impression de vaciller : « Ce jour-là j'ai pleuré; plus peut-être que pour la mort de mes parents... »

Débute alors la vraie carrière politique de Charles Pasqua, consacrée dès cet instant de douleur, au-delà de toutes les vagues de surface, à une seule mission intime qui servira de soubassement à toutes ses œuvres, y compris les plus « basses » : prolonger dans le pays le sillon ouvert par Charles de France. Envers et contre tous. Surtout contre ceux qui ont poussé le Général à lâcher la barre. Commence la deuxième Résistance de Charles Pasqua. Plus occulte encore que la première. Plus subtile en tout cas.

Histoires corses

A Paris, depuis l'accession de Georges Pompidou à la présidence de la République, tout le monde complote contre tout le monde.

Le nouveau chef de l'État est contri, au fond de lui-même, de ne pas être parvenu à se réconcilier avec Charles de Gaulle. Il sait que les militants gaullistes ne lui pardonneront jamais d'avoir « tué » leur « père ». Il essaie de s'appuyer sur les maréchaux du défunt empire. Il déjeune souvent avec Jacques Chaban-Delmas, Michel Debré, Olivier Guichard, Roger Frey. Son « poulain » Jacques Chirac, assiste à ces conversations, bien qu'il ne soit pas encore ministre. Il incarne à ses yeux la nouvelle génération du gaullisme.

Charles Pasqua fait la moue. La nomination de Chaban à l'Hôtel Matignon ne l'a pas rassuré longtemps. Pourquoi le nouveau Premier ministre a-t-il éprouvé le besoin de s'entourer d'hommes comme Jacques Delors et Simon Nora qui n'ont rien de commun avec le mouvement gaulliste? Pourquoi Georges Pompidou a-t-il fait entrer au gouvernement des adversaires du Général, René Pleven, nommé ministre de la Justice, Jacques Duhamel, ministre de l'Agriculture, Joseph Fontanet, ministre de l'Emploi, tous centristes antigaullistes? Et pourquoi, surtout, a-t-il cédé à Chaban quand celui-ci a souhaité le retour de Giscard aux Finances?

Heureusement, les vrais gaullistes ont formé le carré! Charles Pasqua a bien entendu adhéré, dès la rentrée parlementaire, à l'amicale Présence et action du gaullisme qui réunit une quarantaine de députés autour de Hubert Germain, son président, Pierre Messmer, Jacques Vendroux, Michel de Grailly. Tous réfléchissent à la façon de préserver l'héritage politique et spirituel du Général au cours d'interminables déjeuners, toujours au même endroit : l'auberge du Cardinal de Retz, à Noisy-le-Roi.

Charles Pasqua est mis à contribution, en général, à la fin des banquets, quand il s'agit de raconter quelques histoires marseillaises puisées dans la saga de Ricard. Il se prête au jeu mais il observe surtout, silencieusement, tous les manèges. La plupart de ses collègues trouvent excessives les charges lancées contre Georges Pompidou par le clan intégriste dont les deux figures de proue marquent fortement cette période. En son for intérieur il partage, lui, ce que disent tout haut René Capitant et Louis Vallon.

René Capitant! Charles Pasqua le vénère comme un second père spirituel depuis son adhésion à l'Union gaulliste, en 1946. Comment ne pas l'admirer? Ce célèbre juriste a été le seul à avoir eu le courage de démissionner du gouvernement de Maurice Couve de Murville, en avril 1969, après le départ du général de Gaulle, par fidélité à celui-ci. Ce Don Quichotte du gaullisme, madré comme un paysan corrézien, possède tellement de lettres de noblesse! La plus importante, aux yeux de Charles Pasqua, ce n'est pas le fait d'avoir travaillé un moment au cabinet de Léon Blum, avant la guerre, mais d'avoir animé « Combat » dans la Résistance, le mouvement dont dépendait le réseau « Phratrie » de Grasse.

Charles Pasqua fait siennes les convictions de ce professeur qui a été l'un des premiers intellectuels français à dénoncer l'hitlérisme, qui a critiqué les accords de Munich, qui prône l'association du capital et du travail, fondement de la « participation », et qui a fait de son attachement à de Gaulle un principe d'action, une doctrine et une mystique. Charles Pasqua retiendra les leçons de ce costaud passionné, intègre, parfois irréaliste, de ce professeur rigoriste, faux timide, qui parlait si bien avec ses mains, qui rêvait de réconcilier le gaullisme et le marxisme, et qui mourra trop tôt, six mois avant le Général, non sans avoir été le premier aussi à mettre en garde ses anciens compagnons du RPF contre l'inclination de Georges Pompidou au radicalisme de la IIIe République.

René Capitant a certes avalé « la couleuvre » puisqu'en juin 1968 il a accepté de participer au gouvernement de Georges Pompidou. Pourtant, après l'installation de ce dernier à l'Élysée, il s'est déchaîné contre la politique d'ouverture et la « nouvelle société » de Jacques Chaban-Delmas, multipliant les propos à l'emporte-pièce qui font le ravissement du bonimenteur Pasqua mais mettent dans l'embarras les caciques de l'UDR. René Capitant prêche, en effet, la guerre sainte aux militants gaullistes : « Aux rapports de dépendance qui subordonnent le travail au capital nous voulons substituer des rapports d'association qui fassent que les salariés participent non seulement à l'effort mais aussi aux responsabilités et aux résultats. Est-ce cette société nouvelle que nous propose le Premier ministre? Non... [...] Pour arriver aux réformes il faudra nécessairement renverser le gouvernement actuel [...]. Je doute que Pompidou continue la politique de de Gaulle [...]. Les authentiques gaullistes sont isolés dans un gouvernement qui n'est pas le leur [...]. Une grande partie des gaullistes voient en Pompidou le véritable successeur du général de Gaulle mais cèdent surtout à la crainte de se diviser. Nous, nous refusons d'être unis pour mener une politique contraire à celle de l'ancien chef de l'État [...] Cette attitude des gaullistes ressemble beaucoup à celle des Français qui se rassemblaient autour de Pétain. Il y a d'ailleurs beaucoup de ressemblance entre Pétain et Pompidou, avec plus de machiavélisme chez le second que chez le premier. [...] Il faut entrer délibérément dans l'opposition. »

Louis Vallon, c'est l'alter ego de René Capitant, en plus féroce sous un masque jovial. Visage carré, verbe haut, voilà un autre marginal du gaullisme qui ne manque pas de répondant. Polytechnicien, ancien compagnon de Léon Blum, prisonnier en 1939, évadé en 1940, chef du service secret de la France libre à Londres à partir de 1942, résistant aux côtés de Pierre Brossolette, les campagnes de Syrie, Corse, Alsace, pour finir adjoint de Gaston Palewski au cabinet de de Gaulle. Belle carte de visite. Député de la Seine, fondateur de l'Union démocratique du travail, qui milite pour la « participation », il fait partie de ces gaullistes de gauche que chérissait le Général : « De bonnes bouteilles mais elles sont rares. »

Louis Vallon aide René Capitant dans son travail de sape du pompidolisme, et son humour grinçant fait mouche. Il parle de « l'OPA » faite à Rome par Georges Pompidou : « une offre publique d'achat de la présidence de la République ». Il vitupère les giscardiens, les centristes et les autres alliés du nouveau président de la République, qui ont précipité l'échec du Général : « Ce que ni Salan ni Bastien-Thiry ni l'OAS n'avaient pu obtenir – le départ de de Gaulle – ils l'ont, eux, obtenu ! »

Louis Vallon hait Pompidou, qu'il imagine manipulé par « les forces de l'argent » complices de « la félonie de quelques-uns ». Il publie un pamphlet qui fera déborder le vase de ses propres amis : *L'Anti - de Gaulle.* « L'Anti - de Gaulle, explique-t-il, désigne avant tout Georges Pompidou, bien sûr, mais je ne veux pas dire qu'il soit anti-gaulliste. Être anti - de Gaulle, c'est être un homme qui a des réactions tout à fait différentes de celles de de Gaulle. Je prends un cas historique, quoique légendaire, connu : c'est Don Quichotte et Sancho Pança. Sancho Pança était manifestement un anti-Don Quichotte. Seulement il avait un trait, c'est qu'il était fidèle à Don Quichotte... »

En bon Méridional Charles Pasqua apprécie cette verve. Il se sent à l'aise auprès de ces intégristes, même si leur stature le dépasse un peu et s'il les juge parfois trop bavards. Il ne participe guère aux débats internes qui aboutissent au désaveu de Louis Vallon et à son exclusion du groupe UDR, en octobre 1969.

Le nouveau député des Hauts-de-Seine, qui n'a pas encore vraiment droit à la parole en présence des « barons », demeure officiellement sur son quant-à-soi. Il préfère les conciliabules de couloirs. Car ce qui le préoccupe, c'est de contribuer à empêcher l'éclatement du mouvement. Charles Pasqua s'emploie donc à nouer de bonnes relations avec le clan des orthodoxes qui soutiennent, derrière Robert Poujade, l'action de Georges Pompidou. Dans les controverses intestines dont souffre alors l'UDR il évite de prendre des positions tranchées, appliquant la « stratégie du crocodile » qu'il affectionne en cas de situation difficile et qu'il a empruntée à Jacques Foccart : « Tu fais semblant de dormir avec la gueule ouverte et tu ne mords qu'au moment opportun... »

Charles Pasqua a raison d'être prudent. Très vite, à l'intérieur de l'UDR, le choc des ambitions et des rivalités va supplanter celui des grands principes. Au Palais-Bourbon certains irréductibles, tels André Fanton, Christian de La Malène, passent à l'attaque, à leur tour, à l'initiative de Michel Debré, contre la politique conduite par Jacques Chaban-Delmas. Robert Poujade a du mal à contrôler le mouvement.

La tension politique est d'autant plus forte que la France traverse une nouvelle période de morosité. Les « roulants » de la SNCF se mettent en grève; les syndicats ouvriers mobilisent contre la durée du temps de travail; les commerçants expriment leur ras-le-bol des chipotages administratifs et un certain Gérard Nicoud mène leur révolte dans la bonne vieille lignée poujadiste (celle de Pierre, pas celle de Robert).

Comme les autres députés gaullistes, Charles Pasqua a le choix entre Charybde et Scylla : soutenir Pompidou ou

Chaban, approuver la dérive au sommet ou à la base de l'exécutif.

Que faire quand on a perdu sa boussole? S'accrocher à ses racines! C'est ce que Charles Pasqua va faire en misant sur un troisième clan, plus diffus, moins compromettant, où se mêlent volontiers, dans une trêve fraternelle, intégristes et orthodoxes et où s'abolissent toutes les barrières sociales : le clan des Corses!

Trois hommes y tiennent alors le haut du pavé. Trois « figures », comme eût dit le pépé Capellone : Achille Peretti, René Tomasini, Alexandre Sanguinetti! Trois gros gabarits à côté desquels, malgré son jeune passé, le nouveau membre du bureau politique de l'UDR fait figure de poids coq.

Achille Peretti, natif d'Ajaccio, a atteint le faîte de sa carrière. Il vient d'être élu président de l'Assemblée nationale. Cet avocat de formation, qui a la particularité d'avoir été aussi commissaire de police, trouve là la récompense de ses brillants états de service. Le colonel Passy, chef du service de renseignement de la France libre, a dit quel « extraordinaire agent secret, à la fois prodigieux, courageux et merveilleusement efficace » il a été pendant la guerre avant de participer au gouvernement provisoire d'Alger et d'être chargé de la sécurité du général de Gaulle, en 1944, en qualité de directeur-adjoint de la Sûreté nationale.

Lui-même député des Hauts-de-Seine et maire de Neuilly-sur-Seine depuis 1947, ce caractère entier – on l'a surnommé « le bouillant Achille » – éprouve à l'égard du nouveau venu sur ses terres départementales une curiosité mêlée, depuis les incidents de Levallois, d'une certaine appréhension. Entre Charles Pasqua et ce préfet roué ce ne sera pas le grand amour. Plutôt des échanges de bons procédés. Ce n'est pas Charles Pasqua qui succédera à Achille Peretti à la direction de la municipalité de Neuilly.

René Tomasini, en revanche, sera le poisson-pilote du futur ministre de l'Intérieur. Cet enfant de Petreto-Bicchisano – village des environs de Propriano – vit depuis longtemps comme un poisson dans l'eau en région parisienne. Fils de préfet, préfet lui-même, maire des Andelys, député de l'Eure depuis 1958, il a chaperonné Charles Pasqua lorsque celui-ci a débarqué à Paris pour servir la cause de Ricard. Lui qui se sent « *corse à mille pour cent* » a tout de suite sympathisé avec ce « compatriote » si imprégné du terroir méditerranéen. Il assumait alors les fonctions de secrétaire général adjoint de l'UDR. Ancien membre du cabinet de de Gaulle en 1944-45 il n'ignore rien des rouages et des humeurs du mouvement gaulliste et il excelle dans la pratique de la musique parlementaire. On l'appelle affectueusement « Toto ». « Toto Fricotin », selon *le Canard enchaîné* qui le brocarde à propos de son affairisme.

Bourru et familier, René Tomasini connaît bien la carte électorale du pays. Ses conseils sont écoutés. Il use de son habileté naturelle dans l'art des intrigues politiciennes. Il devient le « parrain » de son cadet de Casevecchie qui le suit les yeux fermés lorsqu'il constitue, en décembre 1968, l'association Solidarité corse pour aider en principe à des financements philanthropiques... Dans son ouvrage *L'Ardeur nouvelle* Charles Pasqua lui consacrera, quinze ans plus tard, des lignes chaleureuses : « René Tomasini était habité par la passion de la France. Connaissant bien les hommes et le mouvement, mon ami depuis 1958, il nous apporta son aide, ses conseils et fut au premier rang de tous nos combats. Il avait choisi d'aider Jacques Chirac afin de promouvoir la renaissance du mouvement gaulliste. Plus tard mon collègue au groupe sénatorial, sa disparition fut une grande perte pour notre mouvement. »

D'Alexandre Sanguinetti, Charles Pasqua dira dans le même ouvrage : « Gaulliste, engagé dans la guerre, meurtri dans sa chair, il avait fait sienne la devise de Clemenceau : " Dans la guerre comme dans la paix, le dernier mot est à ceux qui ne se rendent jamais. " Par un de ces coups dont l'histoire est coutumière, cet homme qui était destiné à être le chef d'une armée de conquête s'est trouvé, en 1974, dans le cas de diriger la retraite. Il s'est fort bien acquitté de cette tâche ingrate et contraire à son tempérament, et a su préparer l'avenir. C'était un homme de cœur et de grand courage, il a bien servi le pays. »

En 1969 Alexandre Sanguinetti n'est pas encore le barreur en chef de l'UDR. Mais il est déjà plus que cela : le chef des grognards ! Les coups de gueule de ce condottiere font trembler l'actualité. Il suit Georges Pompidou par devoir mais n'en pense pas moins. Il en a tellement vu, ce baroudeur !

Une bande dessinée ne suffirait pas à raconter sa vie. « Sous-off » de la coloniale, il a perdu une jambe à l'assaut du mont Tombone, sur l'île d'Elbe, en 1943. Quand son brancard est passé devant son chef, le général Bouvet, il s'est « excusé » auprès de celui-ci de s'être « fait blesser par l'artillerie ennemie et de devoir quitter le champ de bataille ». Membre de plusieurs cabinets ministériels, de 1946 à 1961, il a été ministre des Anciens Combattants dans le gouvernement de Georges Pompidou. Partisan de l'Algérie française après avoir fricoté avec l'extrême droite, il est devenu, sur ordre du Général, le chef de la lutte clandestine contre l'OAS sur le terrain. Ses équipes de « barbouzes » ont fait leur devoir à Alger même. Avec son coffre de débardeur, son air buté, son œil tantôt dur tantôt enfantin, sa jambe de bois qui martèle le parquet quand il se met en colère – et il se met souvent en colère contre ce monde où « tout fout le camp ! » – Alexandre Sanguinetti est un militant comme Charles Pasqua les aime. Un militant au sens étymologique du terme : *miles*, « combattant ». Et Alexandre Sanguinetti a apprécié à sa juste valeur la contribution prise par Charles Pasqua à la lutte contre la « chienlit » en 1968. En outre, comme lui, il place le sang corse au-dessus de toute autre valeur : « Le Corse est, selon lui, un égalitaire césarien : seul César peut accepter que tous les autres soient égaux sous lui. »

Achille Peretti, René Tomasini, Alexandre Sanguinetti, trois influences qui imprégneront Charles Pasqua à des degrés divers. Le premier lui servira de référence pour s'implanter dans le département des Hauts-de-Seine. Le deuxième l'aidera à gravir les échelons à l'intérieur du parti et dans les sphères du pouvoir. Le troisième l'encouragera à conserver son franc-parler et à perpétuer les idéaux gaullistes.

Ce trio penche plutôt pour jouer l'Élysée contre l'Hôtel Matignon, Pompidou contre Chaban, la survie du mouvement contre sa contamination par les giscardo-centristes. Tant pis pour René Capitant et Louis Vallon ! Charles Pasqua va lui aussi faire semblant de se rallier puisque le nouveau président de la République le lui demande.

Mais comment apprivoiser ces deux monstres froids que sont Pierre Juillet et Marie-France Garaud?

Le père Joseph de Georges Pompidou est un homme secret, insaisissable, parfois même introuvable. Quand il a besoin de réfléchir ou de dissiper une contrariété ce faux dilettante, qui a été le chef de cabinet d'André Malraux et que Georges Pompidou appelle sa « conscience politique », quitte l'Élysée sans laisser d'adresse pour aller retrouver ses moutons dans sa gentilhommière de Vallières, près d'Aubusson (Creuse). Malgré la fraternité de la Résistance, que Pierre Juillet a connue, un second couteau comme Charles Pasqua a du mal à approcher cette éminence grise si redoutée, qui se décrit lui-même comme « un féodal » d'un autre âge : « Je me choisis un suzerain, je fais allégeance mais je reste libre sur mes terres. Sinon je romps... »

« Marie-France » n'est pas plus abordable mais elle est plus présente à l'Élysée, toujours attentive, telle la mante religieuse sur la branche. Fascinante châtelaine poitevine née pour courir les antiquaires ou les salons de haute couture et devenue, par les hasards de sa fortune et son intelligence redoutable, la femme la plus haïe des milieux politiques, qu'elle méprise et humilie à plaisir! Georges Pompidou n'a pas à regretter d'avoir pris « à l'essai » à son cabinet, en 1967, cette femme à la beauté austère qu'accentue un chignon hautain. Son cynisme n'a d'égal que sa rancune à l'égard de Jacques Chaban-Delmas qui a commis l'erreur de sa vie quand il a refusé de l'intégrer à son cabinet de président de l'Assemblée nationale, en 1967, après le départ de Jean Foyer du gouvernement, empêtré dans l'affaire Ben Barka. « Je n'ai pas de place pour vous », lui avait fait savoir Chaban. Elle s'en souviendra et lui aussi!

« En face d'elle, écrira plus tard Françoise Giroud au terme d'un bref séjour au gouvernement giscardien de Jacques Chirac, quiconque nourrit le moindre idéal a le sentiment d'être le docteur Schweitzer. » Arthur Conte, pour sa part, la verra en « Walkyrie guerrière âpre au combat ».

Rastignac ou Richelieu en jupons? Peu importe! Ce qu'elle adore, ce sont les écoutes téléphoniques, les ragots, tout ce qui peut servir aux petites fins de la grande politique, et sur ce registre il y a de l'écho dans le clan des Corses qui a accueilli Charles Pasqua... René Tomasini a l'oreille de « Marie-France » et de Pierre Juillet. Il s'est fait un plaisir de recommander aux deux compères le nouveau député des Hauts-de-Seine dont on a tant parlé au sujet du SAC.

Les acteurs sont en place pour appliquer le plan en deux actes du couple infernal de l'Élysée : d'abord, renverser Jacques Chaban Delmas; ensuite, placer Jacques Chirac en position de dauphin officiel de Georges Pompidou. René Tomasini, Charles Pasqua et la plupart des autres gaullistes intégristes et orthodoxes sont « au parfum » pour ce qui concerne le premier acte. Le deuxième ne figure pas vraiment à leur ordre du jour...

Complot contre Chaban

Jacques Chaban-Delmas a connu tous les honneurs. Héros militaire de la France libre, baron d'Aquitaine, inamovible maire de Bordeaux, trois fois président de l'Assemblée nationale, Premier ministre... Pourtant cet homme au destin exceptionnel garde au cœur une déchirure sans cicatrisation possible. Il lui arrive d'en parler à ses visiteurs lorsque, au soir tombant, la nostalgie emplit subrepticement ses appartements silencieux du palais Bourbon : « Mon regret est d'avoir été sous-employé. Je sais que j'aurais pu rendre à mon pays des services encore plus grands... »

Aujourd'hui, Jacques Chaban-Delmas ne fait plus grief à Charles Pasqua d'avoir été de ceux qui, entre 1969 et 1972, ont grandement contribué à sa rupture avec Georges Pompidou et à son départ de l'Hôtel Matignon. Il reconnaît même volontiers que l'ancien vice-président du SAC a été, après la disparition du général de Gaulle, « un de ceux qui ont le plus fait pour que le mouvement gaulliste ne dépérisse pas ».

S'il éprouve quelque ressentiment c'est plutôt à l'encontre de Pierre Juillet et Marie-France Garaud : « Ils n'ont cessé de me calomnier. Ils ont fait croire à Georges Pompidou que j'allais le trahir. Jamais il ne me serait venu à l'idée de faire quoi que ce soit contre le président de la République. C'est dommage... »

Jacques Chaban-Delmas est trop bon, ou trop naïf, ce qui revient au même. En vérité, le quatuor formé par Pierre Juillet, Marie-France Garaud, René Tomasini et Charles Pasqua s'est parfaitement réparti les rôles, à partir de l'automne 1969, pour savonner consciencieusement la planche du Premier ministre alors que celui-ci était harcelé en permanence par le maître comploteur du clan allié, Michel Poniatowski, qui s'en donnait déjà à cœur joie au service du ministre de l'Économie et des Finances, Valéry Giscard d'Estaing.

Les deux premiers inspiraient les deux autres, qui exécutaient. « Marie-France », bien entendu, ne pouvait s'empêcher de mettre la main à la pâte mais son terrain d'action se limitait aux sphères les plus hautes. « La politique, comme la guerre, est un art d'exécution et Pasqua, à ce jeu-là, est devenu un merveilleux général d'armée, se souvient-elle aujourd'hui. A l'époque, Juillet concevait les plans, Pasqua et moi nous cousions, mais pas dans le même fil... » A « Marie-France » les cabinets ministériels et les salons mondains, à « Charlie » la pelle à charbon...

Le secrétaire général de l'UDR, Robert Poujade, ne veut personnellement rien faire, à cette époque, qui puisse enfoncer un coin entre l'Élysée et l'Hôtel Matignon. Il soutient ouvertement Georges Pompidou et ménage Jacques Chaban-Delmas. Qu'à cela ne tienne! C'est Alexandre Sanguinetti, alors président de la commission de la défense de l'Assemblée nationale, qui prépare l'offensive en indiquant, dès le congrès UDR de novembre 1969, que « le mouvement ne doit pas se confondre avec le gouvernement », qu'il « n'a pas à épouser toutes ses actions », qu'il doit, au contraire, « l'inciter à la réflexion ». Il s'agit d'un feu vert donné à l'expression des critiques. René Tomasini et Charles Pasqua, comme convenu, s'engouffrent dans la brèche. Ils vont se relayer pour attaquer Jacques Chaban-Delmas sur un point sensible : l'information télévisée.

C'est à la tribune de l'Assemblée nationale, le 21 novembre, que Charles Pasqua déclare ouvertement la guerre au Premier ministre, sur ce terrain, à propos de la réintégration à l'ORTF de la plupart des journalistes licenciés au cours des « événements » de Mai 68.

Il a méticuleusement préparé son intervention. Il ne doit pas embarrasser l'état-major de l'UDR. Il prend donc la précaution oratoire de dire qu'il s'exprime « à titre strictement personnel » mais personne n'est dupe dans l'hémicycle. Il ne veut pas non plus apparaître comme un simple spadassin commandité par d'autres.

Ce jour-là Charles Pasqua pose déjà des jalons personnels. Il campe le personnage qu'il veut jouer, désormais dans l'enceinte parlementaire et au sein du mouvement gaulliste. En s'attaquant au premier des « barons » il se pose à son tour en grognard, dans la foulée d'Alexandre Sanguinetti. Il conserve le langage manichéen qui convient aux gens du

SAC. Il gère en « ultra » les suites de Mai 68. Charles Pasqua laisse ainsi entrevoir qu'il aspire à devenir une figure de proue du gaullisme populaire. Il développe, dans ce premier discours qu'il veut de référence, les possibilités de sa gamme personnelle, et les députés présents découvrent un redoutable bretteur.

Le militant fidèle mais exigeant : « J'entends faire connaître le point de vue d'un député élu au nom du général de Gaulle et qui entend rester fidèle aux engagements pris envers les Français [...] et aux grandes options nationales définies par le général de Gaulle mais qui, au lendemain du mauvais coup du 27 avril (la victoire des " non " au référendum) a soutenu la candidature de M. Georges Pompidou et souhaité sincèrement s'associer à la politique de continuité et d'ouverture; mais aussi le point de vue d'un député qui, pour autant, ne confond pas plus la continuité et l'immobilisme qu'il ne confond l'ouverture et le gouffre de Padirac... »

Le porte-voix du clan orthodoxe : « M. Chaban-Delmas a constitué un gouvernement de coalition qui repose sur trois pieds d'inégale grosseur. La majorité qui a élu M. Pompidou président de la République est à peu près celle qui pendant onze ans, a porté et soutenu le général de Gaulle et qui nous a élus. Cette majorité n'a pas ménagé son soutien au gouvernement dont elle souhaite la réussite. Elle se reconnaît dans le gouvernement lorsqu'il use de la fermeté et défend l'autorité de l'État, lorsqu'il interdit et empêche les manifestations susceptibles de dégénérer en émeute. Elle se reconnaît dans le gouvernement lorsqu'il refuse de discuter sous la menace et fait régner l'ordre républicain. Cette majorité reconnaît dans la " Société nouvelle " évoquée par le Premier ministre un projet gaulliste, car le gaullisme s'est toujours voulu orienté vers une plus grande justice sociale. En effet, il n'est ni le conservatisme ni l'immobilisme mais le mouvement et le progrès. Aujourd'hui, ceux qui ont toujours soutenu le général de Gaulle et qui forment les gros bataillons de la majorité croient rêver et ne vous reconnaissent plus tout à fait [...]. Je reconnais à l'État le droit à l'ingratitude mais à condition que cela le serve. Or tel ne peut être le cas. Où est l'intérêt de l'État dans la prise en gérance par des ennemis de la société, par des gauchistes, de l'actualité télévisée sur la première chaîne? Qui en fera les frais? La majorité, certes, mais aussi, et c'est plus grave, la France. »

Le polémiste féroce : « Tout cela risque de très mal finir! Le gouvernement scie la branche sur laquelle la société actuelle est assise et il a choisi pour cela une équipe qui joue de la tronçonneuse. On n'arrête pas le progrès! [...] Quant au réalisateur communiste de *Jacquou le Croquant,* qu'il lui soit permis de mesurer l'objectivité de l'Union soviétique en allant tourner sur place la triste histoire de Popov le Koulak! [...] Qui a pu conseiller à Monsieur le Premier ministre de prendre cette initiative sur la première chaîne? Je ne pense pas que ce soit le groupe UDR qui ait proposé le recrutement de tous ces gauchistes [...]. Quoi qu'il en soit une mauvaise action a été commise contre ceux qui à l'ORTF ont fait leur devoir et défendu la République. [...] Mais plus que cela il s'agit d'une faute politique. C'est la première fois qu'on voit engager des pyromanes dans une entreprise de produits inflammables. Il faut maintenant que le gouvernement nous dise la politique qu'il entend mener : celle de la défense de l'État, telle que l'a définie Monsieur le Premier ministre, ou la politique d'abandon et d'abdication que l'on commence à pratiquer à l'ORTF? [...] Si le gouvernement persiste dans cette politique alors malheureusement – nous en sommes certains – tout cela se terminera très mal pour la majorité et très mal pour le pays. »

Deux mois plus tard, en janvier 1970, c'est M. Pierre Messmer en personne, poussé par les « activistes » de l'UDR, qui se pose en gardien de la doctrine gaulliste, en prétextant de la politique suivie par le Quai d'Orsay au Proche-Orient, qui trouble son mouvement. Il annonce son intention de réactiver l'association Présence du gaullisme, qu'il préside depuis mai 1969 et dont l'amicale parlementaire Présence et action du gaullisme, présidée par Hubert Germain, est l'instrument au palais Bourbon. René Tomasini, Alexandre Sanguinetti et Charles Pasqua en font une machine de guerre contre le gouvernement tandis que, de leur côté, René Capitant et Louis Vallon continuent leur propre travail de sape.

Jacques Chaban-Delmas est à la peine sur tous les fronts, car le printemps social est chaud. En mars, l'ORTF est conspuée au congrès de la Fédération nationale des syndicats d'exploitants agricoles (FNSEA), à la suite de l'émission *Adieu coquelicots,* de François-Henri de Virieu, sur les problèmes agricoles. Gérard Nicoud rassemble plus de vingt mille commerçants en colère au Parc des Princes et les appelle à la grève de l'impôt. Les transporteurs routiers bloquent les portes de Paris pour protester contre l'interdiction faite aux poids lourds de circuler le week-end de Pâques. A Nanterre de violents incidents entre policiers et étudiants d'extrême gauche font plusieurs dizaines de blessés. La session parlementaire de printemps est à peine ouverte que Charles Pasqua s'appuie sur ces incidents pour porter une nouvelle attaque contre le gouvernement, histoire d'accréditer l'idée que Jacques Chaban-Delmas manque d'autorité.

Il monte à la tribune, le 15 avril. Son préambule est empreint de fausse humilité : il prétend qu'il veut s'exprimer comme un simple « député de banlieue qui considère les problèmes à ras de terre », presque honteux de mêler sa voix à celles de « tant de philosophes et d'humanistes ». Puis il prononce un véritable discours d'opposant : « Le peuple français tolérera-t-il encore longtemps que des groupes armés se déplacent de faculté en faculté pour faire régner la terreur et entraver l'enseignement, empêcher d'étudier l'immense majorité des étudiants qui le veulent, et d'enseigner l'immense majorité des professeurs? Attendrons-nous qu'il y ait des morts? Jusqu'à quand les gauchistes jouiront-ils de l'impunité? Il s'agit tout bonnement de distinguer entre les étudiants et les agitateurs, ceux qui sont inscrits dans l'université uniquement pour y semer l'agitation. Pour ceux-là, eh bien, résilions les sursis, supprimons les bourses de ceux qui refusent d'étudier et empêchent les autres de travailler. Prions avec politesse, mais fermeté, les agitateurs étrangers de retourner dans leur pays d'origine. Le pays attend du gouvernement que soit mis un terme à l'agitation, au désordre, aux déprédations. Il attend du gouvernement l'application du principe républicain de l'égalité devant la loi; il attend l'abolition des privilèges; il attend le rétablissement de l'ordre, non que celui-ci soit une fin en soi mais tout simplement parce qu'il n'y a pas de progrès sans ordre. »

Jacques Chaban-Delmas essaie d'expliquer à la télévision son attitude face aux mouvements contestataires, Georges Pompidou lance à Albi un appel à la paix civile, rien n'y fait.

La discussion par l'Assemblée nationale d'un projet de loi « anti-casseurs » visant à réprimer « certaines formes nouvelles de délinquance » provoque, au contraire, un conflit ouvert entre le gouvernement et la majorité. L'UDR se montre d'autant plus réticente sur les sanctions à appliquer aux responsables des manifestations que ce texte a été conçu par René Pleven, l'un des adversaires du général de Gaulle. Cette discussion est renvoyée aux 29 et 30 avril et la commission des lois élabore un compromis acceptable par l'UDR. Mais entre-temps la gauche s'est mobilisée et a mené campagne contre ce qu'elle considère comme « une atteinte au droit de rassemblement ». Plusieurs manifestations importantes ont eu lieu à Paris et en province. A l'Élysée Georges Pompidou s'inquiète. Aussitôt Pierre Juillet et « Marie-France » sonnent le cessez-le-feu à leurs complices. Charles Pasqua intervient le dernier, dans la discussion générale du projet de loi, au Palais-Bourbon, le 29 avril, après Alexandre Sanguinetti, mais c'est, cette fois, pour soutenir Jacques Chaban-Delmas contre les assauts des communistes et des socialistes. Il croise le fer avec François Mitterrand, qu'il accuse de soutenir « la chienlit » :

« M. Mitterrand avait contracté vis-à-vis des gauchistes, notamment le 29 mai 1968, lorsqu'il s'est cru en position de prendre le pouvoir, des obligations qu'il paie en partie aujourd'hui, dit-il.

– Vous êtes un imbécile!, lui répond François Mitterrand.

– Quoi qu'il en soit, le peuple français sait bien de quel côté sont les fascistes et les totalitaires poursuit Charles Pasqua sans se démonter. Le peuple français sait bien que ce n'est pas dans notre pays que les camps de concentration existent et que les prisons sont pleines de détenus politiques. Le peuple français sait bien que ce n'est pas dans notre pays que la grève est considérée comme un crime de sabotage économique. Le peuple français sait bien que tout cela est la caractéristique de vos pays de démocratie populaire qui n'ont de démocratie et de populaire que le nom! »

Cette trêve est de courte durée. Au conseil national de l'UDR qui a lieu à la fin du mois de juin à Versailles, René Tomasini en personne monte au créneau pour faire à son tour le procès de l'ORTF mais aussi celui de l'administration. Il reproche à la télévision de trop insister « sur les aspects négatifs de la société française », d'accorder trop de temps d'antenne à « l'anecdote bizarre, insolite, émotionnelle » et pas assez « aux réalisations tendant à moderniser la France alors que le grand public doit savoir où va son argent, à quoi servent ses sacrifices, sur quels espoirs il doit fonder son effort ». Il fait grief aux ministres de Jacques Chaban-Delmas de trop subir le pouvoir administratif : « Aujourd'hui, dit-il, les hommes sans État de la IVe République ne doivent pas être remplacés par des hommes d'État bureaucratisés de la Ve. »

Ainsi « chauffés », les congressistes de l'UDR font à Jacques Chaban-Delmas, le vendredi après-midi 26 juin, un accueil maussade. Charles Pasqua n'a même pas besoin d'en rajouter. Il se borne à placer un grain de sel assassin à la fin de la litanie des réserves formulées contre les orientations du Premier ministre : « Le président de la République est des nôtres, le Premier ministre est encore des nôtres, mais pas le gouvernement. »

Jacques Chaban-Delmas obtient toutefois un nouveau répit. Grâce, d'abord, à l'intervention personnelle de Georges Pompidou, qui s'affirme comme chef de la majorité au cours d'un voyage, fin juin, en Alsace. Puis grâce à sa propre victoire électorale à l'élection législative partielle de Bordeaux, en septembre, à l'issue d'un spectaculaire duel avec Jean-Jacques Servan Schreiber, alors secrétaire général du Parti radical.

La toile d'araignée cyniquement tissée par le couple diabolique de l'Élysée et ses acolytes continue néanmoins de se refermer sur lui.

Pierre Juillet et Marie-France Garaud convainquent le président de la République de procéder, le 7 janvier 1971, à un remaniement technique du gouvernement. Jacques Chirac, qui était secrétaire d'État aux Finances, bénéficie d'une promotion et devient ministre délégué chargé des relations avec le Parlement. Robert Poujade reçoit en récompense de ses bons et loyaux services pompidoliens la charge, spécialement créée pour la circonstance, de ministre de l'Environnement. Ce qui permet à René Tomasini de se faire élire, sept jours plus tard, secrétaire général de l'UDR. Deux postes clés sont ainsi confiés à deux fidèles tandis que Robert Poujade est mis sur la touche.

Cette opération de reprise en main de l'appareil du parti par les gaullistes « purs et durs » est complétée en février par l'entrée au gouvernement, comme ministre d'État chargé des départements et territoires d'outre-mer, de Pierre Messmer, incarnation de la fidélité.

Charles Pasqua est momentanément « désactivé ». On ne l'entendra pratiquement plus au cours de cette année 1971. Il faut dire que son nom apparaît souvent à la rubrique des faits divers à propos des méfaits commis un peu partout par les grands truands et les petits voyous qui se réclament du SAC en espérant bénéficier de la compréhension de la police. Plusieurs fois l'ancien vice-président du Service d'action civique envisage de porter plainte. Il en est dissuadé par Marie-France Garaud.

Son moral politique n'est pas non plus au beau fixe. Devenu un conglomérat de clans rivaux, le mouvement gaulliste est soumis à d'incessants tiraillements internes dont les effets négatifs servent, aux yeux de l'opinion publique, les intérêts des fringants giscardiens et ceux de l'opposition de gauche au sein de laquelle vient de se produire un événement majeur : l'unité des socialistes marquée par la constitution du nouveau Parti socialiste qui se donne François Mitterrand comme premier secrétaire.

Voilà en outre que l'ami Tomasini commence à faire des sottises. A l'occasion de la condamnation d'un jeune lycéen parisien, Gilles Guiot, à trois mois de prison fermes pour violences à agents, le secrétaire général de l'UDR provoque un scandale en accusant les magistrats de « lâcheté ». L'ampleur des réactions est telle qu'il est désavoué par le gouvernement et la plupart des partis politiques. Il est obligé de faire publiquement amende honorable en retirant le mot malheureux.

L'UDR se lézarde. Deux de ses fleurons historiques, Christian Fouchet, ancien ministre, député de Meurthe-et-Moselle, et Jacques Vendroux, député du Pas-de-Calais, beau-frère du général de Gaulle, donnent leur démission du mouvement pour protester contre l'appel au ralliement du MRP lancé par Jacques Chaban-Delmas avant les élections municipales du mois de mars. Ils ont, auparavant, reproché à l'amicale parlementaire Présence et action du gaullisme « un aimable conformisme incompatible avec la rigueur du gaullisme ».

Quand en avril René Tomasini proclame devant le comité central de l'UDR la continuité du gaullisme son discours sonne faux. Idem lorsqu'il sacrifie à la méthode Coué, en juin, à Dijon, pour déclarer : « Nous sommes les meilleurs ! »

Manque de chance pour les héritiers spirituels du général de Gaulle, un scandale leur tombe sur la tête, en juillet, avec la mise en cause d'un de leurs députés, André Rives-Henrys, ancien secrétaire général adjoint de leur mouvement, impliqué dans une affaire d'escroquerie en tant qu'ancien dirigeant de la Garantie foncière. Ils vont traîner ce boulet plusieurs mois durant.

Au nom des giscardiens, Michel Poniatowski en profite pour attaquer le chef du gouvernement en préconisant la création d'une « grande fédération » qui regrouperait tous les centristes, qu'ils appartiennent ou non à la majorité, et en dénonçant « l'affairisme qui hante certaines antichambres ministérielles administratives ou politiques ».

Jacques Chirac lui-même, qui est plutôt en bons termes avec les giscardiens, ne parvient pas à calmer la grogne des députés gaullistes. Le 12 juillet, cinq des présidents des commissions de l'Assemblée nationale, Jean Charbonnel, Jean Foyer, Maurice Lemaire, Alain Peyrefitte et Alexandre Sanguinetti, auxquels se joint le président de l'amicale parlementaire « Présence et action du gaullisme », Hubert

Germain, remettent à Achille Peretti un long texte, en forme de manifeste, qui porte une série de jugements négatifs sur l'état des relations entre le gouvernement et le Parlement, reproche à Jacques Chaban-Delmas une insuffisance de concertation avec sa majorité, appelle à une politique plus volontariste, rappelle les conceptions du général de Gaulle sur l'indépendance nationale et la construction européenne. Un pavé dans la mare.

René Tomasini fait savoir, d'autre part, que les gaullistes pourraient tout aussi bien gouverner sans les Républicains indépendants et sans les centristes. Alexandre Sanguinetti estime, contre l'avis de Georges Pompidou, que l'UDR devrait se donner un président. C'est l'été de la morosité. Une morosité accentuée par de nouvelles « affaires ». *Le Canard enchaîné* publie des fac-similés des dernières feuilles d'impôts de Jacques Chaban-Delmas indiquant que le Premier ministre n'a rien versé au fisc grâce à l'usage légal de l'avoir fiscal. Certains membres du SDECE sont accusés par les autorités américaines de couvrir des trafics de drogue. On reparle du SAC avec les suites judiciaires du scandale de l'ETEC dont les dirigeants se sont vantés de bénéficier de protections politiques. La plupart des fuites viennent des milieux proches de la rue de Rivoli.

Les caciques de l'UDR ont beau se serrer les coudes, voir dans tout cela une « entreprise de subversion » inspirée par les giscardiens, les jours du gouvernement de Jacques Chaban-Delmas apparaissent comptés.

Charles Pasqua passe de nouveau à l'action à l'occasion de l'un de ces déjeuners rituels qui réunissent une fois par mois, à la table du président de la République, les membres du bureau politique du mouvement. Il est placé – détail révélateur – entre Pierre Juillet et Marie-France Garaud. Avant d'entamer son hors-d'œuvre Georges Pompidou lance à la cantonade : « Alors, messieurs, quoi de neuf? » Et il commence à déjeuner. Personne n'est surpris. Le chef de l'État pose chaque fois la même question et d'habitude personne ne se presse de lancer la conversation. Mais, cette fois, dans le silence à peine troublé par le cliquetis des couverts en argent, la voix grave de Charles Pasqua résonne soudain, théâtrale : « Le pays, monsieur le Président, a l'impression de ne pas être gouverné... » Les fourchettes se figent! Les regards convergent vers le député des Hauts-de-Seine. René Tomasini, qui est placé en face de Georges Pompidou, repose délicatement le verre de Sancerre qu'il venait de porter à ses lèvres. Pierre Juillet fait mine de n'avoir rien entendu. Marie-France Garaud s'attend au pire. Elle sait que le président de la République est très agacé par Chaban-Delmas mais qu'il a été proprement excédé par la récente bourde de René Tomasini à l'égard de la magistrature. Il a fallu l'intervention personnelle de Jacques Chirac pour sauver sa tête.

Georges Pompidou ne laisse pas Charles Pasqua finir sa phrase. Son front s'empourpre. Sa réplique claque comme une gifle : « Si vous le laissiez gouverner un peu plus tranquillement le pays n'aurait peut-être pas cette impression ! C'est vrai, le Premier ministre a sans doute le défaut de vouloir être aimé des Français. Je lui ai dit plusieurs fois qu'il faut laisser les Français vivre comme ils veulent. Mais la politique d'union de la majorité qu'il conduit est nécessaire si nous voulons préparer la France aux défis du XXe siècle. Voilà pourquoi un certain consensus doit être recherché. Il s'agit avant tout de développer l'industrialisation de notre pays pour qu'il puisse faire face, demain, aux crises futures... »

Charles Pasqua n'insiste pas. Georges Pompidou non plus. Il se fait plus conciliant : « Je sais que vous ne faites que me dire ce que pensent beaucoup de gens, mais il faut aussi savoir, parfois, ne pas plaire... »

« C'est aussi mon avis, monsieur le Président », conclut Charles Pasqua qui n'oubliera jamais le camouflet.

A la même époque, Georges Pompidou pensait aussi, malgré l'avis de Pierre Juillet, que son projet de référendum sur l'élargissement de la CEE à la Grande-Bretagne allait faire diversion. Il se trompait. La morosité du corps électoral, exprimée par Charles Pasqua, allait lui infliger un démenti.

Le 23 avril 1972 les « oui » l'emportent, certes, avec 10 601 645 voix mais c'est le taux des abstentions – près de 40 % – qui retient surtout l'attention et qui confirme le peu d'intérêt accordé par les Français à cette consultation.

Un mois plus tard, à l'Assemblée nationale, le débat qui suit la déclaration de politique générale de Jacques Chaban-Delmas est très houleux. Certains députés UDR interrompent même le Premier ministre. « Nous attendons un chef », déclare Hubert Germain. « Nous avons à nous regrouper autour de Pierre Messmer », lui répond en écho, quelques jours plus tard, le Premier ministre, qui désigne sans le savoir son successeur.

Car Georges Pompidou a finalement tranché. Il demande à Jacques Chaban-Delmas de lui remettre sa démission, le 5 juillet, et le remplace à l'Hôtel Matignon par le président de Présence du gaullisme. Pierre Juillet et Marie-France

Garaud remportent la bataille. Leur protégé, Jacques Chirac, bénéficie d'une autre promotion, bien qu'il n'ait pas été un mémorable ministre chargé des relations avec le Parlement : il est nommé ministre de l'Agriculture.

Un deuxième gage est donné aux orthodoxes du mouvement gaulliste avec l'entrée au gouvernement de Hubert Germain, nommé ministre des Postes et télécommunications. Et cette décision va faire de Charles Pasqua l'un des principaux bénéficiaires de l'opération. Outre Jacques Chaban-Delmas, en effet, un autre homme se retrouve sur le carreau : René Tomasini, compromis dans un énième scandale. La société de travail temporaire Industra, qu'il préside, est mêlée à l' « affaire » du fichier de l'ORTF volé au centre de redevances de Rennes et vendu à une officine de propagande spécialisée dans l'expédition de tracts électoraux. Cette fois, même Jacques Chirac ne pourra pas obtenir un nouveau sursis en sa faveur. C'est officiellement pour raison de santé qu'il cède le secrétariat général de l'UDR à Alain Peyrefitte.

Charles Pasqua perd son mentor mais gagne au change, puisqu'il accède, avec l'appui du clan des Corses et celui des deux éminences grises de l'Élysée, à la présidence de l'amicale parlementaire laissée vacante par la promotion de Hubert Germain. Il va s'en servir comme d'une échelle pour essayer de grimper dans la hiérarchie de son parti.

Pour fêter son intronisation, il publie dans *Le Monde* du 5 novembre un « point de vue » dans lequel il fait allégeance à Georges Pompidou et à Pierre Messmer tout en affirmant sa volonté d'assurer la pérennité du gaullisme : « Nombreux, nous les députés de base, nous eûmes la tentation, le 28 avril 1969, de démissionner; c'eût été, il est vrai une solution confortable. Nous sommes restés! Et nous sommes restés fidèles au gaullisme, nous dont le Général connaissait à peine le nom parfois, qui n'avions reçu " ni duchés, ni dotations ", ni portefeuilles, et qui ne prétendions pas le voir chaque jour ni connaître le fond de sa pensée. Nous sommes restés, car le gaullisme, c'est d'abord le service de la France, le service de l'État. Nous sommes restés, car il fallait aider Georges Pompidou, gaulliste le mieux placé pour " conserver " l'héritage du général de Gaulle. Oui, une seule fois nous fûmes " conservateurs " et nous ne le regrettons pas.

« Depuis, Georges Pompidou, avec le caractère qui est le sien, dans un contexte différent, sur l'essentiel, tient le cap.

« Depuis, avec Jacques Chaban-Delmas, sur l'essentiel, à

savoir la construction d'une société plus juste, meilleure pour les plus faibles, nous avons continué le combat gaulliste.

« Depuis, avec Pierre Messmer, sur ce chemin, nous poursuivons l'action entreprise il y a trente ans [...]. Le général de Gaulle nous a appris à placer au-dessus de tout le service de l'État. Nous avons retenu cette leçon et nous la mettons en pratique [...]. Non, le départ du pouvoir du général de Gaulle ne nous a pas libérés de notre engagement, pas plus que sa disparition, car le combat gaulliste pour substituer à la lutte des classes l'association et la participation, à la discussion des Français le rassemblement pour la France, à l'égoïsme aveugle la fraternité, n'est pas terminé [...].

« Autrefois, en servant le général de Gaulle, nous eûmes conscience de bien servir la France. Nous auxquels il demanda d'être le levain dans la pâte, nous voulons poursuivre et développer dans tous les domaines l'action qu'il avait entreprise. C'est là notre manière d'exprimer, par-delà la mort, notre fidélité au Général. »

Sous l'emphase de cette déclaration s'amorce, en fait, une métamorphose. Jusqu'ici, le « godillot » Charles Pasqua, en militant zélé, n'avait pas cherché à sortir de son rôle de second couteau exécutant les missions reçues. De Gaulle avait toujours pensé et parlé pour lui. Il avait vécu, avec exaltation, enveloppé dans son ombre gigantesque. Puis, le Général disparu, les caciques avaient pensé pour lui, parlé pour lui. Mais les ambiguïtés cultivées par Jacques Chaban-Delmas face aux adversaires du Général, ainsi que les états d'âme de l'UDR, ont peu à peu amené Charles Pasqua à esquisser une réflexion autonome.

Pour la première fois depuis la Résistance, Charles Pasqua s'interroge sur l'avenir du gaullisme sans de Gaulle. Ce changement imperceptible conditionnera désormais sa démarche personnelle.

Le pacte secret

Notre-Dame, illuminée, étale sa splendeur dans la nuit étoilée. Sous le pont de la Concorde la Seine charrie des paillettes d'or. Qu'il fait doux, à Paris, en ce soir du 13 avril 1974!

En quittant la rue de Lille, où il a passé toute la journée au siège de l'UDR, Charles Pasqua éprouve instinctivement le besoin de ralentir le pas. Il flâne sur les quais. Le temps passe si vite... Mille images défilent dans sa mémoire.

Tiens, il y a longtemps que je ne suis pas retourné à Casevecchie. La prochaine fois, il ne faudra pas que j'oublie de demander à Tante Marie et à « Mémé », l'oncle Antoine, de voir comment nous pourrions racheter la vieille maison de Pépé Capellone qui tombe en ruines au hameau de Teppa. J'aimerais l'offrir à mon père, qui rêvait tant d'y prendre sa retraite avec sa chère Françoise, enlevée naguère à dos de mulet... Déjà seize ans que maman est morte...

Georges Pompidou, lui, est enterré depuis neuf jours. Charles Pasqua reste sous le choc. Comment a-t-on pu cacher si longtemps la maladie du président de la République? Comment a-t-on pu laisser tant de membres du gouvernement et tant de dirigeants politiques dans l'ignorance de ce drame national? Comme tous les Français, Charles Pasqua a appris la terrible nouvelle par le flash de 22 heures, le 2 avril, à la télévision. L'Agence France Presse avait diffusé sa dépêche à 21 h 58 : « Le président de la République est décédé le 2 avril à 21 heures. »

On savait, certes, que Georges Pompidou était souffrant. Tout le monde avait remarqué, le 24 janvier, lors de sa visite à Poitiers, qu'il avait du mal à marcher et que son visage était bouffi, mais de là à penser... Le 7 février, le secrétariat général de l'Élysée avait d'ailleurs mis les choses au point : il ne s'agissait que d'une « infection grippale ». Et si son voyage officiel au Japon avait été annulé après les fatigues de son voyage à Moscou, le 12 mars, cela ne semblait dû qu'aux séquelles de cette mauvaise grippe. Le président de la République avait ensuite passé l'essentiel de son temps à se reposer dans son appartement privé du quai de Béthune mais il avait normalement présidé le Conseil des ministres du 27 mars...

Bon, d'accord, je n'avais pas reporté sur lui les sentiments d'affection que j'avais pour de Gaulle, mais j'avais appris à l'apprécier, Georges Pompidou, depuis le printemps 1969. C'était un homme de mesure et de grande culture. Il était même devenu un authentique homme d'État et il avait une bonne vision des choses à long terme, surtout dans le domaine économique. En plus, il avait eu la délicatesse de faire classer par le ministère de la Justice tous les dossiers relatifs au SAC où le nom de l'ancien vice-président du Service d'action civique apparaissait trop souvent...

Charles Pasqua rage contre Pierre Juillet et Marie-France Garaud qui n'ont pas daigné l'informer de la gravité de la maladie de Georges Pompidou. Son amour-propre est froissé. Comme quoi la vie politique a elle aussi ses hauts et ses bas. Regarde ce qui se passe dans le monde : aux États-Unis Nixon est aux abois, victime du « Watergate »; au Chili, Salvador Allende a été assassiné par l'armée de Pinochet; en Grèce, en revanche, les colonels ont été chassés du pouvoir tandis qu'à Paris l'accord de cessez-le-feu au Viêt-nam a été signé. Sans parler de ce programme de gouvernement contre nature signé en commun par les socialistes et les communistes, prêts à tout, décidément, pour démolir l'œuvre du général de Gaulle! Ceux-là ne me lâchent pas les baskets. En décembre, dans mon département, les « cocos » ont fait tout un plat, dans leur hebdo local, *la Voix nouvelle,* avec ce qu'on raconte de mon passé au SAC dans un livre à scandale sur les trafiquants de drogue. Il a fallu que je mette sur le coup nos militants : ils ont « détourné » dix mille exemplaires destinés à la vente à Clichy et Levallois-Perret. Ça leur apprendra!

Obsessionnelle, la question revient dans l'esprit de Charles Pasqua : pourquoi diable Pierre Juillet et Marie-France Garaud, ces deux « mange-merde », ne m'ont-ils pas mis dans la confidence? Ils savent pourtant que je sais garder un secret... C'est bien le signe que je pèse moins à leurs yeux depuis que j'ai été battu aux législatives de mars 1973. Mais je ne pouvais pas conserver mon siège. J'étais certain d'être battu dans cette circonscription de Levallois-Perret, faite sur mesure pour l'union de la gauche. Je ne pouvais tout de même pas me dégonfler, me faire « parachuter » ailleurs comme me l'avait proposé Chirac... Dommage d'avoir perdu la présidence de l'amicale parlementaire Présence et action du gaullisme, sur laquelle j'avais beaucoup misé...

Charles Pasqua n'a pas encore digéré cette défaite électorale. Il a failli tout envoyer promener, surtout quand la direction de Gancia lui a proposé de prendre la direction d'un holding en Amérique du Sud. Jeanne, elle, n'était pas très chaude... Il y a eu ce petit lot de consolation : la présidence du conseil général des Hauts-de-Seine, enlevée l'automne dernier à Jacques Baumel – il était furax, l'ancien copain de la Libération! – grâce à l'amabilité de Jacques Fourcade et de ses giscardiens... Mais le travail de l'élu local est tellement « emmerdant »! De toute façon je néglige trop mes électeurs, ces temps-ci; si je continue ainsi je perdrai ce siège-là aussi en 1976... Et pour l'instant je dois accorder la priorité au parti. La base me fait confiance puisque j'ai été élu quatrième sur dix-huit au bureau exécutif de l'UDR, en décembre. Et il faut d'autant plus veiller au grain que ce qu'il reste du mouvement gaulliste vire à la débandade...

Ainsi vagabondent les pensées de Charles Pasqua, le long de la Seine, en cette soirée du 13 avril 1974.

Les luminaires du pont Alexandre-III le ramènent à la « bombe » politique du jour : l'appel à l'unité de candidature de la majorité pour l'élection présidentielle du mois prochain lancé par Jacques Chirac, trois autres ministres, Jean-Philippe Lecat, Olivier Stirn, Jean Taittinger, et trente-neuf députés, presque tous UDR : « La disparition brutale de Georges Pompidou place la France devant un choix fondamental : élire un chef de l'État et donc opter pour un type de société. La tâche engagée doit être poursuivie. Or, la pluralité des candidatures qui se manifestent de la part d'hommes qui, à des titres divers, ont participé à l'œuvre entreprise par le général de Gaulle et Georges Pompidou apparaît comme un phénomène peut-être explicable mais profondément regrettable. Les élus soussignés ont vivement souhaité une candidature d'union afin de faire échec à la coalition socialo-communiste en respectant l'esprit de rassemblement de la Ve République. C'est pourquoi ils ont soutenu de tout cœur les efforts de Pierre Messmer, Premier ministre et chef de la majorité, pour y parvenir. Ils rendent hommage à son action.

« Compte tenu de l'évolution récente de la situation et notamment de la dernière candidature enregistrée et du fait que les délais impartis par la loi pour le dépôt des candidatures ne sont pas expirés, ils ont décidé de se réunir.

« Ils appellent une dernière fois l'attention des candidats issus de la majorité sur les risques que présente cette situation, que le pays ne comprend guère et admet mal. Ils confirment les principes fondamentaux de la Ve République, pour lesquels ils ont combattu et auxquels ils sont inébranlablement attachés. Sur le plan extérieur : indépendance nationale, construction de l'Europe, solidarité avec tous les peuples. Sur le plan intérieur : respect des institutions, sauvegarde de la liberté, progrès économiques, répartition toujours meilleure des revenus et responsabilités entre tous les Français. Ils considèrent que la défense de ces principes est leur premier devoir.

« En conséquence, ils arrêteront ensemble et en conscience une position concertée en faveur de la solution qui leur paraîtra le mieux assurer le respect de ces principes en faisant échec à toute candidature socialo-communiste qui remettrait en cause l'avenir de la France et le bonheur des Français. »

Une « bombe » à mèche lente. Cela fait trois jours que Charles Pasqua voyait le coup venir. Il savait que depuis soixante-douze heures toute une équipe, dont René Tomasini, s'activait autour de Chirac pour réunir un maximum de signatures et faire ainsi obstacle à la candidature de Jacques Chaban-Delmas. Car cet appel n'a pas d'autre but que de jouer Valéry Giscard d'Estaing contre Jacques Chaban-Delmas. La manœuvre, cousue de fil blanc, porte une marque que Charles Pasqua connaît bien, celle du « couple infernal », Pierre Juillet et Marie-France Garaud, décidés à achever Chaban pour mieux assurer l'avenir personnel de leur « poussin », Chirac, qu'ils chaperonnent assidûment depuis la mort de Georges Pompidou.

Charles Pasqua éprouve un sentiment de solitude. Il a l'impression d'être le seul à garder son sang-froid et à faire une analyse politique. Il faut être lucide : le gaullisme s'est perdu en perdant de Gaulle. S'il reste encore une chance de sauver quelques pans de son héritage politique, il n'y a plus pour la saisir qu'un petit noyau de vrais gaullistes : tout au plus 25 % dans le pays. Et le pouvoir a échappé à ce noyau. La seule façon de préserver l'avenir est donc de sacrifier ce noyau à l'unité de candidature. Voilà pourquoi, depuis trois semaines, il prêche pour la candidature unique de Pierre Messmer, que sa fonction de Premier ministre en exercice met en position d'héritier présomptif de Georges Pompidou. En vain. Les considérations personnelles prévalent. Chaban espère une revanche sur son limogeage de 1972 et il a réussi à remonter le courant à l'intérieur du mouvement au cours de l'année 1973. Les assises de l'UDR à Nantes, en novembre dernier, ont été pour lui un triomphe et, malgré les avertissements de Chirac qui a souligné que la mise en cause de l'autorité du chef de l'État « est la négation du gaullisme et le retour au régime des partis », l'ancien Premier ministre est devenu le recours de ceux qui reprochaient ouvertement à Georges Pompidou de brader le gaullisme avec la complicité de Giscard d'Estaing. Parmi ses partisans les plus zélés figure maintenant Alexandre Sanguinetti qui a réussi, en octobre, à déboulonner Alain Peyrefitte, contre l'avis de Georges Pompidou, pour le remplacer au poste de secrétaire général de l'UDR. Pour la première fois le clan des Corses est divisé.

Charles Pasqua est confronté à un double problème politique. Le premier tient au fait que Pierre Messmer, conscient de ses limites et peu poussé par l'ambition, se laisse ballotter par les uns et les autres. Il sent qu'il n'est pas un bon candidat. Pierre Juillet lui-même n'est pas parvenu à le convaincre que s'il était candidat unique de la majorité il se créerait dans le pays une dynamique de succès. Le second tient à la bourde commise par Jacques Chaban-Delmas, qui a choqué la plupart des Français en faisant annoncer par l'AFP sa candidature le 4 avril, alors que les obsèques de Georges Pompidou étaient à peine terminées.

Sa conviction est faite : si la majorité va au combat en ordre dispersé les gaullistes seront battus.

Mais depuis neuf jours que dure la sarabande autour de l'ombre mortuaire de Georges Pompidou, Charles Pasqua se sent d'autant plus isolé qu'il ne peut plus assister, n'étant plus parlementaire, aux discussions échevelées qui animent les couloirs du palais Bourbon.

Il sait que Jacques Chirac, devenu fort de son autorité de ministre de l'Intérieur et des indications que lui fournissent les Renseignements généraux, a carrément, exposé trois évidences, dès le 4 avril après-midi au cours d'une réunion : Jacques Chaban-Delmas n'est pas un bon candidat; s'il se présente, sa candidature entraînera celle de Valéry Giscard d'Estaing; il ne fera au premier tour de scrutin que 15 %, contre 30 % à Giscard et 45 % à Mitterrand.

Charles Pasqua partage à peu près cette analyse mais à défaut d'une candidature unique de Pierre Messmer il préférera encore, par fidélité à ses convictions, soutenir plutôt Chaban que Giscard, ce technocrate qui a trahi de Gaulle en 1969 et qui fait de l'esbrouffe à la télévision.

Sur les quais de la Seine la nuit fraîchit. La lassitude

envahit Charles Pasqua. Personne, à l'UDR, n'écoute plus personne. Il a fallu qu'il élève la voix, le 5 avril, au bureau exécutif, pour expliquer, après avoir été le seul, avec André Bord, à proposer la candidature de Pierre Messmer et à s'opposer aux partisans du maire de Bordeaux, Alexandre Sanguinetti en tête, que si la candidature de Chaban provoque celle de Giscard d'Estaing l'électorat gaulliste ne suivra plus les consignes du mouvement. Alexandre Sanguinetti, Michel Debré, Robert Poujade et les autres n'ont rien voulu entendre parce qu'ils étaient furieux que Chirac, le jour même, au Conseil des ministres, ait décidé de reporter au 5 mai le premier tour de l'élection présidentielle initialement prévu pour le 28 avril. Persuadés que la manœuvre n'avait pour objectif que de décourager Chaban-Delmas. Robert Poujade a même proposé d'exclure Chirac de l'UDR. Lui, Charles Pasqua, a dû intervenir pour les calmer : « Arrêtez de dire des conneries. Nous aurons certainement besoin de Chirac très bientôt... »

Puis les événements se sont très vite enchaînés. Le 7 avril Jacques Chaban-Delmas s'est fait plébisciter, à mains levées, par les trois cent cinquante membres du comité central de l'UDR. En présence d'un Pierre Messmer silencieux, isolé, prévenu sans élégance par Alexandre Sanguinetti qu'il n'avait pas le profil « électoral ». Malgré une ultime tentative de Jacques Chirac : « Nous allons au casse-pipe, je vous aurai prévenus! »

Le lendemain Giscard d'Estaing a donc annoncé sa candidature. Et si le surlendemain Pierre Messmer a fait savoir qu'il était prêt à se présenter à condition que les deux autres candidats de la majorité se retirent, personne n'a vraiment pris cette intervention au sérieux. Les dés sont donc jetés.

Charles Pasqua allume un cigare. Une chose le turlupine. Chirac a raison : nous, les gaullistes, nous allons à la catastrophe, mais qu'est-ce qui lui prend, à lui, de faciliter de cette façon le jeu de Giscard? Ce Chirac est décidément un garçon parfois déroutant.

Charles Pasqua est à la fois séduit et rendu perplexe par ce brillant sujet politique qui possède déjà, à quarante-deux ans – cinq ans à peine de moins que lui – une remarquable carte de visite. Sans doute lui manque-t-il encore un peu l'expérience des choses de la vie mais il est de toute évidence fort perfectible. Sinon Pierre Juillet et Marie-France Garaud ne l'entoureraient pas de tant de soins...

A Marseille, en 1962, en pleine bataille contre Gaston Defferre, autour du port autonome, il avait fait la connaissance d'un énarque compétent et énergique faisant de remarquables débuts de conseiller technique au cabinet de Georges Pompidou, alors Premier ministre.

A Ussel, en 1967, au cours de la campagne pour les élections législatives, quand Georges Pompidou était venu soutenir ce « fils adoptif » en emmenant dans son sillage le service d'ordre du SAC, il avait découvert un vrai professionnel des tréteaux, toujours souriant, disponible pour les électeurs, infatigable sur le terrain.

Aujourd'hui, Jacques Chirac a tenu toutes ses promesses. Charles Pasqua sait, comme tout le monde, que ce jeune ministre de l'Intérieur, qui a fait un excellent parcours au ministère de l'Agriculture, a un bel avenir politique devant lui s'il apprend à maîtriser son tempérament. Quel fonceur! Ce n'est pas pour rien qu'on l'a surnommé « Bulldozer ». Quelle puissance de travail! Et chaleureux avec ça, ce qui ne gâte rien. En plus, il rit aux éclats quand on lui raconte des blagues.

Mais c'est surtout depuis les « événements » de Mai 68 que Charles Pasqua a de l'estime pour Jacques Chirac. Au moment où tant d'autres membres du gouvernement et dirigeants du mouvement se terraient dans leurs bureaux, le jeune secrétaire d'État à l'emploi a fait preuve de courage et de solidité. Bref, un homme politique complet.

Charles Pasqua ne regrette donc pas du tout d'avoir aidé René Tomasini, commandité en la circonstance par Pierre Juillet et Marie-France Garaud, à organiser le lancement de Jacques Chirac au sein du mouvement, dès les assises UDR de 1971. Le jeune homme – il s'en souvient bien – avait soigneusement préparé son devoir. En trois pages il avait cité huit fois le nom de de Gaulle et trois fois celui de Pompidou – le bon dosage – puis il avait su flatter les militants en soulignant que la préservation de l'œuvre gaulliste passait par le maintien du rôle directeur de l'UDR à la tête de la majorité.

Pourquoi faut-il donc qu'un tel caractère donne toujours l'impression de flotter dans ses convictions?

Charles Pasqua mâchonne son cigare. Autant il apprécie en Jacques Chirac l'homme d'action, dans lequel il se retrouve, autant le flou de cette âme pressée le déconcerte. On le sent profondément gaulliste et le voilà qui, sous prétexte que son analyse électorale est bonne, batifole allègrement au service de Giscard! Quelle idée a-t-il eu de dire, il y a un an, que « si Pompidou venait à disparaître » il serait « giscardien »? Pourquoi ne cesse-t-il de répéter que « Chaban est un mauvais candidat » et que Giscard est au contraire « un des rares hommes d'État actuels »? Pourquoi en rajoute-t-il, chaque fois, en parlant de la « remarquable intelligence » et du « don de la pédagogie » de l'ancien ministre des Finances? Il est bien ce Chirac, mais il manque un peu de vertèbres, et s'il s'enfonce trop dans cette voie il va se discréditer complètement aux yeux des gaullistes qui ne le suivent pas aujourd'hui. Et nous ne pourrons plus compter sur lui.

Charles Pasqua jette son cigare dans la Seine qui continue de rouler des paillettes d'or. En cette nuit du 13 avril 1974, il décide d'aller sans tarder faire la leçon à Jacques Chirac...

Le temps presse. L'appel des « 43 » fait exploser la famille gaulliste. Dès le 16 avril Valéry Giscard d'Estaing a enfoncé le clou davantage : « Je comprends et j'approuve l'appel des 43. » Six jours plus tard, à Yvetot, le ministre des Finances rend un hommage appuyé à son cher ministre de l'Intérieur : « Jacques Chirac fait partie de cette génération d'hommes politiques qui sont ou seront appelés à exercer des responsabilités importantes. » La main dans le sens du poil...

Charles Pasqua se surprend à penser de lui la même chose que Georges Pompidou : « Quel talent mais quelle vilaine nature! »

L'ex-député des Hauts-de-Seine n'a plus le choix. Pierre Messmer s'est rallié du bout des lèvres, le 20 avril, à Jacques Chaban-Delmas : « L'UDR ayant décidé de soutenir M. Chaban-Delmas, je suis solidaire de cette décision. » Il fera loyalement campagne pour le maire de Bordeaux, visé par les rumeurs que répandent les giscardiens sur sa feuille d'impôts, son divorce, son remariage, ses liens avec les milieux d'affaires. Les arguments volent bas. Michel Poniatowski estime fielleusement que « les risques de succès de la gauche sont si sérieux que c'est véritablement un candidat sans fragilité – souligne-t-il – qu'il faut opposer à François Mitterrand. »

Côté Chaban, Alain Peyrefitte désigne en Giscard d'Estaing « le symbole de la droite réactionnaire » pour laquelle ne sauraient voter « les milieux modestes parmi lesquels se recrute l'électorat de Jacques Chaban-Delmas ». Quant au général Billotte, il affirme que le ministre des Finances n'est que « l'homme du grand capital ».

Pourvu que Jacques Chirac ne fasse pas un nouveau faux pas!

« Jacques? C'est Charles Pasqua. Je peux venir vous voir?

– Quand vous voulez...

– Ce soir?

– D'accord. Venez boire un verre, ici, à Beauvau, vers 19 heures. »

Jacques Chirac aime la compagnie de Charles Pasqua. Elle a le don de le détendre. Ils ne se tutoient pas encore, mais plaisantent souvent ensemble, parlent de la pluie et du beau temps avant d'aborder les affaires sérieuses. Le ministre de l'Intérieur est également impressionné par la réputation d'habileté de ce gabarit méridional, qui pratique la politique avec l'art du camelot.

En franchissant la grille du ministère de l'Intérieur, en cette fin d'avril, Charles Pasqua, pourtant, n'a guère envie de plaisanter.

Dans le vestibule, il croise Pierre Juillet qui s'est installé sur place pour la durée de la campagne. Il a des dossiers sous le bras. Encore des sondages bidon..., se surprend à penser Charles Pasqua. Depuis plusieurs semaines diverses « fuites » mettent en relief de prétendus sondages qui font tous apparaître que Jacques Chaban-Delmas est nettement distancé par Valéry Giscard d'Estaing. Jacques Chirac lui-même s'est fait sermonner par Pierre Messmer, il y a quelques jours, pour avoir favorisé la diffusion d'une étude des Renseignements généraux très défavorable à Chaban. Mais pour Charles Pasqua la partie est jouée depuis longtemps. Il s'agit maintenant de voir au-delà du scrutin.

« Je ne vous cache pas que j'ai été surpris de vous voir rouler pour Giscard avec autant d'ardeur... »

Jacques Chirac ne s'attendait pas à une pareille entrée en matière. Il accepte la discussion :

« Vous savez bien que ni Messmer ni Chaban ne pouvaient faire le poids devant Giscard. Giscard fera deux fois plus de voix que Chaban, je prends le pari ! Et si je le soutiens, c'est pour faire battre Mitterrand !

– Savez-vous comment vous êtes traité, en ce moment, par nos amis ? Ils scandent : " Chirac, on aura ta peau ! " dans les meetings de Chaban. Ils vous reprochent d'être allé à la soupe. Ils se demandent quelle va être votre " prime de trahison... ".

– Je sais, les fiches des RG le disent. Mais Chaban, vous l'avez connu comme moi, avec sa " nouvelle société ", et vous savez très bien que s'il avait la possibilité de reprendre sa politique aventuriste à l'abri du souvenir de de Gaulle notre pays irait à la dérive... »

Charles Pasqua reconnaît là l'argumentation de Pierre Juillet qui a toujours considéré Jacques Chaban-Delmas comme le fourrier du socialisme. Mais il n'est pas venu pour convaincre Jacques Chirac qu'il a eu tort de prendre le parti de Valéry Giscard d'Estaing.

« Écoutez, ce que je suis venu vous dire, dans votre propre intérêt et dans le nôtre, si vous le permettez, c'est très simple : il vaut mieux que vous n'alliez pas trop loin en suivant Giscard. Sinon, ne vous faites aucune illusion, il va vous phagocyter complètement. Et puis, n'oubliez pas une chose : nous, les gaullistes, nous allons perdre cette élection présidentielle, et si nous n'y prenons garde le mouvement gaulliste tout entier risque de disparaître. Il va donc falloir quelqu'un pour redresser la barre et reconstruire un vrai parti. Les " barons " ne seront pas en état de le faire parce que si Chaban perd ils vont se déchirer. Mais si, comme tout le porte à croire, Giscard gagne, c'est vous qui serez le mieux placé. Vous pourrez être alors le nouveau chef dont le mouvement gaulliste aura besoin. A deux conditions, dans l'immédiat : que vous arrêtiez de canarder Chaban, car vous en faites un martyr, et que vous ne vous compromettiez pas trop avec Giscard pendant la campagne... »

Jacques Chirac prend – fait exceptionnel chez lui – le temps de la réflexion. Quelques secondes. Ainsi donc Charles Pasqua sait aussi se mêler de stratégie fine...

« Je pense, répond-il, que nous pouvons influencer Giscard, le conduire à continuer l'œuvre de Georges Pompidou... » Le ministre de l'Intérieur laisse sa phrase en suspens, comme si, à l'examen de l'analyse de Charles Pasqua, le doute venait de l'effleurer. Giscard lui a promis qu'il deviendrait Premier ministre alors qu'il ne demandait rien, mais si, une fois élu, avec son manque de savoir-vivre bien connu, il lui faisait le coup du mépris...

« Vous avez peut-être raison, reprend-il. Je serai prudent. Et je n'oublierai pas ce que vous venez de me dire.

– Alors, pour ma part, si vous maintenez pour la France le cap du gaullisme, je ferai tout ce qui sera en mon modeste pouvoir pour vous aider à devenir ce nouveau chef... », conclut Charles Pasqua.

Entre les deux hommes, qui désormais se tutoieront, vient d'être scellé un pacte secret qu'aucun des deux, à ce jour, n'a rompu.

La révélation d'Alexandre

Alexandre Sanguinetti avait le bourdon. Le condottiere de l'UDR se sentait extrêmement las. Sa jambe artificielle crissait sur le parquet plus sourdement que d'habitude. Cette dernière semaine de mai 1974 avait été sinistre.

Élu président de la République avec les voix gaullistes que lui avait apportées le ralliement de Jacques Chirac et de ses quarante-deux « Saxons » – selon le mot fort opportun de Jean Fabre, le député de la Haute-Marne, qui avait refusé de trahir Jacques Chaban-Delmas comme les Saxons avaient trahi Napoléon à la bataille de Leipzig, en 1813 –, Valéry Giscard d'Estaing, champion de la droite antigaulliste, avait paradé sur les Champs-Élysées.

Jacques Chirac, sur les conseils de Pierre Juillet, avait finalement accepté d'encaisser sa « prime de trahison ». Il avait quitté la place Beauvau pour l'Hôtel Matignon. Il avait aussi payé la rançon exigée par les « barons » dépités en échange de leur soutien : aucun des quarante-deux « Saxons » ne figurait parmi les ministres de son gouvernement. Mais dès le premier Conseil des ministres il avait compris que dans l'esprit de Giscard il ne serait au mieux qu'un chef d'état-major. Morne plaine...

En vieux grognard rompu aux coups durs, Alexandre Sanguinetti s'était efforcé de donner le change en essayant de plaisanter devant le carré des fidèles : « Ne vous inquiétez pas, Chirac a les dents tellement acérées qu'il finira par dévorer Giscard »; « les grandes trahisons sont toujours effacées par l'Histoire »... Le cœur n'y était pas. Les rangs de l'UDR empestaient la débâcle depuis que Chaban, au premier tour, avec ses 15, 10 % des voix, avait été ridiculisé par Giscard qui en avait recueilli le double.

La réunion du bureau exécutif de l'UDR, le 28 mai, s'était déroulée dans une atmosphère surréaliste. Alain Peyrefitte, d'ordinaire si académicien dans ses propos, avait traité de « zozos » les quatre gaullistes inoffensifs – Robert Galley, « un otage », Vincent Ansquer, « un gentil collègue », Jacques Soufflet et André Jarrot, « deux cautions en forme de croix de Lorraine » – que Chirac avait finalement promus dans son équipe giscardienne. Tout le monde avait caché son amertume sous une hilarité de commande. Même Couve de Murville s'était montré gai! Seul Charles Pasqua était resté étrangement silencieux.

Alexandre Sanguinetti n'aimait pas avoir tort. Pourtant, il devait maintenant en convenir : Charles Pasqua ne se trompait pas dans son pronostic sur les chances de Chaban quand il défendait, avec André Bord, la candidature de Pierre Messmer pour tenter d'éviter, comme Chirac, celle de Giscard.

Comment remonter la pente? Alexandre Sanguinetti ne voulait pas se l'avouer à lui-même mais il était désemparé. Alors il décrocha le téléphone pour appeler ce satané Pasqua : « Viens me voir, j'ai besoin de toi... » Pas besoin d'en dire davantage. Solidarité corse oblige.

Charles Pasqua, à vrai dire, attendait cet appel. Il l'espérait. Il y répondit sur-le-champ avec la conviction que son emploi de second couteau voué au travail de l'ombre par sa mauvaise réputation et son échec aux législatives de 1973 allait enfin trouver, malgré tout, un champ d'action à sa mesure...

Alexandre Sanguinetti n'y alla pas par quatre chemins :

« Charles, c'est toi qui avais raison. Maintenant nous sommes dans la merde. Est-ce que tu veux m'aider à nous en sortir? »

Charles Pasqua tenait sa réponse prête :

« D'accord, mais à une condition : que tu te réconcilies avec Chirac. »

Alexandre Sanguinetti haussa les épaules :

« Tu rigoles ou quoi? De toute façon Chirac, lui, ne voudra pas se réconcilier avec moi... »

Charles Pasqua eut un sourire de chanoine :

« Laisse-moi faire et j'arrangerai ça... »

C'est par cette brève conversation entre un Corse désabusé et un Corse embusqué que commença la véritable ascension de Charles Pasqua à l'intérieur de l'appareil du mouvement gaulliste.

Les conciliabules allèrent bon train, dans les premiers jours de juin, à l'Hôtel Matignon, entre Jacques Chirac,

Pierre Juillet, Marie-France Garaud, René Tomasini, Charles Pasqua, Jacques Toubon, et ils aboutirent à la mise au point d'une manœuvre politique qui, à défaut d'avoir le mérite de l'originalité, eut celui de l'efficacité. La cellule stratégique de Jacques Chirac décida d'enfermer ce cher Alexandre dans une tenaille. Une tenaille corse, bien entendu : René Tomasini s'occuperait de contrôler le groupe UDR de l'Assemblée nationale, avec l'appui de « Marie-France », tandis que Charles Pasqua épaulerait Sanguinetti pour mieux le convaincre de lâcher les « barons » et miser sur Chirac.

Le 8 juin 1974 René Tomasini était nommé secrétaire d'État auprès du Premier ministre, chargé des relations avec le Parlement. Cette nomination surprit les parlementaires, habitués à voir à ce poste un homme de diplomatie et d'ouverture.

Le 14 juin Charles Pasqua était nommé délégué national de l'UDR « à l'action ». Personne ne trouva étrange de voir Alexandre Sanguinetti prendre à ses côtés un homme connu justement pour son dynamisme professionnel et militant.

La tenaille était en place; elle allait fonctionner à merveille. Tellement bien que cette opération mériterait d'être racontée dans les écoles de l'art politique, car ce n'est pas tous les jours que l'habileté d'une poignée de stratèges parvient à faire élire à la tête d'un parti un homme qui, six mois auparavant, était haï par celui-ci pour cause de trahison...

Elle a réussi parce que les circonstances étaient assez mouvantes pour se prêter à tous les calculs.

Valéry Giscard d'Estaing avait commis l'erreur de ne pas proclamer la dissolution de l'Assemblée nationale, de peur de favoriser l'union de la gauche; l'UDR souffrait de ses lézardes mais n'implosait pas, chacun des « barons » – les Jacques Chaban-Delmas, Michel Debré, Pierre Messmer, Roger Frey, Olivier Guichard, Maurice Couve de Murville... – espérant secrètement pouvoir tirer plus tard son épingle du jeu; Jacques Chirac maintenait deux fers au feu en disant à Valéry Giscard d'Estaing qu'il s'employait à maîtriser l'UDR pour la giscardiser tout en expliquant à ses proches qu'il amadouait Giscard pour gagner sa confiance dans le seul but de mieux « pompidoliser » sa politique. En cet été 1974 la France politique exhalait ainsi un parfum florentin...

Sur le front du Palais-Bourbon, René Tomasini parvient tout de suite à contrôler la situation. Le président du groupe UDR de l'Assemblée nationale, Claude Labbé, est bien disposé à l'égard de Jacques Chirac et la plupart des députés ont vite compris que leur survie politique, devant la pression giscardienne, passe par leur solidarité avec le chef du gouvernement. Un seul d'entre eux, Henri Duvillard, député du Loiret, ancien ministre, a quitté le groupe en raison du « mal irréparable fait à Chaban ». Au nom des autres, Hector Rolland, « godillot » des terroirs, tient tête aux « barons » qui traitent encore Chirac de « forban », voire d' « Al Capone » : « Vous n'avez aucun respect des députés de la base. Vous avez mis l'UDR dans la merde. Ceux qui me conspuent iront lécher les bottes de Chirac avant moi, et moi, d'ailleurs, je n'irai pas... »

Dès le 3 juillet René Tomasini, toujours surveillé de près par « Marie-France » – laquelle ne manque pas une occasion de souligner, en privé, qu'elle « tient » « Toto » depuis les « affaires » qui ont conduit celui-ci à abandonner en 1972 le secrétariat général du parti – parvient à « monter » une réunion exceptionnelle du groupe parlementaire UDR, à Vélizy-Villacoublay, pour permettre au Premier ministre de renouer le contact avec les gaullistes de sa majorité. Ces retrouvailles se passent bien. Jacques Chirac flatte les députés : « L'UDR est un élément essentiel de la nouvelle majorité, dont, par conséquent, elle doit assurer la responsabilité. Il ne peut y avoir de divorce entre le Premier ministre UDR et le groupe UDR. » Les députés applaudissent. Les observateurs, qui ne sont pas dupes de l'opportunisme de Jacques Chirac, brodent des commentaires ironiques sur le thème des grenouilles qui cherchent un roi. Vive la décrispation!

Sur le front intérieur, Charles Pasqua a entraîné Alexandre Sanguinetti dans une opération « Résurrection » sans précédent. Dès son installation rue de Lille, il transforme le siège de l'UDR en une filiale de Ricard et de Gancia. Il sonne la mobilisation des cadres du parti comme il sonnait naguère celle de son réseau national de représentants. Tout de suite un coup de téléphone personnel à chacun des secrétaires fédéraux. Un mot gentil pour chaque interlocuteur. Une convocation impérative : « Sois à Paris le 22 juin, nous aurons une réunion capitale pour l'avenir du mouvement. »

Et le 22 juin, huit jours après son entrée en fonctions, Charles Pasqua annonce la couleur à tous les secrétaires fédéraux de l'UDR : « Giscard est élu, nous sommes battus, mais si nous avons perdu une bataille, comme disait le Général, nous n'avons pas perdu la guerre. Je sais, et vous le verrez, que nous pouvons compter sur Jacques Chirac. Tous ensemble nous allons faire de l'UDR un vaste mouvement démocratique et populaire. Nous ne sommes plus en 1940, il ne doit plus y avoir de gaullistes clandestins. Il faut que nous soyons présents partout, dans la rue, dans les secteurs les plus hostiles, dans les châteaux giscardiens mais aussi et surtout dans les fiefs socialistes et communistes. »

Ma parole, c'est un ordre du jour militaire!, pense Alexandre Sanguinetti, ragaillardi. C'en est un, en effet, et ce mot d'ordre plaît aux secrétaires fédéraux. Ils apprécient ce programme qui les appelle à la revanche. Charles Pasqua conclut par une promesse : « Nous allons tout de suite venir chez chacun de vous pour rencontrer les militants. »

Voilà donc nos deux Corses prenant la route, fin juin, pour un tour de France de la famille gaulliste.

Au début, Charles Pasqua s'efface volontiers derrière Alexandre Sanguinetti en présence des auditoires de province. Le secrétaire général de l'UDR développe partout un leitmotiv : « Nous venons vous voir parce que la vérité est à la base... »

Jusqu'à ce qu'un soir, à Salon-de-Provence...

Un millier de personnes étaient venues écouter le secrétaire général de l'UDR de passage dans leur région. Le théâtre de Salon-de-Provence était comble. La verve d'Alexandre Sanguinetti, ici aussi, avait attiré la foule des militants et des sympathisants et cette foule avait reçu tout son soûl de réflexions imagées, d'anecdotes pittoresques et de formules à l'emporte-pièce. Puis, comme à son habitude, avant de répondre aux questions de la salle, le secrétaire général de l'UDR, flanqué à sa gauche de Charles Pasqua, avait conclu son exposé liminaire par sa ritournelle : « Nous sommes surtout là pour vous écouter. C'est à vous de nous dire ce que vous souhaitez... »

C'est alors qu'une voix tomba des hauteurs du poulailler. Une voix forte mais tranquille. Celle d'un homme proche de la cinquantaine, vêtu d'un gros pull sombre et portant une casquette grise. En le découvrant, visage anonyme parmi les visages anonymes, Charles Pasqua pensa, sans trop savoir pourquoi, qu'il s'agissait d'un agriculteur plein de bon sens, peut-être un toucheur de bœufs. Un homme qui lâcha, dans le silence attentif, en articulant consciencieusement : « Ce n'est pas étonnant que le mouvement gaulliste soit en perte de vitesse. Non seulement vous ne savez pas ce qu'il faut faire mais vous venez nous le demander à nous... »

Alexandre Sanguinetti, interloqué, essaya d'engager le dialogue mais l'homme à la casquette s'était déjà fondu dans l'assistance. Charles Pasqua se pencha vers lui et lui dit à l'oreille : « Tu viens d'entendre la voix de la sagesse. Le mouvement gaulliste, tu vois, a besoin d'être guidé. Le gaullisme doit s'incarner dans un chef charismatique.

Et ce chef, pour nous, aujourd'hui, ce ne peut être que Chirac... »

Alexandre Sanguinetti ne trouva rien à lui répliquer. Il venait de comprendre que cette voix anonyme lui montrait, en effet, quel chemin devait suivre l'UDR déboussolée.

Le soir même, Charles Pasqua téléphona à Marie-France Garaud pour lui dire que ce brave Alexandre semblait prêt à faire allégeance au Premier ministre et pour lui demander de prévoir pour le secrétaire général de l'UDR un rendez-vous avec Jacques Chirac. La tenaille s'était refermée.

A partir de cette « révélation » de Salon-de-Provence, Alexandre Sanguinetti laisse son délégué national « à l'action » se rendre plus souvent tout seul à la rencontre des militants. Charles Pasqua, qui a reçu dans ses attributions la responsabilité du recrutement et de la vie des fédérations, s'acquitte de cette tâche avec zèle mais en tenant, cette fois, un discours ouvertement chiraquien. Un discours en trois points : « Primo, nous nous sommes trompés en soutenant Chaban-Delmas. Secundo, le salut du gaullisme ne passe pas par les " barons " qui ne se préoccupent que de leurs ambitions personnelles. Tertio, nous devons nous unir derrière Jacques Chirac parce qu'il est notre seul présidentiable en puissance. »

Début juillet, Alexandre Sanguinetti est reçu à deux reprises, en tête à tête, par le Premier ministre qui lui joue les grands airs du gaullisme éternel, et le grognard « craque ». Lui qui au printemps affirmait qu'il préférerait Mitterrand à Chirac trouve à Lyon, le 12 juillet 1974, trois bonnes raisons de faire confiance au chef du gouvernement : « Jacques Chirac a fait une bonne analyse avant l'élection présidentielle; il est jeune et sa jeunesse montre que nous ne sommes pas des anciens combattants mais que nous sommes au contraire capables de recruter des hommes de valeur qui n'ont pas connu la Résistance, ni même le RPF. Le fait donc que Jacques soit jeune, qu'il se soit montré intelligent et qu'il se réclame du gaullisme à un moment où la mode veut que nous soyons démonétisés nous suffit, ajoute-t-il ce jour-là sous l'œil ravi de Charles Pasqua. Je vais même jusqu'à dire que nous avons besoin d'être entraînés par un homme d'une nouvelle génération, auquel j'accorde mon estime et apporte mon total soutien. » Alexandre Sanguinetti a retrouvé un suzerain.

Charles Pasqua, lui, achève son tour de France à la fin du mois d'août. Il a inspecté chacune des fédérations, encouragé tous ses secrétaires fédéraux comme un général au combat doit entretenir le moral de ses chefs de corps. Il sait qu'il peut compter sur eux et ils savent qu'ils peuvent compter sur lui. Il l'a dit à chacun d'eux : « Pour le moindre problème n'hésite pas à m'appeler, je serai toujours disponible pour toi. » La politique, c'est comme le commerce : il faut d'abord avoir de l'entregent.

Enfin, pour qu'il n'y ait aucun malentendu sur l'attitude de l'UDR à l'égard du nouveau pouvoir exécutif, Charles Pasqua convainc Alexandre Sanguinetti d'enregistrer sur minicassette un message destiné à toutes les fédérations. Les explications du secrétaire général sont un peu confuses et sa démonstration embarrassée mais tout le monde comprend que l'appareil de l'UDR apporte désormais, comme Jacques Chirac, son soutien à Valéry Giscard d'Estaing.

Le couronnement de cette manœuvre, qui ouvre à Jacques Chirac la porte de la récupération de l'UDR, est encore l'œuvre de Charles Pasqua. C'est lui qui, le 8 septembre, fait « monter » à Paris tous les secrétaires fédéraux du mouvement, réunis à l'hôtel Lutétia, pour permettre à Jacques Chirac de les charmer à son tour. Quelques-uns d'entre eux expriment leurs états d'âme mais pour le Premier ministre – et Charles Pasqua – le succès est total. Bien conseillé, le Premier ministre se pose en rassembleur et tient à la base gaulliste le langage qu'elle aime. Il rend hommage, cela va de soi, à Alexandre Sanguinetti; il se proclame garant du respect des principes gaullistes; il rassure les députés en leur disant qu'il y aura une investiture unique de la majorité présidentielle lors des prochaines législatives; il conforte la toute nouvelle autorité de Charles Pasqua en souhaitant que « les responsables, éléments de division, soient écartés » de l'UDR.

Car si la plupart des dirigeants de l'UDR sont contents d'avoir retrouvé un chef en la personne de Jacques Chirac, la manœuvre combinée par le clan corse du Premier ministre n'a évidemment pas échappé aux « barons » et aux autres contestataires, qui accusent publiquement Alexandre Sanguinetti d'avoir abusé de ses prérogatives en engageant le mouvement gaulliste dans le sillon giscardien. Jean Charbonnel, maire de Brive, reproche aussi au secrétaire général de l'UDR de pratiquer « le ralliement à la petite semaine ».

Les soubresauts les plus rudes se produisent lors des journées d'études des parlementaires de l'UDR, les 26 et 27 septembre à Cagnes-sur-mer. Les « barons », Maurice Couve de Murville en tête, expriment leurs craintes de se voir emmenés de force à bord de la galère giscardienne. Ils font grief à Alexandre Sanguinetti d'agir à sa guise et d'avoir dirigé l'UDR à la hussarde en ayant donné sa caution à Jacques Chirac.

Heureusement, René Tomasini veille. Son travail de bouche à oreille dissocie les députés de la base de l'attitude des « barons ». Moyennant la promesse qu'au moins cent cinquante d'entre eux conserveront leur siège aux prochaines législatives, le mouvement de décrispation amorcé en juillet s'amplifie. Jacques Chirac affermit son autorité sur les élus de l'UDR en les rappelant aux vertus de la cohésion. René Tomasini et Marie-France Garaud, en coulisses, orientent le mécontentement des députés vers... Valéry Giscard d'Estaing, lequel croit toujours que son Premier ministre prend ainsi, par Corses interposés, le contrôle de l'UDR pour la lui servir sur un plateau...

Jacques Chaban-Delmas revient personnellement à la charge, le 5 octobre, devant le comité central du mouvement, mais son étoile est depuis longtemps sur le déclin. Il n'est pas suivi quand il demande que le Premier ministre ne soit plus membre de droit du bureau exécutif, ni quand il propose que le secrétaire général soit élu par les militants au suffrage universel direct lors des assises nationales de l'UDR. Le clan corse, en trois mois, s'est totalement emparé de l'appareil du mouvement gaulliste, deux proches de Jacques Chirac, Roger Romani et Jean Tiberi, donnant au besoin un coup de main au trio Tomasini-Sanguinetti-Pasqua.

Les « barons » n'ont pas encore compris que l'ancienne époque est révolue. Sous de Gaulle le « patron » du mouvement gaulliste était choisi et imposé par l'Élysée. Désormais l'UDR subira, comme tous les autres partis, le jeu évolutif des rapports de forces internes. Et à ce jeu Charles Pasqua a déjà un avantage sur ses collègues. Il sait qu'un parti peut se gérer comme une entreprise.

C'est dans cet esprit que le délégué national « à l'action » commande à la Sofres un sondage sur l'image de l'UDR pour préparer la réunion du bureau exécutif prévue le 24 octobre. Il s'agit de promouvoir une réforme des structures du mouvement. L'enquête donne des résultats éloquents : 47 % des personnes interrogées estiment que l'UDR s'est affaiblie depuis l'élection de Valéry Giscard d'Estaing; 47 % affirment qu'elle est divisée; 48 % jugent son avenir problématique. En revanche, l'opinion publique, dans sa majorité, continue de faire confiance à l'UDR pour la défense de l'ordre public, l'autorité de l'État, le maintien de l'équilibre entre les États-Unis et l'Union soviétique, et pour développer la participation dans les entreprises et dans la vie publique.

« Je n'ai pas besoin de vous faire un dessin, conclut Charles Pasqua en présentant ces résultats aux membres du bureau exécutif. Qui d'autre, aujourd'hui, que Jacques Chirac se trouve en position de renforcer notre mouvement, de mettre fin à ses divisions et de préserver son avenir? »

Tout est prêt pour le dernier acte.

Il se noue le jeudi 12 décembre 1974. A minuit. Dans le salon du Premier ministre, à l'Hôtel Matignon. Jacques Chirac a convoqué d'urgence un « conseil de guerre ». Pierre Juillet et Marie-France Garaud conversent à voix basse devant l'une des fenêtres donnant sur le parc. Jacques Toubon, comme d'habitude, téléphone. Claude Labbé a l'air absent. Alexandre Sanguinetti, enfoncé dans un fauteuil, a sa tête des mauvais jours. Seuls René Tomasini et Charles Pasqua, qui complotent dans leur langue natale, semblent d'humeur allègre quand Jacques Chirac fait irruption, au galop, comme il se doit. Tous forment aussitôt un arc de cercle autour de lui.

« J'ai pris une décision de principe mais je voudrais votre avis. Je reviens du Conseil constitutionnel où je dînais avec Frey et les autres " barons ". Pendant deux heures et demie ils n'ont pas cessé de se chamailler. Il n'y a vraiment rien à en tirer. Entre eux, ils ne sont d'accord sur rien du tout, sauf pour dire du mal d'Alexandre. Ils ne pensent qu'à eux et à me mettre des bâtons dans les roues. Ils espèrent prendre le contrôle du mouvement quand le mandat d'Alexandre devra être renouvelé, en février prochain, et leur homme, c'est Guichard. Alors, comme ils m'échauffaient les oreilles, je leur ai dit : je n'ai jamais pris personne par surprise, aussi je vous préviens : il y a samedi un comité central, je me présenterai au poste de secrétaire général. Ils ont tous éclaté de rire et je suis parti furieux. Ils n'ont pas cru une seconde ce que j'ai dit, mais plus j'y pense, plus je me dis que c'est peut-être une bonne idée. J'aimerais avoir votre sentiment. Mais d'abord, ajoute le Premier ministre en se tournant vers le secrétaire général de l'UDR, il faut que j'en parle en particulier, si vous le permettez, avec Alexandre... »

Jacques Chirac et Alexandre Sanguinetti se retirent dans le bureau voisin. Pierre Juillet, Marie-France Garaud, René Tomasini et Charles Pasqua ont le même sourire en coin. Ils sont « au parfum ». Ce qui est en train de se passer correspond à leur dernier « scénario » de travail : comment accélérer l'accession de Jacques Chirac à la tête du mouvement? Dans le bureau d'à côté, la tenaille est en train de faire sauter le dernier verrou.

Charles Pasqua essaie d'imaginer le pathétique dialogue qui se déroule derrière la cloison. Il ne doute pas de son issue. Il sait que Sanguinetti se sacrifiera parce qu'il est désormais convaincu que le salut du mouvement passe par Jacques Chirac. Il le fera même si sa vanité doit en souffrir. Il a tellement répété, ces temps derniers, qu'il n'avait pas l'intention de céder la barre...

Charles Pasqua sait surtout que Jacques Chirac est disposé à accorder des « compensations » à ce vieux compagnon en proie à bien des déboires financiers avec le fisc...

Le tête-à-tête dure une heure. A en juger par la tension qui se lit sur les visages de Jacques Chirac et d'Alexandre Sanguinetti la discussion a été serrée.

« Alexandre me comprend, dit le Premier ministre. Il est prêt à démissionner s'il le faut, dès samedi matin. Je l'en remercie. Je savais qu'il était l'homme des coups durs, des décisions rapides, et je n'ai jamais douté de sa volonté de sacrifier éventuellement l'intérêt immédiat à l'intérêt de notre héritage gaulliste. Mais Alexandre me dit qu'il n'est pas sûr que je réussisse mon coup si je le tente, parce que le comité central n'acceptera pas de se faire violer. Qu'en pensez-vous? »

Pierre Juillet s'exprime le premier : « Le moment est en effet opportun pour foncer. Giscard déçoit déjà l'opinion publique en multipliant les " gadgets " en guise de politique; il nous a parlé le 24 octobre de faire de la France une " société libérale avancée " qui me rappelle malheureusement la " nouvelle société " de Chaban; il faut essayer d'en profiter pour achever notre reprise en main du mouvement. Mais c'est vrai qu'on ne sait pas trop comment le comité central va réagir... »

La moue de Claude Labbé exprime le même scepticisme.

« Ce serait dommage d'être arrivé jusqu'au Rubicon pour ne pas le franchir..., souligne Marie-France Garaud. Et vous, qu'en dites-vous? », demande-t-elle à « ses » compères corses.

René Tomasini paraît hésiter. Charles Pasqua intervient et lâche, d'une voix posée :

« Si nous décidons de le franchir nous aurons trois minutes difficiles à passer puis tout sera réglé. Au vote nous aurons 60 % des suffrages... »

Silence. L'assurance de Charles Pasqua impressionne Jacques Chirac mais il a pu mesurer, depuis six mois, l'efficacité de l'ancien vice-président du SAC. Il sait qu'il s'avance rarement à la légère malgré son penchant pour le boniment.

« Vous êtes sûr de vos pointages, Charles? »

C'est « Marie-France » qui pose de nouveau la question.

« J'en suis sûr et, si c'est nécessaire, j'aurai en poche quelques procurations... », répond Charles Pasqua, toujours aussi placide.

Il est près de deux heures du matin. Jacques Chirac se jette à l'eau :

« Bon, c'est d'accord, on y va! »

Marie-France Garaud et Charles Pasqua soupirent intérieurement. Leur crainte était que leur « cheval » batte en retraite après avoir flairé l'eau du Rubicon...

Le reste ne fut qu'un simple parcours d'obstacles, rondement mené.

Convoqués d'urgence, la veille, par Alexandre Sanguinetti, qui leur a annoncé une « communication importante » avant la réunion du conseil national du mouvement prévue l'après-midi au Palais des Congrès, les membres du comité central de l'UDR se rassemblent le samedi 14 décembre, à 8 h 30, à l'hôtel Intercontinental. Ils assistent à un coup de théâtre soigneusement monté. Reniant ses prises de position antérieures, Alexandre Sanguinetti fait savoir qu'il se démet de ses fonctions de secrétaire général en raison du trouble qui existe au sein du mouvement, des luttes de clans qui menacent la survie du gaullisme et de motifs personnels de santé. Il propose de passer le relais à Jacques Chirac.

Ce dernier donne l'impression de faire la fine bouche. Il affirme qu'il n'a « aucune vocation » à être le secrétaire général de l'UDR mais que dans les circonstances critiques présentes il acceptera, si nécessaire, de succéder à ce cher Alexandre pour préserver l'unité du mouvement.

Stupeur dans l'assistance. Et tumulte. Furieux, Jacques Chaban-Delmas bondit : « C'est une pantalonnade, un coup de force! » Robert-André Vivien ironise : « Est-ce un 18 Brumaire ou un 1er avril? Si ça continue nous verrons notre rassemblement remplacé par un ramassis et des compagnons par des mafiosi! » Les députés de Paris André Fanton et Gabriel Kaspereit, mais aussi Alain Peyrefitte et Jacques Foccart protestent à leur tour.

Les chiraquiens, suivant la consigne, laissent passer l'orage puis contre-attaquent. Le député de Marseille, Joseph Comiti, un autre député de Paris, Pierre Bas, le président du groupe de l'Assemblée nationale, Claude Labbé, viennent proclamer à la tribune que l'avenir de l'UDR passe aujourd'hui par Jacques Chirac. Charles Pasqua, lui aussi, s'avance vers les micros. Tête baissée, il arbore le masque tragique qu'il se compose quand il veut faire croire que l'anxiété le ronge. Mais il fait, en passant, un imperceptible clin d'œil à Jacques Chirac. Selon ses ultimes pointages, l'affaire est dans la poche.

Penché sur le micro, l'ancien député des Hauts-de-Seine demeure silencieux pendant quelques secondes, le temps que le brouhaha diminue d'intensité. Il fixe l'un après l'autre les rangs des délégués assis devant lui en balayant la salle du regard, puis s'écrie, en forçant au maximum sur son accent : « Tout bien réfléchi je crois que je vais voter pour Jacques Chirac ! » Des rires s'élèvent dans l'assistance. Il a gagné. Le vote, précipité à la demande de Pierre Juillet et Marie-France Garaud, donne la victoire à Jacques Chirac par 57 voix contre 27 au jeune maire de Cambrai, Jacques Legendre, qui a joué au kamikaze pour les « barons », et 4 abstentions.

Le pronostic de Charles Pasqua était bon. Marie-France Garaud, admirative, lui rend pour la première fois hommage en son for intérieur : « Il connaît les hommes et sait prendre ses responsabilités. » Jacques Chirac lui donne presque l'accolade en lui envoyant une grande tape amicale dans le dos. Si Charles Pasqua jubile il n'en montre rien. Il n'aime pas le strip-tease.

La séance de l'après-midi, au Palais des Congrès, devant les six cents membres du conseil national n'est plus qu'une formalité pourvu que le Premier ministre sache s'imposer. Dans l'euphorie qui est désormais la sienne, il n'y a aucun risque qu'il n'y parvienne pas.

Alexandre Sanguinetti et Jacques Chirac sont accueillis par une bordée de huées qui couvrent les applaudissements. Interrompu par des interjections variées – « Rigolo ! », « Trahison ! », « Vendu ! », « A la soupe ! » – le vieux grognard fait front : « Je ne veux pas, je ne dois pas être dans ce mouvement un facteur de contestation. Je suis prêt à accepter la responsabilité de tout ce qui ne va pas à l'UDR. La seule chose importante est que l'armée gagne et j'ai contribué à vous donner le chef qui vous permettra de gagner. »

Jacques Chirac doit attendre que cesse le chahut, auquel se mêlent les applaudissements des secrétaires fédéraux mobilisés par Charles Pasqua, pour prendre la parole. Il lance : « Ceux qui pouvaient imaginer que le mouvement n'était pas vivant ont aujourd'hui la preuve du contraire. Lorsque j'ai été nommé Premier ministre j'ai dit que mon ambition et mon intention étaient, contre vents et marées, d'assurer le maintien des objectifs fondamentaux et de faire en sorte que l'avenir soit sur la voie qui fut celle du général de Gaulle. J'avais dit à l'époque que je ne serais en aucun cas le Premier ministre qui assisterait impuissant à la mise en cause et, à fortiori, à la disparition du gaullisme. Aujourd'hui, nos institutions sont préservées et aucune réforme n'est actuellement envisagée. [...] Nul ne peut dire aujourd'hui sérieusement que la politique du gouvernement n'a pas été inspirée des principes du gaullisme. Par contre, beaucoup en sont quelque peu marris. »

L'auditoire est devenu silencieux. Le Premier ministre tresse des lauriers à Alexandre Sanguinetti et à Claude Labbé avant de poursuivre : « Le bilan est positif mais fragile. Nous traversons un moment difficile. Nous sommes bien placés mais mis en cause. C'est la raison pour laquelle nous devons réagir. [...] Il est dangereux de voir une opinion publique mobilisée par les initiatives de l'opposition, sur un terrain politique que nous n'occupons pas suffisamment, parce que nous avons utilisé une tactique essentiellement défensive. Cette attitude doit cesser. Nous devons prendre délibérément une attitude offensive. »

Un large sourire s'épanouit sur le visage de Charles Pasqua, assis au premier rang de l'auditoire. Il retrouve dans le discours du Premier ministre, mot pour mot, ses propres conseils.

Jacques Chirac poursuit sur sa lancée : « J'ai besoin aujourd'hui et dans les semaines à venir d'être indissolublement lié à notre mouvement. J'ai pensé que j'avais le devoir et la responsabilité, si je veux conduire les affaires du gouvernement à ma place, dans l'esprit que j'ai toujours défendu, d'obtenir l'aide de l'ensemble du mouvement. Voilà mon ambition. Quelles que soient les difficultés j'atteindrai le but qui est le mien, c'est-à-dire le gaullisme. » Les applaudissements l'emportent sur les protestations.

Jacques Chaban-Delmas est lui aussi applaudi quand il s'apprête à prendre la parole mais Charles Pasqua fait signe à sa claque chiraquienne, qui entre en action en invectivant l'ancien Premier ministre : « A la retraite! », « Ça suffit les barons! »

Jacques Chaban-Delmas a compris qu'il a une nouvelle fois perdu la partie. Il ne livre qu'un combat d'arrière-garde : « Le gouvernement, et à sa tête le Premier ministre, ont fait que sur l'essentiel, nos options fondamentales n'ont pas été abandonnées. C'est un fait et il faut le dire. Mais je n'ai pas compris le coup de théâtre de ce matin, car on a demandé au comité central de prendre une décision exactement à l'opposé des directives du comité central du 5 octobre dernier : rétablissement de la vigilance, soutien au gouvernement mais surtout ne pas se confondre avec l'exercice du pouvoir, car on avait mal mesuré le mal fait par l'expression l' " État UDR ".

« Certains se sont demandé, ajoute le maire de Bordeaux, s'il fallait dans ces conditions continuer à militer au sein de l'UDR, et pour ne rien cacher je me le suis demandé aussi. Je persiste à croire que le moment n'est pas de se déchirer mais de faire cette réforme démocratique de nos instances sans laquelle le mouvement ne signifiera plus rien. Nous avons demandé que le secrétaire général soit élu par un conseil national, ainsi nous aurons la garantie que le prochain secrétaire général ne devra rien à ce coup de théâtre. Je suis ici pour faire cette ultime expérience, pour la dernière chance de l'UDR. S'il apparaissait que cette réforme statutaire n'était pas appliquée, si le mouvement n'était pas fidèle à lui-même, nous n'aurions plus rien à faire en son sein. »

L'adoption de cette réforme statutaire était de toute façon acquise puisque c'était au départ le seul point inscrit à l'ordre du jour du conseil national. Plus rien ne pouvait donc entraver la marche de Jacques Chirac. Ni le coup de colère à retardement, le lendemain, d'Olivier Guichard, qui dénonça ce « mauvais coup ». Ni les démissions de Robert Boulin, criant au « coup de force contraire aux règles démocratiques du mouvement », et de René Ribière, député du Val-d'Oise, évoquant le danger d'une dérive « fascisante ». Encore moins les réserves exprimées sur la procédure par Michel Debré.

Le dimanche 15 décembre 1974 le conseil national de l'UDR se terminait en apothéose pour Jacques Chirac, salué par des applaudissements devenus quasi unanimes après une ultime exhortation : « Quand le navire est dans la tempête ce n'est certainement pas la mutinerie à bord qui permet de conduire les passagers à bon port! Plus de grogne, de hargne, de division, il faut continuer et nous continuerons. C'est pourquoi j'appelle tous les compagnons à se rassembler pour l'action et pour l'offensive. Dans l'esprit des institutions, nous sauvegarderons l'intérêt de la France et nous gagnerons demain l'essentiel, c'est-à-dire la bataille politique. »

Jacques Chirac était devenu le chef de l'UDR, principal parti de la majorité parlementaire. Charles Pasqua avait remporté son pari. Le premier avait trouvé un soutien qui lui serait désormais indispensable. Le second s'était fait un protecteur éternellement reconnaissant.

Au soir de cette opération mémorable Charles Pasqua eut du mal à trouver le sommeil. Sauf maladresse de sa part son avenir politique au sein de l'état-major de l'UDR paraissait assuré. Pour peu qu'il dispose d'un solide mandat électif il pouvait même envisager de devenir lui aussi, un jour, secrétaire général du mouvement au service de Jacques Chirac. Charles Pasqua, hiérarque parallèle, a pris goût aux jeux politiques.

Ah! devenir calife à la place du calife...

« Roi du trempoline »

Charles Pasqua, qui se veut avant tout homme d'action, aime à souligner que cet aspect fondamental de sa nature était inscrit à sa naissance dans les signes du zodiaque : « Je suis Bélier, Lièvre de feu dans l'astrologie chinoise. »

Il n'est pas prouvé que sur ce point le ministre de l'Intérieur dise la vérité. Avec la manie du secret qui le caractérise, il ne serait pas étonnant qu'il soit né, en réalité, sous un autre signe. Celui de la Balance. Le camoufle-t-il par superstition, pour exorciser le mauvais sort qui le poursuit?

Il ne fait aucun doute, en effet, pour qui s'intéresse à son itinéraire personnel, que le drame politique de Charles Pasqua est d'être depuis vingt-cinq ans le jouet d'un facétieux métronome qui l'oblige sans cesse à osciller entre sa vérité et sa réputation.

Et s'il parvient jusqu'ici à s'en accommoder, en ayant appris à cultiver les vertus du fatalisme, c'est uniquement parce qu'il détient un secret qui compense les balancements de tous les pendules. Celui du rebond perpétuel.

Voici donc, pour l'édification des futures générations d'hommes politiques, un raccourci de l'incroyable carrière de ce « roi du trempoline »...

• *14-15 juin 1975 :* le congrès UDR de Nice consacre Charles Pasqua grand prêtre des grand-messes du mouvement chiraquien. Promu secrétaire général adjoint, chargé de l'animation depuis qu'en décembre 1974 Jacques Chirac a pris à la hussarde la direction de l'UDR, l'ancien vice-président du SAC a organisé dans le cadre du palais des expositions un décor grandiose pour démontrer à la France entière que le parti du Premier ministre a accédé à la modernité et définitivement rangé ses états d'âme au rayon des souvenirs. Les sept mille militants qui arrivent à Nice pour leur congrès découvrent une fantastique kermesse : plusieurs restaurants sous chapiteaux, des bistrots sous tentures, une dizaine de boutiques, une agence de voyage, un salon de télévision... Une superproduction dont le clou est une monumentale croix de Lorraine, aussi gigantesque que celle de Colombey-les-Deux-Églises. Elle domine l'immense salle de réunion, encadrée par deux portraits géants de Charles de Gaulle et de Georges Pompidou. Un chef-d'œuvre de promotion politique!

Non seulement Charles Pasqua a réglé le décor mais il a aussi minuté la mise en scène. Quand Jacques Chirac fait son entrée, sept mille voix scandent : « Chi-rac! Chi-rac! » Le secrétaire général de l'UDR lui-même n'en croit ni ses yeux ni ses oreilles. Sacré Pasqua!

Le maître de cérémonie s'est réservé le premier discours de la séance publique, et il dresse le bilan de sa propre action. L'UDR compte maintenant 255 467 adhérents, dont 13 753 ont rejoint le mouvement depuis le 1er octobre 1974. Il célèbre la « confiance retrouvée ». « Nous sommes la force principale de la majorité nationale, s'exclame-t-il. Nous avons trouvé en Jacques Chirac le leader dont nous avions besoin et nous le suivrons. »

Jacques Chaban-Delmas n'est pas venu mais les autres « barons » n'osent pas, dans cette ambiance œcuménique, ranimer les querelles de chapelles. Jacques Chirac, radieux, se montre plus gaulliste que jamais. D'autant plus que la politique préconisée par Valéry Giscard d'Estaing suscite des mécontentements croissants.

Le Premier ministre hésitait à réaliser la nouvelle manœuvre que lui avaient soufflée Pierre Juillet, Marie-France Garaud et Charles Pasqua pour contrer le chef de l'État, qui a maintenant perçu la menace politique que constitue pour lui la vitalité retrouvée de l'UDR. Valéry Giscard d'Estaing n'apprécie plus de voir son chef d'état-major cumuler les fonctions de chef de gouvernement et de chef de parti au point d'apparaître comme le vrai chef de la majorité.

Ce jour-là, à Nice, Jacques Chirac n'hésite plus parce qu'il constate que, grâce au travail d'animateur de Charles Pasqua, son mouvement est redevenu assez fort pour qu'il puisse laisser les rênes à quelqu'un d'autre. Le Premier ministre devient secrétaire général d'honneur du mouvement. C'est l'aimable André Bord, secrétaire d'État aux anciens combattants, qui lui succède au poste de secrétaire général. Un ami de Charles Pasqua. Celui-ci va pouvoir, avec sa complicité, prendre en main, directement, l'appareil du parti. C'est Pasqua triomphant!

• *16 mars 1976 :* Retour du balancier. Charles Pasqua reçoit une retentissante gifle électorale, de la part des électeurs de gauche, aux élections cantonales dans son département des Hauts-de-Seine. De tous les présidents de conseils généraux sortants de la majorité, il est le seul à être battu. A l'Hôtel Matignon, le soir du scrutin, il présente pour la première fois à ses comparses le visage d'un boxeur K.-O., humilié. Il n'a plus rien, plus l'ombre d'un mandat. Le dévouement de sa chère Jeanne, qui tenait la permanence à sa place auprès des électeurs de Clichy et de Levallois, n'a pas suffi à pallier son absence chronique. Il paie aussi les éternels renvois à son passé du SAC que lui inflige la rubrique des faits divers où s'enfonce le Service d'action civique depuis que sous la responsabilité de Pierre Debizet ses militants de choc contribuent aux milices patronales. Il n'y est pour rien mais ses adversaires politiques, qui n'en ont cure, n'arrêtent pas de rouvrir les vieilles cicatrices. Jeanne en est tellement bouleversée qu'il a demandé à un jeune avocat du département, Patrick Devedjian, de poursuivre systématiquement, dorénavant, les diffamateurs.

Charles Pasqua est battu, aussi, parce que les giscardiens en ont fait une de leurs principales cibles; ils ont bien compris son importance à l'état-major de leurs rivaux. Sa défaite arrange trop de monde. C'est du moins ce qu'il veut croire. A travers lui, on tente d'abattre le clan corse. Il faut dire que, depuis qu'il a été mis sur la touche, Alexandre Sanguinetti ne rate pas une occasion de brocarder Valéry Giscard d'Estaing. Pour avoir parlé de « l'inconvénient Giscard » par opposition à la « locomotive Chirac », il a même perdu la très lucrative présidence de l'Office de la recherche scientifique de l'outre-mer (ORSTOM) et s'est fait sermonner par le Premier ministre qui a dû publiquement condamner ses déclarations « un peu intempestives ».

Mais à quoi bon ressasser les causes de cette défaite? Pour Charles Pasqua le résultat est catastrophique. Il sait qu'il a perdu, dans l'immédiat, toute chance de devenir le numéro un de l'UDR. C'est – il en est sûr et il a raison – le fringant maire de Périgueux, Yves Guéna, député de la Dordogne, qui succédera en avril à André Bord. Le voilà fatalement renvoyé aux ingrates tâches de l'ombre, voué à n'être que le monteur d'estrades et de chapiteaux. Il se voyait patron, il se retrouve contremaître. Un avenir de chef se présentait à lui, il retombe dans le lot des seconds couteaux... C'est Pasqua la déprime!

• *25 septembre 1977 :* Regain de chance. Un compagnon de la Libération, Michel Maurice-Bokanowski, ancien ministre du général de Gaulle, candidat aux élections sénatoriales dans les Hauts-de-Seine, lui demande d'être son second de liste en remplacement d'un autre résistant de la première heure, Jean Fleury. Charles Pasqua est élu et entre au Palais du Luxembourg par la petite porte, sous l'œil effaré du président Alain Poher et des vieux notables qui ne comprennent pas ce que vient faire au sein de leur auguste aréopage cet individu de fâcheuse réputation.

Les autres dirigeants de l'UDR éclatent de rire. Le jour où le Sénat renouvelle ses commissions, Charles Pasqua arrive en retard, bon dernier, dans l'avion affrété par l'UDR à destination de Mont-de-Marsan où doit avoir lieu une réunion électorale. Jacques Chirac, Yves Guéna, Alain Juppé, Jérôme Monod ont déjà pris place à bord. Quand ils voient débouler le nouveau « sage » du palais du Luxembourg, essoufflé, ils le gratifient de quelques plaisanteries. L'un d'eux lance :

« Alors, Charles, dans quelle commission t'es-tu inscrit?

– La commission des affaires culturelles », répond-il. Ils s'esclaffent! Pasqua à la culture! Sa réplique les prend au dépourvu : « Bande de cons, vous n'avez rien compris! C'est moi qui vais m'occuper de l'audiovisuel! »

Lentement, depuis un an et demi, Charles Pasqua remonte la pente. Jacques Chirac l'a loyalement protégé, après son échec aux cantonales, et il ne l'a pas regretté. Charles Pasqua a fait de la cérémonie de création du Rassemblement pour la République, le dimanche 5 décembre 1976, un show encore plus réussi que celui de Nice un an et demi auparavant. Il y a eu ce jour-là soixante mille personnes à la porte de Versailles, à Paris, pour acclamer Jacques Chirac, en rupture, depuis le mois d'août, avec Valéry Giscard d'Estaing. Et tout s'est déroulé sans incident. Afin d'éviter toute provocation à l'égard des giscardiens ou du nouveau Premier ministre, Raymond Barre, Charles Pasqua avait demandé à son armée de secrétaires fédéraux et de délégués locaux de contrôler leurs troupes, et ses consignes ont été parfaitement respectées. Personne n'a crié « Chirac président! » Même les jeunes du mouvement se sont montrés disciplinés.

Mais, bon dieu!, que cette pente est rude! Le discret sénateur Pasqua ronge son frein. Il fait bien partie, avec Pierre Juillet, Marie-France Garaud et Yves Guéna devenu

« conseiller politique », de la « bande des quatre » – comme dit ce grincheux d'Alexandre Sanguinetti, dépité de n'avoir pas pu entrer lui aussi au palais du Luxembourg – mais tout le monde lui fait trop souvent comprendre qu'il n'est que la quatrième roue de la charrette.

Le nouveau secrétaire général du mouvement, Jérôme Monod, qui prétend depuis le mois de décembre 1976 imprimer la marque de sa rigueur protestante sur l'appareil du RPR, ne cache pas son antipathie pour lui et surtout pour ses fréquentations. Il lui reproche d'avoir toujours dans son sillage ces anciens du SAC, de l'OAS et ces jeunes proches de l'extrême droite qu'il utilise depuis Mai 68 pour ses travaux divers de chef d'orchestre de la fosse et des coulisses. Ces messieurs croient-ils que la politique se fait toujours en gants blancs? Qui a orchestré la campagne victorieuse de Jacques Chirac aux municipales de mars 1977? Qui s'est démené, sur le terrain, avec cette équipe hétéroclite, pour faire de Chirac le maire de Paris alors que même Pierre Juillet et Marie-France Garaud étaient, au début, sceptiques? Qui avait trouvé et aménagé le local de la tour Montparnasse? Qui avait découvert et exploité la « fausse décoration » de Françoise Giroud, en compétition avec Nicole de Hautecloque?

C'est Pasqua la revanche!

• *4 octobre 1979 :* Patatras! Le secrétaire général adjoint du RPR chargé de l'organisation et de l'animation entre d'un pas lourd dans le bureau de son président. Charles Pasqua dit à Jacques Chirac : « Je suis devenu un handicap pour toi. Il vaut mieux que je me retire. » C'est Pasqua l'exilé. Il disparaît de l'organigramme du mouvement, dont le secrétariat général échoit à Bernard Pons. Exilé au moment même où il paraissait inexpugnable. Pasqua crucifié au sommet de sa période flamboyante.

Est-ce possible?

Non seulement il a remonté la pente, depuis trois ans, mais le RPR est son œuvre. Ce parti, il l'a porté sur les fonts baptismaux, il l'a bâti, il l'a géré à la façon Ricard, il l'a vivifié, il en a fait le plus important de France. Il a fait de son président, Jacques Chirac, aux législatives de 1978 où le RPR a recueilli 26,70 % des suffrages contre 23,18 % seulement pour l'UDF, le chef incontestable de la majorité. Personne n'oubliera cet extraordinaire meeting du 11 février 1978 à la porte de Pantin. Un froid glacial. Les pieds des militants dans le gel et la boue. Mais près de cent mille personnes, venues de partout en autocars et en trains spéciaux. Une forêt de bonnets phrygiens, de calicots tricolores. Une vraie fête, avec la participation de vedettes du cinéma comme Michèle Morgan, Maurice Ronet, et de la littérature, comme Jean Dutourd, Jean d'Ormesson, Maurice Druon. Cela « tenait à la fois de la prise de la Bastille revue par Cecil B. de Mille, de la Kermesse aux étoiles, de la vente des écrivains combattants, de la finale de la coupe de France de football et aussi, dans l'esprit, du défilé du 30 mai 1968, sur les Champs-Élysées », avait écrit *le Figaro*.

C'est Pasqua au faîte de son pouvoir et pourtant marginalisé. Jérôme Monod, comme Yves Guéna, est passé à la trappe mais lui est toujours là. Le nouveau secrétaire général, Alain Devaquet, est trop naïf pour faire contrepoids. Alexandre Sanguinetti et René Tomasini sont relégués à l'arrière-scène politique mais le clan des Corses existe encore, renforcé par Roger Romani, élu au Sénat en même temps que Charles Pasqua, et par Jean Tibéri, le fidèle surveillant chiraquien de l'Hôtel de Ville de Paris. Pierre Juillet et Marie-France Garaud, malgré leur savoir-faire, n'ont pas échappé à la disgrâce. Ils ont payé à la fois l' « appel de Cochin », mal ressenti par l'opinion publique et par les « barons », à cause de sa brutalité antigiscardienne, et l'échec du mouvement aux élections européennes du 10 juin 1979 (la liste du RPR a été devancée par celles de l'UDF, du PS et du PCF).

C'est Pasqua sanctionné alors qu'il avait enfin le champ libre. Pasqua banni alors qu'il commençait à peine à améliorer son image personnelle et à amuser la presse, comme dans cette joyeuse interview accordée à Jean-Pax Mefret dans *l'Aurore* du 13 février. La « bande des quatre »? « En ce qui me concerne j'ai l'impression de n'appartenir qu'à une seule bande : la bande... des 760 000 adhérents du Rassemblement. » Giscard à l'Élysée? « Ah! si Messmer était président de la République... Lui, c'est un gaulliste, un vrai. De la première heure. Car lui, il s'est battu pendant la guerre. Il a droit au titre de gaulliste historique. Les autres, je ne sais pas ce qu'ils faisaient. Peyrefitte, lui, il vendait peut-être des supports-chaussettes... » Le SAC? « Oui, j'en ai été un des fondateurs et je n'en ai pas honte. »

Pasqua victime de son succès... et de ses méthodes.

Pasqua jalousé par les caciques du mouvement. Les anciens secrétaires généraux du mouvement ne supportent plus sa main-mise personnelle sur le RPR et ils le disent ouvertement. Alexandre Sanguinetti lui-même joint sa voix au chœur formé par Yves Guéna, Alain Peyrefitte, Albin Chalandon, Jacques Baumel, Robert Poujade et quelques autres. Seuls René Tomasini et André Bord demeurent fidèles à leur amitié pour Charles Pasqua. Tous les autres ont juré sa perte après avoir eu la peau de Pierre Juillet et Marie-France Garaud. La déception électorale des élections européennes donne un prétexte à André Fanton qui conteste l'efficacité de la « politique des chapiteaux ». Les uns ne cherchent qu'à éliminer le dernier membre du cabinet parallèle qui a conseillé Jacques Chirac depuis 1974. Les autres, en visant Charles Pasqua, veulent atteindre Jacques Chirac.

Et voilà que Pasqua vient de donner à ses adversaires la corde pour le pendre en se faisant prendre en flagrant délit de tricherie, par personne interposée...

Cette incroyable faute, qui oblige Jacques Chirac à l'exclure officiellement de son état-major, Charles Pasqua l'a commise lors du renouvellement du conseil politique du RPR, le 20 juin 1979, à l'hôtel Lutétia. Le pot aux roses a été découvert par André Fanton, étonné d'être battu au terme du scrutin. Le député de Paris a constaté que le procès-verbal qui a servi pour la proclamation des résultats a été falsifié. Pour éliminer les adversaires les plus virulents de Charles Pasqua, une main anonyme a tout bonnement ajouté cent voix à une dizaine de candidats normalement battus. Une falsification grossière. Un illustre inconnu, dénommé Victor, a été ainsi crédité de... 102 voix, devançant plusieurs parlementaires. Or, il apparaît vite à André Fanton que la main dite « anonyme » n'est autre que celle de l'un des plus proches collaborateurs de Charles Pasqua au siège du parti, Roland Vernaudon, ancien député du Val-de-Marne. Il ne fait aucun doute, pour André Fanton, que la liste des « éliminés » a été établie par Charles Pasqua.

Le député de Paris bondit chez Jacques Chirac, à l'Hôtel de Ville de Paris :

« Notre scrutin du 20 juin a été truqué. Il y a eu fraude. »

Le président du RPR n'en croit pas un mot :

« C'est tout à fait impossible. Tu te trompes.

– Et si je t'apporte la preuve de la fraude?

– Tu ne pourras pas l'apporter. »

Vingt-quatre heures plus tard, André Fanton, accompagné de deux témoins, Jacques Marette et Christian de La Malène, montre à Jacques Chirac le procès-verbal « trafiqué ».

Le président du RPR hésite à annuler les élections. « Ou tu annules ou je livre tout cela à la presse », lui dit le député de Paris. Jacques Chirac annule le scrutin. Triste première dans l'histoire du mouvement. Il ne peut plus justifier son indulgence à l'égard de son Corse préféré. Pasqua est devenu Charles le pestiféré. Le pendule est reparti du côté négatif.

• *3 février 1981 :* Jacques Chirac annonce officiellement sa candidature à l'élection présidentielle. Qui est chargé de l'organisation matérielle et du « planning » de sa campagne? Charles Pasqua! Superbe rebond.

Le bannissement du 4 octobre n'était qu'une fausse sortie. Trop théâtrale pour être authentique. Après être entré d'un pas lourd dans le bureau de son président, Charles Pasqua n'a pas dit seulement, ce jour-là: « Je suis devenu un handicap pour toi. Il vaut mieux que je me retire. » Il a ajouté, en évoquant l'acharnement des « barons » et de leurs amis: « Ils s'attaquent à moi mais c'est toi qu'ils veulent couler. Ils croient que tu n'oseras jamais te séparer de moi, mais ils ont oublié une chose, ces cons-là : moi, je m'en fous! Je me retire tout seul, je me tiens à l'écart tout en continuant à travailler pour toi et comme ça nous les prenons à contre-pied... » Le tour était joué. André Fanton et les autres n'y ont vu que du feu. Jacques Chirac n'avait pas rompu le pacte secret du printemps 1974. C'est avec la complicité du maire de Paris que Charles Pasqua s'était installé au 6 *bis* de la place du Palais-Bourbon, dans le local où Jacques Chirac s'était retiré lui-même après son divorce avec Valéry Giscard d'Estaing, en août 1976. Il y avait aussitôt organisé son vrai-faux purgatoire pour redorer son blason. Les « barons » du gaullisme finissant et les « ducs » du giscardisme déclinant le croyaient en enfer, il roulait plus que jamais pour Jacques Chirac auquel il était indispensable depuis qu'il contrôlait, de près ou de loin, toutes les fédérations du RPR.

Quand l'ancien Premier ministre confirme son défi présidentiel à Giscard d'Estaing, il sait que son dispositif de campagne est déjà en place. Charles Pasqua le lui a dit: « Tout est prêt. Je me suis occupé de tout. » L'état-major s'installera près de l'Étoile, rue de Tilsitt. Une vingtaine de petits groupes, composés d'hommes politiques, de hauts fonctionnaires, d'amis personnels ainsi que d'anciens collaborateurs de Georges Pompidou, travaillent déjà depuis plusieurs semaines. Ces groupes sont dispersés dans Paris, souvent sans liens entre eux, pour mieux préserver le secret cher à Charles Pasqua qui a monté là... un vrai réseau de résistance.

Tout cela, Jacques Chirac le sait parce que Charles Pasqua l'en a informé au fur et à mesure, en lui envoyant de petits mots sibyllins.

C'est Pasqua ressuscité! Pasqua l'artilleur qui a pris l'initiative d'ouvrir le feu contre Giscard, avec l'accord tacite de Jacques Chirac, dès qu'il a quitté l'état-major du RPR: « M. Giscard d'Estaing n'a pas su réaliser un consensus national » (janvier 1980). « L'alternance sans risque est possible au sein de la majorité » (février 1980). « La réélection de M. Giscard d'Estaing peut constituer un danger pour la démocratie. Le bilan du septennat est désastreux » (avril 1980). « Le chef de l'État peut encore rendre un service à la France en ne se présentant pas » (janvier 1981).

Pasqua le bateleur, qui réunit quarante-cinq mille personnes, le samedi 11 avril au Parc des Princes, et l'inévitable Pasqua des basses œuvres au service de la cause. Quel est cet institut de sondage, « Indice SA », qui attribue à Jacques Chirac, au début de la campagne électorale, de meilleurs scores que les autres enquêtes d'opinion? Une société présidée par l'un des « Pasqua's boys » des Hauts-de-Seine, Jean-Jacques Guillet, ancien étudiant d'extrême droite, conseiller en marketing de l'ancien président du conseil général de ce département.

Quelle est cette brochure anonyme, débordante de gracieusetés assassines sur « Giscard, le candidat du Kremlin »? C'est la production littéraire d'un groupe d'amis de Charles Pasqua où l'on retrouve Joël Gali-Papa, le meilleur ami de Pierre Pasqua dans la chasse aux gauchistes de Mai 1968, ainsi qu'un écrivain de talent, Bruno Tellenne, jeune nostalgique, lui aussi, d'un Occident chrétien, qui gravite autour de lui au Sénat et qui deviendra en 1986, après avoir publié d'autres faux ironiques comme « le Monstre » – caricature du *Monde* –, le très sérieux rédacteur des discours du ministre de l'Intérieur, Charles Pasqua. « Giscard a cru que sa propre attachée de presse était à l'origine du faux document sur lui », raconte, sourire aux lèvres, l'un de ses auteurs. « Les flics sont même venus visiter son appartement. La pauvre fille... »

Qui sont ces jeunes gens qui, la nuit, apposent sur les affiches de Giscard des confettis représentant des diamants, en souvenir de l'empereur Bokassa? Les amis de Joël Gali-Papa.

Pasqua du jour, Pasqua de l'ombre. Le pendule s'affole. Pasqua le rusé, le plus prompt à s'étonner du laxisme de la police lors de l'attentat, le 16 avril, à l'aéroport d'Ajaccio, juste avant l'arrivée de Valéry Giscard d'Estaing. La consigne qui contenait la bombe n'avait pas été fouillée. « Dans cette affaire, commentera, ironique, Charles Pasqua, tout n'est pas clair. » Il renifle « un coup tordu » du SAC de Pierre Debizet, qui n'hésite pas à louer, fort cher, ses services aux giscardiens. Ou encore des réseaux Francia, officines de barbouzes qui luttent, en Corse même, contre le FLNC. Suivez mon regard, laisse entendre Charles Pasqua. C'est Robert Pandraud, l'ancien directeur général de la police, au service de Christian Bonnet, qui est désigné. Déjà soupçonné...

Pasqua le bonimenteur : « Chirac sera présent au second tour. » Chirac y croit. Il veut y croire : « Si je deviens président de la République, promet-il, tu seras ministre. »

• *26 avril 1981 :* Valéry Giscard d'Estaing recueille 28,31 % des suffrages; François Mitterrand, en deuxième position, 25,84 %; Jacques Chirac, troisième, 17,99 %. Il ne sera pas présent au second tour de l'élection présidentielle.

La rue de Tilsitt ne connaîtra pas son Austerlitz. Les militants, venus par centaines devant l'état-major, se dispersent très vite, les larmes au cœur.

C'est Tartarin-Pasqua la déconfiture.

L'opposant

La Baule. Fin septembre 1981. Un couple solitaire se promène, au soleil couchant, le long de la plage. Charles et Jeanne Pasqua rêvent de voyages. L'Égypte, le Mexique, le Pérou... Il y a si longtemps qu'ils envisagent de partir à la découverte des pharaons, des Aztèques, des Incas... Et la Grèce? Ce serait si agréable de pouvoir y retourner un jour... Jeanne, pourtant, ne se fait pas d'illusions; elle a deviné que ces expéditions lointaines ne seront pas encore pour l'année prochaine.

Charles, de toute façon, a une fois de plus l'esprit ailleurs. Il a remarqué, bien sûr, depuis le début de ces journées parlementaires du RPR, que ses « amis » avaient tendance à l'éviter. Ils lui imputent la plus grande part de responsabilité dans l'insuccès de Jacques Chirac à l'élection présidentielle. Les uns reprennent en chœur l'antienne d'André Fanton sur les décevantes limites de la « politique des chapiteaux ». Les autres, comme Yves Guéna, dénoncent les discrètes consignes données aux fédérations, entre les deux tours de scrutin, afin de faire voter pour Mitterrand plutôt que pour Giscard d'Estaing. Pourquoi ne veulent-ils pas comprendre que c'était la meilleure façon de préparer la revanche de Chirac?

Certains lui reprochent aussi d'avoir trop concentré le tir, avant le premier tour, sur Valéry Giscard d'Estaing et favorisé ainsi la victoire de François Mitterrand. Ceux-là critiquent en particulier la brochure « anonyme » sur « Giscard, candidat du Kremlin ». Ils feraient mieux de s'adresser à Michel Poniatowski, l'âme damnée de Giscard : il leur dirait, lui, que même si quelques-uns des protégés de Charles y ont contribué, l'idée venait de « cette vipère » – dixit – de

Marie-France Garaud. Elle a toujours pris un malin plaisir, dans l'ombre, à « charger » l'ancien vice-président du SAC de ses propres turpitudes...

Que tous ces idiots ricanent! Peu importe. L'erreur des adversaires de Charles a toujours été de le prendre pour un imbécile. A cinquante-quatre ans, son cuir a fini par s'y habituer. Et aujourd'hui il sait parfaitement où il va.

En cet automne de défaite électorale, Charles Pasqua, en effet, est, paradoxalement, un homme serein. Il s'est forgé une philosophie : l'essentiel, dans la vie, n'est pas tant de savoir rebondir sans cesse que de transcender ses échecs pour, au bout du compte, arriver quelque part. Il a fait des progrès dans l'introspection.

Son objectif militant reste le même : être celui qui fera de Jacques Chirac le président de la République française. Marie-France Garaud, qui vient de se déconsidérer en recueillant 1,33 % des suffrages au premier tour de l'élection présidentielle, a eu tort de renoncer à l'y aider. Charles Pasqua se remémore la fracassante rupture entre Jacques Chirac et sa diabolique conseillère, au lendemain des élections européennes de 1979 :

« Vous me quittez, n'est-ce pas, parce que vous pensez que je ne suis pas capable de devenir un chef d'État?...

– Je vous quitte parce que vous êtes le seul homme politique que je connaisse qui soit capable de déclarer la guerre, le matin, à l'URSS, et l'après-midi, aux États-Unis... »

Charles Pasqua connaît le raisonnement que « Marie-France » distille volontiers dans les salons mondains : « Jacques Chirac est un cheval qui saute les obstacles... et qui continue de sauter même quand il n'y a plus d'obstacles. Pierre Juillet et moi voulions que ce cheval devienne un homme d'État. Pasqua, lui, s'en moque pourvu que ce soit lui qui monte le cheval; il a constaté que nous n'avions pas réussi par le pouvoir de l'influence, alors il s'est dit : moi, je vais réussir par la pression, et il s'est mis en position de se rendre indispensable... » Tout n'est peut-être pas faux dans ce propos, mais Charles Pasqua s'en amuse : « Il faudrait savoir : suis-je machiavélique ou imbécile? » Non, il n'a pas changé d'avis, lui, sur les capacités de Chirac : « S'il fallait choisir entre l'avenir du RPR et l'installation de Chirac à l'Élysée, ajoute-t-il, je n'hésiterais pas un instant à sacrifier le mouvement, parce qu'il n'est pas une fin en soi mais un moyen de conquérir le pouvoir. »

Son objectif personnel, en revanche, a évolué. Charles Pasqua s'est juré de mieux gérer sa propre carrière. Il est trop pragmatique, par tempérament et par formation, pour n'avoir pas compris – tant pis pour sa vanité – la nécessité de redresser son image publique. Il en a marre d'être l'éternel magouilleur comique du RPR, le copain aux bonnes blagues qu'on utilise en vedette américaine pour « chauffer » les salles dans les réunions électorales, celui dont on rappelle volontiers la Résistance quand cela rend service... et le passé au SAC quand les formes de son militantisme encombrent. Au théâtre de la politique, Charles Pasqua ne supporte plus d'être exclusivement utilisé dans les rôles du méchant pervers. Il veut changer de peau.

Il commence donc par changer de look. Il suit un régime amaigrissant, fume moins, passe ses journées, pour compenser, à manger des pommes. Il s'efforce, en public, de châtier son langage et montre qu'il n'est pas le rustre que l'on croit souvent. Le soir, il s'est remis aux vieilles lectures historiques qu'il affectionne : les œuvres de de Gaulle, bien entendu, mais aussi les biographies de Richelieu, Mazarin, Napoléon, avec des récréations chez Pagnol et Giono pour le plaisir de l'écriture et de l'accent provençal. Son jeune avocat, Patrick Devedjian, a déjà été surpris de son érudition en l'entendant un jour raconter un épisode historique peu connu de la lutte des Arméniens contre les Turcs. Charles Pasqua enrichit son répertoire. Il a toujours un stylo à portée de la main lorsqu'il regarde la télévision; il note, au passage, les formules, les jeux de mots, les répliques, les expressions nouvelles, les idées dont il fera son profit. Il remplace sa raie sur le côté, à la Lino Ventura, qui lui donne un air de « Gorille », par une coupe en arrière. Au contact de Pierre Juillet et Marie-France Garaud il a découvert les raffinements de l'élégance feutrée et il s'en inspire dans sa nouvelle façon de s'habiller; ses pochettes se font plus discrètes. Puisqu'on le dépeint comme un ours mal léché, il multipliera les attentions. On le verra acheter des tartes aux fraises aux jeunes du RPR qui se plaindront de certains menus. On le surprendra en train d'offrir des orchidées aux journalistes féminines le jour de la fête des mères...

C'est Pasqua la métamorphose.

Mais l'ancien maître pastissier aspire surtout à obtenir son émancipation politique. Il ne veut plus dépendre uniquement de l'autorité de Jacques Chirac. Sur la scène mouvante de l'actualité il a bien l'intention, désormais, d'exister par lui-même, de conquérir l'autonomie qui pourra le mettre, enfin, à l'abri des aléas inhérents à la vie du parti. Et sur la plage de La Baule, en ce mois de septembre 1981, Charles

Pasqua a l'esprit tranquille, contrairement aux autres dirigeants du RPR qui se morfondent. Il a trouvé une issue pour échapper à la spirale qui l'englue depuis 1968 dans le marécage politicien, à cause de sa réputation. Où se trouve-t-elle, cette solution? Au Sénat, pardi!

Passé le temps des premiers sarcasmes, personne n'a plus fait attention, depuis 1977, au si peu sénatorial sénateur Pasqua, élu dans les Hauts-de-Seine grâce à un concours de circonstances. Qui a remarqué, en dehors du palais du Luxembourg, ses interventions sur les grèves des contrôleurs de la navigation aérienne, sur les risques de pollution au large de la Corse, sur les revendications des élus de Wallis-et-Futuna?

Seul l'ancien ministre giscardien de l'Intérieur, Christian Bonnet, se souvient peut-être de sa longue question d'actualité du 14 octobre 1980, après l'attentat perpétré contre la synagogue de la rue Copernic à Paris. Ce texte, pourtant, était loin d'être anodin. Charles Pasqua, en pleine campagne pré-électorale contre Valéry Giscard d'Estaing, y avait mis des intonations... d'homme de gauche, avant de se faire applaudir... par certains républicains indépendants. Il y énonçait quelques-uns des grands principes qu'il appliquerait sept ans plus tard contre l'effet Le Pen... tout en les malmenant parfois, au nom de la raison d'État, dans certains de ses propres actes de ministre de l'Intérieur visant les réfugiés politiques basques et iraniens : « La lutte pour la défense des droits de l'homme est un devoir, le combat contre le racisme et l'intolérance une mission, que nous entendons assumer pleinement. Cette défense des droits de l'homme et cette lutte contre le racisme, qui sont indivisibles, doivent être conduites sans faiblesse parce que de graves menaces existent [...]. La lutte pour la liberté et le respect des droits de la personne humaine ne se divise pas. Le totalitarisme, qu'il soit de droite ou de gauche, produit les mêmes effets intolérables; il n'y a pas des camps de travail de droite et des camps de travail de gauche; il n'y a pas des prisons de droite et des prisons de gauche. Il y a des hommes que l'on emprisonne pour leurs idées et il y a des geôliers. Parce que nous avons connu l'oppression et que nous l'avons combattue, notre sympathie ira toujours vers ceux que l'on persécute, jamais vers les geôliers, et j'espère que tous ceux qui, au cours de ces derniers jours, ont condamné avec force le racisme et l'antisémitisme lorsqu'ils concernent notre pays, n'hésiteront pas à les condamner dans d'autres pays où ils sont, et d'une manière éclatante, très florissants. [...] La démocratie doit être un régime d'autorité pour garantir un droit égal à chacun. L'injustice naît de la facilité et de l'abandon. Tous les régimes autoritaires sont nés dans la dégénérescence des démocraties. Ce n'est pas en acceptant les compromis, en cédant à toutes les indulgences que l'on défend les droits de l'homme. C'est le contraire. [...] La liberté d'expression est sacrée mais la loi condamne l'apologie du racisme, de la discrimination. Depuis des années, c'est vrai, on tente de réhabiliter le régime de Vichy et la collaboration dans la presse, à la télévision. Que fait le gouvernement? En Corse, les attentats succèdent aux attentats et les journaux ouvrent largement leurs colonnes à ceux qui justifient ces actions. Compte-t-on tolérer encore cela? » Dans ce texte, il affirmait également sa solidarité avec les policiers, pour lesquels il réclamait davantage de moyens et de considération. Il concluait par une citation de Charles Péguy : « L'ordre fait en définitive la liberté, le désordre fait la servitude. »

De même, seule la presse spécialisée conserve peut-être en mémoire le souvenir de son intervention du 1er décembre 1980, consacrée au fonctionnement du service public de la Radiodiffusion télévision française. Charles Pasqua n'avait pourtant pas mis des gants pour déplorer « la dégénérescence de l'information télévisée », les « excès de zèle des journalistes à l'égard du pouvoir », « la monopolisation de l'information politique par une petite équipe de journalistes », etc.

Non seulement le groupe RPR du Sénat n'intéresse personne mais, à vrai dire, ses propres membres ne s'intéressent guère à lui. Minoritaires par rapport aux 67 élus de l'Union centriste et aux 52 élus des Républicains indépendants, les 41 sénateurs du RPR vivent en autarcie. Depuis que Charles de Gaulle a cherché, sans succès, à rabaisser la Haute Assemblée, il n'est pas de bon ton d'être militant gaulliste dans les arcanes du palais du Luxembourg. Les intéressés en ont, pour la plupart, pris leur parti, au grand dam des nouveaux venus qui font à leurs yeux blasés figure de jeunots. Tous notables de longue date, bardés d'imposants états de service, ils forment un aimable club de retraités. Une bourse d'échanges de souvenirs présidée par un monsieur distingué, usé par les combats d'antan, Marc Jacquet. Un inoffensif quarteron de sympathiques nostalgiques sans ambitions politiques, dont Charles Pasqua est en train de faire, mine de rien, une... machine de guerre! Un « super » tremplin politique qu'il fignole depuis quatre ans dans le plus grand secret.

Ce que personne ne sait en effet, à ce moment-là, à

l'état-major du RPR, c'est que ce rigolo de Pasqua a d'ores et déjà réussi le plus beau « coup » de sa carrière : il a apprivoisé toutes ces vieilles gloires. Comment? Oh, le plus simplement du monde : en étant gentil avec eux. Il les a « travaillés » un par un, sachant les écouter avec une infinie patience quand ils racontaient leurs campagnes, les invitant à déjeuner ou à dîner pour d'interminables tête-à-tête, les faisant rire avec ses bonnes histoires marseillaises, les mettant dans certaines confidences (« Jacques m'a dit... », « Jacques va faire... ») vraies ou fausses, les traitant avec révérence, les flattant habilement, sollicitant volontiers leurs conseils éclairés... Jouant de son expérience professionnelle, il leur a demandé, en échange, de lui faire confiance pour faire souffler le vent de la modernisation sur le fonctionnement administratif de leur groupe. Il leur a parlé d'installer à leur service un ordinateur, une machine de traitement de texte, des Minitel, de développer, aux frais du parti, un vrai secrétariat... Il leur a promis un voyage collectif en Irlande, sur les traces de de Gaulle. Il les a séduits et, aujourd'hui, tous disent du bien à leurs éminents collègues de ce brave monsieur Pasqua, si méconnu...

Ce madré de Pasqua, qui va encaisser dans quelques jours le bénéfice de cette entreprise de séduction. Marc Jacquet, en cette veille de session parlementaire, lui a fait savoir qu'il a envie de passer la main, pour des raisons de santé. Personne ne se bouscule pour sa succession parmi les plus anciens du groupe. La voie est libre pour quelqu'un de disponible et d'ambitieux, qui saura accepter les mille contraintes de la présidence, si lourdes à supporter pour de vieux messieurs désireux de finir leur carrière en douceur. Charles Pasqua sait qu'il a réussi l'inconcevable.

Il est élu, le mardi 13 octobre 1981, président du groupe RPR du Sénat. Quelle revanche pour l'ancien vice-président du SAC en quête de respectabilité! Il accède à l'une des positions parlementaires prédominantes. Il va pouvoir manœuvrer à sa guise.

Pour être bien secondé, il confie le secrétariat général du groupe non pas à l'un de ses proches plus ou moins discutables mais à un homme de cabinet pur sucre, sans passé équivoque, au-dessus de tout soupçon, Jean-François Probst, l'ancien directeur de cabinet du rigoriste Jérôme Monod.

Charles Pasqua sait surtout quel extraordinaire parti il va pouvoir tirer de cette éminente présidence alors que la vague rose vient de déferler sur l'Assemblée nationale, où les socialistes disposent à eux seuls de la majorité absolue. Bien avant les autres dirigeants du RPR, il a compris que dans le nouveau paysage politique français le Sénat constituera le seul bastion institutionnel de la résistance à la gauche. Ses faux « amis » le croyaient une nouvelle fois renvoyé au placard, il va au contraire pouvoir donner toute sa mesure et, auréolé du prestige de sa charge parlementaire, se poser en champion numéro un de la lutte contre les socialistes. Charles Pasqua s'en délecte à l'avance.

La seule incertitude réside dans l'attitude du président du Sénat. Comment amadouer Alain Poher? Charles Pasqua mesure toute la difficulté. Depuis le référendum de 1969, auquel il s'était opposé de toute la force de ses convictions républicaines, le président centriste de la Haute Assemblée reste en froid avec les gaullistes. En outre, il est de ceux qui abhorrent le SAC et qui ont ressenti des frissons dans le dos quand ils ont vu arriver au palais du Luxembourg ce « Marseillais » de mauvais aloi. L'homme est courtois mais d'un naturel sceptique. Il a aimablement reçu le nouveau sénateur des Hauts-de-Seine lorsque celui-ci est venu lui demander d'intervenir auprès des « facteurs » giscardiens qui s'amusaient à glisser dans les casiers de certains sénateurs des lettres anonymes ou des coupures de presse mettant en doute son honorabilité, mais entre Alain Poher et Charles Pasqua la glace est loin d'avoir été rompue.

Un autre concours de circonstances va servir le nouveau président du groupe RPR du Sénat.

Charles Pasqua reçoit un carton d'invitation. François Mitterrand le prie d'honorer de sa présence la réception qu'il offre à l'Élysée à l'occasion de la remise de la Légion d'honneur à un ancien sénateur RPR, Jean-Louis Vigier, héros de la Résistance. Résistance ou pas, Charles Pasqua hésite. Les consignes du RPR sont extrêmement claires depuis le 10 mai 1981 : aucune fraternisation avec l'ennemi. Son secrétariat, discipliné, a déjà fait savoir que le président du groupe RPR du Sénat, trop occupé, ne pourra malheureusement répondre à cette invitation.

La chose paraît réglée quand Charles Pasqua apprend que le récipiendaire est un vieil ami d'Alain Poher et même son principal compagnon de la Résistance, arrêté en même temps que lui par la Gestapo. Le président du Sénat se rendra donc à l'Élysée pour assister à cette cérémonie. Charles Pasqua n'hésite plus : « Si Poher va chez Mitterrand, j'irai aussi! » Au diable les consignes du parti!

C'est ce jour-là, au cours de la réception, que devant un buffet le nouveau président de la République française, très prévenant à l'égard de ses hôtes, expliqua patiemment à Alain Poher que « ce terrible monsieur Pasqua » avait appartenu naguère au même réseau de résistance que lui...

C'est aussi ce soir-là qu'au sortir de l'Élysée, le président du Sénat et le nouveau président du groupe RPR décidèrent d'œuvrer de concert dans le même réseau de résistance... à François Mitterrand, c'est-à-dire de faire du palais du Luxembourg l'incarnation de l'opposition au « péril rouge ».

Ce fut dès lors, pendant cinq ans, le plus beau feu d'artifice qu'on ait jamais vu sous la vénérable coupole de l'ancienne résidence de Marie de Médicis! Pasqua champion des libertés contre l'école socialiste! Pasqua « Je vous ai compris » de la Nouvelle-Calédonie française! Pasqua commandeur de l'antiterrorisme! Pasqua des bois protecteur de la forêt sénatoriale saccagée par les mécréants du PS! Bref, Pasqua sauveur de la France pour la deuxième fois en moins de vingt ans!

N'allez pas croire, toutefois, que notre héros courut sus à l'ennemi du jour au lendemain. Pour une fois Charles Pasqua avait du temps devant lui, grâce à son mandat présidentiel, et il avait bien l'intention de faire durer le plaisir.

Pendant la campagne électorale du printemps 1981 il avait, en outre, redécouvert, au service de Jacques Chirac, l'importance des approches psychologiques au contact des représentants de milieux professionnels – les professions libérales, le grand patronat, les organisations syndicales, les lobbies, les diplomates – qu'il n'avait pas l'habitude de fréquenter et qu'il avait démarchés avec curiosité et un intense désir de renforcer sa capacité d'entregent. Il en avait tiré une première conclusion qu'il s'était aussitôt empressé de mettre en pratique auprès des vénérables sénateurs du RPR : le redressement de son image passait aussi par l'assouplissement de ses formes d'action et d'expression. Il avait enfin assimilé l'art d'emballer les « paquets-cadeaux » politiques, surtout quand il s'agissait de piéger l'adversaire.

Une autre raison, plus prosaïque celle-là, incita Charles Pasqua à faire preuve de discrétion dans les premières semaines qui suivirent l'arrivée de la gauche au pouvoir : la réapparition du fantôme du SAC. Toujours lui. Pierre Mauroy avait à peine formé son deuxième gouvernement que la tuerie d'Auriol, en juillet, mettait à nouveau le SAC sur la sellette. L'inculpation de Pierre Debizet et son incarcération durant trois mois firent naturellement subir au RPR des retombées négatives, et la presse rappela la part prise par le sénateur des Hauts-de-Seine aux activités passées de cette organisation malfamée. Puis, Pierre Debizet venait tout juste de sortir de prison que le procès de l'affaire de Broglie – un autre assassinat non élucidé – faisait de nouveau tinter les « casseroles » du septennat giscardien. Ce n'était pas le moment, pour la nouvelle opposition, de se pousser du col.

Dans ce contexte alourdi par ces résurgences gênantes Charles Pasqua opta prudemment, tout d'abord, pour la non-violence. Le calendrier des travaux parlementaires lui facilita les choses puisque ses premières interventions se situèrent sur un terrain qui lui était familier, celui des problèmes de l'audiovisuel.

Venu au palais du Luxembourg plein de préventions à l'encontre du rapporteur de la commission sénatoriale des affaires culturelles, Charles Pasqua en personne, le secrétaire d'État socialiste chargé de la communication, Georges Fillioud, trouva en face de lui, dans la discussion de son projet de loi fixant le régime des radios privées, à sa grande surprise... un débonnaire hippy : « Le Sénat est une assemblée de bonne compagnie, vous n'avez rien à craindre, ici, de tout ce qui choque la bienséance, la courtoisie ou les bonnes manières, lui expliqua le 20 septembre 1981 le " terrible " Monsieur Pasqua. Au Sénat, la fermeté des convictions ne se tourne jamais en véhémence. Ici, peu d'invectives, ni de quolibets. Une certaine élégance tempère toujours le propos, arrondit le geste, allonge – parfois un peu trop – la période, ce qui après tout permet quelques nuances de plus. Si nos débats sont serrés, ils sont toujours polis. Et si nous accablons, c'est sous les fleurs. Permettez-moi donc de vous prendre pour cible et de vous envoyer quelques bouquets... »

Bien entendu, Georges Fillioud eut, par la suite, l'occasion de constater à ses dépens que les bouquets en question étaient du genre épineux et que dans ce registre Charles Pasqua savait manier avec dextérité toutes les subtilités de la procédure pour faire obstruction aux projets des gouvernements socialistes successifs. Mais qu'il s'agît des textes réformant le paysage audiovisuel ou de ceux tentant de limiter les concentrations dans la presse écrite, les gouvernements de Pierre Mauroy et de Laurent Fabius butèrent en permanence, au palais du Luxembourg, sur un Charles Pasqua qui n'eut pas son pareil pour jongler avec les amendements, exécuter des tours de passe-passe avec le règlement de la Haute Assemblée, multiplier en toute quiétude, devant ses pairs ébahis, les manœuvres de harcèlement et de retardement les plus sophistiquées sous couvert de volonté de dialogue et de critiques constructives, tout cela en affichant une extrême courtoisie dans la forme mais sans jamais se départir d'une inébranlable fermeté sur le fond. Du grand art sénatorial.

Charles Pasqua s'amusa beaucoup de voir plusieurs fois Georges Fillioud le féliciter pour sa modération et les sénateurs communistes, si prompts à l'interpeller sur le SAC, manifester leur agacement en l'entendant émailler ses interventions de maximes de La Rochefoucauld (« On peut donner des conseils mais n'inspirer point de conduite »), de fables de La Fontaine (« Jupin nous créa besaciers tous de même manière. Il fit pour nos défauts la poche de derrière, et celle de devant pour les défauts d'autrui ») ou de pensées de Pascal... accommodées pour les besoins de la démonstration (« La communication est un peu comme ces cercles dont la circonférence est partout et le centre nulle part »).

Le sommet de cette époustouflante démonstration de rouerie politique fut atteint en 1984, lors de l'examen du projet de loi visant à limiter la concentration et à assurer la transparence financière et le pluralisme des entreprises de presse conçu par Pierre Mauroy pour freiner l'expansion de l'empire de Robert Hersant. Ces débats donnèrent au président du groupe RPR du Sénat l'occasion de se présenter comme le meilleur défenseur de la liberté de l'information et des journalistes en se prévalant ardemment, en la matière, d'un libéralisme exigeant, ce même libéralisme qu'il avait condamné naguère de la part du gouvernement de Jacques Chaban-Delmas...

Sachant que le culte de la mémoire n'est pas le fort de la classe politique, Charles Pasqua tressa sa propre couronne de lauriers en clamant – sans leur adresser cette fois la moindre fleur de dialectique – que les socialistes monopolisaient la radio et la télévision pour les besoins d'une « propagande sournoise et diffuse », étouffaient « des centaines de radios locales dans des contraintes techniques et financières », stérilisaient « une télévision privée en apparence mais totalement inféodée », manifestaient « des tendances de plus en plus dirigistes » à l'égard de la haute autorité de la communication audiovisuelle, étaient responsables, en résumé, d'un « échec patent » dans toutes leurs tentatives de réformes.

De la même façon, Charles Pasqua, devenu le meilleur héraut de la majorité sénatoriale opposée au pouvoir socialiste, sacrifia aux joies de la surenchère en déposant une proposition de loi tendant à autoriser les journalistes à ne pas révéler leurs sources d'information dans le but d'empêcher les médias de se transformer « en instruments du pouvoir ».

Les journalistes les plus sceptiques furent sans conteste ceux qui exerçaient en Corse. Ils avaient eu à subir, en effet, un an auparavant, les foudres du même Charles Pasqua, de retour d'une mission d'enquête, sur la façon dont l'information était traitée sur l'Ile de Beauté par FR 3 et par Radio-Corse FM. Le si libéral président du groupe RPR du Sénat leur avait tout simplement reproché de donner trop souvent la parole aux dirigeants nationalistes et de contribuer à entretenir artificiellement un courant « antifrançais ».

Quelques mois seulement après son vibrant plaidoyer en faveur des journalistes, Charles Pasqua fit le même grief à ceux de FR 3-Nouméa suspectés par les conservateurs de Nouvelle-Calédonie de menées subversives parce qu'ils consacraient trop de place aux revendications politiques des Canaques...

Charles Pasqua s'amusa ainsi des affaires de presse, de 1981 à 1986, joignant l'utile (pour son camp) à l'agréable (pour la galerie). Une seule fois, il se fit prendre lui-même au piège de l'esbrouffe. Cela se passait à huis clos, en 1985, à Milan.

Rapporteur de la commission des affaires culturelles pour le projet de loi sur les télévisions privées, Charles Pasqua, qui s'appliquait à retarder le plus possible la discussion de ce texte du Sénat, avait entrepris une vaste série de consultations et, ce jour-là, il venait de pénétrer dans le bureau du magnat de la télévision italienne, Silvio Berlusconi, candidat à la concession de la « Cinq » avec l'appui du gouvernement de Laurent Fabius.

Le milliardaire patron du groupe Fininvest était-il irrité par le travail de sape dirigé en France, contre ses ambitions, par le président du groupe RPR du Sénat? Voulait-il le rappeler à une certaine modestie? Ou cherchait-il simplement à l'impressionner? Toujours est-il que le sénateur des Hauts-de-Seine n'avait pas prononcé quatre phrases qu'une secrétaire entra dans la pièce pour prévenir le sérénissime Silvio Berlusconi qu'une communication téléphonique de la plus haute importance l'attendait sans délai dans le salon d'à côté : « C'est M. Agnelli qui vous demande... », lâcha-t-elle d'un ton faussement neutre.

L'homme d'affaires italien pria Charles Pasqua de l'excuser et s'absenta un instant pour aller voir ce que pouvait bien avoir à lui dire l'illustrissime président de Fiat.

Silvio Berlusconi revenu, Charles Pasqua reprit le fil de

son propos. Le temps de quelques mots et la secrétaire fit pour la deuxième fois irruption dans le bureau pour signaler, cette fois, un appel impératif de « M. Bettino Craxi ». Le roi de la télévision s'excusa auprès de son visiteur et s'en alla voir ce que pouvait bien lui vouloir le chef du gouvernement.

Silvio Berlusconi revint, Charles Pasqua recommença à lui expliquer le motif de sa visite et... la secrétaire surgit pour la troisième fois. C'était... le Vatican!

Charles Pasqua feignit l'indifférence, esquissa un geste pour dire à son hôte : « Je vous en prie, je sais ce que c'est... », mais il se rendit à l'évidence : ces chers Italiens étaient des malades du téléphone. Quand Silvio Berlusconi fut sorti, il glissa à l'oreille de Jean-François Probst, qui l'accompagnait : « J'ai l'impression qu'il me prend pour un con... »

De retour à Paris, le président du groupe RPR du Sénat fit tout ce qu'il put pour retarder encore davantage, sans succès, la signature du contrat accordant la concession de la « Cinq » à Silvio Berlusconi et à ses associés français, jusqu'à ce qu'en mars 1986 le milliardaire italien sollicite son concours après le renversement de majorité...

Commedia dell'arte!

Ce Pasqua roboratif eut l'heur de plaire très vite aux militants du RPR qu'il invita à monter à l'assaut de la gauche, comme lui, la fleur au fusil : « Utilisons le sourire, la bonne humeur et la joie », leur conseilla-t-il le 24 janvier 1982, lors des assises nationales de Toulouse qui virent Jacques Chirac reprendre la présidence du mouvement néo-gaulliste. « Avez-vous remarqué les socialistes? Ils ont gagné les élections et ils font la gueule! »

Prêchant par l'exemple, le président du groupe RPR du Sénat ne fit pas la gueule en constatant la sobriété du décor mis en place en cette circonstance par l'état-major chiraquien : pas la moindre croix de Lorraine, aucune photo du général de Gaulle, pas même celle de Georges Pompidou.

L'heure n'était plus aux chicanes intestines. Au-delà des amuse-gueule offerts à sa voracité revancharde par les affaires audiovisuelles qui constituaient son violon d'Ingres, Charles Pasqua estimait déjà que le moment était venu, pour la nouvelle opposition, de lancer sa contre-offensive. Il donna lui-même le ton, dès ce 24 janvier, en prenant soin, au passage, de dégager toute responsabilité personnelle dans le revers de Jacques Chirac à l'élection présidentielle et en mettant en cause, en revanche, la politique de Raymond Barre de 1976 à 1981 : « L'intérêt général commande de passer l'éponge mais nous ne devons pas oublier pour autant. Ce n'est pas la division qui a causé l'échec de la majorité, mais l'accumulation des erreurs politiques du gouvernement et le fossé qu'elles ont fini par creuser entre lui et l'opinion. Nous sommes confrontés aujourd'hui à une coalition socialo-communiste qui a déjà commencé à entraîner la France dans un engrenage révolutionnaire et qui ne cesse de se radicaliser. Face à un tel pouvoir, notre opposition ne peut qu'être ferme, globale et résolue. Entre le PS tel qu'il existe aujourd'hui et le PC, il n'y a pas de différence de nature. Ils ont une référence commune : le marxisme, et un projet dont l'aboutissement est commun : l'asservissement de l'homme à l'État. Plus le socialisme avance, plus la démocratie recule. L'opposition a un devoir clair : celui de résister. Contre les partisans de l'État, soyons les défenseurs de la société. »

Charles Pasqua, en vérité, n'avait pas attendu l'avis de son parti pour mettre la main à la pâte. Il s'était déjà engagé dans une croisade personnelle en prenant l'initiative de créer, dès le mois de décembre 1981, son propre « centre de résistance » contre le socialisme sous la forme d'une association intitulée initialement « Solidarité et Liberté », puis « Solidarité et défense des libertés ».

Emporté par son penchant pour les vies parallèles, l'ancien vice-président du SAC n'avait pas pu s'empêcher de se dédoubler : pendant que le docte sénateur Pasqua commençait à emberlificoter les socialistes au palais du Luxembourg, le redoutable militant Pasqua sonnait tous azimuts le rassemblement des droites. Ses réflexes l'avaient emporté quand il avait vu François Mitterrand faire entrer les communistes au gouvernement, le 22 juin.

L'histoire de cette association éphémère – trois ans après, on n'en parlait plus – est trop révélatrice des méthodes pasqualiennes et de leurs ambiguïtés pour que l'on ne s'y arrête pas un instant.

Charles Pasqua est moins ordonné qu'on croit dans la gestion quotidienne de ces affaires – et à ce moment-là, s'il s'impose au Sénat, c'est surtout grâce à la qualité de son entourage administratif – mais il l'est parfaitement « dans sa tête » comme disent ses proches. Il faut lui rendre cette justice qu'en cet hiver 1981-1982 il est le premier à comprendre l'opportunité d'offrir un exutoire à ceux des électeurs de droite qui refusent de se laisser submerger par la « vague rose » et rêvent d'en découdre, sur-le-champ, avec les socialistes. Or, le RPR et l'UDF, vaincus, mettront longtemps, Charles Pasqua le sait, à recouvrer leur crédit auprès de l'opinion publique. Il convient donc de mettre en place une structure qui puisse regrouper toutes les énergies antimarxistes bien au-delà des frontières du RPR et de l'UDF. Charles Pasqua ressent cette nécessité d'autant plus vivement qu'il l'a déjà éprouvée en mai 1968, face à une « chienlit » similaire, lorsqu'il créa les Comités de défense de la République afin de compléter le travail du SAC. Si personne ne canalise le flux de tous ceux qui n'acceptent pas la défaite, de la droite libérale à l'extrême droite, de nouveaux venus peuvent en profiter. Charles Pasqua devine l'émergence de l'effet Le Pen.

Donc, il fonce.

L'acte de naissance de l'association « Solidarité et Liberté » paraît le 9 décembre sous la forme d'une page entière de publicité dans *le Figaro, le Monde* et *le Quotidien de Paris*. Le texte en a été particulièrement soigné, sous l'œil avisé de l'écrivain Jean Cau. Sous le titre « Solidaires pour rester libres », il s'agit d'un manifeste appelant à la constitution dans le pays d'un « vaste réseau de solidarité et d'action » afin de « sauvegarder les libertés et enrayer le mécanisme de socialisation totale ». On peut y lire : « ... Le nouveau pouvoir a déclenché dans notre pays un mécanisme révolutionnaire destiné à " créer une rupture " – selon ses propres termes – avec une société qu'il ne veut pas transformer mais bouleverser. [...] Le sectarisme a triomphé, l'intolérance est en place, l'esprit de parti monte la garde. [...] Le socialisme français est désormais révolutionnaire. [...] Certes, il reste des partis politiques. [...] Certes, demeurent quelques organes de presse indépendants; mais ils sont menacés d'extinction de leur libre parole par des procureurs socialistes. [...] Les Français sont prévenus. De gré ou de force ils ne seront pas demain les citoyens d'une libre démocratie mais les sujets d'un État socialiste. [...] Mais tout n'est pas joué et un combat commence. [...] Solidarité et Liberté rassemblera tous les citoyens de ce pays qui savent refuser et qui veulent agir. (...) A nous, à vous d'engager le combat! »

Signé, dans l'ordre : Charles Pasqua, Paul d'Ornano, Jacques Toubon, Alice Saunier-Seïté, Yvon Bourges, Jacques Médecin, Jacques Dominati, Guy Guermeur, Dr François Bachelot, Franck Borotra.

L'ordre protocolaire. Charles Pasqua préside l'association qui a son siège au 63, bd des Batignolles (8ᵉ arrondissement de Paris), dans un local appartenant à un Centre d'études sociales, économiques et politiques (CESEP) dont le siège social est sis 30, av. de Messine (8ᵉ), et le principal animateur s'appelle... Charles Pasqua. Paul d'Ornano, éminente figure du groupe UDF du Sénat, représentant les Français établis hors de France, en assure le secrétariat général. Tous deux apportent à cette initative la caution officielle de la majorité de la Haute Assemblée. La présence de Jacques Toubon témoigne du soutien du RPR en général et de Jacques Chirac en particulier. La participation d'Alice Saunier-Séïté (UDF), Yvon Bourges (RPR), Jacques Médecin (apparenté RPR), Jacques Dominati (UDF), tous anciens ministres sous Valéry Giscard d'Estaing, illustre le souci pluraliste des fondateurs de Solidarité et défense des libertés. L'engagement de Guy Guermeur, ancien député RPR du Finistère, chantre de l'école privée, Franck Borotra, représentant des cadres, futur porte-parole du RPR, et François Bachelot, secrétaire général de la Chambre des professions libérales, futur « Monsieur anti-Sida » du Front national, exprime l'enracinement du mouvement dans les milieux professionnels.

Il y a là, assurément, une belle façade. Charles Pasqua l'embellit davantage en annonçant dans la foulée la constitution de trois organisations-relais : un Observatoire économique et social, constitué « d'experts disposant de toutes les sources d'informations économiques »; un Haut Conseil des libertés, présidé par Maurice Schumann, sénateur RPR, et composé de deux universitaires, Christian Philip, Roland Drago, et d'un avocat tout aussi renommé, François Sarda; un Haut Comité pour le pluralisme dans l'audiovisuel et pour la défense de la culture française, dirigé par Dominique Pado, journaliste et sénateur UDF de Paris.

Mais derrière cette façade sécurisante, c'est le tandem Pasqua-d'Ornano qui pilote sans partage cette machine de guerre. Paul d'Ornano rallie très vite, d'ailleurs, le groupe RPR du Sénat. Un troisième Corse est à la barre, au poste de trésorier : un certain Dominique Vescovali, inconnu au bataillon des stars politiques et qui va pourtant jouer, à partir de ce moment-là, un rôle dans le sillage de Charles Pasqua. Grand maître informaticien du fichier central du RPR, conseiller du treizième arrondissement de Paris, ce directeur de la société Dataset va devenir le père Joseph, pardon! le père Dominique, du président du groupe RPR du Sénat, ses qualités de passe-muraille se révélant vite très utiles dans toutes les opérations de financement plus ou moins occultes.

Enfin, il y a, parmi les fondateurs de l'association Solidarité et défense des libertés, ceux qu'on camoufle de peur qu'ils n'effraient les âmes encore sensibles aux souvenirs de l'épopée gaulliste. Qui retrouve-t-on, parmi les fondateurs de l'antenne marseillaise de l'association? Le baroudeur Gérard Kappé, ancien successeur de Charles Pasqua à la tête du SAC des Bouches-du-Rhône, qui fait un retour remarqué sur la scène au moment où la tuerie d'Auriol condamne le SAC à la dissolution! La commission d'enquête de l'Assemblée nationale ne s'était pas trompée à son sujet. Et qui voit-on se rallier à Charles Pasqua? L'un des « héros » de l'Algérie française, Pierre Lagaillarde, ancien député d'Alger, l'insurgé des barricades de janvier 1960. Comme en mai 1968, la phobie de la gauche réconcilie l'extrême droite et la droite ultra. Charles Pasqua n'est pas avare de pardons quand il s'agit de former une force militante. Pierre Lagaillarde lui a été recommandé, au demeurant, par son avocat, Patrick Devedjian, et par un autre transfuge de l'Algérie française dont il utilise les compétences, Jean Taousson, auquel il a confié la rédaction en chef du bulletin mensuel de l'association, *la Vraie Vérité.* Un personnage, ce Taousson! Né en 1930 à Alger, journaliste à *l'Écho d'Alger,* il est monté aux barricades aux côtés de Pierre Lagaillarde avant de participer activement à la guerre secrète de l'OAS. Il a même été arrêté, en 1963, à Nice en possession de cinq armes de poing. Amnistié, il a rejoint le SAC en 1968 et c'est là qu'il a commencé à travailler pour Charles Pasqua. Maintenant, il s'est reconverti dans la promotion du régime sud-africain. Il dirige *le Courrier austral parlementaire,* organe du lobby d'Afrique du Sud en Europe, et à ce titre il fréquente assidûment l'Assemblée de Strasbourg. Spécialiste de l'Afrique noire, il tutoie le président du Zaïre et connaît bien celui du Gabon. Est-ce à cause de ces nombreux liens africains que son nom a été cité à propos de sombres histoires de mercenaires? « On ne prête qu'aux riches, répond-il avec un sourire. J'ai perdu la main. » Les rapports des Renseignements généraux soulignent en tout cas que selon certaines rumeurs il aurait collaboré avec le National intelligence service, le service de renseignements sud-africain. Mais tout cela, Charles Pasqua n'est pas censé le savoir puisqu'il n'est pas encore ministre de l'Intérieur. Ce qui compte, à ses yeux, c'est uniquement le fait incontestable que ce pied-noir est un militant efficace. Voilà pourquoi il l'avait recruté pour être le chef du service de photographie de l'état-major de campagne de Jacques Chirac au printemps 1981. Voilà pourquoi il en fera plus tard un chargé de missions (au pluriel, il y tiendra). A l'extérieur, Jean Taousson travaille d'ailleurs avec un autre ancien « rebelle » de l'Algérie française pour lequel Charles Pasqua a de l'estime : Léon Delbecque, l'ex-député gaulliste du Nord, président aujourd'hui d'une Association pour le développement industriel de l'Afrique, spécialisée elle aussi dans l'aide à l'Afrique du Sud.

Charles Pasqua est content. Ces « anciens » s'entendent bien avec sa « nouvelle vague ». Patrick Devedjian et Jean-Jacques Guillet ne sont pas les seuls produits de la génération de l'extrême droite soixante-huitarde qu'il ait convertis. Il y a en beaucoup d'autres, surgis en politique autour des mouvements Occident et Ordre nouveau. Ces jeunes gens, à l'exemple de Joël Gali-Papa, toujours là, et de Bruno Tellenne, aux multiples facettes toujours disponibles, font d'excellents hommes d'appareil. C'est à l'un de ces « espoirs » que Charles Pasqua confie d'ailleurs la responsabilité du secrétariat administratif de l'association, Gérard Écorcheville. Il va devenir le prototype des « Pasqua's boys », habiles à animer toutes les filières transversales fondées sur l'exploitation du sentiment anticommuniste, plus grand dénominateur commun à toutes les composantes de la famille droitiste. Charles Pasqua lui prédit déjà une belle carrière et quelques récompenses : Gérard Écorcheville, ancien militant d'Occident, supervisera toutes ses campagnes électorales dans les Hauts-de-Seine. Ce garçon a du style, du caractère, du muscle au besoin. Promu par son protecteur secrétaire national du RPR à la formation professionnelle, il sera démis de ses fonctions sur les injonctions de Jacques Toubon aux cantonales de mars 1985 après avoir pris des positions jugées par celui-ci trop favorables au Front national. Alors, Charles Pasqua le mettra « au vert » à Marseille. Avec pour mission de saper les positions de Jean-Marie Le Pen dans les Bouches-du-Rhône et de prospecter de nouveaux talents.

Gérard Écorcheville est un pasqualien heureux : « Pour les gens comme moi, Pasqua était le seul canal vers le RPR. Il a comme nous la fibre militante et il représente la droite du RPR. Ce que nous aimons surtout, chez Pasqua, c'est cette idée du rassemblement des droites. Il a compris mieux que d'autres la nécessité d'oublier la guerre d'Algérie. »

Qui dit Écorcheville dit aussi le beau-frère de Gérard, Alain Robert, l'ancien compagnon de « commando » de Patrick Devedjian, Alain Madelin, Gérard Longuet et Michel Rostolan – tous futurs ministres ou députés – à l'époque d'Occident. Charles Pasqua apprécie beaucoup la combativité de cet ancien secrétaire général d'Ordre nouveau, qui a fondé le Parti des forces nouvelles (PFN) avec d'autres dissidents du Front national jugeant Jean-Marie Le Pen trop ringard pour avoir le moindre avenir politique. Il suit attentivement son parcours, maintenant, au sein du Centre national des indépendants et paysans (CNIP) qu'il a « infiltré » avec quelques copains. C'est par son intermédiaire que Philippe Malaud, le nouveau patron du vieux parti d'Antoine Pinay, va s'agréger – Charles Pasqua le souhaite – à Solidarité et défense des libertés.

Le président de groupe RPR du Sénat a bien remarqué les réticences de Jacques Toubon, allergique aux excès de l'extrême droite. Mais quelle idée de faire la fine bouche quand les libertés sont en danger! Il le lui dit :

« Si je les ai récupérés, c'est parce que j'ai senti chez eux une capacité de militantisme supérieure à la moyenne.

– Mais des anciens de l'OAS, tu ne trouves pas que ça fait un peu trop?

– C'est vrai, si j'avais rencontré Jean Taousson pendant la guerre d'Algérie, j'aurais pu le flinguer, et réciproquement. Mais la vie est trop courte pour vivre dans la rancune.

– Ne t'étonne pas si ensuite certains te traitent de " facho "...

– Si tous ces gens ont viré leur cuti, ce sont eux qui ont changé, pas moi... »

Charles Pasqua songe aussi à ces miliciens de Grasse que les maquisards communistes voulaient fusiller, en 1944, et en faveur desquels il avait plaidé la clémence parce qu'ils n'avaient pas de sang sur les mains.

Et si Jacques Toubon insiste, il aura droit à une repartie à la Raimu : « Le rôle d'un vrai démocrate, Môssieur, c'est de ramener vers la démocratie les brebis égarées. » L'absolution au service de la mission salvatrice. Toujours le tempérament, le sens extensif de l'amitié : « Je suis un mélange de Don Quichotte et de Bon Samaritain... » Alléluia!

Bon Samaritain? Peut-être. En tout cas Samaritain sabreur.

C'est bien ce qui plaît à tous les militants de droite et d'extrême droite, ravis de trouver dans le discours de Charles Pasqua ce qu'ils avaient envie d'entendre depuis l'installation de François Mitterrand à l'Élysée. Mais c'est bien ce qui déplaît aux états-majors des partis de l'opposition. L'UDF fait la grimace. Elle soupçonne Charles Pasqua de concurrence déloyale. Le plus irrité est le secrétaire général du Parti républicain, Jacques Blanc, qui fait savoir que sa formation « ne se sent pas engagée », malgré la présence de Jacques Dominati, par l'initiative pasqualienne. Le président du parti radical, Didier Bariani, exprime lui aussi son mécontentement en estimant que ce regroupement de la droite représente une aubaine pour les socialistes. A l'intérieur même du RPR, où tout le monde n'avait pas été prévenu du lancement de l'opération, le secrétaire général en exercice, Bernard Pons, ne déborde pas d'enthousiasme.

Il a la fâcheuse impression, lui aussi, que Charles Pasqua cherche à manœuvrer pour son propre compte. Il admet du bout des lèvres que la création de Solidarité et défense des libertés « peut réveiller ceux qui ont tendance à s'endormir », mais il n'y accorde officiellement qu'une importance très limitée : « S'il y a des adhésions nombreuses et une cotisation, eh bien, cela fera une association de plus. »

Les adhésions affluent, en effet, tandis qu'à tous les niveaux de l'administration les fonctionnaires en délicatesse avec les socialistes prêtent un concours gracieux à la « résistance ». Grâce à certains de ces militants clandestins Charles Pasqua reçoit, entre autres documents gouvernementaux, une copie de l'intégralité de la correspondance échangée entre le Premier ministre, Pierre Mauroy, et le ministre chargé du budget, Laurent Fabius, à propos d'un contrat gazier signé entre la France et l'Algérie. Très vite, trop vite, Solidarité et défense des libertés, emportée par son élan, est ainsi perçue non seulement comme une nouvelle force d'opposition décidée à entraver l'action du gouvernement socialiste mais comme une organisation semi-occulte défiant la légitimité du nouveau pouvoir issu du suffrage universel. François Mitterrand fait mettre en garde Jacques Chirac contre cette dérive. L'association de Charles Pasqua se retrouve à la merci du premier « dérapage ».

Elle le commet après l'attentat de la rue Marbeuf, perpétré à Paris le 22 avril. Une voiture piégée explose devant les locaux d'un hebdomadaire libanais, faisant un mort et 63 blessés. Charles Pasqua juge le moment opportun pour mettre le gouvernement de M. Mauroy en accusation. Il monte d'abord au créneau au Sénat. Brusque changement de ton. Fini les gracieusetés et les échanges de politesse! Le président du groupe RPR fait souffler la tempête au palais du Luxembourg dans un long réquisitoire qui déchaîne, en réaction, la fureur des socialistes et des communistes. Dès qu'il parle du terrorisme, ils lui renvoient à la figure le SAC, son ancien SAC, son cauchemar, dont il continue d'être question devant la commission d'enquête de l'Assemblée nationale.

Charles Pasqua, imperturbable, assène coup après coup en s'adressant à Gaston Defferre, le ministre de l'Intérieur : « Au nom des principes humanitaires le gouvernement a laissé s'installer sur le sol français des terroristes dont l'objectif évident est la déstabilisation de notre pays. [...] C'est au nom de ces mêmes principes que le gouvernement, au moment où il remettait en liberté des milliers de délinquants, a supprimé les moyens dont disposait l'État républicain pour se garantir contre les plus graves crimes de violence. La peine de mort a été abolie sans que soit substituée une peine de substitution. On a jugé bon de supprimer la Cour de sûreté de l'État. Après le 10 mai, dans l'euphorie du moment, tous les membres d'Action directe ont été amnistiés et relâchés, y compris ceux qui avaient tiré sur des policiers ».

(Cri sur les bancs communistes : « Parlez-nous du SAC! »)

Charles Pasqua fait semblant de ne pas entendre. Il poursuit : « Ils ont aussitôt repris les armes et recommencé la lutte. Pensiez-vous donc qu'ils allaient être touchés par la grâce et adhérer au PS? En ce qui concerne le FLNC, vous vous félicitez de la prétendue " trêve " des autonomistes corses, autre effet positif du changement survenu le 10 mai. Comment pourrions-nous oublier que durant cette trêve un légionnaire, soldat français, a été assassiné de sang-froid? Quant aux terroristes basques, qui ont sur la conscience... »

(Cris sur les bancs socialistes : « Le massacre d'Auriol! Le SAC! »)

Charles Pasqua reprend sa phrase : « Quant aux terroristes basques, qui ont le meurtre de deux membres des forces de l'ordre sur la conscience, n'est-ce pas vous-mêmes qui les avez encouragés en les honorant du titre de " résistants ", apportant ainsi votre caution à leur combat? »

(Cri communiste : « Le SAC! »)

Charles Pasqua : « Bref, depuis un an, le gouvernement s'est employé à priver la société française de ses moyens de défense contre la montée de la violence et du terrorisme. [...] Nous ne sortirons de l'engrenage, nous n'éviterons à la France le calvaire qu'ont connu l'Italie et l'Allemagne au cours des dix dernières années que si nous consentons les mêmes efforts et les mêmes sacrifices.

(Interpellation socialiste : « Vous savez comment faire, vous? »)

« L'insécurité doit passer dans le camp des terroristes! Il faut pour cela donner à la police les moyens de la prévention et de la recherche des coupables. Dans cette perspective, il convient d'utiliser l'expérience acquise et les méthodes mises au point par la police italienne et le BKA allemand, grâce auxquels ils ont pu prévenir de nombreux attentats et, finalement, démanteler les organisations terroristes. L'objectif est de les déstabiliser à leur tour en leur supprimant peu à peu tous les soutiens logistiques dont elles bénéficient : caches, faux papiers, armes. Pour y parvenir, il faut exercer une surveillance systématique des milieux sympathisants du terrorisme... »

(« Le SAC! »)

« Si vous croyez me faire taire, vous n'y arriverez pas!... Le gouvernement doit s'expliquer clairement. Face à l'aggravation de la situation il n'est plus possible de tolérer l'ambiguïté qui caractérise son attitude vis-à-vis des problèmes de violence et de sécurité. »

Charles Pasqua obtient du Sénat, par l'intermédiaire du groupe de travail de Maurice Schumann, la constitution d'une commission d'enquête sur les services de sécurité du ministère de l'Intérieur, histoire d'ennuyer Gaston Defferre.

Mais c'est dans la rue que Solidarité et défense des libertés outrepasse les bornes tolérables par le gouvernement.

Après son intervention au Sénat, Charles Pasqua pense que l'attentat de la rue Marbeuf constitue un bon prétexte pour que sa nouvelle association organise une première manifestation sur la voie publique. Des milliers de tracts, distribués par les renforts d'extrême droite, appellent les Parisiens à se rassembler, le lundi 3 mai à 18 h 30, place de l'Alma, pour défiler jusqu'au lieu du drame. « Des groupes terroristes s'installent en France et font de notre territoire le champ de bataille de leurs règlements de comptes, disent ces textes. C'est intolérable. Que fait le gouvernement? Il soutient des organisations qui, dans d'autres pays, ont choisi comme moyen d'action la violence. Il prive notre justice et notre police des moyens d'assurer la sécurité des citoyens. Il amnistie et relâche des terroristes notables. C'est inexcusable. Nous exigeons... etc. »

Et que vit-on le 3 mai 1982, de l'Alma à la rue Marbeuf? L'on vit défiler, derrière une dizaine d'élus emmenés par Charles Pasqua, Paul d'Ornano, Alice Saunier-Séïté, Jacques Dominati, Jacques Toubon, près de deux mille personnes encadrées par... le service d'ordre de l'extrême droite, en l'occurrence celui du Parti des forces nouvelles et les nouveaux « Indépendants paysans aux drôles de sabots » d'Alain Robert. Ces jeunes gens passèrent d'autant moins inaperçus que leurs slogans n'eurent pas tous un rapport direct avec le terrorisme. Bras dessus, bras dessous avec les militants du mouvement Légitime défense, de la Fédération professionnelle indépendante de la police (FPIP), et ceux du RPR, ces jeunes pasqualiens de choc se firent surtout remarquer par leurs invectives. Le ministre de la Justice, Robert Badinter, fut qualifié de « moisissure », et le ministre de l'Intérieur, Gaston Defferre, eut droit à des faveurs spéciales : « Defferre à l'hospice! », « Le vieux porc à Marseille! »

Le déchaînement de violence verbale et de vulgarité fut

tel, à Paris et dans quelques villes de province, que le soir même une altercation opposa Charles Pasqua à Jacques Toubon, ce dernier jurant de ne plus fréquenter une association aussi ouvertement orientée vers l'extrême droite. Quand le lendemain Jacques Chirac intervint en personne pour le prier de mettre Solidarité et défense des libertés en sourdine, Charles Pasqua avait déjà compris lui-même que son initiative débouchait sur une impasse. Il avait cru pouvoir récupérer certains des militants de l'extrême droite et les tirer vers le chiraquisme, c'est le contraire qui se produisait. La lanterne de Charles Pasqua avait fait « tilt » quand il avait vu rôder autour de la manifestation du 3 mai Pierre Debizet, son ennemi intime, à la recherche d'une structure de remplacement pour le SAC menacé de dissolution.

Le choc politique en retour fut d'autant plus négatif que les socialistes ne manquèrent pas d'exploiter cet incident de parcours pour accuser le RPR de sectarisme et de menées subversives.

L'honorable sénateur Pasqua comprit qu'il devait réintégrer ses gonds, sauf à paraître cautionner une entreprise séditieuse, alors qu'il venait à peine de se dégager d'un autre piège où Gaston Defferre avait essayé, en vain, de le faire tomber : l' « affaire » Marcel Francisci.

Le 15 janvier 1982 un homme de soixante-trois ans est assassiné par balles, dans le garage de son domicile parisien. Banal fait divers? Non, car cet homme s'appelle Marcel Francisci, étrange personnage à deux visages. Côté pile, un portrait éminemment respectable. Ce Corse a de brillants états de service dans la Résistance : fait prisonnier dans l'Oise en juin 1940, il s'évade trois mois plus tard, parvient à regagner son île natale, d'où il repart pour s'engager dans les troupes de la France libre en Afrique du Nord. Affecté dans une unité de radars américaine, il participe en août 1944 au débarquement de Provence et à la libération du pays. Il est rendu à la vie civile en septembre 1945 avec le grade de brigadier-chef, titulaire de la médaille militaire, de la médaille des évadés, de la croix de guerre et de la croix du combattant volontaire. Il a également de beaux états de services civiques puisqu'il est maire de sa commune familiale, Ciamanacce, et conseiller général RPR du canton de Zicavo. Il a enfin d'importantes relations politiques. Gaulliste fervent, il a fait partie, à la Libération, du service d'ordre du RPF et ne manque pas de protecteurs au sein du clan corse du mouvement chiraquien en qualité d'ami de longue date d'Antoine Sanguinetti.

Côté ombre, Marcel Francisci traîne une réputation de mafioso liée à ses activités professionnelles éparses trop souvent entrecoupées de démêlés avec la police et la justice. Il a dirigé jusqu'en 1953 une société d'exploitation maritime installée à Tanger, la ville franche de tous les commerces, et à cette époque son nom est apparu plusieurs fois dans la rubrique des faits divers. Puis il a créé à Paris, successivement, deux entreprises – la première vendant des économiseurs d'essence, la seconde exploitant des carrières de spathfluor – avant de se tailler un petit empire dans le monde des jeux, en guerre ouverte pendant longtemps avec l'autre pilier corse de ce secteur d'activité, Baptiste Andréani. Au moment de son assassinat, il possédait notamment, depuis longtemps, le cercle de jeux Haussmann. Sa mort laisse perplexe les enquêteurs. Marcel Francisci menait ces dernières années une vie rangée. Un rebondissement de la « guerre des jeux »? Peu crédible : les Francisci et les Andréani s'étant réconciliés depuis longtemps. On parle d'éventuelles séquelles à retardement de la guerre d'Algérie. Les policiers n'y croient pas, bien que certaines rumeurs aient laissé entendre que l'excellence des relations d'Antoine Sanguinetti avec Marcel Francisci s'expliquaient par certains services que ce dernier aurait rendus aux « barbouzes » luttant contre l'OAS en Algérie. Un règlement de comptes lié à un trafic de drogue, comme l'écrivent certains journaux? Non, la police sait que c'est à tort que le nom de Marcel Francisci a été souvent accolé à la « french connection » sur la base d'informations américaines erronées. Un certain Francisci a naguère été impliqué dans un trafic de drogue, en Asie, mais il s'agissait simplement d'un homonyme, prénommé Bonaventure. Quant aux prétendus témoins américains invoqués dans certains procès contre Marcel Francisci, ils ont été surpris en flagrant délit de faux témoignages devant des tribunaux britanniques. Le meurtre de Marcel Francisci ne sera pas élucidé. Ce que les enquêteurs ne savent pas, c'est que huit jours avant son assassinat Marcel Francisci a déjeuné dans un restaurant de la rue Boursault, à Paris, avec un autre ancien résistant, « Ronibus » de son nom de guerre, auquel il aurait confié son intention de dévoiler à l'Élysée, en échange de l'autorisation de rouvrir son cercle de jeux, certains des chantages financiers exercés par des membres du SAC. L'a-t-on tué pour l'empêcher de parler? Peu importe. Le 15 janvier 1982, sa mort ne constitue pas un événement politique.

C'est en mars que l' « affaire » Francisci provoque une polémique politique, à la suite... de l' « affaire » Lucet. Mis en cause dans un rapport de l'Inspection générale des affaires sociales, le directeur de la caisse primaire d'assurance maladie des Bouches-du-Rhône, René Lucet, se déclare victime d'une campagne politique orchestrée par les organisations syndicales. Le ministre socialiste de la Solidarité nationale, Nicole Questiaux, se défend de cette accusation et renvoie à l'enquête de l'IGAS, qui dénonçait des « abus » et des « fraudes » dans la gestion de la caisse. Le 4 mars, au lendemain d'une déclaration au *Monde* où il exprimait l'intention de continuer à se défendre, René Lucet se donne la mort. Aussitôt, l'opposition y voit la conséquence dramatique de « l'intolérance » de la majorité; l'UDF réclame une commission d'enquête; la CGC fait de René Lucet « la première victime d'une chasse aux sorcières », Charles Pasqua y va de son grain de sel en déclarant : « Nous nous acheminons vers une guerre civile larvée. Dans cette affaire nous nous trouvons face à une entreprise de délation et de dénonciation orchestrée par le parti communiste et la CGT, affirmant ainsi la carence du pouvoir en la personne de Mme Questiaux. »

A l'appel de Solidarité et défense des libertés, ainsi que de nombreuses autres organisations, près de trois mille personnes font des obsèques du directeur de la caisse d'assurance maladie des Bouches-du-Rhône une manifestation antisocialiste. Cette exploitation politique de la mort d'un homme met en fureur le ministre de l'Intérieur, Gaston Defferre, qui décide alors, pour sa part, d'exploiter le meurtre de Marcel Francisci contre Charles Pasqua et les autres dirigeants du RPR.

L'après-midi même de l'enterrement de René Lucet, le maire de Marseille déclare à l'Assemblée nationale, à propos de l'assassinat de Marcel Francisci : « C'est un homme qui a une réputation absolument épouvantable de grand truand, qui n'a jamais été pris, qui est tellement malin qu'il a été poursuivi mais qu'il n'a jamais été gravement condamné. Alors, quand j'ai dit : " On ferme ", au ministère, cela a été comme un frémissement. Fermer le cercle de Francisci, c'était depuis vingt-trois ans une chose impensable! Car M. Francisci était très protégé par ceux qui aujourd'hui nous combattent. Par M. Chirac, par M. Pons, par M. Pasqua. Fort de tous ses appuis, M. Francisci pensait que son cercle ne serait pas fermé. Cela a été fait et le cercle, je ne l'ai jamais rouvert. Et pourtant j'en ai reçu, des lettres de ces messieurs de la droite qui avaient tellement l'habitude de voler au secours de M. Francisci que tout naturellement ils m'ont écrit! Un jour j'aurai peut-être l'occasion de donner les noms de ces messieurs. Il faut dire que les cercles, cela rapporte beaucoup d'argent. D'abord à la Ville de Paris. Je vais faire vérifier mais je crois que cela se chiffre par milliards d'anciens francs. Cela a peut-être aussi rapporté beaucoup d'argent à d'autres, à certains partis politiques, aux protecteurs, aux amis, aux complices de Marcel Francisci. A Chirac, à Pons, à Pasqua.

« Je le regrette, mais dans ces milieux ce sont des choses qui arrivent, Francisci a été tué. Et, comme par hasard – il y a comme ça des hasards, des circonstances dans la vie vraiment merveilleuses pour certains – on a trouvé dans sa poche une cassette de conversations téléphoniques qu'il avait eues longtemps avant. Et comme par hasard cette cassette permettait de connaître des conversations téléphoniques qu'il avait eues avec Paul Lombard, avocat à Marseille, l'un de mes amis, mon avocat, un de mes camarades... On peut se poser des questions. Pourquoi cette cassette était-elle là? Est-ce un hasard? Ou est-ce que quelqu'un l'a mise dans la poche du mort?

« En vérité, quand on regarde les choses de près, et surtout après le tintamarre qui a été fait après la publication de ces conversations dans *le Monde* du 9 mars, on est amené à penser que les protecteurs, les amis, les complices de Marcel Francisci voulaient rejeter toute la responsabilité sur nous, pour essayer de nous attaquer et de se faire oublier. Mais MM. Chirac, Pons et Pasqua restent les amis, les protecteurs, les complices de Francisci. C'est moi qui ai fermé le cercle et qui l'ai maintenu fermé. Alors, pour les leçons de moralité, ils pourront repasser... »

Charles Pasqua réalise qu'il a commis une imprudence. Comment a-t-il pu avoir la naïveté de penser que Gaston Defferre se priverait d'exploiter le courrier qu'il lui a adressé en faveur de Marcel Francisci? Car c'est le président du groupe RPR du Sénat qui est le seul visé, directement, par les propos du ministre de l'Intérieur. Le 8 juillet 1981, en effet, Charles Pasqua a écrit à Gaston Defferre une lettre pour lui demander de reconsidérer la suspension d'autorisation de jeux notifiée le même mois au directeur du cercle Haussmann.

Jacques Chirac l'interroge :

« Qu'est-ce que c'est encore que cette histoire?

– Rien du tout. Ce Marcel Francisci, je ne le connaissais pas. Mais je savais qu'il avait fait une bonne guerre. Et puis il était bien membre du RPR, non?

– Mais qu'est-ce qui t'a pris d'envoyer une lettre pour lui à Defferre?

– C'est pas la chose la plus intelligente que j'ai faite, mais je pouvais pas refuser ça à un médaillé de la Résistance... »

L'avocat de Charles Pasqua, Patrick Devedjian, met cette intervention sur le compte d'un « vieux fonds de fascination pour les truands... ».

Il s'agit, en fait, d'une lettre très banale, de forme plus administrative que confraternelle. Charles Pasqua a écrit à Gaston Defferre qu'il lui serait « très reconnaissant » de donner satisfaction à Marcel Francisci et il a signé d'un « très cordialement », rétrospectivement savoureux.

Jacques Chirac, qui continue de suivre, en la matière, les conseils de Georges Pompidou et Marie-France Garaud, n'a guère envie de poursuivre Gaston Defferre en justice. Charles Pasqua, au contraire, en fait une question d'honneur. Il veut poursuivre son diffamateur, sans transiger avec la règle qu'il s'est désormais fixée. Patrick Devedjian l'approuve et se fait fort de faire condamner, sur-le-champ, le ministre de l'Intérieur puisque ces propos sont tenus en pleine campagne des élections cantonales et que Jacques Chirac est candidat en Corrèze.

Le procès a lieu dans la nuit du samedi 13 au dimanche 14 mars. Bien entendu, l'avocat du ministre de l'Intérieur Gaston Defferre, Me Georges Kiejman, ne peut prouver que Charles Pasqua ait pu être « complice » des activités de Marcel Francisci. Il a un dossier impossible à défendre à cause du dérapage verbal du maire de Marseille, coutumier du fait, et bien que Gaston Defferre batte en retraite en disant qu'il ne met pas en doute l' « honnêteté personnelle » des dirigeants du RPR, le ministre de l'Intérieur est condamné, en tant que simple citoyen, pour diffamation publique envers le simple citoyen Chirac et le simple citoyen Pasqua. Une belle satisfaction pour le président du groupe RPR du Sénat, qui ne se prive pas d'avoir la victoire faussement modeste : « Ces gens que vingt ans d'opposition n'ont pas mûris, imbus d'idéologie, sectaires, qui veulent à toute force que les faits se plient à leurs théories alors que, comme le disait Lénine, " les faits sont têtus ", voient la situation se détériorer à une telle vitesse qu'ils n'ont qu'une ressource : accuser l'opposition. Je crois d'ailleurs qu'ils sont sincèrement convaincus que c'est l'action de l'opposition qui fait capoter leur politique. Si vous les écoutez, il n'y a qu'une seule sorte de gouvernement qui peut échouer : les gouvernements libéraux. Un gouvernement de gauche n'échoue jamais, ou alors c'est à la suite d'un complot. C'est pourquoi on a voulu " mouiller " Jacques Chirac et discréditer l'opposition en laissant croire qu'elle est capable de tout. » Puis, magnanime, il retire sa plainte contre Gaston Defferre en acceptant ses « excuses »...

La chance de Charles Pasqua est alors que la gauche fasse contre elle l'unanimité de l'opposition et que, dans leur volonté de riposte aux socialistes et aux communistes, ces messieurs de la droite libérale découvrent plus de vertus à la grosse artillerie militante déployée avec Solidarité et défense des libertés qu'aux argumentaires sophistiqués mais souvent trop abscons mis au point par les savants intellectuels de la « nouvelle droite » qui ont connu une gloire éphémère à la fin du septennat giscardien. Si Charles Pasqua n'est pas insensible aux apports du club de l'Horloge que préside Yvan Blot, dont il fera plus tard l'un de ses assistants parlementaires en paire avec Bruno Tellenne, il constate que la base militante est plus sensible aux grosses ficelles qu'aux petites musiques et que pour une fois ceux qui éprouvent souvent des crampes d'estomac devant certaines formes d'action inspirées de l'extrême droite demeurent heureusement minoritaires.

Au Sénat, en tout cas, les pairs de Charles Pasqua ne paraissent pas troublés par les effluves que l'affaire Francisci et les liens de Solidarité et défense des libertés avec l'extrême droite font remonter autour du président du groupe RPR. Enfin Charles Pasqua ne se sent plus prisonnier de sa mauvaise réputation. Bien au contraire, l'acharnement de la gauche contre son passé lui conférerait presque une auréole de martyr aux yeux des autres sénateurs, pleins de mépris pour les attaques *ad hominem*. En le prenant pour cible, la gauche lui construit un piédestal. Charles Pasqua accède à la vraie notoriété, celle des « grands » de la classe politique.

Ces derniers remous lui ont pourtant fait craindre de subir un nouveau soubresaut du fatal balancier qui le malmène depuis vingt ans. Il se jure qu'on ne l'y reprendra plus et il renonce à pousser plus loin l'aventure ambiguë de Solidarité et défense des libertés, trop difficile à contrôler. Ce faisant il est bien inspiré. Cela lui évitera d'être remis sur la sellette après les manifestations d'étudiants, puis de policiers, en mai et juin 1983, auxquelles participent à titre individuel ou syndical de nombreux membres de l'association. Tel est en particulier le cas le 3 juin – après la mort de deux policiers le 31 mai, dans une fusillade rue Trudaine – lors du défilé des agents en tenue mettant violemment en cause le pouvoir et parvenant jusqu'à cent mètres de l'entrée de l'Élysée.

Charles Pasqua est bien inspiré, car cette voie va déboucher sur une apothéose. C'est là, au Sénat, qu'il va, comme il l'espérait, accéder enfin à une dimension politique supérieure. Pour la majorité de gauche, il va devenir le Diable en personne, ce qui lui procurera à droite un exceptionnel capital de popularité.

La politique des socialistes provoquant la montée des mécontentements, le président du groupe RPR du Sénat polémique sur tous les terrains.

L'attentat qui détruit à Beyrouth, le 23 octobre 1983, le poste de commandement du contingent de l'armée française envoyé sur place, faisant 58 morts et 15 blessés parmi les soldats français, lui fournit le prétexte d'une charge virulente contre la politique du gouvernement au Proche-Orient. Un réquisitoire que ses adversaires se feront un plaisir de lui renvoyer, mot pour mot, quand le renversement de majorité aura rendu, en mars 1986, le pouvoir au RPR et que la question du terrorisme concernera directement le ministère de l'Intérieur. Charles Pasqua tiendra alors un langage diamétralement opposé au discours boute-feu qu'il tenait le 7 novembre 1983 au Sénat, avant d'évoquer sur sa lancée la situation au Tchad : « Pourquoi et par qui nos soldats en " mission de paix " ont-ils été tués? Qui a armé le bras des assassins? Si vous le savez, pourquoi le gouvernement n'a-t-il pas réagi et comment entendez-vous empêcher qu'un tel massacre se reproduise? Si vous ne le savez pas, à quoi servent les services de renseignements français? Ce n'était pas la première fois que les intérêts français étaient directement visés au Liban. En août 1981 notre ambassadeur Louis Delamare a été assassiné. Au cours des deux années qui ont suivi et jusqu'au drame du 26 octobre dernier, dix-sept soldats français ont été tués...

« Dans les deux cas tout semblait indiquer la responsabilité de la Syrie. Pourquoi n'avons-nous rien fait? Pourquoi n'avons-nous pas détruit au moins les batteries qui nous bombardaient? Et quand, l'an dernier, les Syriens étaient en difficulté, pourquoi n'avoir pas saisi l'occasion pour les contraindre à se retirer et asseoir l'autorité du président et du gouvernement légitimes du Liban? Nos soldats sont morts de l'ambiguïté de leur mission et de l'inadaptation des moyens dont ils disposaient pour l'accomplir.

« Dans l'affaire tchadienne, le RPR a été le premier à approuver la décision française d'intervenir, mais nous ne pouvons que contester les conditions dans lesquelles cette intervention se développe. Et d'abord, pourquoi a-t-elle été tardive? Pourquoi, au lieu d'attendre trois semaines avant d'envoyer nos soldats s'enliser dans les sables du Tchad, ne sommes-nous pas intervenus tout de suite avec l'aviation?

Déclenchée en temps voulu une telle action éclair aurait pu à la fois dissuader la Libye de s'engager dans le conflit et empêcher les forces rebelles de progresser vers le sud. Jusqu'à quand allons-nous laisser nos soldats cantonnés l'arme au pied? »

Charles Pasqua, à partir de 1984, ne laisse pas à Jean-Marie Le Pen, en pleine ascension, le monopole de la dénonciation de l'insécurité sur le territoire national. Il résume tout le mal qu'il pense, à ce sujet, de la politique socialiste en disant, le 15 novembre 1984, au palais du Luxembourg : « Un climat de violence inadmissible est en train de s'installer dans ce pays. [...] Mais l'insécurité, ce n'est pas seulement cette série de crimes affreux qui ont endeuillé la France au cours des derniers jours; c'est aussi la montée d'une délinquance quotidienne en raison de laquelle les Français sont de moins en moins assurés de pouvoir aller et venir en sécurité. Personne ne peut plus prétendre que l'augmentation de la délinquance et de la violence est une invention de l'opposition. Toutes les lois votées, toutes les décisions prises depuis trois ans ont concouru, même si telle n'était pas l'intention du gouvernement, à affaiblir notre appareil répressif. [...] Vous avez supprimé à la fois la peine de mort, la Cour de sûreté de l'État, les tribunaux militaires permanents, la loi " sécurité et liberté ", la loi " anticasseurs ", les quartiers de haute sécurité... »

(Exclamation sur les bancs socialistes : « Et le SAC? »)

« ... Ce désarmement de la société est aggravé par la démoralisation de la police : à force d'être traités en suspects par le pouvoir, les policiers sont gagnés par le découragement; à force d'arrêter des délinquants aussitôt relâchés, ils en sont venus à douter de leur mission. Le résultat, c'est que l'efficacité de la police est remise en cause, y compris par elle-même; la confiance dans la justice s'émousse; le sentiment d'insécurité se développe partout, sauf évidemment chez les délinquants, que ce climat de laxisme généralisé enhardit. Or, la société a non seulement le droit mais le devoir de se défendre. C'est le rôle de l'État de lui en donner les moyens, faute de quoi se développeraient inéluctablement les phénomènes d'autodéfense, de police et de justice privées... »

(Exclamation sur les bancs socialistes : « Le SAC! »)

« ... que l'on observe déjà ici et là et qui sont indignes d'une société civilisée. »

(Nouvelle exclamation socialiste : « Le SAC! »)

« ... Le gouvernement est responsable devant la nation du maintien de la paix civile... »

(« Le SAC! »)

« ... et les gouvernants ne sont pas jugés sur leurs intentions mais sur les conséquences de leurs actes. Dans l'enceinte de cette Haute Assemblée, je demande solennellement au gouvernement quelles mesures il compte mettre en œuvre pour juguler la montée de l'insécurité. »

(« Le SAC! »)

« C'est dans cet esprit que j'ai déposé avec un certain nombre de mes amis une proposition de loi tendant à rétablir la peine de mort pour certains crimes particulièrement odieux : pour les assassins d'enfants, pour les assassins de personnes âgées, pour les assassins de membres des forces de l'ordre, il ne doit pas y avoir de pitié. »

(« Pour le SAC non plus! », ultime exclamation sur les travées socialistes.)

Charles Pasqua ne répond plus depuis longtemps à ces allusions qui, désormais, dérident même Alain Poher...

L'apothéose

Un matin d'avril 1984, dans un salon de l'hôtel Nikko, sur les bords de la Seine, à Paris. Aujourd'hui, l'invité du « Pasqua's Club » est un universitaire renommé qui doit traiter du sujet qui envahit de plus en plus l'actualité : la « guerre » de l'école publique et de l'école privée, que le gouvernement de Pierre Mauroy vient de déclencher maladroitement en essayant d'imposer un projet de réforme soutenu par son ministre de l'Éducation nationale, Alain Savary. Comme le président du groupe RPR du Sénat en a pris l'habitude depuis environ un an, sont réunis là quelques-uns de ses amis appartenant à des cercles différents. Il s'agit de préparer les dossiers qui seront ensuite défendus, soit au Sénat soit au RPR, et si possible d'accoucher d'idées nouvelles au contact de spécialistes. Tout le monde a répondu présent ce matin : Laetizio Bourgeois, le vieux complice marseillais de chez Ricard et Gancia, le « père » Dominique Vescovali, le jeune trio Jean-Jacques Guillet, Yvan Blot, Bruno Tellenne, mais aussi Alain Marleix, homme d'appareil par excellence, sans oublier Patrick Devedjian, nouveau maire d'Antony-sur-Seine.

Seul l'invité est en retard. Alors Charles Pasqua ouvre la discussion : « Les socialistes sont en train de faire une monstrueuse couillonnade. Ils sont en train de se mettre tout le monde sur le dos et si ça continue il ne sera même pas nécessaire que nous insistions beaucoup pour que les citoyens proches de l'opposition, mais aussi les autres, descendent dans la rue. Si nous manœuvrons bien, nous avons un bon coup à jouer. Mais il faut que nous disions partout, et surtout à nos propres amis, que ce combat de l'école libre ne doit pas être un combat contre l'école laïque.

Il ne faut pas tomber dans ce piège. Il faut se battre contre le projet socialiste parce qu'il menace la liberté de l'enseignement mais en soulignant que les deux écoles ne sont pas ennemies mais complémentaires. Il ne faut pas jouer une école contre l'autre mais défendre les deux écoles à la fois et dire que s'il y a un problème de l'école publique c'est tout simplement parce qu'elle est malade et qu'il faut la soigner. Voilà pourquoi j'ai décidé, avec l'ancien grand maître de la Grande Loge de France, Richard Dupuy, Alice Saunier-Séïté, Maurice Schumann et quelques autres amis de " Solidarité et défense des libertés ", de fonder une Union nationale des cercles Jules Ferry... »

C'est ainsi que Charles Pasqua, tout au long de cette année 1984, ferrailla contre l'école laïque version socialiste au nom même... de l'idéal laïque!

Personnellement, il a bien préparé son offensive. Il a acheté les ouvrages scolaires critiqués par Yvan Blot et ses amis du club de l'Horloge qui dénoncent la politisation du contenu des manuels d'enseignement sous la pression des syndicats de gauche, et ce qu'il a découvert dans certains livres d'histoire l'a effaré.

Dans tel ouvrage de troisième, on ne parle, à propos de l'époque contemporaine en URSS, ni de la dissolution de l'Assemblée constituante par les Bolcheviks, en 1918, ni des massacres qui ont décimé le pays, l'armée et même le Parti communiste soviétique dans les années 30, ni du pacte de 1939 entre Hitler et Staline, ni de l'assassinat de Trotski, encore moins des camps de concentration antérieurs à ceux des nazis.

Dans tel autre on met en parallèle l'impérialisme américain illustré par un texte de Salvador Allende et... la misère des minorités aux États-Unis. Là on parle du « modèle soviétique », ici du « contre-modèle » américain...

Charles Pasqua fait sa bible d'une circulaire adressée aux enseignants par Jules Ferry le 17 novembre 1883 : « Ne touchez jamais cette chose sacrée : la conscience de l'enfant. Au moment de proposer aux élèves un précepte, une maxime quelconque, demandez-vous s'il se trouve à votre connaissance un seul honnête homme qui puisse être froissé de ce que vous allez dire. Demandez-vous si un père de famille, je dis un seul, présent à votre classe et vous écoutant, pourrait de bonne foi refuser son assentiment à ce qu'il vous entendrait dire. Si oui, abstenez-vous de le dire. »

Et la bataille commence.

L'Union nationale des cercles Jules-Ferry – dont le président Richard Dupuy veut surtout, en tant que franc-maçon libéral, contrecarrer l'influence sur les socialistes du Grand Orient de France, la principale obédience maçonnique du pays – entre en campagne le 24 avril. Charles Pasqua a convaincu trois autres sénateurs, et non des moindres, de s'y associer : Adolphe Chauvin, vice-président de l'Union centriste, Pierre-Christian Taittinger, représentant du groupe des Républicains indépendants, Jean François-Poncet, l'ancien ministre des Affaires étrangères, membre du groupe de la Gauche démocratique.

Charles Pasqua explique que l'enseignement en France pose deux problèmes, « celui du pluralisme dans l'éducation et celui de la dégradation de l'enseignement public », mais qu'en défendant le libre choix de l'école contre le projet socialiste, ce sont tous les autres droits garantis par la loi, la Constitution et la Déclaration des droits de l'homme et du citoyen qui sont défendus. Le président du groupe RPR du Sénat insiste sur la nécessité de réhabiliter l'école publique afin de ne pas laisser à la gauche le monopole de la défense de l'enseignement public. Pour qu'il ne soit pas dit non plus que Charles Pasqua incite les citoyens à la sédition, l'Union nationale des cercles Jules-Ferry indique qu'elle ne participera pas aux premières manifestations annoncées. Pas question de refaire les erreurs commises, en voulant aller trop vite, avec l'association Solidarité et défense des libertés.

Cette fois, Charles Pasqua se laisse porter par la vague. Et quelle vague ! Le 24 juin, plus de deux millions de Français défilent dans les rues de Paris, aux accents du « Chant de la liberté », de Verdi, pour dire « non », définitivement « non » au projet d'Alain Savary toujours soutenu par Pierre Mauroy. Les socialistes sont condamnés par la rue. Charles Pasqua rêve de porter l'estocade. Il a une petite idée derrière la tête mais il faut attendre les résultats de l'entrevue que François Mitterrand doit avoir le jeudi matin 28 juin, à l'Élysée, avec Alain Poher. Le climat politique est tendu. A l'explosion provoquée par cette stupide « guerre » de l'école s'ajoute l'inquiétante percée du Front national, qui vient de recueillir plus de 10 % des suffrages aux élections européennes et qui attire déjà, ici et là, certains militants du RPR jugeant Jacques Chirac trop mou. Charles Pasqua regrette que son projet de regrouper toutes les droites derrière Solidarité et défense des libertés n'ait pas été mieux compris par les états-majors de l'opposition libérale. Trop tard !

Le 28 juin, la conversation est des plus aigres entre le président de la République et le président du Sénat. De retour au palais du Luxembourg, Alain Poher réunit les présidents des groupes de sa majorité et leur résume la situation : « Je n'avais pas ouvert la bouche que M. Mitterrand m'avait déjà dit : " Vous avez réussi à faire tomber de Gaulle mais vous ne ferez pas tomber un deuxième président de la République. " Je lui ai répondu que je n'étais venu que pour lui parler de l'école libre et des amendements qui pourraient être apportés au texte adopté par l'Assemblée nationale pour apaiser tout le monde. Mais je lui ai surtout dit qu'à notre avis la seule issue raisonnable serait le retrait du projet. Il ne m'a pas répondu. C'est à nous de jouer. »

Tous les regards se tournent vers Charles Pasqua et soudain, dans ce mouvement des têtes parfaitement synchrone, le président du groupe RPR perçoit la reconnaissance de sa réussite personnelle par ses pairs. Quel chemin parcouru depuis les sarcasmes élitistes des « barons » et des « caciques »! Quelle revanche pour l'ancien vice-président du SAC! Ce costume de sénateur que les uns et les autres trouvaient grotesque pour lui, il l'a si bien endossé depuis trois ans que certains de ses collaborateurs se surprennent à le trouver parfois « plus sénateur que RPR ». Il a réussi à faire oublier qu'il était d'abord un homme de « coups » à « malices ». En parvenant, avec l'aide de son équipe administrative et des autres Corses, Roger Romani en tête, à faire du groupe RPR une machine merveilleusement huilée, remarquablement organisée et efficace, il a épaté les vieux notables. Il lui arrive même de s'exprimer, sans toujours s'en rendre compte, comme si son autorité allait bien au-delà de son propre groupe, et cela n'est pas tout à fait faux tellement il incarne, en ce moment, la résistance du Sénat au sectarisme socialiste. Oui, il parle parfois en président de la Haute Assemblée, mais Alain Poher a pu mesurer sa loyauté et il ne tarit pas d'éloges sur le talent et... la modération de son collègue des Hauts-de-Seine. Charles Pasqua, au demeurant, a mis les choses au point à l'intention de ceux qui laissaient déjà entendre qu'il lorgnait le fauteuil présidentiel d'Alain Poher. Il l'a dit : « Le meilleur candidat à la présidence, ce n'est pas moi, contrairement à ce que l'on dit, c'est Alain Poher parce qu'il est pour toute la période à venir, qui sera agitée, le seul à avoir l'expérience nécessaire, le seul aussi à ne pas être contesté au sein de la majorité sénatoriale. »

En contrepartie Alain Poher ne fait plus rien d'important sans solliciter l'avis du président du groupe RPR.

Si tous les regards se tournent vers Charles Pasqua, en ce 28 juin, c'est tout simplement parce qu'il est le génial auteur de la manœuvre qui va aggraver l'embarras de François Mitterrand et du gouvernement, tout en faisant tenir au Sénat le rôle de protecteur numéro un de l'école privée.

Génial? Le mot est juste, dans l'esprit de tous les sénateurs opposés aux socialistes, pour qualifier la trouvaille que Jean-François Probst a soufflée à Charles Pasqua. Le président du groupe RPR a déniché dans le touffu règlement de la Haute Assemblée, à l'article 67, une procédure rarement utilisée mais qui va produire l'effet d'une bombe : pour contrer le gouvernement qui insiste pour que le Sénat examine sans tarder le projet d'Alain Savary, il suffit de soumettre au vote de la majorité sénatoriale une motion « tendant à proposer au président de la République de soumettre à référendum » ledit projet en application de l'article 11 de la Constitution. L'adoption de la motion par le Sénat ne faisant aucun doute, comment François Mitterrand pourra-t-il décemment s'opposer à l'idée d'une consultation populaire sur un sujet aussi délicat et aussi controversé? N'est-il pas sain, dans une démocratie, d'en appeler au peuple pour trancher une question de société aussi importante que l'avenir de l'enseignement? Charles Pasqua est heureux : le « coup » est parfaitement gaullien et la pression spectaculaire de la rue a rendu légitime l'obstruction du Sénat aux visées socialistes. Même si l'organisation d'un tel référendum n'a aucune chance d'aboutir, puisque l'Assemblée nationale s'empressera de repousser la motion votée au palais du Luxembourg, l'essentiel n'est-il pas d'abord l'effet positif que l'initiative produira sur l'opinion publique?

Les derniers détails de l'opération ont été arrêtés le matin en concertation avec le président de la commission des lois, Jacques Larché. Sur-le-champ, au nom de ses collègues, Charles Pasqua fait porter au président de la République une lettre lui suggérant de soumettre le projet d'Alain Savary à un référendum national, conformément au vœu des dirigeants de la majorité sénatoriale.

Charles Pasqua et ses amis ne se sont pas trompés. La divulgation de leur procédure singulière fait la « une » de tous les journaux et dans les commentaires Charles Pasqua tient la vedette. Le « coup » est bien perçu par les défenseurs de l'école privée. Le gouvernement est coincé puisque le dépôt de la motion sénatoriale renvoie de toute façon aux calendes grecques la discussion du projet Savary.

C'est un Pasqua impérial qui monte le 5 juillet 1984 à la tribune du palais du Luxembourg pour justifier sa propre motion en se situant dans la lignée historique des apôtres de l'école privée, sous les salves agressives des sénateurs de la gauche, furieux de son entourloupette institutionnelle :

Charles Pasqua : « Ce n'est pas la première fois que dans cette enceinte des voix s'élèvent pour prendre la défense de la liberté scolaire menacée par l'État. Voilà cent cinquante ans, en 1832... »

Michel Dreyfus-Schmidt (PS) : « Falloux! »

Charles Pasqua : « ... le comte de Montalembert, alors âgé de vingt et un ans... » (Applaudissements sur les travées des Républicains indépendants, du RPR, de l'Union centriste et de la Gauche démocratique.)

Serge Boucheny (PS) : « Quelle référence! »

Charles Pasqua : « ... comparaissait ici-même devant la chambre des pairs... »

Michel Dreyfus-Schmidt : « Victor Hugo aussi! »

Charles Pasqua : « Accusé d'avoir fondé avec Lacordaire la première école catholique, voici en quels termes il s'adressait à ses juges : " Je sens tout ce qu'il y a en moi d'indignation s'accumuler sur un pouvoir qui prétend aujourd'hui enchaîner l'intelligence et la pensée, c'est-à-dire enchaîner ce qui a toujours été solennellement affranchi par la loi suprême et fondamentale de mon pays... Aussi ai-je, pour me soutenir devant vous, et le souvenir des paroles prononcées pour cette même cause dans cette même enceinte, par mon père; et la conviction que c'est ici une question de vie ou de mort pour la majorité des Français; et le cri unanime de la France pour la liberté de l'enseignement. "

« Soixante-dix ans plus tard, le 30 octobre 1902, c'est Georges Clemenceau qui interpellait de cette tribune le gouvernement de M. Combes sur le même sujet, en des termes qui pourraient être adressés tels quels au gouvernement actuel : " Quand je parle de la liberté de l'enseignement, disait-il, je ne puis pas me dissimuler qu'un certain nombre de Républicains ont une opinion contraire. Les tentations sont grandes pour un parti qui est au pouvoir. ... Je sais bien que M. le président du Conseil a dit : Nous avons la force et le droit. Il n'a certainement pas entendu dire qu'il dût employer la force autrement qu'au service du droit. "

« Oui, ces paroles, nous pouvons aujourd'hui les reprendre entièrement à notre compte, car le débat est bien le même. Il s'agit une fois encore de savoir si, oui ou non, une famille a le droit de choisir l'éducation de ses enfants. Pour nous, c'est là un droit culturel fondamental auquel on ne peut toucher sans attenter du même coup à l'ensemble des libertés garanties par la loi, la Constitution et la Déclaration des droits de l'homme et du citoyen, parce que la liberté ne se divise pas. »

Serge Boucheny : « Ce sont les Français qu'on divise! »

Charles Pasqua : « C'est le droit fondamental qui se trouve remis en cause aujourd'hui par le projet de loi Savary, et ce malgré les dénégations embarrassées du gouvernement. Pour résumer l'esprit de ce texte, je dirais que le principe de la liberté des établissements privés est maintenu; seuls les moyens de l'exercer leur seront progressivement retirés. »

Michel Dreyfus-Schmidt : « C'est faux! »

Charles Pasqua : « Il n'y a pas d'école libre si l'association qui la gère n'est pas maîtresse de son projet éducatif et n'a pas le libre choix de son directeur et de ses enseignants. »

Jean-Pierre Fourcade (RI) : « Très bien! »

Serge Boucheny : « C'est le choix de l'argent! »

M. le président : « Veuillez cesser ces interruptions! Monsieur Pasqua, vous avez seul la parole. »

Charles Pasqua : « Cela ne me gêne pas, Monsieur le Président; laissez-les hurler, c'est tout ce qu'ils savent faire! (Applaudissements sur les travées du RPR, de l'UREI, de l'Union centriste et de la Gauche démocratique; protestations sur les travées socialistes et communistes.)

Michel Darras (PS) : « Vous êtes un orfèvre! »

Guy Allouche (PS) : « Qui hurlait le 24 juin? »

Charles Pasqua : « Deux millions cinq cent mille Français! »

Guy Allouche (PS) : « Ce n'est pas la majorité du pays! »

Charles Pasqua : « Vous êtes sourds! Vous n'avez rien entendu! Référez-vous à l'Évangile : " Il n'est pire sourd que celui qui ne veut point entendre! " » (Sourires.)

Michel Darras : « Et les fables de La Fontaine, vous ne les lisez pas aujourd'hui? »

Charles Pasqua : « En bref, ce projet de loi enserre l'enseignement privé dans un tel réseau de contraintes de droit public qu'il n'en restera rien. Le Sénat refuse catégoriquement cette perspective d'étouffement progressif de pluralisme scolaire. Gardien traditionnel des libertés il entend défendre celle-ci comme toutes les autres. L'acharnement contre l'école libre...

Sur de nombreuses travées socialistes et communistes : « Privée! »

Charles Pasqua : « C'est le mot qui vous gêne? »

Sur de nombreuses travées socialistes et communistes : « Oui! »

Charles Pasqua : « C'est normal, vous vous attaquez à la liberté, alors il vous gêne! »

Michel Dreyfus-Schmidt : « Et l'école laïque, elle n'est pas libre? »

Charles Pasqua : « L'acharnement contre l'école libre est sous-tendu par la vieille thèse d'inspiration totalitaire qui reconnaît à l'État des pouvoirs exorbitants en matière éducative. C'est elle qui transparaît dans certains propos tenus à l'Assemblée nationale. C'est ainsi qu'un député déclare : " La liberté à sauvegarder, ce n'est pas celle des parents mais celle des enfants "... »

Michel Dreyfus-Schmidt : « C'est vrai! »

Charles Pasqua : « ... " et en démocratie, c'est à l'État d'y veiller! " Merci de le confirmer! »

Michel Dreyfus-Schmidt : « Absolument! »

Charles Pasqua : « La logique de ce discours est particulièrement inquiétante, car elle conduit tout droit à la mise sous tutelle des enfants par un État-parent...

Michel Dreyfus-Schmidt : « C'est le contraire! »

Charles Pasqua : « ... enseignant et maître à penser! »

Guy Allouche : « C'est scandaleux! »

Michel Dreyfus-Schmidt : « Il n'est pire sourd que celui qui ne veut pas entendre! »

Charles Pasqua : « Avec une grande majorité de Français nous refusons cette prétention de l'État à considérer les enfants comme sa propriété! » (Vifs applaudissements sur les travées du RPR, de l'Union centriste et de l'UREI.)

Michel Dreyfus-Schmidt : « Quelle mauvaise foi! »

Charles Pasqua : « Mais notre combat pour l'école libre n'est en aucune façon un combat contre l'école publique. [Exclamations sur les travées socialistes et communistes.] Il faut être un idéologue sectaire... »

Guy Allouche : « Comme vous! »

Charles Pasqua : « ... pour opposer ainsi artificiellement l'enseignement public à l'enseignement privé. »

Franck Sérusclat (PS) : « C'est ce que vous faites! »

Charles Pasqua : « En réalité, les deux écoles ne sont pas concurrentes mais complémentaires; dans le cadre d'un système éducatif diversifié, elles peuvent et doivent vivre en parfaite harmonie pour le bien des familles et des enfants ».

Franck Sérusclat : « Vous n'en prenez pas le chemin! »

Guy Allouche : « Qui a sacrifié l'école publique? »

Charles Pasqua : « Ce qui menace aujourd'hui l'école publique... »

Franck Sérusclat : « C'est vous! »

Charles Pasqua : « ... ce n'est pas l'existence parallèle d'un secteur privé : c'est la dégradation constante de l'enseignement qui y est dispensé. »

Guy Allouche : « A qui la faute? »

Charles Pasqua : « L'école publique est malade parce qu'elle a renié les idéaux de laïcité et de neutralité qui avaient présidé à sa création. » (Applaudissements sur les travées du RPR, de l'Union centriste et de l'UREI.)

Michel Dreyfus-Schmidt : « Calomnie! »

Charles Pasqua : « Dans sa lettre à tous les instituteurs de France du 17 novembre 1883, Jules Ferry avait posé en ces termes le principe fondamental de l'école républicaine... »

Etc.

François Mitterrand est piégé. Le 12 juillet, à la télévision, il annonce que le projet d'Alain Savary est retiré de l'ordre du jour de la session extraordinaire. Le ministre de l'Éducation nationale, désavoué, se démet de ses fonctions. Le 17 juillet Pierre Mauroy présente à son tour sa démission au président de la République qui l'accepte et nomme Laurent Fabius pour le remplacer. Charles Pasqua et le Sénat ont fait reculer le pouvoir exécutif. La « guerre » scolaire est terminée.

Pour avoir quand même le dernier mot, François Mitterrand tente à son tour une manœuvre. Il répond à l'initiative sénatoriale en acceptant l'idée d'un référendum, mais pas sur l'avenir de l'école privée; il propose d'organiser une consultation nationale sur l'opportunité d'étendre le champ d'application de l'article 11 de la Constitution qui limite le recours au référendum, jusqu'à présent, aux questions relatives à l'organisation des pouvoirs publics. Autrement dit un référendum... sur le référendum!

Si le Sénat et l'Assemblée nationale adoptent en termes identiques, ce projet de réforme constitutionnelle un référendum aura lieu dans le courant de septembre.

Charles Pasqua et les autres chefs de la majorité sénatoriale se concertent dans le bureau d'Alain Poher.

« C'est habile, souligne le président du groupe RPR. Il essaie de nous mettre en contradiction avec nous-mêmes. Il pense que nous ne pouvons pas, après notre motion, nous opposer à sa proposition. Et s'il y avait un référendum demandant aux Français s'ils veulent ou non être consultés directement, à l'initiative du pouvoir, chaque fois qu'il y a un problème important, le résultat serait connu d'avance. Mitterrand gagnerait à coup sûr. Ce ne serait plus un référendum mais un plébiscite.

– Cette fois, c'est moi qui ai ma petite idée, répond en souriant Alain Poher. Je vais lui proposer de réviser l'article 11 de la Constitution non par la voie référendaire mais en réunissant les deux chambres en Congrès. En y mettant une condition : que le projet de réforme comporte des " garanties parlementaires constitutionnelles précises... " » (Sourires.)

Alain Poher retourne à l'Élysée le 13 juillet. Sa conversation avec François Mitterrand se traduit par un nouveau dialogue de sourds. Lorsque le Conseil des ministres adopte, le 19 juillet, le projet de modification de l'article 11 de la Constitution, la majorité sénatoriale constate, comme prévu, que ce texte ne contient pas les « garanties parlementaires constitutionnelles précises ».

Le gouvernement ayant décidé que ce projet serait d'abord débattu au Sénat, ses pairs s'en remettent à Charles Pasqua pour gérer devant l'opinion publique l'explication de leur refus de l'initiative du président de la République. Le président du groupe RPR du Sénat prend l'avis de plusieurs juristes, car il sait qu'il aura en face de lui un adversaire redoutable, sur ce terrain, en la personne de Robert Badinter, le ministre de la Justice. C'est lui qui soutient, en effet, pour justifier la riposte de François Mitterrand, que l'on ne pouvait pas, constitutionnellement, comme le demandait la Haute Assemblée, soumettre à référendum le projet Savary. Charles Pasqua a appris que Robert Badinter a consulté notamment François Luchaire, ancien membre du Conseil constitutionnel, et deux professeurs d'université, Jean Rivero et Jacques Robert, et qu'il a obtenu leur caution. Il se plonge dans les ouvrages de ces constitutionnalistes. Et il contre-attaque en deux temps.

Son communiqué du 27 juillet, destiné à officialiser le « non » de la majorité sénatoriale à François Mitterrand, est un chef-d'œuvre de dialectique. Charles Pasqua y fait d'abord l'éloge du référendum : « Nous, RPR, sommes par nature et par filiation politique favorables à la consultation du peuple à chaque fois qu'un problème important se pose à la nation. Nous sommes donc en principe favorables à la procédure référendaire. C'est dans cet esprit que nous avions pris l'initiative de proposer à nos collègues du Sénat une motion tendant à soumettre à l'approbation populaire le projet de loi sur l'enseignement libre. La majorité socialiste et le gouvernement ont refusé cette consultation proposée par le Sénat, car ils craignaient un verdict populaire net sur une question claire : la liberté de l'enseignement. »

Charles Pasqua y souligne ensuite la volonté de conciliation d'Alain Poher en l'opposant à la rouerie de François Mitterrand : « Conscient de l'impasse politique dans laquelle il se trouvait, le président de la République a choisi une échappatoire en proposant un référendum portant non pas sur l'enseignement mais sur la notion même de référendum. Le président Alain Poher a rappelé qu'il était possible de faire l'économie d'un référendum sur ce texte en le soumettant au Congrès réuni à Versailles. [...] Nous approuvons pleinement la démarche du président Poher. Elle contribue à la clarification du débat démocratique. Le pouvoir serait bien inspiré d'en tenir compte. D'autant plus que le texte déposé par le gouvernement ne comporte pas les " garanties parlementaires constitutionnelles précises ", demandées par le président du Sénat au président de la République afin d'éviter tout risque de déviation plébiscitaire. »

Charles Pasqua, enfin, y condamne la démarche de François Mitterrand : « Nous, RPR, réaffirmons solennellement notre attachement au référendum. Nous considérons cependant que la révision constitutionnelle telle qu'elle est proposée est dangereuse : elle risquerait, dans l'avenir, de permettre à un président de la République peu soucieux des règles démocratiques de porter atteinte aux libertés fondamentales. [...] Le groupe RPR du Sénat dit oui à la souveraineté du peuple, non aux pleins pouvoirs. »

Jamais la prédominance du président du groupe RPR du Sénat n'avait été si manifeste. Les autres points de vue sont éclipsés. Charles Pasqua gère seul, ou presque, ce conflit entre la Haute Assemblée et la présidence de la République. Jacques Chirac est en voyage à Los Angeles. Charles Pasqua lui rend compte, vaguement, par téléphone.

L'idée de François Mitterrand est enterrée le 7 août et son fossoyeur en chef s'appelle naturellement Charles Pasqua. Celui-là même qui, il y a quelque temps encore, ne tenait aucun compte de la légitimité du pouvoir socialiste, éprouvait avec son association Solidarité et défense des libertés des démangeaisons subversives, et s'écriait, le 28 mars 1984, à la Mutualité : « Citoyens, c'est à votre tour d'apprendre l'art de descendre dans la rue! »

A la tribune du Sénat le président du groupe RPR se déchaîne : « Le président de la République a été finalement contraint de retirer son projet de loi liberticide. [...] C'est la raison pour laquelle il veut aujourd'hui organiser coûte que coûte un référendum sur mesure par lequel il compte redorer son blason personnel et accroître ses pouvoirs. Le Sénat ne cautionnera pas ce détournement de la procédure référendaire. [...] Face à sa manœuvre le Sénat entend rester ferme sur ses positions. Il prend, lui aussi, les Français à témoin d'un numéro de prestidigitation plus digne, en vérité, de l'Olympia que de l'Élysée. [...] Un président qui a perdu la confiance de deux Français sur trois ne peut espérer réunir une majorité autour de son nom. [...] Vous perdez les élections parce que vous avez perdu la confiance des Français et vous avez perdu leur confiance parce que vous les avez trompés. [...] Votre majorité est cliniquement morte. Ce n'est pas à coups de manœuvres florentines et de référendums postiches qu'on la ressuscitera! Si le président de la République souhaite vraiment que le peuple s'exprime il n'a qu'à lui poser la vraie question, celle que tout le monde attend. [...] : " Pour le gouvernement socialiste, stop ou encore? " »

Et Charles Pasqua porte aussi la contradiction au garde des Sceaux, Robert Badinter, qui a fait un exposé juridiquement très étayé :

« La loi Savary, traitant de la répartition des compétences entre l'État et les collectivités locales en matière d'enseignement, entrait à l'évidence dans le champ de l'article 11 de la Constitution. »

Lucien Delmas (PS) : « Il ne faut pas confondre pouvoirs publics et service public! »

Charles Pasqua : « C'est notre conviction de législateur. C'est aussi celle de Michel Debré (Exclamations ironiques sur les travées socialistes et communistes) qui, en ce qui concerne l'esprit de la Constitution de 1958, n'a certes pas de leçons d'exégèse à recevoir de la part de ceux qui en furent pendant un quart de siècle les plus farouches adversaires. C'est celle de nombreux spécialistes de droit constitutionnel... »

De nombreux sénateurs socialistes et communistes : « Des noms! Des noms! Des noms! »

Charles Pasqua : « Je comprends votre impatience, car finalement M. le garde des Sceaux n'a su trouver que trois spécialistes du droit. » (Protestations sur les travées socialistes.)

Robert Badinter : « Non, cinq! »

Charles Pasqua : « Je recommence donc afin que vous entendiez bien. Ouvrez vos oreilles, c'est le moment : C'est encore celle de nombreux spécialistes de droit constitutionnel... »

De nombreux sénateurs socialistes et communistes : « Des noms! Des noms! »

Charles Pasqua : « ... qui ont confirmé la recevabilité de notre démarche. Je pense en particulier... »

De nombreux sénateurs socialistes : « Ah! »

Charles Pasqua : « ... à Roland Drago, professeur à l'université de droit d'économie et de sciences sociales de Paris; à François-Georges Dreyfus, professeur à l'université de sciences juridiques, politiques et sociales de Strasbourg; à Patrick Juillard, professeur de droit public à l'université de Paris-I... » (Exclamations sur les travées socialistes et communistes.)

Plusieurs sénateurs RPR : « Voilà des noms! »

Charles Pasqua : « ... à Dimitri-Georges Lavroff, professeur de droit public de l'université de Bordeaux-I... » (Nouvelles exclamations sur les mêmes travées.)

Marc Bécam (RPR) : « Et de quatre! »

Charles Pasqua : « ... à Jean-Claude Soyer, professeur à l'université de Paris-II... »

De nombreux sénateurs du RPR : « Et de cinq! »

Charles Pasqua : « ... à Jean-Richard Sulzer, professeur à l'université de Paris-XIII. » (Vives protestations sur les travées socialistes et communistes. Applaudissements prolongés sur les travées du RPR, de l'UREI et de l'Union centriste.)

De nombreux sénateurs du RPR : « Et puis six! »

Robert Badinter : « Monsieur Pasqua, me permettez-vous de vous interrompre? »

Charles Pasqua : « Non. »

Pierre Matraja (PS) : « Il a peur. »

Charles Pasqua : « Non. » (Brouhaha.)

Robert Schwint (PS) : « Il a peur de la réponse! »

Charles Pasqua : « Oui, c'est tout à fait dans mon tempérament! Regardez-vous dans la glace, vous verrez la mine que vous avez! » (Exclamations et vives protestations sur les travées socialistes et communistes.)

Charles Pasqua : « Parmi les trois témoignages que vous invoquez à l'appui de la thèse inverse, Monsieur le garde des Sceaux, je note celui du professeur François Luchaire. Or, sans contester en aucune façon la compétence de ce juriste renommé, je suis obligé de constater que sa prise de position actuelle est en contradiction avec ce qu'il écrivait dans son ouvrage *La Constitution de la République française,* tome I, page 268 : " Le rattachement de tel ou tel service à telle ou telle instance de la nation ou son transfert d'une autorité nationale à une autorité locale par décentralisation ou d'une autorité locale à une autorité nationale affecte certainement l'organisation des pouvoirs publics ". » (Applaudissements sur les travées du RPR, de l'UREI et de l'Union centriste.)

Gérar Delfau (PS) : « Et la suite, Monsieur Pasqua? »

Charles Pasqua : « ... Sans avoir à modifier la Constitution, le président de la République pouvait, s'il le voulait, faire usage de l'article 11 pour consulter le peuple sur la loi Savary. Il ne l'a pas voulu et chacun comprend pourquoi : non pas parce que c'était juridiquement impossible, mais parce que c'était politiquement dangereux. »

Un sénateur socialiste : « Oui chef! »

L'idée de François Mitterrand n'avait duré que quinze jours. Charles Pasqua pouvait partir en vacances le cœur léger.

Nouméa, oui!
Neuilly, non!

Si Charles Pasqua actualise un jour la bande dessinée qu'il a consacrée en 1973 à sa propre saga, il y ajoutera, sans aucun doute, en bonne place, son combat de 1984-85 pour la Nouvelle-Calédonie française qui a constitué, après son offensive dans la « guerre » des écoles, l'autre grand moment de son épopée sénatoriale. Un combat marqué par une bonne formule, une belle mise en scène et surtout un travail de sape particulièrement efficace contre la politique menée par les socialistes sur ce territoire des antipodes déchiré par les passions.

La bonne formule, Charles Pasqua l'a prononcée le vendredi après-midi 15 février 1985, sur la place des Cocotiers, quelques heures à peine après son arrivée pour la première fois en Nouvelle-Calédonie : « La défense de Bastia commence à Nouméa. » La belle mise en scène, elle, a consisté à faire une vedette politique, pour les besoins de la cause, du brave sénateur Dick Ukeiwé qui ne servait jusque-là que de caution mélanésienne au chef du courant conservateur du territoire, le patricien Jacques Lafleur, député RPR et président du Rassemblement pour la Calédonie dans la République. Le travail de sape s'est traduit par une opposition systématique à toutes les initiatives prises par la gauche pour essayer de trouver à ce casse-tête calédonien des solutions de compromis entre les thèses des indépendantistes canaques et celles des loyalistes caldoches.

Dans ce dossier, le moins qu'on puisse dire est que Charles Pasqua n'a pas été inspiré par ses racines gaulliennes, qui plaidaient en faveur d'une démarche décolonisatrice, mais par une préoccupation à courte vue, celle d'assurer à son parti le plein des suffrages caldoches aux futures échéances électorales. Il ne connaissait rien à la Nouvelle-Calédonie? Basta! Il a réagi comme si cette terre lointaine proclamée française en 1853 par un amiral en goguette était la Corse, « sa » Corse.

Contrairement au travail de réflexion et de recherche qu'il s'était imposé avant de ferrailler avec la majorité sur la défense de l'école privée, le président du groupe RPR du Sénat n'avait pas établi sa propre religion sur ce sujet quand les socialistes durent affronter, en Nouvelle-Calédonie, au cours de l'hiver 1984-85 une situation insurrectionnelle. Cela ne l'a pas empêché de monter de nouveau au créneau pour opposer « sa » vérité à celle de ses adversaires politiques. « Sa » vérité, ou plutôt les thèses sommaires des « ultras » les plus intransigeants du territoire. Attitude, on s'en doute, aux conséquences néfastes pour la Nouvelle-Calédonie, où le fossé s'est creusé davantage entre les deux principales communautés.

Par opportunité politique Charles Pasqua fait donc, à cette époque, une analyse simpliste: « La Nouvelle-Calédonie, c'est la France. En tant que Corse, je suis particulièrement attaché à la défense de ce territoire. Il n'existe pas sur ce territoire deux communautés mais une seule population où les purs Mélanésiens et les purs Européens sont très minoritaires. La seule majorité que l'on peut y rencontrer est celle des adversaires de l'indépendance. L'idée d'indépendance canaque est fondamentalement raciste puisqu'elle repose sur le mythe d'une race canaque pure qui aurait seule des droits sur le terriroire. Elle est aberrante parce que contraire à la nature même de la société calédonienne, fondée sur le métissage. Enfin elle est anti-démocratique, car elle s'oppose à la volonté commune: comme en Corse une minorité terroriste cherche à imposer sa loi par la force à une majorité pacifique et française... » Le reste à l'avenant. Foin des nuances. Peu importe si les Canaques ont généralement été traités en sous-hommes depuis la « prise de possession » du territoire, s'ils ont été cantonnés dans des réserves administratives après avoir été spoliés de leurs terres, si la France s'en est servi comme chair à canon en 1914 et en 1940 avant même de leur reconnaître, en 1953, le droit de vote. Peu importe si la notion de métissage n'a là-bas aucun sens et si le racisme y est plutôt l'apanage des Blancs...

Son raisonnement ne fait aucune place aux déséquilibres politiques, économiques, sociaux, scolaires, culturels, qui ont engendré les nombreuses inégalités entre Nouméa la blanche et la brousse noire. Il tend, de façon sommaire, à imposer à la minorité canaque la loi de la majorité conservatrice, et Charle Pasqua s'offusque que François Mitterrand puisse souligner à juste titre qu'il arrive parfois, dans certaines circonstances, que la loi de la majorité engendre l'injustice.

Son problème n'est pas là. Il s'agit pour lui de coller au point de vue dominant et d'exploiter la grogne suscitée chez les Européens par la compréhension que les socialistes manifestent à l'égard des Canaques, convertis à l'indépendantisme plus par lassitude que par idéologie. Pure démagogie. Tant pis si cela revient à jeter de l'huile sur le feu alors que, devant la complexité de ce casse-tête où s'affrontent deux légitimités, tout devait appeler au consensus.

Soyons justes : Charles Pasqua, avant de mettre les pieds dans le plat, envoie sur place un « observateur ». Et à qui confie-t-il la mission de lui faire un rapport « objectif » sur la situation? A Jean Taousson, l'ancien de l'OAS! Et qui, à Nouméa, informe cet envoyé très spécial? Tout ce que la Caldochie compte de nostalgiques de l'Algérie française et de « loyalistes » intransigeants, appelés dès septembre 1981 à la rébellion politique contre le nouveau pouvoir central par Jacques Chirac lui-même qui a proclamé : « L'expérience socialiste ne durera pas deux ans! »

Le rapport de Jean Taousson, naturellement, conforte Charles Pasqua dans sa vision manichéenne. Il ne fait pour lui aucun doute que le plan proposé d'urgence, après les émeutes de la fin novembre, par le nouveau délégué du gouvernement dans le territoire, Edgar Pisani – la préparation d'un référendum sur l'indépendance en association avec la France – n'a à priori qu'une portée partisane. Sans même attendre de se rendre en Nouvelle-Calédonie pour recueillir des impressions personnelles, le président du groupe RPR du Sénat se livre, dès le 20 décembre 1984, au palais du Luxembourg, à un réquisitoire extrêmement violent contre le président de la République et le gouvernement de Laurent Fabius. Il les accuse de laisser bafouer la loi par les indépendantistes, de donner des consignes de passivité aux forces de l'ordre, de laisser le terrain libre aux « terroristes » du FLNKS. Charles Pasqua atteint même les sommets de la polémique : il menace de réclamer la comparution de François Mitterrand et des ministres concernés devant la Haute Cour de justice! Chef d'accusation : la trahison! Jamais depuis le changement de majorité, en 1981, l'opposition, par l'intermédiaire de son bastion sénatorial, n'avait manifesté, dans un débat, autant de haine et de sectarisme à l'encontre des socialistes.

La Nouvelle-Calédonie, en vérité, n'est qu'un prétexte à la

violence d'une campagne orchestrée à coups d'arguments biaisés, de citations tronquées, déformées. La mauvaise foi, utilisée comme une technique systématique du pseudo-débat politique, est mise par Charles Pasqua au service d'une stratégie qui vise à précipiter l'échéance des élections législatives prévues en mars 1986 ou, pour le moins, à créer un climat tellement pourri qu'il puisse de toute façon contribuer à l'échec de la gauche. « Depuis ce soir, déclare Charles Pasqua, nous sommes fixés : le gouvernement veut imposer l'indépendance malgré la volonté des populations. » Qu'a dit en réalité Edgar Pisani? « Il ne peut pas y avoir d'indépendance sans consultation des populations locales. » « Nul, fût-il président de la République, n'est au-dessus de la Constitution », ajoute Charles Pasqua. Qu'a dit Laurent Fabius? « Les choix qui seront faits devront respecter la Constitution. »

Comme aux plus beaux jours de l'Algérie française, Charles Pasqua et les autres héritiers du gaullisme retrouvent le langage péremptoire d'avant l'autodétermination. Le président du groupe RPR du Sénat se moque de l'état d'urgence décrété sur le territoire pour éviter de nouveaux incidents : « Les deux seuls pays qui ont instauré la loi d'état d'urgence au cours des dernières années sont le Chili de Pinochet et la Pologne de Jaruzelski : on a les inspirateurs qu'on mérite... »

Sur le territoire Jacques Lafleur appelle à la « résistance » et à la « légitime défense » contre le pouvoir central.

C'est dans ce contexte frisant l'hystérie que Charles Pasqua et ses amis du RPR engagent l'opération promotionnelle qui vise à transformer l'inoffensif sénateur Dick Ukeiwé en fer de lance parlementaire de la Nouvelle-Calédonie française. Ils n'ont, à vrai dire, pas le choix. Par ses origines caldoches, sa fortune personnelle, l'animosité qu'il suscite chez la plupart des mélanésiens et même chez bon nombre de broussards européens, Jacques Lafleur ne saurait être un porte-drapeau convaincant, aux yeux de l'opinion métropolitaine sensible aux revendications égalitaires des « indigènes » canaques. Car ce qui compte, avant tout, pour Charles Pasqua et le RPR, c'est bien que l'opinion métropolitaine ne bascule pas entièrement du côté des thèses indépendantistes. Réduire le débat à un face-à-face Lafleur-Tjibaou équivaudrait, pensent-ils, à confirmer le caractère colonial de l'affrontement. Or, c'est justement ce que le président du groupe RPR du Sénat veut éviter. En outre, Jacques Lafleur est un piteux débatteur.

Va pour Ukeiwé! Lui, au moins, il est mélanésien. Ce n'est

pas un aigle mais il a l'avantage d'être extrêmement malléable et bien pris en main... C'est ainsi que du jour au lendemain on ne vit plus que Dick Ukeiwé à la tribune du Sénat, lisant les discours préparés à son intention par l'état-major du RPR, et en particulier par le directeur adjoint du cabinet de Jacques Chirac à l'Hôtel de Ville de Paris, Daniel Naftalski, un homme de talents multiples, aux compétences acquises de 1975 à 1978 par ses missions successives de directeur de cabinet du Haut-Commissaire de la République en Polynésie française et de conseiller technique aux cabinets du secrétaire d'État aux DOM-TOM, Paul Dijoud, de 1978 à 1980 puis du Premier ministre, Raymond Barre, de 1980 à 1981.

Daniel Naftalski peaufina les discours, élabora les arguments techniques de Dick Ukeiwé tandis que Charles Pasqua se mua auprès de celui-ci en conseiller en relations publiques, l'accompagnant dans la plupart de ses déplacements en province pour contrecarrer l'offensive de charme lancée en métropole, au début de 1985, par le président du mouvement indépendantiste, Jean-Marie Tjibaou. Le sénateur Ukeiwé se montrant bon élève et étant d'un naturel sensible, le président du groupe RPR du Sénat n'eut aucun mal à le convaincre de ponctuer chacun de ses discours par quelques larmes, afin d'apitoyer davantage les auditoires métropolitains en leur parlant du sort pathétique des Canaques restés fidèles à la France.

C'est ainsi qu'on put entendre un soir, au cours d'un dîner-débat dans les Hauts-de-Seine, Charles Pasqua donner comme conseil à son collègue mélanésien qui lui demandait ce qu'il devait dire à la fin du repas : « Eh bien, pleure comme tu sais le faire!... » Voilà pourquoi, désormais, chaque fois qu'il intervient au Sénat pour parler de la Nouvelle-Calédonie, le sénateur Dick Ukeiwé ne peut le faire sans que son canal lacrymal déborde, même quand tout va plutôt mieux en Nouvelle-Calédonie...

Le soutien logistique apporté sur le terrain par Charles Pasqua à Jacques Lafleur et à Dick Ukeiwé fut moins anecdotique. Lorsque le président du groupe RPR du Sénat débarque à l'aéroport de La Tontouta, le 5 février 1985, un mois après François Mitterrand, il est officiellement en mission pour le compte de la commission des affaires culturelles, préoccupée par le fonctionnement de la radio et de la télévision locales. Il signera, en effet, un rapport accablant pour la station de RFO, qu'il dépeindra comme un nid de gauchistes à la solde du FLNKS, après avoir passé trois heures seulement dans ses locaux sur une visite de quatre jours... En fait, il vient effectuer une tournée d'inspection et il constate que l'état-major de la Caldochie se trouve, comme prévu à Paris, sous le contrôle total de ses propres émissaires, qui se relaient avec ceux de l'Hôtel de Ville de Paris.

A chacun son bunker. Voué aux gémonies par le RPCR, qui refuse tout dialogue avec lui, Edgar Pisani vit reclus dans sa résidence entourée de gendarmes d'élite ou de bérets rouges. Chacune de ses rares sorties en ville prend la dimension d'un événement. La même psychose règne à l'intérieur du gratte-ciel gris qui domine la place des Cocotiers. Le bureau du chef de l'exécutif territorial, Dick Ukeiwé, au dixième étage, est lui aussi protégé par des hommes armés : un CRS posté en permanence sur le palier surveille la sortie des ascenseurs et, dans la salle d'attente, un vigile porte ostensiblement un revolver à la ceinture.

C'est là que bat le cœur de la « résistance » anti-indépendantiste dont le sénateur mélanésien, nouvelle vedette du groupe RPR du palais du Luxembourg, est devenu la figure de proue. Qu'il a fait du chemin, le petit instituteur de Lifou! Où est le temps où il militait à l'Union calédonienne, à l'époque où son adversaire d'aujourd'hui, Jean-Marie Tjibaou, était encore au séminaire! Qu'il est loin le temps où les Caldoches les plus conservateurs le tenaient pour un dangereux extrémiste parce qu'il allait à Hanoï, en 1958, envoyé par le gouvernement territorial, pour exalter la lutte du peuple vietnamien et prédire pour bientôt la libération du peuple canaque!

Charles Pasqua est satisfait. Le dispositif mis en place par ses collaborateurs et ceux de Robert Pandraud, qui veille à l'Hôtel de Ville de Paris, a été parachevé. Du palais du Luxembourg Jean-François Probst a bien fait les choses. Avec la complicité des douaniers locaux des kilos et des kilos de matériels lourds (téléscripteurs, télécopieurs, photocopieurs, appareils de radio, etc.) sont entrés en Nouvelle-Calédonie à la barbe des flics de Pierre Joxe. Daniel Naftalski est déjà venu à Nouméa pour achever l'élaboration du contre-projet opposé par le président du gouvernement territorial au plan d'indépendance-association défendu par Edgar Pisani. Derrière lui, la noria fonctionne bien. Le secrétaire général du RPR, Bernard Pons, a envoyé son ancien directeur de cabinet, Yves Fromion, épauler Dick Ukeiwé. Avant Fromion, il y a eu un autre expert du mouvement chiraquien, Jacques Chartron, ancien préfet, spécialiste des questions électorales.

Charles Pasqua contrôle tout le monde. Et il se garde bien

d'appeler à la modération les antagonistes en présence. Edgar Pisani interdit au Front calédonien (extrême droite) d'organiser un pique-nique symbolique à Thio, haut-lieu de la révolte canaque? Les indépendantistes menacent d'empêcher par la force cette manifestation? « Raison de plus pour y aller », déclare le président du groupe RPR du Sénat. Ce « pique-nique » provoque des incidents? Charles Pasqua s'en prend au délégué du gouvernement dont il juge le comportement « lamentable ». Il encourage les élus locaux de la communauté caldoche à persévérer : « Ceux qui vous ont abandonnés étaient les gérants provisoires dont on va se débarrasser. C'est vrai, au mois de novembre, les gens du gouvernement auraient pu bazarder la Nouvelle-Calédonie sans que les gens de métropole s'en aperçoivent. Aujourd'hui, nous sommes concernés. Dix-huit millions de Français sont appelés aux urnes aux élections cantonales et il n'y a pas une ville, pas un village dans lequel on ne va pas parler de la Nouvelle-Calédonie. »

De retour à Paris Charles Pasqua offre aux Calédoniens, avec l'argent du RPR et de l'Hôtel de Ville de Paris, un encart publicitaire de huit pages dans *Paris-Match.* Intitulé « Le RPR vous parle de la Nouvelle-Calédonie », ce numéro spécial est diffusé à 900 000 exemplaires pour la bagatelle, à la charge des auteurs, de 575 000 francs.

En métropole, les cantonales passent, sans que les électeurs se montrent traumatisés par cette guerre des antipodes. En Nouvelle-Calédonie les élections régionales du 29 septembre 1985, organisées par les socialistes, donnent aux indépendantistes le contrôle de trois des quatre nouvelles régions du territoire; les « loyalistes » continuent de régner sur Nouméa la blanche; un équilibre précaire s'instaure; la tension retombe en attendant le prochain accès de fièvre.

Le général Pasqua a déjà les yeux tournés vers un autre horizon, beaucoup plus déterminant pour son avenir personnel. Il ne pense plus qu'à ça : les prochaines législatives de mars 1986! Jamais son étoile n'avait été aussi resplendissante dans le paysage politique. Les journaux, les radios commencent à se l'arracher. La France médiatique découvre Pasqua le polémiste. Elle en fait ses choux gras car au micro il joue le jeu du spectacle. Jamais à court d'un bon mot, d'une formule à l'emporte-pièce, d'une petite phrase assassine pour ses adversaires. Il répond à toutes les invitations, se montre le plus courtois des sénateurs avec tous les journalistes. Il accepte toutes les demandes d'entretien, soignant sa réputation auprès des petits journaux en attendant les grands. Il a déjà les honneurs du *Figaro Magazine*, qui rend hommage à « l'homme qui mène le Sénat à l'abordage », et qui décrit ce « symbole de la résistance à l'arbitraire » comme un grand-père tranquille aimant – photos à l'appui – jardiner dans sa maison de Grasse, faire quelques brasses dans la piscine en compagnie de son chien Orloff ou promener son petit-fils à bord d'une tondeuse à gazon...

Comme au temps de Ricard, il fait bien son métier et la part qu'il prend à la campagne électorale ne passe pas inaperçue. Un festival d'antisocialisme primaire : « La preuve est apportée que les socialistes sont des fumistes. Ils rasent les murs, ils planquent leur étiquette, ils cachent leur rose [...]. Il y a beaucoup plus de ringards chez les socialistes que chez nous et nous ne verrons aucun inconvénient à ce qu'ils partent à la retraite [...]. Le gouvernement est composé d'incompétents qui gazouillent et qui cafouillent. » Laurent Fabius, en tant que Premier ministre, a droit à des amabilités particulières calquées sur quelques-uns de ces slogans publicitaires que Charles Pasqua note consciencieusement, chez lui, le soir en regardant la télé pour enrichir son carquois : « Monsieur Fabius est au socialisme ce que les pâtes riches sont aux spaghettis... » « Monsieur Fabius est au Premier ministre ce que le Canada dry est à l'alcool. Il ressemble à un Premier ministre, mais il ne fait absolument rien de ce que doit faire un Premier ministre... » « La France a théoriquement un Premier ministre. En dehors des prestations qu'il fait avec des charentaises aux pieds, c'est en réalité un sportif qui pratique un sport éminemment populaire, l'équitation, avec sa bombe sur la tête. Maintenant, il en a une sous le derrière [l'affaire Greenpeace]... » « Il y a longtemps que Monsieur Fabius a atteint son niveau d'incompétence. Qu'il démissionne, c'est le seul service qu'il puisse encore rendre à la France ! »

Outre ce dernier argument, qu'il avait déjà utilisé en 1981 contre Valéry Giscard d'Estaing, Charles Pasqua n'hésite pas à frapper, si nécessaire, au-dessous de la ceinture. Il le fait contre Laurent Fabius, le 5 mars 1986, en accusant le chef du gouvernement d'avoir, à l'époque où il était ministre du Budget, exonéré les œuvres d'art de l'impôt sur les grandes fortunes parce que son père est antiquaire...

Bien entendu, le président du groupe RPR du Sénat n'épargne pas François Mitterrand, quitte à dire à son sujet tout et le contraire de tout : « Toute la question est de savoir qui est François Mitterrand. Quelle est la fonction qu'il privilégie ? Entend-il être seulement le chef d'un puissant parti socialiste, sacrifiant tout le reste à cet unique objectif? Entend-il, au contraire, transcender son ancienne fonction de chef de parti et obtenir un équilibre social et politique en France, comme ses responsabilités éminentes pourraient l'y pousser?... » « François Mitterrand est réellement acquis au socialisme. Il croit qu'il est le nouveau Lénine, il croit que le socialisme est exportable et qu'il est capable d'empêcher les déviations que le marxisme a toujours engendrées : le régime policier et concentrationnaire... » « Ce que l'opposition reproche à Mitterrand ce n'est pas d'avoir engagé cette opération [le sabotage du *Rainbow Warrior*] c'est plutôt de l'avoir fait comme tout ce qu'il fait, c'est-à-dire comme un zozo, avec un résultat grotesque... » « L'important c'est de liquider les communistes, marxistes et socialistes. François Mitterrand est aussi " coco " que les communistes... » « Nous n'avons pas l'intention d'humilier, ni de blesser inutilement le président de la République, mais nous voulons que la Constitution soit respectée et c'est notre programme qui sera appliqué si nous gagnons en mars. Si d'aventure le président de la République veut tenter de s'en aller on ne va pas se coucher sur son paillasson pour le retenir. »

Charles Pasqua contredit aussi Raymond Barre qui condamne à l'avance toute idée de « cohabitation » éventuelle entre François Mitterrand et le nouveau Premier ministre si la droite remporte les élections : « Nous, gaullistes, sommes fidèles aux institutions et n'entendons pas y porter atteinte. C'est au président de la République qu'il appartiendra, en cas de succès de l'opposition, de prendre ses décisions. S'il décide de rester il ne pourra pas s'opposer à l'application du programme pour lequel les Français se seront prononcés. C'est ainsi que M. Giscard d'Estaing, président de la République, entendait agir en 1978 si la gauche l'avait emporté. Il l'avait annoncé aux Français, et le Premier ministre de l'époque, M. Raymond Barre, n'avait rien trouvé à y redire. [...] Si Mitterrand décide de rester, va-t-on faire un putsch avec les gardes champêtres de Lyon? [...] Je crois que M. Barre a un surplus de pugnacité. L'idéal serait qu'il l'utilisât contre les socialistes et non pas pour brocarder ses amis... » « Ne confondons pas la cohabitation et le concubinage. Dans un même appartement on peut toujours cohabiter sans être obligé au concubinage... » « Au terme de cohabitation on a voulu associer l'idée de compromis. Ce n'est pas du tout cela. C'est au cours du premier Conseil des ministres que devront être prises des mesures telles que, ou bien M. Mitterrand mangera son chapeau ou bien il prendra l'initiative du clash... » « Et puis je n'ai aucune raison de me préoccuper de ce que fait M. Barre. Il fait du jogging en survêtement dans le paysage politique français. Eh bien, qu'il s'entraîne! Je ne le suivrai pas à la trace. L'essentiel, c'est qu'au moment des prochaines échéances législatives il intervienne contre la coalition marxiste actuelle. Que nous y allions tous unis et d'un bon pas. Les élections législatives gagnées, nous verrons bien si nos amis préfèrent la pluralité de candidatures pour les présidentielles. Qu'il y ait un, deux ou huit candidats ne nous gêne pas. »

Sans oublier les coups de clairon chiraquiens ni les coups de menton : « Ou bien dès le premier jour [de la victoire] nous prendrons des mesures telles que nous montrerons aux Français notre volonté de redresser le pays ou bien nous perdrons à notre tour... » « Trente jours pour convaincre, cela ne veut pas dire du tout qu'en trente jours nous aurons résolu d'un coup de baguette magique le problème du chômage, celui des prix, etc., mais cela veut dire tout simplement qu'en trente jours nous aurons changé l'état d'esprit des Français. Nous leur aurons démontré que, par rapport à la situation actuelle où la France est, en quelque sorte, un mulet que l'on veut faire courir après lui avoir mis une charge de trois cents kilos sur le dos et après lui avoir attaché les pattes, nous, nous enlèverons les charges et nous libérerons les pattes. Nous espérons que cela ira vite. » « La rupture avec le socialisme devra être totale et rapide. »

La victoire de l'opposition aux législatives est certaine. Charles Pasqua n'a qu'un seul petit regret. Un souvenir amer qu'il camoufle jalousement depuis trois ans. Il a raté le coche aux municipales de mars 1983 : il n'est pas maire de Neuilly-sur-Seine! Il affecte l'indifférence; il jurerait presque qu'il n'a jamais eu envie de succéder à Achille Peretti, à la mort de celui-ci, survenue brutalement, le 14 avril 1983, à soixante-douze ans; il serait même prêt à dire combien il a été heureux de l'élection, le 29 avril, de son jeune protégé, Nicolas Sarkozy.

Comment a-t-il pu se montrer aussi naïf? S'il regrette ce rendez-vous manqué, c'est surtout pour Jeanne, sa femme. Il a deviné trop tard à quel point elle aurait voulu qu'il succédât lui-même au « bouillant Achille ». C'est elle qui avait insisté pour qu'il accepte de figurer sur sa liste, en mars, quand l'ancien président de l'Assemblée nationale lui avait fait cette proposition. Il a compris trop tard, parce qu'elle avait nourri cette ambition-là, dans le secret de son âme, depuis qu'ils avaient emménagé à Neuilly, en 1981, sur les bords de la Seine, près de l'île de la Jatte, après avoir quitté l'appartement de la rue Rennequin dans le dix-septième arrondissement. Elle rêvait de cette consécration pour son mari. Charles Pasqua maire de Neuilly. Neuilly la guindée, la précieuse, la bourgeoise! Quelle revanche en perspective pour cet époux si décrié, si méconnu!... Voilà pourquoi Jeanne avait été si meurtrie par les attaques que lui avait portées, pendant la campagne, Florence d'Harcourt, qui s'était escrimée en vain contre Achille Peretti en dénonçant « le clan des Corses ». Si vous l'aviez vue, Jeanne, le jour où cette chipie de Florence avait osé dire en public que son mari était venu s'installer à Neuilly « pour chausser les pantoufles de M. Peretti », parce qu'il avait « trop peur de mener le combat dans une commune difficile », à cause de sa mauvaise réputation!...

Charles Pasqua n'admettra jamais qu'il s'est fait manœuvrer comme un débutant par ce jeune ambitieux de Sarkozy. Et pourtant, quand ce cher Laetizio Bourgeois et Pierre, son fils, sont venus le prévenir que Nicolas Sarkozy avait manigancé son élection en profitant de son absence, dans la semaine du 14 au 21 avril, il n'a pas hésité longtemps à quitter précipitamment la clinique où il séjournait après une intervention bénigne, une histoire d'hernie. Il se souvient d'avoir eu, ce jour-là, « le même moral qu'un veau qu'on mène à l'abattoir ». Nicolas Sarkozy avait, en effet, tout arrangé. Avant la réunion du conseil municipal il avait pris en main le groupe RPR et l'avait « verrouillé ». « Bravo petit, lui avait-il dit simplement, tu t'es bien débrouillé! » C'est curieux, mais Charles Pasqua se rappelle aussi que ce jour-là il avait songé à ce matin de Waterloo, où Napoléon, en proie aux tiraillements douloureux de son ulcère, avait dû ressentir une impression du même genre : l'impuissance, soudain, devant un pied de nez du destin.

Que pouvait-il faire? Briser Sarkozy? Oui, il aurait pu enrayer sa manœuvre, en appeler à l'arbitrage des militants et de l'état-major du RPR; Nicolas Sarkozy se serait naturellement effacé. Mais à quoi bon? Charles Pasqua sait très bien que la plupart des autres conseillers municipaux de Neuilly, il y a trois ans, le considéraient encore comme le choléra. Il aurait fini par avoir des difficultés avec eux. Inch'Allah! Il n'est pas maire de Neuilly et Jeanne cache bien sa déception. Elle est la première à dire que les fonctions de maire ne sont pas de celles qui plaisent à son époux, qu'il a besoin d'un champ d'action plus large, plus national. C'est vrai, après tout : s'il avait été élu maire de Neuilly il n'aurait sans doute pas pu travailler autant au Sénat et il ne serait pas devenu le numéro un de la « résistance » aux socialistes. Après tout c'est mieux ainsi...

D'ailleurs, depuis son élection, Nicolas est des plus attentionnés à son égard. Il ne tarit pas d'éloges sur lui. Il raconte à qui veut l'entendre comment il a rencontré Charles Pasqua, alors qu'il n'était qu'un jeunot de l'UDR faisant campagne pour Jacques Chaban-Delmas, en 1974, puis comment, à sa demande, il avait pris la parole au nom des jeunes du mouvement aux assises de Nice, en 1975 : « Charles Pasqua a une grande capacité d'écoute; on peut lui vendre n'importe quelle idée. Un jour, dans les Hauts-de-Seine, je lui ai même vendu, sans trop y croire, l'idée d'une caravane de propagande guidée par une diligence de cinq chevaux; non seulement il a accepté mais il est venu. Il m'a appris qu'en politique on a toujours trop d'ennemis et que ce n'est donc pas la peine de s'en faire davantage. Il m'a aussi appris que quelle que soit l'amitié que vous portent vos amis elle ne sera jamais aussi forte que la haine que vous portent vos ennemis. Or, lui, est un homme qui déteste se faire des ennemis; il ne cherche qu'à se faire des amis. Il m'a enfin appris la nécessité du secret absolu dans les affaires importantes, et rares sont ceux qui savent, même parmi ceux qui le connaissent depuis longtemps, comment s'articule tous les cercles de son réseau personnel. En plus, c'est un homme politique intègre, plutôt mieux, au fond, que beaucoup d'autres, car ce n'est pas un homme d'argent ni d'ambitions personnelles. »

Sacré Nicolas! Il en fait même un peu trop quand il dit maintenant que si Charles Pasqua a eu un moment envie de devenir maire de Neuilly cela releva plus de la « pulsion » que d'un véritable « désir »...

Au diable ce proche passé! Charles Pasqua s'est réconcilié avec Nicolas Sarkozy. Dommage pour Jeanne, qui, elle, pense encore à cette auréole envolée...

Le président du groupe RPR du Sénat, en ce printemps 1986, ne veut pas ressasser cette déconvenue. Quand il pense à ce qu'il a réalisé dans ce département des Hauts-de-Seine depuis dix ans, il éprouve, au contraire, un sentiment de fierté. C'est grâce à lui que le RPR y compte désormais plusieurs de ses meilleurs espoirs. Là aussi il a travaillé comme il le faisait chez Ricard. Il a sélectionné avec la plus grande minutie ses « représentants ». Pasqua découvreur de talents, formateur, parrain de cette nouvelle génération politique qui irrigue le RPR depuis les Hauts-de-Seine et qui l'a aidé, par la même occasion, à consolider sa base personnelle à l'intérieur d'un mouvement de plus en plus chiraquien et de moins en moins gaulliste. Il a donné au RPR son fidèle Patrick Devedjian, sémillant maire d'Antony-sur-Seine, qui est devenu son homme à la tête du secteur stratégique des fédérations du parti. Il lui a donc donné le benjamin de son équipe, Nicolas Sarkozy. Et son propre expert en marketing, Jean-Jacques Guillet, adjoint du maire de Sèvres. Et encore le maire de Levallois-Perret, Patrick Balkany, qui l'a vengé de son échec de 1973 face aux communistes. Et le maire de Suresnes, Christian Dupuy, et celui de Châtillon-sous-Bagneux, Jean-Pierre Schosteck... Jean-François Probst méritera bien, lui aussi, dans quelque temps, de devenir maire de Bois-Colombes... Le grognard gaullo-chiraquien a trouvé son carré de « Marie-Louise »...

Pourquoi aurait-il du vague à l'âme à cause de Neuilly? Pourquoi en voudrait-il à ces jeunes de vouloir voler de leurs propres ailes, et à l'occasion essayer de tuer leur propre père politique. Ainsi va la vie...

En ce printemps 1986 Charles Pasqua est, au fond, un homme comblé. Il s'est bien « marré », pendant six ans, au Sénat, à l'assaut de « ces cons de socialistes ». Il s'est « éclaté », comme disent les jeunes d'aujourd'hui. Son passé ne lui porte plus ombrage. Le président du groupe RPR du Sénat – ce n'est pas lui qui le dit, n'est-ce pas, mais tous les observateurs – est promis au plus bel avenir si Jacques Chirac devient le Premier ministre de François Mitterrand après l'inéluctable victoire aux élections.

Charles Pasqua s'éveille à l'ambition. Pourquoi aurait-il donc un regret? Il a même plutôt enrichi, dans sa mémoire, le rayon des bons souvenirs. Le dernier en date? Cette invitation à dîner que lui a lancée, ainsi qu'à Jeanne, Bernadette Chirac. Oui, jusqu'à présent, elle aussi, elle avait eu quelque appréhension à recevoir à sa table « ce terrible Monsieur Pasqua »... Quel dîner! Elle ne savait plus quoi faire, Bernadette, pour s'excuser sans le dire d'avoir tant tardé à exprimer son estime et son amitié à ce fidèle compagnon de Jacques! Elle n'osait pas croiser son regard malicieux... Charles Pasqua en rit encore. Il avait même commencé à puiser dans son stock d'histoires marseillaises, à la fin du repas, quand Jeanne l'avait une fois de plus poussé du coude sous l'œil rigolard de Chirac...

La vie est belle. Il n'est pas maire de Neuilly? Il sera, il le pressent, le souhaite, ministre de l'Intérieur.

Domicile fixe

Les militants l'auraient parié. Il ne pouvait en être autrement, c'était écrit au fronton des évidences chiraquiennes : s'il devait y avoir un ministre de l'Intérieur, ce ne pouvait qu'être lui. Qui d'autre avait autant le sens de l'ordre et du mystère? Qui préférait autant l'ombre à la lumière? Qui avait le coffre d'encaisser le choc des affaires d'État, au besoin de les susciter?

Charles Pasqua était le seul ministre de l'Intérieur possible, du point de vue de Jacques Chirac. Cela ne pouvait souffrir la discussion. Les militants, toujours eux, ne l'auraient pas admis. D'ailleurs, Jacques Chirac ne mit jamais vraiment cette nomination, tant attendue dans les fédérations, en doute. Il n'avait pas le choix. Charles Pasqua ressemblait, pour le nouveau Premier ministre de la cohabitation, au « Ponia » du premier Giscard. Même rondeur autoritaire. Même sang-froid. Même science des coups tordus.

Et puis, sa victoire acquise aux élections législatives du 16 mars, la nouvelle majorité ne croyait vraiment pas que la cohabitation – « ce système contre nature », aime à dire Charles Pasqua – pouvait durer. L'époque de la coexistence constitutionnelle rimait trop, dans les têtes chiraquiennes, avec confrontation. Édouard Balladur et les mentors de Jacques Chirac, Maurice Ulrich, Jacques Friedmann, Michel Roussin, étaient bien les seuls à estimer que l'attelage politique mal équilibré, voulu par les Français, pouvait tenir. Jacques Toubon, le secrétaire général du RPR, doutait. Les barristes et ce qui restait de giscardiens au soir du 16 mars affichaient un pessimisme discret. « Si Chirac veut y aller, répétait Michel d'Ornano, qu'il y aille. Mais qu'il ne se plaigne pas, après, s'il se brûle les ailes. »

Le reste de la droite en était resté à la bagarre générale, déclenchée au soir du 10 mai 1981, aux attaques tous azimuts contre la gauche. Le parfum d'illégitimité né de la victoire des socialistes flottait encore, entêtant, du côté de la majorité. Mitterrand gardait l'Élysée. Il fallait frapper plus fort. Contre le laxisme, dénoncé durant toute la législature précédente, de la justice, de la police, de la décentralisation defferrienne. Frapper plus fort contre la réforme électorale, cette malencontreuse proportionnelle qui avait fait, à la droite de la droite, la part si belle à Jean-Marie Le Pen.

Le programme électoral de la majorité regorgeait, jusqu'à la nausée, d'appels au redressement, au durcissement, à la sévérité promise, contre les délinquants, les immigrés en situation irrégulière, les toxicomanes... Cela avait été promis. Cela devait être tenu. Et pour ces idées simples, trop simples, de la droite éternelle, un homme s'imposait : Charles Pasqua, le bretteur du Sénat, le tombeur des socialistes sur l'école libre, le hussard de la Nouvelle-Calédonie. L'adversaire numéro un de François Mitterrand pendant cinq ans.

Avec lui, pensaient beaucoup de militants et de responsables politiques, c'était l'opposition au chef de l'État, une opposition farouche, carrée, qui continuait. Comme avant le 16 mars. La nomination de Charles Pasqua place Beauvau rassurait tous ceux qui trouvaient que cette cohabitation sentait le piège. Ceux qui savaient le président malin. Face à son astuce de joueur d'échec, il fallait de la vigilance, des dossiers, des hommes. Charles Pasqua avait tout cela. Du moins le croyait-on. Aussi sa nomination fut-elle sans surprise.

Jacques Chirac, au soir du 16 mars, sait tout cela. Mais il hésite un peu. Édouard Balladur, déjà pressenti comme le vice-premier ministre, conseiller le plus écouté de la pré-cohabitation, n'éprouve qu'un amusement discret pour Charles Pasqua. Il n'apprécie que très modérément sa voix forte, ses discours emportés aux militants, son histoire. Édouard Balladur, c'est le chiraquisme des salons. « Charlie » vient de la rue et, de réunion en réunion, il cultive une vieille fidélité à cette origine. Il sait que le futur ministre d'État redoute ses gaffes, en public et en privé. Et Charles Pasqua adore les lui servir.

Édouard Balladur déconseillera, avec des mots très précautionneux, à Jacques Chirac de prendre Charles Pasqua comme ministre de l'Intérieur. Lui n'a pas la même appréhension de la cohabitation. Il y voit déjà la promesse d'une vie politique plus distinguée, à l'abri des coups bas et des escarmouches oratoires. Il sait Charles Pasqua habile aux deux. Il se méfie. Il le dit au vainqueur des élections. Il prononce même, dit-on, le nom de Robert Pandraud, comme remplaçant possible.

Depuis des semaines, le directeur de cabinet de Jacques Chirac à l'Hôtel de Ville fait ouvertement campagne pour sa propre nomination place Beauvau. Il vient d'être élu député de Seine-Saint-Denis. C'est un « grand flic ». Un vrai. Le seul spécialiste de la place Beauvau parmi les néo-gaullistes. Durant les années d'opposition, il a patiemment noué des liens avec tous les hauts fonctionnaires malmenés par la gauche, préfets, policiers... Il les recevait souvent, pour un verre, dans son bureau, et se débrouillait parfois pour que le maire de Paris rencontre ces « victimes amères » du militantisme socialiste.

Grâce à ces plaignants, Jacques Chirac a pu savoir, par l'intermédiaire très obligé de Robert Pandraud, le détail de l'« affaire Greenpeace ». Grâce à eux, et notamment aux commissaires Marcel Leclerc et Claude Guérin, il a pu approcher discrètement l'une des « branches pourries » que dénonçait, après l'échec cuisant de l'opération *Rainbow Warrior*, le nouveau chef de la DGST en crise, le général Imbot.

Les fuites qui circulaient dans Paris à propos de la « fameuse troisième équipe » avaient d'abord trouvé asile à l'Hôtel de Ville, avec le concours de l'ex-capitaine Barril et de quelques nageurs de combat en guerre personnelle contre le ministère de la Défense de Charles Hernu. Au chapitre de ces informations explosives, Robert Pandraud, auprès de Jacques Chirac, grille Charles Pasqua de plusieurs longueurs. Celui-ci « fit la gueule toute une semaine », raconte un permanent du RPR. « Chirac avait félicité Pandraud de son zèle devant des collaborateurs du sénateur des Hauts-de-Seine. »

Le directeur de cabinet de la mairie de Paris espéra, plusieurs semaines durant, tirer profit de ses bons offices et de la force de ses réseaux policiers. Charles Pasqua n'ignorait pas qu'il avait un rival. Un seul, puisqu'il était entendu depuis longtemps qu'en cas de départ de Jacques Chirac pour Matignon, seul un chiraquien pouvait « tenir » la place Beauvau. Cela se jouait donc entre Pandraud et lui.

D'abord, il afficha une confiance à toute épreuve. Le chef du RPR ne répétait-il pas sans arrêt qu'il était, lui, Charles Pasqua, « le plus fidèle des fidèles »? Ne lui avait-il pas promis vingt fois le ministère de l'Intérieur? Même en présence de témoins?

Puis un doute se fit jour dans son esprit. Charles Pasqua apprit que Jacques Chirac avait publiquement apprécié les services rendus par les hommes de l'Hôtel de Ville en Nouvelle-Calédonie. Les hommes de Pandraud, bien sûr. Les conseils de prudence, prônés par Balladur et quelques gens de salon, semblaient rencontrer une écoute de la part de l'entourage du futur Premier ministre. S'ils gagnaient Matignon, avec ou sans Chaban, fallait-il s'embarrasser du « hussard » le plus voyant? Charles Pasqua avait fait la preuve, au Sénat, de sa métamorphose et de sa diabolique habileté d'opposant tout terrain. « Mais saurait-il s'adapter aux nuances très subtiles de l'exercice du pouvoir aux côtés d'un adversaire comme Mitterrand? Pourrait-il trouver le juste équilibre entre l'affrontement et la conciliation? N'était-il pas usé par ses bagarres du Sénat? »

Tous les jours, Roger Romani, Jean-François Probst tiennent Charles Pasqua au courant de l'évolution de sa destinée ministérielle. Quand le plateau semble pencher en faveur de Robert Pandraud, il va faire, l'air de rien, un tour du côté de chez Chirac. Pour entendre les mêmes paroles rassurantes. Les mêmes promesses. Chirac s'étonne de cette insistance. Il a bien encore des scrupules. Il hésite encore parfois à jurer, main sur le cœur, à son fidèle compagnon, que le ministère lui est destiné. Mais tout cela, de son point de vue, ne vaut pas tant d'anxiété.

C'est qu'en secret, Charles Pasqua a décidé d'en remontrer un peu plus à ses détracteurs de 1979. Ses victoires au Sénat, réflexion faite, ne lui suffisent pas. Sa finesse récente, ses nouvelles manières, ses amitiés parisiennes doivent désormais servir à mieux. A plus. Au sauvetage des otages du Liban. Au redressement de la sécurité, thème dont il use parfois avec obsession. Il rêve de remettre de l'ordre dans les services secrets et de voir ses projets sénatoriaux concernant la justice, le financement des partis ou la peine de mort, trouver une concrétisation. Il lui faut le ministère de l'Intérieur.

Un matin, quelques semaines avant le 16 mars, il apprend par ses fidèles espions que les amis de Robert Pandraud évoquent l'épopée du SAC, 1968, de vieilles affaires. Charles Pasqua pique, rue de Lille, l'une de ses plus fameuses colères. Son propre parti lui refait « le coup des barons ». « Salissez Pasqua, rajoutez-en! Il en restera toujours quelque chose dans l'esprit de Chirac. » Pendant une semaine, le sénateur des Hauts-de-Seine broie du noir.

Paraît *Paris-Match*. Dans la voiture sénatoriale, Jean-François Probst hésite à montrer, à son patron, le numéro qui donne pour probable la nomination de Robert Pandraud au ministère de l'Intérieur. Charles Pasqua fait aussitôt arrêter la voiture, demande à son chauffeur de descendre prendre l'air et, devant son collaborateur, téléphone à Jacques Chirac. Nouvelles promesses. Nouveau réconfort. Charles Pasqua raccroche le combiné Thompson. « Je peux t'assurer que Pandraud n'aura pas l'Intérieur », jette-t-il simplement à Probst. Puis il descend pour aller rechercher son chauffeur et glisser à l'oreille de celui-ci quelques paroles d'excuses.

Le suspense, l'angoisse en fait dureront jusqu'au 16 mars. Le colosse, ce mois-ci, a un pied d'argile. Sa femme, Jeanne, déploie des trésors de tendresse et de persuasion. Elle répond sans s'énerver par l'affirmative aux mêmes questions.

Charles Pasqua ne l'admettra que plus tard : alors que se jouait la victoire de la majorité à des élections importantes, alors que se reposait une fois de plus la question du destin de Jacques Chirac, le sénateur traversait une crise de respectabilité.

Il voulait le pouvoir, non tant pour la puissance que celui-ci pouvait conférer, mais en terme de revanche. « Personne ne pense à Charles Pasqua de cette manière, explique son vieil ami, Dominique Vescovali. Pourtant, il faut savoir que Charles est comme tous les provinciaux, surtout corses, surtout méridionnaux. Il est snobé par Paris. Jamais à l'aise. Ce n'est que longtemps après son entrée au Sénat qu'il a commencé à croire qu'il faisait vraiment partie de cette élite de la capitale. Même la campagne municipale de Neuilly n'avait pas suffi. Ni l'amitié des jeunes loups du RPR des Hauts-de-Seine, tous plus distingués les uns que les autres. »

En 1986, enfin, ce déblocage psychologique s'est achevé, parallèlement aux campagnes politiques. Secrète évolution, dont les membres du RPR ne se doutent pas toujours. Jeanne suit les progrès, mais se tait. Jean-François Probst a simplement averti Jérôme Monod, qui pardonne les torpillages passés. Lino Ventura, Charlotte Rampling, son mari, le musicien Jean-Michel Jarre, qu'il a su « apprivoiser », en sont les témoins inconscients : ils ne connaissaient pas Charles Pasqua première époque. Ils ne peuvent donc pas juger du changement opéré. Même Jacques Chirac, trop pressé, peu attentif, n'y prête pas garde.

Arrive cet autre jour de gloire : sa nomination au ministère de l'Intérieur. Jacques Chirac a tranché en sa faveur, avec pourtant une réserve de taille : Robert Pandraud collera désormais aux chaussures à clous du « premier flic de

France ». Il est promu ministre délégué à la sécurité. Pas secrétaire d'État, comme Joseph Franceschi, au temps du regretté Gaston Defferre. Mais ministre à part entière. Les détracteurs, les amis de Balladur et les futurs conseillers de Matignon ont gagné. Confiance est faite à Charles Pasqua, mais à demi. Comme à l'essai. On craint les dérapages de celui que les centristes, Pierre Méhaignerie en tête, surnomment « Charlie la bavure ». On craint ses outrances verbales. Ses charges frontales qu'on imagine mal déferler durant les Conseils des ministres présidés par François Mitterrand.

Jacques Chirac a affiché sa prudence. Il a raison. Les premiers mois de son règne place Beauvau, Charles Pasqua paraît se caricaturer. C'est tout en gueule qu'il apparaît aux Français qui le connaissent peu. La presse mentionne la loyauté – récompensée – à Chirac et au gaullisme, mais rappelle encore une fois, comme des tares indélébiles, le Ricard et le SAC. Et le nouveau ministre semble se complaire à répondre à ce portrait, comme si la fatalité effritait l'acquis sénatorial.

Il commence par bouder la cérémonie de passation des pouvoirs de Pierre Joxe, toujours en poste. Il fait dire qu'il est retenu au Sénat, pour une autre cérémonie de moindre importance, la nomination de Roger Romani à la présidence du groupe RPR. Robert Pandraud attendra en vain son ministre, devra s'excuser auprès de Pierre Joxe et taire sa honte d'avoir dû, trois jours durant, travailler avec un socialiste aux affaires courantes.

Matignon conforte son appréhension : Chirac avait suggéré, de manière détournée, que l'ami Charles profite de son entrée place Beauvau pour rompre, une fois pour toutes, avec quelques-unes de ses relations. Mais Charles Pasqua se fait une idée très gaulliste du ministère de l'Intérieur. La barque est dure à manœuvrer et, sous ce ciel promis par nature aux tempêtes, il y faut plutôt des amis qui ne discutent pas. On lui conseille de s'entourer d'hommes compétents et modérés, comme Jean-François Probst. Il choisit ostensiblement quelques éléments de ses nombreux réseaux de compagnonnage. Il cloisonne, une fois de plus. Il fait de la provocation. Il appelle Bernard Tomasini, par fidélité à son père, René, alors que ce nom même fait frémir la rue de Lille. C'est la filière corse... Il sert en priorité les vieux fidèles, Laetizio Bourgeois, l'ancien de chez Ricard, parti avec lui pour Américano Gancia et qu'il plaça ensuite au conseil général des Hauts-de-Seine. La filière marseillaise... Dominique Vescovali, proche parmi les proches, mais totalement inconnu des milieux officiels tant cet homme-là, comme beaucoup d'amis de Charles Pasqua, a le goût de la discrétion.

Matignon s'inquiète, de crainte de voir, embusqués derrière le « financier » de Charles Pasqua, intrépides et sans grands scrupules, les spécialistes des « sondages maison », Joël Gali-Papa et Jean-Jacques Guillet. Mais ces deux « experts » ne sont pas appelés. Jean-Jacques Guillet est occupé dans les Hauts-de-Seine, toujours pour le « patron », et Joël Gali-Papa est interdit de séjour dans les allées du RPR, depuis 1981, par Jacques Chirac lui-même. « Je ne veux plus jamais voir ce type traîner chez nous », avait dit le leader du RPR, lors de la campagne électorale. Régulièrement, Charles Pasqua avait ramené Joël Gali-Papa, sans doute le plus zélé de tous les « Pasqua's boys ». Cette fois, pourtant, il n'a pas essayé.

Quant à Dominique Vescovali, il est bien au ministère, dès les premières semaines, mais apparemment sans affectation. Il faudra attendre le milieu de 1987 pour le voir nommé chargé de mission... contre les incendies de forêt. « Une manœuvre de Pasqua qui cherche en fait à implanter son ami dans le Vaucluse pour en faire un député, dans des terres très favorables à Le Pen », susurre un autre compagnon du ministre de l'Intérieur. Vescovali, c'est en tout cas la filière familiale; corse, bien sûr; gaulliste assurément, « mais de gauche », précise-t-il. Plus que cela : fraternelle. Les membres de cette confrérie sont les moins nombreux.

Pourquoi Dominique Vescovali, homme courtois, excellent connaisseur des milieux financiers, en fait-il partie? Même Matignon l'ignore. On sait qu'il conseille Pierre, le fils chéri des Pasqua. Paradoxal, puisque Vescovali passe pour un « tendre » des réseaux du ministre, alors que son fils compte parmi les « durs », farouchement anticommuniste, comme tous les collaborateurs de la place Beauvau bien sûr, mais aussi antisocialiste, « anti-cohabitation ». Anti-tout, par vieux réflexe ultra. Pierre, qu'on dit beaucoup plus à droite que son père.

Pierre qu'on voit souvent dans le bureau de son père. Au point que les employés du ministère sont persuadés qu'il a été nommé, dès mars 1986, à un poste de responsabilité, alors qu'officiellement il dirige une agence immobilière à Grasse. La filière familiale, encore. Comme Jeanne, qui a pris le parti, très vite, de délaisser en semaine l'appartement de Neuilly pour les lambris du ministère. Discrète, attentive, mais toujours présente. Les réunions les plus importantes, celles qui décident du passage à la télévision du ministre, celles des heures graves des « affaires » ou de la diffamation, se tiennent en sa présence. « Elle parle souvent, note un conseiller de la place Beauvau. Et quand elle parle, tout le monde écoute parce que l'on sait que le ministre retiendra son avis comme une décision définitive. »

Matignon s'inquiète davantage, cependant, lorsque les conseillers de Jacques Chirac, dès mars, apprennent par la bande que des personnages encore plus hauts en couleur ont leurs entrées au ministère. Et même un bureau, comme le très mystérieux Jean-Michel Schoeler, officiellement concessionnaire Renault. Officiellement remercié, par un titre vague, pour avoir des années durant prêté des voitures au RPR. Étrange conseiller. Ami de Pierre. Ne circulant qu'en voiture équipée d'un girophare. Armé. Habilité, explique-t-il à tout Paris, à suivre les enquêtes... des services secrets. Officiellement rayé, en 1987, des listes, jamais très exhaustives, des collaborateurs appointés du ministère. Peut-être toujours engagé sur le terrain très spécial des négociations au Liban pour la remise des otages... Soupçonné en tout cas, à Matignon, d'être d'abord un mythomane. C'est la filière « para », autre branche de l'extrême droite.

Daniel Léandri : lui, c'est la filière « flic » de Charles Pasqua. « Petit flic », disent méchamment les policiers des voyages officiels. Un Corse encore, garde du corps de Charles Pasqua depuis longtemps, détaché de son administration au service du RPR, plus précisément à celui de son maître.

Avec Joël Gali-Papa, Daniel Léandri avait constitué, pendant les longues années de la montée du chiraquisme, des services d'ordre concurrents du SAC de Pierre Debizet que les amis de Charles Pasqua ne pouvaient plus rencontrer, dans les meetings, sans avoir envie d'en découdre. Comme les hommes de Pierre Debizet comptaient encore certaines relations rue de Lille, des CRS, des motards, proches du RPR, s'étaient regroupés pour répondre présent au moindre appel des fédérations ou du conseil national. Daniel Léandri les commandait. Joël Gali-Papa passait son temps à s'interposer entre les envoyés du SAC et Charles Pasqua.

Jean Taousson : la filière OAS récupérée. Chargé des relations avec les rapatriés et, plus tard, de quelques missions discrètes du côté de l'Algérie. Patrick Gaubert, la filière des Hauts-de-Seine. Chargé, lui, des relations avec la communauté juive. Alain Marleix, la filière RPR orthodoxe. Spécialiste de la France profonde et du découpage électoral.

D'autres viendront plus tard, au fil des mois, de moins en moins hétéroclites. De moins en moins anachroniques. Des préfets remplaceront les soldats perdus sur le retour. Des modérés du clan Pasqua comme le jeune maire de Neuilly, Nicolas Sarkozy – preuve de la réconciliation – viendront rassurer Matignon. Mais pour l'heure mille rumeurs circulent sur l'attelage de Charles Pasqua. On entend reparler, pour la première fois depuis longtemps, de Jean-Charles Marchiani, cet ancien du SAC marseillais, demi-solde des services secrets, réprouvé pour son rôle supposé dans quelques affaires qui visaient à nuire à Georges Pompidou, comme l'affaire Markovic. Corse, bien sûr, et reconverti dans les affaires au Proche-Orient avec, dit-on, l'aide financière de Corses établis dans les jeux.

Dès le mois de mars 1986, Charles Pasqua défend son collaborateur contre les mauvaises langues de Matignon. Jean-Charles Marchiani fait des balades au Liban et à Damas pour parfaire la culture embryonnaire de son ministre sur le sujet des otages. « Il a rendu de grands services à la France, notamment au Maghreb, dira simplement Charles Pasqua lorsque son émissaire se fera repérer une première fois au Liban et que Mme Pompidou – dont la mémoire est réputée – apprendra que ce Corse représente la France – ou le fait croire dans nos ambassades – dans des négociations périlleuses. La veuve de l'ancien président s'en alarmera auprès d'Édouard Balladur et de Jacques Chirac. Le Premier ministre, ce jour-là, prendra son téléphone pour écarter l'importun des rangs serrés du ministère. Charles Pasqua promettra, de cette manière sirupeuse qui inquiète toujours Jacques Chirac.

Ses amis, dès mars 1986, s'interrogent. « Il y a toujours quelque chose d'aberrant dans le système Pasqua, explique un dignitaire du RPR. C'est son obligation, je ne sais pourquoi, à toujours exhiber des comparses de seconde zone qui entachent sa carrière. C'est la même chose maintenant qu'il est au sommet de l'État. »

Heureusement, il y a Claude Guérin. Conseiller devenu une sorte de super-préfet de par sa capacité à se rendre indispensable. De ce policier de haut rang, certains diront par la suite, notamment lors de l'affaire Chalier, que c'est « le loup dans la bergerie ». Claude Guérin, prêté par Robert Pandraud. Seul spécialiste de la maison lorsque Charles Pasqua prend en main la destinée du ministère.

Il aura, au début, fort à faire. Car le nouveau ministre, indispensable à Jacques Chirac, connaît finalement peu de choses aux questions de police. Il apprend vite. Fait des heures supplémentaires, mais il a comme Jacques Chirac, comme la plupart des responsables de la majorité, et les socialistes avant eux, une conception très politique de la place Beauvau. A peu près celle de Gaston Defferre. Homme de l'ombre, analyste des pulsations nationales, Charles Pasqua, comme son prédécesseur marseillais, est avant tout un « grand découpeur électoral ». Et dans l'esprit de tous, dans le sien, il vient d'abord pour rendre à la France un scrutin majoritaire à deux tours. Le ministère de l'Intérieur, dans les premières semaines du gouvernement de la cohabitation, est hanté par la réforme électorale promise par la majorité.

D'où le handicap de Charles Pasqua, aux premiers temps de son règne, par rapport à son collègue Robert Pandraud. En apprenant leur double nomination le ministre avait fanfaronné. « Pandraud aura les flics, la cuisine, avait-il confié à l'un de ses proches. A moi, la politique. Avoir les flics, c'est la meilleure façon de prendre des coups. »

C'est oublier que l'époque, en mars 1986, est d'abord à la violence du terrorisme. Une bombe éclate le 20 mars au Champs-Élysées. Le gouvernement Chirac connaît tôt l'épreuve du feu. Un conseil de sécurité est immédiatement créé auprès du Premier ministre, qui prend un peu Charles Pasqua au dépourvu. Il n'a pas eu le temps, au-delà de ses qualités profondes d'astuce et de sang-froid, de s'y préparer. Sur ce terrain, Robert Pandraud n'a plus de leçon à recevoir de personne. Lui connaît la musique... et la maison. Charles Pasqua en nourrira, quelques semaines, une certaine jalousie. Son ministre délégué risque de trouver rapidement son autonomie si le terrorisme fleurit dans la capitale.

Pendant quelques semaines, Robert Pandraud est plus à l'aise. Il connaît, souvent par leur prénom, tous les chefs de la police. Énarque, ancien secrétaire général des Hauts-de-Seine, il a occupé au ministère la plupart des postes importants. Avant d'être nommé, en 1975, directeur général de la police nationale, il avait été successivement le directeur de cabinet de deux ministres de l'Intérieur, Jacques Chirac et Michel Poniatowski.

En 1978, Christian Bonnet en avait fait le directeur général de l'administration. Il était inspecteur général en 1981 quand, après quelques mois d'incertitude et de grogne, il préféra quitter Beauvau et les socialistes pour rejoindre le maire de Paris à l'hôtel de Ville.

Beaucoup mieux que Charles Pasqua, il a préparé le retour de la majorité au ministère. Il connaît les noms des « grands flics » qui ont servi la gauche, ceux qui, au contraire, sont restés dans des « placards ». Il sait sur qui s'appuyer. Qui éloigner. Charles Pasqua, lui, perdra du temps à ce premier tour exploratoire.

Les deux hommes ont décidé de faire la paire. Ils se sont

combattus en coulisses, pendant la campagne des législatives, mais ils ne veulent pas risquer les mésaventures qu'avaient connues Gaston Defferre et Joseph Franceschi. Bicéphale, le ministère, pour afficher un minimum de cohérence, doit parler d'une seule voix.

Autant par mutuelle prudence, dit-on, que par souci d'efficacité, les deux nouveaux ministres jouent donc le tandem. Ils choissent des bureaux contigus. Toute la journée, ils vont d'une pièce à l'autre, sans formalités. Ils ont pris un seul conseiller pour la presse, Michèle Ferniot. Ils se tutoient. Se dérangent vingt fois par jour. Chacun sollicite l'avis de l'autre au moindre télégramme d'attentat ou de hold-up. Allant par deux, balançant leurs lourdes silhouettes d'un même pas devant les photographes, on les surnomme vite « Smith et Wesson ». Les jeunes du RPR, lorsqu'ils les voient arriver dans les meetings, encadrés de leur garde prétorienne, entonnent l'air de *Starsky et Hutch*.

Bien sûr, on leur pose sans cesse la question de leur éventuelle rivalité. « Charles Pasqua et moi sommes complémentaires, répète Robert Pandraud. Il est plus politique. Moi plus technique. » Derrière son compère, Charles Pasqua approuve de la tête, l'air vaguement ailleurs. « Il m'apporte le parapheur », ironise-t-il en privé, mais le cœur n'y est pas.

Il a un retard à rattraper. Comme il ne connaît pas les chefs de la police et que leurs querelles, aussi vaines que corporatistes, l'agacent, il va se mettre à jouer patiemment la base. La police de la rue. Les petits. Son populisme un peu démago fera merveille. Désormais, à l'occasion de chaque voyage, il retarde tous les programmes pour aller saluer les gardiens de la paix de faction au bord des trottoirs. Cela prête à rire mais il le fait sans ostentation. Il rend visite systématiquement à tous les policiers blessés. Dans un hélicoptère de la protection civile, il s'assied à côté du pilote, délaissant les préfets et ses invités. Quand ils sont cent à saluer, ces flics de base, il en salue cent. Le protocole oublie toujours les policiers accompagnateurs des voyages officiels : alors, il va déjeuner à leur table, veille à ce qu'ils soient bien servis. Il discute armes. Se passionne pour les problèmes techniques de transmissions. Le soir, il s'assure qu'ils sont logés dans le même hôtel que lui. « Si c'est bon pour moi, c'est bon pour eux », dit-il. Bourru, sentimental. En phase, comme l'on dit. Napoléon en balade dans le cantonnement de ses grognards.

Aussi, lorsque sa famille recevra des menaces, les CRS feront des heures supplémentaires autour de la maison de

Grasse et Jeanne disposera toujours, à chaque rumeur de tentative d'enlèvement, d'une équipe d'inspecteurs dévoués.

Robert Pandraud tient les chefs. Charles Pasqua règne, à la sympathie, sur la police, les pompiers, les hommes de la sécurité civile. Sa popularité remonte les échelons de la hiérarchie. Pour agir sur le commandement, il a recours aux vieux réflexes des réseaux. Il fait tendre la cohésion vers le sommet, la rend légitime par l'addition des individus. Il néglige les pince-fesse pour organiser des banquets pour le personnel du ministère. Il fait dresser des chapiteaux pour remercier les soldats du feu, après la campagne victorieuse de 1987 contre les incendies de forêts.

Bref, il a la manière avec les troupes, mal aimées, crevées et corvéables. Magie de Charles Pasqua. Il fait de chaque visite de commissariat une séance de dynamisme. Ses collaborateurs, au fil des mois, ont appris à ne plus se moquer de ses flâneries solitaires avec des syndicalistes mécontents, dans des douches moisies, des mitards moyenâgeux, des salles fétides. Quelques colères ont marqué ces passages. Les ordres sont retombés. Il a bien fallu refaire les peintures, aménager des conditions décentes de vie pour calmer le ministre...

Pasquamania

C'est d'abord Charlie la menace. De tous les rôles qu'on lui connaît, le ministre de l'Intérieur paraît, en 1986, afficher le plus sinistre. Celui de l'autoritaire gaffeur. « Je redoutais qu'il dérape, confie Denis Baudoin, le porte-parole de Jacques Chirac à Matignon. Mais à ce point... »

Les débuts de Charles Pasqua, place Beauvau, sont archaïques et manichéens. On le croirait revenu aux temps rugueux de la Vᵉ République naissante, ou en 1968, lorsque le ministère de l'Intérieur voyait partout « l'ennemi intérieur ». Ministre d'un gouvernement de cohabitation où l'on s'efforce, vaille que vaille, d'atténuer la rudesse des confrontations avec l'adversaire, lui ne paraît être l'élu que d'une droite revancharde, poujadiste, frileuse. Terriblement franchouillarde dans ses peurs des immigrés, des jeunes, des toxicomanes... A l'entendre pourfendre ses moulins à vent sécuritaires, on jurerait les libéraux modérés absents du gouvernement, François Léotard sans influence, Claude Malhuret, secrétaire d'État aux droits de l'homme, égaré.

Durant plusieurs mois, le ministère de l'Intérieur montre les dents et joue des muscles contre tout ce qui bouge, alors que le marais politicien tente maladroitement d'inventer un nouveau code des signes. C'est pire que sous Raymond Marcellin, se plaignent les centristes. Plus va-t'en-guerre que sous « Ponia » ou Alain Peyrefitte.

Mais pire par la parole plus que par les actes. Par l'invective à la gauche plus que par les faits. Plus grave par la promesse des projets législatifs que par les projets eux-mêmes. Bref, c'est encore le règne de la gasconnade outrancière, délibérément destinée à séduire la France profonde et à attaquer la percée de Jean-Marie Le Pen sur le flanc droit de la majorité. Au soir du 16 mars, Jacques Chirac donne ordre à Charles Pasqua de « rassurer les Français », désenchantés par la violence, le terrorisme, la délinquance et l'éternel débat sur la présence des étrangers. Il ne lui demande pas d'en rajouter. Il le convoque même un dimanche après-midi, dans son bureau, pour définir avec lui le poids des mots et le choc des décisions.

Mais c'est plus fort que lui : Charles Pasqua « dérape » tout au long de 1986. Investi d'une mission politique et technique, il en fait une mission sacrée. Un objet de culte. Il s'y perd, comme l'acteur qui se prend pour son personnage, trop proche de lui.

A l'heure des premiers comptes, cet esprit de croisade sécuritaire se réduira à quelques bavures, quelques expulsions arbitraires, quelques arrestations hasardeuses. Comme souvent, Charles Pasqua en dit plus qu'il n'en fait. Mais qu'est-ce qu'il en dit! A propos de ses outrances, Alain Duhamel parle même, dans *le Quotidien de Paris,* d' « incontinences verbales ».

Il prend le programme électoral de la cohalition UDF-RPR au pied de la lettre. Il est fidèle à la philosophie de la campagne. Sale campagne, partisane, dont même les ministres UDF confient qu'il est urgent de l'oublier. Lui l'exagère. Il la prolonge, l'épaississant de ses formules vachardes. La majorité, dans son programme, « Pour gouverner ensemble », avait dénoncé la responsabilité des socialistes dans la montée du terrorisme et de la violence. « Le terrorisme n'est pas un phénomène récent, écrivaient les rédacteurs du projet. Mais sa progression sans précédent depuis quelques années a néanmoins souligné une actualité renforcée par la complaisance idéologique dont a fait preuve, depuis 1981, le gouvernement à son égard. »

Charles Pasqua croit-il vraiment à cette façon d'écrire l'histoire? Il fait en tout cas comme si. Et puisque la faute est aux socialistes, sur le chapitre de la sécurité, il va s'évertuer, des semaines durant, à le démontrer, à enfoncer le clou, de meeting en interview. Le mot de « laxisme » fleurit dans sa bouche jusqu'à l'obsession. Robert Badinter, l'ancien garde des Sceaux, mais surtout Pierre Joxe, son prédécesseur – Gaston Defferre, curieusement, est oublié, en vertu d'une vieille tendresse jamais démentie malgré l'affaire Francisci – sont nommément désignés comme les grands coupables au procès des complicités avec l'ennemi. La liste de ses griefs, complaisamment étalés lors de ses premières interventions publiques, est sans fin. Elle remplit les colonnes de tous les journaux proches de la majorité.

Ne retenons qu'une interview, où l'esprit partisan affleure à merveille. Celle que le ministre de l'Intérieur accorde, le 19 avril, au *Figaro Magazine*. Tout y passe. Du plus mauvais Pasqua, à l'humour lourd de menaces et de sous-entendus assassins. A la question : « Que vous a laissé Pierre Joxe? », le ministre répond : « Rien de glorieux. La police n'avait plus confiance. Un certain angélisme a amené les amis de M. Joxe à gracier des terroristes, persuadés qu'ils s'amenderaient... » C'était vrai. Regrettable. Mais Charles Pasqua oubliait de préciser que la droite, avant la gauche, avait toujours concédé quelques libertés aux intransigeances du droit et de la répression. C'était vrai. Regrettable. Mais Charles Pasqua se montrait imprudent, ministre de l'Intérieur novice, puisque sous son règne, place Beauvau, le bureau des négociations avec le terrorisme allait, comme de tous temps, être souvent ouvert. Bien forcé...

Et puis, en vrac il accuse son prédécesseur d'avoir créé « une sorte de police politique ». « Quelques fonctionnaires spécialisés préparaient des dossiers sur les hommes politiques... » Comme si les amis de Charles Pasqua n'avaient pas toujours fait la même chose! Comme si lui-même ne passait pas pour l'un des meilleurs collectionneurs de dossiers! Le nouveau ministre ajoute : « Tous les dossiers " douteux " de M. Joxe ont miraculeusement disparu. Certains ont été brûlés. D'autres ont été déménagés. Nous savons où ils se trouvent. Et je sais même qui a présidé au déménagement. Ne m'en demandez pas plus. » Fanfaronnades qui font toujours sensation. Bien sûr, le journaliste n'en demande pas plus. Il faudrait lui passer sur le corps pour que Charles Pasqua avoue où se trouvent ces fameux « dossiers »...

Fanfaronnades. Il raconte ensuite au *Figaro Magazine* ce qu'il confie dès qu'un micro lui est tendu. « J'ai pris mes fonctions de ministre de l'Intérieur à 17 h 15. Un quart d'heure plus tard, toutes les directions de la police avaient reçu des ordres de fermeté. La confiance est vite revenue... »

Des galéjades de ce genre, il y en a plein les archives de presse de Charles Pasqua, ministre de 1986. La plus célèbre : « Il faut terroriser le terrorisme. » Et sa variante : « Nous allons terroriser le terrorisme. » Celle-ci encore : « L'insécurité change de camp. » Cette autre : « Sous les socialistes, le ministère de l'Intérieur arrêtait des malfaiteurs que le ministère de la Justice libérait aussitôt. » Avec ses variantes : « terroristes », « délinquants », « drogués », à la place de « malfaiteurs »...

Très vite, certains membres du gouvernement, dont

Édouard Balladur, s'alarment de ces croisades emphatiques et dangereuses pour un ministre de l'Intérieur qui ne sait, par fonction, jamais quel événement peut contrarier ses prévisions.

Un mardi après-midi, au terme de la réunion hebdomadaire des chefs de la majorité, à l'Hôtel Matignon, il se trouve plusieurs ministres pour s'étonner d'une décision prise la veille par le tandem Pasqua-Pandraud. Quatre policiers, proches de la majorité ou de l'extrême-droite, révoqués après les manifestations de 1983 hostiles au gouvernement socialiste, sont réintégrés dans leur corps respectif. Ils avaient été sanctionnés pour avoir incité les policiers de Paris, le jour des obsèques de deux gardiens de la paix, à manifester sous les fenêtres du garde des Sceaux, aux cris de : « Badinter, assassin! »

Le 28 mars, les quatre policiers révoqués-réintégrés sont reçus, comme des hôtes de marque, par Robert Pandraud. Désormais, avec un systématisme brutal, ceux qui avaient eu à pâtir du pouvoir de la gauche dans la police sont remerciés ou promus comme des héros. Voire des martyrs. Ceux qui ont servi sous Gaston Defferre et Pierre Joxe sont considérés comme des traîtres, à quelques exceptions près.

Charles Pasqua ou l'alternance par la revanche. De « grands flics » perdent leur direction. Ceux que Robert Pandraud recevait à l'Hôtel de Ville sont récompensés. Charles Pasqua reprochait aux socialistes d'avoir recréé « une police politique ». Le nouveau ministère, à peine installé, rabaisse ses flics aux rangs de bons ou de mauvais serviteurs.

Sur une gaffe de langage, il se privera même des services précieux du préfet de police Guy Fougier, qui avait réussi le tour de force rarissime de convenir à la fois au tandem de la place Beauvau et au chef de l'État. « Le préfet de police fait ce que le gouvernement lui dit de faire, autrement il est remplacé dans les vingt-quatre heures », se croira obligé d'expliquer Charles Pasqua à propos d'une banale question sur la baisse de la délinquance. Ayant une autre opinion de sa fonction, Guy Fougier démissionnera le lendemain. Robert Pandraud et Charles Pasqua tenteront en vain de le faire revenir sur sa décision. Le ministre affirmera avoir dit autre chose que ce qu'il voulait dire. Guy Fougier s'en ira. Matignon trouvera navrant cet autre incident.

Charles Pasqua subit l'ivresse de l'épreuve du feu ministériel. Avant de songer à gérer, ou à mesurer la gravité du terrorisme, ce qu'il fera plus tard, il tonne. Le ministère de l'Intérieur est d'abord une tribune où il oublie tout conseil de pondération. La majorité s'était avancée avec un programme, déjà très marqué, sur la sécurité. Il le durcit par ses déclarations.

Il improvise, en profite pour agrémenter un avant-projet sur la prolongation de la garde à vue de quelques vieilles idées personnelles. Il plaide avec fougue pour la systématisation des contrôles d'identité. Il parle de développer les mesures administratives, laisse entendre que les policiers auront le droit de procéder à des perquisitions sans l'assentiment des personnes concernées. Il menace d'interdiction de séjour les délinquants de tout poil. Son cabinet invente même un « crime de terrorisme » qui permettrait d'incriminer, au petit bonheur la chance, de plus en plus de suspects. Il imagine, après cinq ans de « complicité du pouvoir avec les détenus », une peine incompressible de trente ans.

Beaucoup de ces projets, jetés en pâture à une opinion publique qui n'en demande pas tant, ne verront pas le jour. C'était simplement, si l'on ose dire, histoire de causer. De faire peur. De montrer qu'une certaine orthodoxie gaulliste, dans les affaires d'ordre, n'était pas morte. De tenir les promesses intempestives de la campagne électorale. C'était aussi pour couper l'herbe sécuritaire sous le pied du Front national.

Pasqua « facho », comme certains opposants commencent à se le redemander? Pasqua simplement « réglo », par respect d'un programme et par souci tactique? La vérité se situe sans doute, comme souvent chez lui, entre les deux. Selon les jours. Matignon s'inquiète, pourtant. « Charles, dit un conseiller de Jacques Chirac, prend son mauvais rôle trop à cœur. » Balladur, dès la fin du mois de mars, réitère ses conseils de modération.

En vain. Les libéraux, les centristes s'indignent vite d'une autre effluve, non prévue par la charte électorale de la majorité. Charles Pasqua est soupçonné d'animer le « lobby » des députés RPR ou UDF favorables à la peine de mort. Une officine – toujours dans les Hauts-de-Seine – a préparé un sondage bidon qui déclare les Français favorables au rétablissement de la peine capitale. Au cas où les tests effectués par les Renseignements généraux, à la demande de leur hiérarchie, et où les sondages nationaux ne donneraient pas le penchant souhaité de l'opinion... A l'Assemblée nationale, des amis du ministre de l'Intérieur font des pointages. On parle de nouvelles propositions de loi.

Matignon s'informe. Charles Pasqua, en plaisantant, rassure. Pensez donc! « Même si je le voulais, c'est impossible, juridiquement. Nos prédécesseurs ont signé un traité européen qui interdit de revenir sur l'abolition pendant cinq ans. »

Mais ce que Charles Pasqua ne dit pas et que l'Hôtel Matignon découvre vite dans la presse, c'est que le ministre regrette amèrement cette convention européenne. Il n'hésite jamais à déclarer qu'il est lui-même favorable au retour de la peine capitale. « Nous verrons bien s'il y a moyen de la rétablir un jour, déclare-t-il encore au *Figaro Magazine*. Je le souhaite pour mon pays, car elle est juste et, contrairement à ce que l'on nous raconte, très dissuasive pour peu qu'elle soit appliquée. » Charles Pasqua n'est pas à la tête de la croisade parlementaire pour le rétablissement, mais il pense qu' « il y aura certainement au Parlement des propositions de députés ou de sénateurs pour son rétablissement ».

Sur la peine de mort au moins, Charles Pasqua n'est pas en service commandé. Il affiche invariablement ses propres convictions. Ses amis, ennuyés, en discutent souvent avec lui, en dehors de toute joute politique ou de tout calcul électoral. Il est intimement favorable au châtiment suprême.

Il réduira toujours son souhait d'une restauration du châtiment dernier aux crimes terroristes, aux prises d'otages, aux assassinats d'enfants. Il ne changera pas sur le fond. Dans les meetings, au grand dam de Chirac, fervent partisan de la vie pour les meurtriers, il fera un triomphe, même auprès des jeunes du RPR, sur ce thème de la peine capitale retrouvée. Beaucoup de ses conceptions s'exprimeront de manière plus sereine, plus nuancée, après ce long coup de sang de 1986. Sur la mort, au petit jour, après un dernier verre d'alcool et une ultime cigarette, il restera fidèle à ce principe rigide. Surtout pour ne pas en laisser l'exclusivité à Jean-Marie Le Pen. « Ce n'est pas un sentiment politique, expliquera-t-il. C'est comme ça. Je crois à la vertu par l'exemple, dans les démocraties. Personne ne me fera changer d'avis sur ce point. Même pas Jacques. »

Ce n'est pas faute, pourtant, d'essayer. Avant même cette campagne souterraine au Parlement, orchestrée en sous-main par Charles Pasqua, les deux hommes ont de fréquentes discussions, très intimes, sur la peine de mort. Dix fois, Jacques Chirac, qui ne supporte pas que ses proches aient sur ce sujet, qui le touche, un avis différent du sien, tentera d'humaniser la position de son lieutenant. En vain. « C'est mon jardin secret, répond à chaque fois Charles Pasqua. On n'y entre pas. » Jacques Chirac a beau rappeler qu'à la Libération, le jeune résistant de Grasse est intervenu pour épargner l'exécution à des miliciens... « Laisse ça où c'est », réplique Charles Pasqua.

Il n'a pas oublié qu'il avait lui-même voté l'abolition de la peine de mort en 1981. « Par discipline de parti », précise un député RPR. « Parce qu'on nous avait expliqué qu'on allait trouver une peine de substitution », rétorque Charles Pasqua. Robert Badinter n'a pas fait voter cette loi. La peine de mort est donc toujours d'actualité. « Restons-en là. »

Au printemps 1986, le Premier ministre sait qu'il est inutile de contrecarrer le penchant revenu de son ministre pour la croisade de la guillotine. Il se contente de demander à Jacques Toubon et à Patrick Devedjian de calmer les ardeurs des parlementaires sur le sujet.

C'est sur tout autre chose qu'il se fâche en mai. A propos d'une glissade. A la tribune de l'Assemblée nationale, Charles Pasqua ne trouve rien de mieux, alors qu'il fait déjà l'objet de commentaires acides, d'accuser l'opposition de « s'être couchée devant l'occupant », en 1940. Qu'est-ce qu'il lui a pris? Même ses collaborateurs présents sont stupéfaits. Sauf Bruno Tellenne, qui lui a préparé un texte agressif que le ministre a trouvé... trop polémique avant d'entrer en séance! Un député socialiste l'avait pris à partie sur sa connaissance de l'Histoire. Le ton montait. Les socialistes et les communistes avaient envie depuis deux mois d'en découdre avec le ministre de l'Intérieur. L'atmosphère entre la place Beauvau et le Parlement était à l'orage depuis plusieurs jours déjà.

Brusquement, Charles Pasqua perd son sang-froid, explose. Il sait, comme tous les députés, mieux qu'eux même, que l'Assemblée nationale compte des Résistants de tous les bords. C'est même, profondément, ce qui distingue les familles, les générations d'élus. Mais le ministre ne peut s'empêcher, vieux phantasme, d'assimiler ses adversaires d'aujourd'hui aux ennemis d'hier. A gauche, les Résistants prennent très mal la chose. Roland Dumas, dont le père est mort fusillé par les nazis, quitte l'hémicycle rouge de colère. « Salopard! », lance-t-il à l'adresse de l'orateur, avant de sortir.

Des conseillers de l'Hôtel Matignon, Denis Baudouin en tête, se précipitent à la suite de Roland Dumas pour excuser l'imprudent. L'ancien ministre des Affaires étrangères fulmine, indigné, dans les couloirs. Prévenu, Jacques Chirac tente de le joindre, en appelant le bureau du groupe socialiste. Roland Dumas ne veut rien entendre. Il parle de venger la mémoire de Gaston Defferre, décédé depuis peu. Il menace de demander réparation par le duel, comme sous les Républiques précédentes, comme à la manière du vieux maire de

Marseille. Effrayé, Denis Baudouin écrit un mot qu'il fait passer à Jacques Chaban-Delmas qui, du haut de son perchoir, a blémi sous l'affront fait aux Résistants de gauche.

Roland Dumas retourne dans l'hémicyle. Charles Pasqua, pataud, le visage fermé comme un enfant après une bêtise, paraît compter les mouches dans l'air lourd de l'amphithéâtre républicain. L'ancien ministre socialiste se précipite au banc du gouvernement. Il fait face à l'offenseur. Des ministres, des députés se penchent pour entendre, en vain. C'est Roland Dumas qui résumera la confrontation. « Je lui ai dit que je l'avais traité de voyou pendant la campagne et que je maintenais mes propos. S'il n'avait pas été assis à ce banc, il aurait reçu les deux gifles qu'il méritait. Je le lui ai dit aussi. »

Charles Pasqua, selon quelques témoins dignes de foi, se sort mal de ce duel oratoire. Mais sa version, rapportée par ses soins, sera très méridionale, comme il se doit. « Ministre ou pas ministre, croyez-vous que je sois homme à me laisser gifler? Qu'il vienne me le dire en face! »

Il fanfaronne encore. Pourtant, c'est lui qui appellera Jacques Chirac, le soir même, pour recevoir l'admonestation méritée. Charles Pasqua ne sait pas s'excuser. « Ce n'est pas dans son tempérament, se souvient Marie-France Garaud. Simplement, il s'arrange toujours pour se réconcilier par la bande. C'est souvent comme cela qu'il s'est fait des amis. » Place Beauvau, c'est Bruno Tellenne, amusé, qui en prendra pour son grade, et sera menacé d'être « vidé ».

La cohabitation, depuis, a pris son rythme de croisière et le ministère de l'Intérieur a fini par s'y faire. Simplement, lorsqu'il joue les bons offices entre le chef de l'État et le gouvernement, Roland Dumas sait qu'il est toujours le bienvenu place Beauvau. Mais s'excuser, jamais! Le lendemain de l'incident de l'Assemblée nationale, Charles Pasqua récidive sur les ondes d'Europe 1. Les leçons de Jacques Chirac, qui passe à son goût beaucoup trop de temps à calmer les intempérances de son ministre de l'Intérieur, seront longues à porter leurs fruits.

« A quoi joues-tu? lui a demandé le Premier ministre.

– Ils m'emmerdent, réplique Charles Pasqua.

– Tu n'es pas au gouvernement pour régler tes comptes. J'ai besoin de calme, surtout avec Mitterrand à l'Élysée qui n'attend que mon premier faux pas...

– Si nous voulons réussir notre pari des trois mois pour changer la France, il ne faut pas prendre des gants! »

Navré, attendri, Jacques Chirac renonce. Il raccompagne son grognard à la porte de son bureau.

« Je te rappelle que c'était trente jours...
– Trente jours, trois mois, c'est pareil ! Ce qu'il faut, et tu devrais m'écouter, c'est faire impression ! »

Rassuré, après un orage de force finalement moyenne, Charles Pasqua regagne son ministère, toujours aussi peu convaincu de la nécessité de donner à l'exercice gouvernemental un tour plus nuancé. Après son départ, le Premier ministre convoque Denis Baudouin dans son bureau. Ensemble, les deux hommes préparent l'excuse du gouvernement à Roland Dumas. « Nul ne peut se prévaloir du monopole de la Résistance, expliquera le Premier ministre. Il s'agit de notre bien commun. »

Les précisions très diplomatiques de Jacques Chirac n'y suffisent plus : Charles Pasqua devient la cible privilégiée de l'opposition, et certains démocrates sensibles, au gouvernement, ne dissimulent plus leur gêne devant cette impression de dérive.

C'est le temps des bavures redoutées, avant le 16 mars, par Pierre Méhaignerie. Certes, la police a repris confiance sous les encouragements de Charles Pasqua. Mais elle se remet aussi à faire du zèle. « Ce n'est pas du " Ponia ", ironise un député socialiste, mais ça en a le goût. » Un journaliste de *Libération* est interpellé au siège du quotidien pour avoir rencontré un autonome ami de quelques membres d'Action directe. Pour démontrer le glissement dangereux des contrôles d'identité systématiques, deux journalistes d'Europe 1, accompagnés d'un avocat, refusent un soir de montrer leurs papiers. Ils sont aussitôt arrêtés.

Et comme la presse devient dérangeante, le ministère de l'Intérieur convoque les directeurs de rédaction, directement accusés de troubler l'ordre public...

C'est l'été. L'été 86, lourd de menaces terroristes. Le samedi 5 juillet, un jeune de vingt-huit ans, Loïc Lefèvre, est abattu rue de Mogador à Paris par Gilles Burgos, un CRS. Des témoins, notamment des prostituées, ont vu la scène : Loïc Lefèvre roulait à bord d'une deux-chevaux lorsqu'il bute, après avoir frôlé un car de police, contre un trottoir. Il prend peur, s'enfuit. Il est abattu dans le dos. Froidement, diront les témoins. Comme au stand. La presse, immédiatement, parle de « bavure ». C'est le mot, en français. Charles Pasqua le prend mal et menace de poursuites ceux qui se livreraient à « une présentation malveillante des faits ». Pourquoi une telle réaction, alors qu'il lui suffisait, la presse et l'opinion l'auraient compris, de regretter ce geste isolé ? C'est qu'en fait, le ministre est obsédé par la défense et l'illustration de sa police. Il la couve. Il la couvre. Il l'a répété plusieurs fois depuis le 16 mars : « Les policiers sont couverts par leurs supérieurs. Nous les couvrons, il n'y a aucun problème. » Jacques Chirac lui-même avait adressé semblable message aux forces de l'ordre en expliquant, le 21 mars, que le gouvernement était bien décidé « à couvrir » la police « si par malheur un accident arrivait ». Mais pour le Premier ministre, c'était là affaire de mesure. Charles Pasqua et Robert Pandraud, qui assurera plus tard que « tous les moyens sont bons », donnent à cette idée de la cohésion administrative un tour beaucoup plus direct. Et des policiers, surtout parmi les CRS, prennent parfois ces assurances pour des couvertures. Pour un passeport d'impunité.

C'est le cas le 5 juillet. Gilles Burgos confond garantie gouvernementale et chèque en blanc. Il tire sans se poser de questions. Édouard Balladur, devant la violence des réactions de la presse, prend soin de se démarquer. Il pense d'abord, lors de son passage au « Club de la presse » d'Europe 1, à Loïc Lefèvre, dont le seul crime fut d'avoir eu peur de la police. Le ministre de l'Économie confie sa « réaction de consternation », une réaction « humaine avant d'être politique ». Il tente d'atténuer la philosophie un peu courte qui se dégage des interventions verbales du tandem de la place Beauvau. « Il ne s'agit pas, explique-t-il, de donner un satisfecit de principe à toutes les actions de maintien de l'ordre. »

La sagesse de ce point de vue est la bienvenue. La veille, Charles Pasqua a laissé le directeur de cabinet du préfet de police faire allusion, au cours d'une conférence de presse, au « passé judiciaire » de la victime : de simples infractions au code de la route! On « couvre », mais on recommence, comme sous d'autres gouvernements, à prendre les citoyens pour des simples d'esprit.

Le tandem de la place Beauvau confond sa recherche d'harmonie avec la police, l'éternelle mal aimée, avec l'arbitraire administratif. Juste après le tir sur cible vivante du CRS Burgos, le quartier de la rue de Mogador a été bouclé, les témoins malmenés, instamment priés par d'autres policiers de réviser leurs souvenirs du drame à la baisse. L'IGS, la police des polices, met peu d'empressement à retrouver la prostituée qui avait vu Burgos lever son arme. Une conférence de presse et le tour serait joué? La préfecture donne sa version des faits. L'opinion n'a qu'à s'incliner au mépris de l'investigation des magistrats.

Bref, en quelques semaines, Charles Pasqua encourt le risque de brouiller une nouvelle fois la police avec le pays, surtout avec les jeunes. Mais il « couvre »...

Cette certitude arme aussi le pistolet, un mois plus tard, d'un gardien de la paix de Fontenay-sous-Bois. Éric Laignel tire sur un jeune motard, William Normand. Une autre bavure, toujours possible. Plutôt que le reconnaître, alors qu'après avoir tiré, le policier est secoué par une crise de nerfs, la hiérarchie policière s'acharne à prouver que le motard était le voleur à l'arraché recherché à Fontenay depuis des semaines. Polémiques. Preuves, contre-preuves. William Normand est abattu de dos, alors qu'il n'est, bien sûr, pas identifiable. Mais on « couvre »... Tous les jeunes qui s'enfuient en voyant la police à un carrefour sont forcément des délinquants.

Un jeune avocat, Francis Terquem, défenseur de William Normand, publie une « libre opinion » dans *le Nouvel Observateur* du 8 août. Sous le titre « J'accuse Pasqua », l'avocat écrit : « J'accuse Pasqua d'avoir fait, en moins d'un mois, quatre victimes innocentes, William Normand, Loïc Lefèvre [...] et deux policiers dont la vie est brisée, dont l'honneur est entamé. » Plus loin, Me Terquem « accuse Pasqua d'influencer et de dévoyer la justice, d'amener les magistrats à tenir les affirmations des policiers pour paroles d'Évangile. J'accuse Pasqua de laisser infiltrer la police par des éléments d'extrême droite. Je l'accuse d'enfermer la police dans un ghetto et de la couper de la population. »

Oubliant les conseils de son entourage, Charles Pasqua porte plainte aussitôt, avec son compère Pandraud, contre l'avocat, *le Nouvel Observateur* et l'association SOS-Racisme. Plainte en diffamation : « Une polémique visant à mettre en cause la police, les plus hautes autorités de la police nationale et les ministres, écrit le tandem, se développe dans certains médias. Un véritable procès public a été conduit au mépris des règles élémentaires du droit. »

SOS-Racisme, dont Francis Terquem est l'un des avocats, réplique simplement par une réflexion qui restera célèbre quelques mois parmi les jeunes : « M. Pasqua perd son calme. » D'autres ont le même sentiment. Des techniciens de la sécurité, plutôt proches du PS, créent une association « Démocratie et Sécurité », reprochent au ministre ses déclarations « tonitruantes », ses mesures « hypersécuritaires ». Pire, ses mensonges, çà et là, à l'opinion publique.

Le climat s'alourdit entre le ministère de l'Intérieur et la presse. *L'Événement du jeudi,* après les poursuites contre *le Nouvel Observateur,* charge ses avocats de porter plainte contre Charles Pasqua. L'hebdomadaire reproche au ministre de l'Intérieur son perpétuel soupçon à l'égard de la presse, plus particulièrement « l'exploitation scandaleuse », selon Charles Pasqua, de la mort de Loïc Lefèvre. Dans une interview à *Valeurs actuelles,* l'occupant de la place Beauvau avait affirmé que le tintamarre éditorial autour de l'affaire de la rue de Mogador créait un climat qui incitait « les hommes d'Action directe à frapper la police ». L'éternel « c'est la faute à la presse ».

De tous bords, des critiques s'élèvent contre ce qui devient le « style Pasqua », cette manière de dire, haut et fort, puis, devant l'orage, de dire qu'on n'a pas tout à fait dit ça. Que les interprétations sont partisanes. Au RPR, le ministre joue les incompris, les mal aimés. Lorsque ses amis tentent de tempérer ses envies d'en découdre, il répond que c'est le rôle d'un ministre de l'Intérieur de prendre des coups et de les rendre. Il n'est pas venu au gouvernement pour faire plaisir. Mais par devoir. Avec Charles Pasqua, lorsqu'il n'est pas à l'aise dans l'époque, la République est toujours en danger. Une menace dans l'air du temps. Pas le moment de flancher. Il tient ce discours à répétition à chaque Conseil interministériel. Malheur au centriste qui se plaint d'appartenir à un gouvernement qui n'a pas immédiatement les jeunes pour lui. Le gaulliste de l'Intérieur sort ses chiffres, ses rapports alarmistes sur le terrorisme. « Est-ce que vous pensez à nos otages du Liban? », lance Charles Pasqua, de sa voix forte. Les otages ne sont pour rien dans les quelques bavures, les dérapages verbaux de la place Beauvau. Mais cela « fait toujours impression ». « Excellente manière de renforcer la cohésion gouvernementale, explique-t-il un jour à Denis Baudouin, et de forcer les agneaux à nous suivre. »

Certains se font un peu prier. Un proche de Raymond Barre, Jean-Claude Casanova, exprime son trouble publiquement : « Si MM. Pasqua et Pandraud nous garantissent la paix nous les en remercierons, écrit-il dans *l'Express.* Mais les citoyens ont aussi besoin qu'on veille à leurs droits. Comme ils sont respectueux de la Constitution, ils savent que l'autorité judiciaire est gardienne de la liberté individuelle. »

Et Raymond Barre lui-même doit estimer que la politique gestuelle, « gesticulatoire » disent certains, comporte des risques dont il doit s'abriter, puisqu'il critique par avance toute « dérive contre-terroriste ».

Charles Pasqua aura, une fois de plus, quelques commentaires peu amènes pour le futur rival de Jacques Chirac à l'élection présidentielle. « Il n'avait qu'à venir gouverner avec nous », jette-t-il avec aigreur à l'un de ses collaborateurs qui vient lui rapporter une autre petite phrase de Raymond Barre. « Ce type a toujours su trouver la solution de la prudence sans risque. Ce n'est pas lui qui se mouillera. »

Charles l'incompris, même de ses propres troupes, retombe dans ses travers du passé. Plus tard, lorsque le vent tournera plus favorablement pour lui, il expliquera à quelques journalistes que ses interventions de 1986 ont permis au RPR de ne pas exploser. « Vous avez la mémoire courte, dira-t-il. Vous oubliez que lorsque nous avons remporté les élections, cela s'était joué à quelques sièges de député près. Et cela grâce à l'habileté de Mitterrand. Je connais trente députés de chez nous qui passaient leur temps à se laisser peu à peu séduire par Le Pen et Arrighi. Sur la sécurité, ils avaient des positions bien plus sectaires que le programme électoral sur lequel ils se sont fait élire. »

L'histoire, un jour peut-être, fera le tri des inquiétudes que Charles Pasqua a volontairement provoquées chez ses amis, par esprit de sacrifice à la survie du RPR. En 1986, en tout cas, Jean-François Probst, son ancien secrétaire général au Sénat, reconnaît mal son patron dans ce bretteur qui provoque n'importe qui en duel verbal, pour peu qu'on vienne se mêler des dossiers de la place Beauvau.

C'est Charles Pasqua la mauvaise foi. Qui soupçonne un peu facilement ses détracteurs de trop lire une presse, bien sûr, trop partisane.

Il fait même le coup à Mgr Decourtray, primat des Gaules, qui s'est inquiété des menaces que les avant-projets gouvernementaux font peser sur la présence des immigrés en France. « Une chose est de se faire son opinion en lisant les commentaires de la presse, explique-t-il en juillet à l'émission " L'Heure de vérité ". [...] Vous connaissez la règle... Les commentaires sont libres mais les faits sont sacrés. Je crois qu'il faudrait d'abord commencer par publier le projet de loi du gouvernement et, ensuite, on pourrait faire les commentaires que l'on veut. » La faute à la presse, encore.

En fait, Mgr Decourtray avait manifesté son pessimisme devant les commentaires de Charles Pasqua lui-même dans les journaux. Le ministre laissait entendre, ainsi que son collègue de la Justice, Albin Chalandon, que les étrangers surpris en situation de délinquance seraient immédiatement expulsés. Qu'il allait suffire qu'un étranger constitue une menace pour l'ordre public pour que l'administration – et non la justice – puisse le renvoyer dans son pays d'origine. Les textes n'auront jamais un contenu si arbitraire.

En cette matière, comme sur le chapitre de la sécurité et du terrorisme, le gouvernement mettra, par la suite, beaucoup d'eau dans son vin. Les paroles de Charles Pasqua auront donné quelques sueurs froides aux plus « sensibles », comme le dit le ministre lui-même. Mais guère plus. La

« dérive » redoutée par Raymond Barre ne se produira pas. Tous les projets du gouvernement Chirac concernant les sujets sur lesquels Charles Pasqua aura tant parlé seront beaucoup plus modérés que promis. Certains collaborateurs de la place Beauvau assurent que « cela avait toujours été entendu ainsi entre Jacques Chirac et Charles Pasqua ». Peut-être. Les opinions ne sont pas toutes similaires à Matignon. Charles Pasqua a l'art de réécrire sa propre histoire à sa façon.

Mais il faut aussi savoir l'écouter. Parfois, au détour d'une conversation, passe, furtivement, une excuse. Bougonne, bien sûr. Comme après la convocation pure et simple, par le ministère, des directeurs des rédactions. Beaucoup n'ont pas répondu à l'injonction, mais certains se sont rendus place Beauvau pour y recevoir une véritable leçon de déontologie. Autre mise en garde, étrange de la part d'un homme politique qui, s'il n'aime pas les journalistes, a toujours considéré, pendant sa carrière, que leur liberté de plume et de parole faisait partie des règles, à défaut des vertus, de la République.

« Une connerie », commentera-t-il simplement. Une autre. Une excuse jetée dans un soupir, comme s'il y avait des jours où lui-même cherchait la raison de ses dérapages.

Le charcutier est un esthète

Mercredi 1er octobre 1986. Midi. Le Conseil des ministres a fini de délibérer. Les membres du gouvernement prennent congé, froidement, du président de la République. La cohabitation traverse une période de glaciation. Depuis une semaine, François Mitterrand fait durer le suspense. Tout le monde s'attend à ce qu'il refuse de signer les ordonnances sur le découpage électoral qui provoquent tant de protestations chez les socialistes et les communistes. Charles Pasqua s'avance à son tour vers le perron de l'Élysée. Un huissier le rattrape prestement : « Pardon, Monsieur le Ministre de l'Intérieur, le Président vous prie de lui accorder un instant... »

Charles Pasqua revient sur ses pas. François Mitterrand l'attend, debout, près de la porte du salon Murat, avec l'un de ces sourires ambigus dont il use pour intriguer ses interlocuteurs : « Monsieur le Ministre de l'Intérieur, je tenais à vous dire combien j'ai apprécié le soin que vous avez mis à m'informer, ces dernières semaines, de l'évolution de ce fameux découpage...

– Vous savez bien, Monsieur le Président, que ma loyauté à l'égard du président de la République est sans faille, répond Charles Pasqua. Je respecte trop les institutions de la Ve République, vous le savez aussi, pour qu'il en soit autrement... »

Le sourire de François Mitterrand s'accentue :

« Je n'en doute pas mais je vous avoue que, chaque fois que vous me proposez quelque chose, je me méfie un peu... »

C'est le visage de Charles Pasqua, cette fois, qui s'épanouit :

« Vous le savez bien, j'aime la politique!
– Vous avez raison, il n'y a rien de plus important que le gouvernement des hommes!
– En politique, vous êtes vous-même, Monsieur le Président, si vous permettez, un redoutable joueur d'échecs...
– Croyez-vous?
– C'est sûr!
– Confidence pour confidence, je voulais vous dire aussi de ne pas compter sur moi pour vous élever une statue après votre œuvre de découpage, mais ce n'est pas moi qui vous traduirai non plus devant la Haute Cour de justice... D'ailleurs, entre nous, je crois que je vous l'ai déjà dit, s'il n'avait tenu qu'à moi, le scrutin proportionnel, vous savez... »

François Mitterrand fait la moue. Oui, Charles Pasqua se souvient. Le président de la République lui a déjà dit qu'il était, en son for intérieur, partisan du maintien du scrutin majoritaire à deux tours pour les élections législatives mais que, la proportionnelle figurant dans son programme de 1981, il lui avait bien fallu donner satisfaction aux partisans de cette réforme...

« Au revoir, Monsieur le Ministre de l'Intérieur.
– Au revoir, Monsieur le Président. »

Charles Pasqua part le dernier de l'Élysée. La Haute Cour!... Ce rappel, dans la bouche de François Mitterrand, le fait sourire. Il s'était bien amusé le jour où son copain le sénateur socialiste Michel Charasse, conseiller du maître de céans, lui avait dit au téléphone : « Tu exagères », il y a un an, quand il avait menacé de réclamer la comparution du chef de l'État devant la Haute Cour de justice à cause de la politique « antifrançaise » menée par Edgar Pisani en Nouvelle-Calédonie.

La statue? Non, Charles Pasqua ne retire pas ce qu'il a dit l'été dernier: « Je voudrais qu'après le découpage on m'élève une statue! » Il l'aura méritée, non? Qui eût parié, il y a six mois, qu'il parviendrait à boucler cette opération en si peu de temps et avec si peu de grabuge?

Charles Pasqua, en effet, a bien compris, à demi-mot, le message codé de François Mitterrand: le président de la République a voulu le prévenir qu'il ne signera pas les ordonnances sur le découpage mais qu'il n'insistera pas quand, celles-ci ayant été transformées en projet de loi, la réforme de la carte électorale aura été entérinée par le Parlement.

L'affaire est réglée. Charles Pasqua, pour la première fois depuis longtemps, se sent regaillardi. Il en avait bien besoin après la période de « bavures » en tout genre qu'il vient de traverser et qui commence à lui faire perdre – satané pendule du destin! – le vernis conquis de haute lutte au Sénat à partir de 1981. Voilà qui le change un peu de la morosité ambiante...

L'affaire est réglée mais elle n'a pas vraiment été de tout repos. Il faut dire qu'il l'avait bien préparée, avec l'appui toujours précieux du dévoué Laetizio Bourgeois. Normal. Il s'agissait après tout de sa mission prioritaire au ministère de l'Intérieur. Les communistes et les socialistes n'étaient d'ailleurs pas les seuls à l'attendre au tournant. Ces messieurs de l'UDF n'étaient pas les derniers à s'affoler. Il les revoit, tous, poussant des hauts cris jusqu'à l'Hôtel Matignon : Quoi! Confier les ciseaux du redécoupage électoral à ce vaurien de Pasqua! A l'ancien vice-président du SAC! A ce fraudeur professionnel! A ce coquin du RPR! Vous n'y pensez pas!

Pour une fois, heureusement, Jacques Chirac n'avait pas changé d'avis sous la pression. Il lui avait fait confiance jusqu'au bout, malgré les maintes craintes exprimées dans son entourage. Le jour où il avait paru douter un peu, Charles Pasqua l'avait tranquillisé : « Ne t'inquiète pas. Je sais ce qu'ils pensent que je vais faire. Alors je vais faire exactement le contraire. Ils n'en reviendront pas et ils seront bluffés. »

Ils s'attendaient tous, les Jospin, les Marchais, mais aussi les Giscard et les Barre, à ce qu'il concocte ses dosages partisans dans les catacombes de la place Beauvau. Le Parti communiste avait même fait imprimer une belle affiche le caricaturant en charcutier! Mais ils avaient tous négligé le fait qu'on peut être à la fois charcutier et sensible à l'esthétique...

D'abord, il avait été décidé de ne pas modifier le nombre des députés : il y en aurait autant – 577 – après le retour au scrutin majoritaire qu'après l'instauration de la proportionnelle. Question de psychologie élémentaire. Les premiers intéressés avaient été rassurés, pour la plupart, sur leur avenir personnel.

Ensuite, dès la mise au point des projets d'ordonnances, il avait été précisé que la révision de la carte électorale se ferait au grand jour et, suprême raffinement, que de toute façon les propositions du ministère de l'Intérieur seraient soumises pour avis à une commission de « sages » dotée d'une autorité incontestable puisqu'elle serait composée de magistrats au-dessus de tout soupçon – conseillers d'État et conseillers à la Cour de cassation – dont les conclusions seraient rendues publiques et prises en compte par le gouvernement.

Tous les contestataires avaient été pris à contre-pied. Certes, il y avait bien eu des récriminations et des grincements de dents. Les alliés de l'UDF – Giscard d'Estaing en tête – n'étaient pas totalement dupes : ils savaient bien que Charles Pasqua, malgré sa volonté affichée de transparence, ne manquerait pas d'avantager d'abord, partout où il pourrait le faire avec finesse, son propre parti. L'essentiel, pour le ministre de l'Intérieur, était que cette entreprise pût être rapidement menée à son terme – au cas où François Mitterrand aurait eu subitement des velléités de dissolution de l'Assemblée nationale – et apparaître au bout du compte globalement honnête.

Charles Pasqua était soulagé parce qu'il était en train de réussir cette gageure. La commission des « sages » avait joué le jeu en critiquant certaines des opérations de redécoupage des circonscriptions dans soixante-trois départements. Ce qui avait permis au ministre de l'Intérieur de se montrer respectueux de ses avis en procédant à quelques premières retouches dans vingt-cinq départements. Puis les deux projets d'ordonnances avaient été présentés au Conseil d'État, et à l'issue de cette procédure, après que chacun avait eu le loisir d'exercer son esprit critique sur les avis donnés et les décisions rendues – tout cela ayant été fait publiquement – le « paquet » avait été adressé, bien ficelé, à François Mitterrand, pour qu'il prît ses responsabilités. C'est ce qu'il s'apprêtait à faire en ce mercredi 1er octobre 1986.

Charles Pasqua était content de lui. Les experts avaient bien entendu relevé que le bilan de l'opération était surtout positif pour le RPR puisque le redécoupage permettrait au parti de Charles Pasqua de gagner 60 sièges par rapport à mars 1986, mais l'UDF y trouvait elle aussi son compte avec la perspective d'un gain de 21 sièges. Tout le monde, dans la coalition majoritaire, enregistrait des motifs de satisfaction.

Le ministre de l'Intérieur était surtout satisfait des petites prouesses techniques qui lui avaient permis, en puisant dans sa science ancestrale héritée des urnes corses, de recourir aux « trucs » les plus ingénieux pour orienter, mine de rien, ce redécoupage au mieux de ses intérêts partisans. Il avait pratiqué la « gonflette », cette méthode qui consiste à gonfler des circonscriptions solidement contrôlées par la gauche et donc à concentrer les voix de celle-ci pour dégager ailleurs de meilleurs terrains à la droite. Il avait aussi provoqué des « exils » en contraignant ici ou là certains élus de l'opposition à quitter leur fief pour conserver quelque chance d'être élus. Ainsi à Lille, au détriment de Pierre Mauroy.

Il n'avait pas hésité non plus à pratiquer la « noyade » : on « noie » une circonscription urbaine de gauche en y incluant des cantons ruraux favorables à la droite et le tour est joué. Ainsi au Mans et à Boulogne-sur-Mer. Il s'était, en outre, amusé à opérer certains « mariages » en faisant en sorte que deux députés socialistes sortants se retrouvent dans la même circonscription. Ainsi en Charente pour Roland Beix et Philippe Marchand. Il s'était même laissé aller à quelques extravagances, par exemple dans le Sud-Ouest où la difficulté de faire cohabiter les Basques et les Béarnais n'avait pas découragé ses ciseaux : il les avait réunis dans une seule circonscription regroupant neuf cantons basques et cinq béarnais, ce qui obligerait le futur élu à mettre trois heures pour aller d'un bout à l'autre de sa circonscription!

Oui, Charles Pasqua, le soir, place Beauvau, en parlant de tout ça, s'était payé de belles parties de rigolade avec Laetizio Bourgeois... Ils avaient bien le droit de rigoler un peu, entre deux affaires déprimantes...

Le jeudi 2 octobre François Mitterrand refusa de signer les ordonnances et la suite des événements se déroula comme le ministre de l'Intérieur l'avait prévu : lesdites ordonnances furent transformées en projet de loi; le gouvernement adopta la procédure accélérée de l'engagement de responsabilité pour faire adopter son texte par le Parlement; le Conseil constitutionnel, saisi par l'opposition, valida la réforme et François Mitterrand, le 24 novembre, promulgua la loi redécoupant les circonscriptions et posant le principe du rétablissement du scrutin majoritaire. Charles Pasqua reçut, enfin, la bénédiction de la SOFRES, sous la forme d'un sondage attestant, dans les colonnes du *Monde*, le caractère « nationalement équitable de son travail ». Il se dit alors, avec un soupir qui, cette fois, était de soulagement : « Mission accomplie. »

Mission accomplie? Enfin, presque. Avec ce redécoupage le ministre de l'Intérieur est au moins sûr que, si le rapport des forces politiques en présence n'évolue guère, le Front national perdra aux prochaines législatives le groupe parlementaire dont les socialistes lui ont fait cadeau en instituant la proportionnelle. Reste maintenant à empêcher Le Pen d'enfler davantage, en faisant aussi en sorte qu'il se dégonfle. Car en cette fin 1986, l'obsession du militant Pasqua s'appelle Front national.

Le ministre de l'Intérieur éprouve une aversion profonde pour Jean-Marie Le Pen. Le Résistant, en lui, ne supporte pas le pétainisme de cet héritier spirituel du régime de Vichy. Le gaulliste n'a pas oublié les appels à l'insurrection lancés par l'ancien député poujadiste, dans les années 60, contre la politique d'autodétermination décidée par le Général en Algérie. L'analyste, pourtant, doit constater que le Front national fait des ravages, depuis deux ans, dans les rangs du RPR, à la base, surtout dans l'électorat populaire. Mais Charles Pasqua ne supporte pas qu'on lui parle de Le Pen. Or, il n'y en a plus que pour cet homme dans les journaux.

Le ministre de l'Intérieur ne cesse de répéter à ses amis qu'ils doivent arrêter de polémiquer avec le Front national parce que répondre à Le Pen, c'est le crédibiliser, lui faciliter la tâche. Il leur conseille de l'ignorer plutôt que de lui répondre au coup par coup. Charles Pasqua se montre d'autant plus allergique à Le Pen que, à bien des égards, par son style, cet homme, souvent... lui ressemble. Il s'y connaît, lui aussi, en coups de gueule et en dérapages verbaux! Ce qui l'a le plus vexé, Charles Pasqua, c'est qu'un jour Jean-Marie Le Pen l'ai traité de « Tartarin »! Ce jour-là, au fond, le président du Front national touchait juste.

Quoi qu'il en soit, Charles Pasqua se charge, lui, de faire le nécessaire pour couper l'herbe sous les pieds de Le Pen sur le terrain de la sécurité et de l'immigration. Qu'on me laisse faire, répète-t-il à ses amis, je sais comment lui clouer le bec sur un certain nombre de sujets. Mais ne me compliquez pas la tâche en faisant une fixation sur cet arriviste. Bref, Charles Pasqua demande aux militants du RPR de traiter Le Pen comme il demandait naguère à ses représentants de Ricard de traiter leurs rivaux de Pernod : par le mépris.

Charles Pasqua, en vérité, est beaucoup plus inquiet qu'il ne le montre devant l'enracinement de l'effet Le Pen. Voilà pourquoi il prêche la modération à l'égard des électeurs du Front national, qu'il faut considérer, dit-il, comme des brebis égarées et traiter avec la même compréhension que celle qu'il manifeste lui-même vis-à-vis des transfuges de l'extrême droite qui l'entourent place Beauvau.

Voilà aussi pourquoi il s'emploie, depuis son installation à la tête du ministère de l'Intérieur, à tenir un discours musclé. Charles Pasqua en veut à ses amis de ne pas comprendre que ses rodomontades et ses déclarations provocatrices ont surtout pour but de faire revenir dans le giron du RPR ceux des électeurs qui l'ont abandonné depuis 1984 parce qu'ils le trouvaient trop mou face au pouvoir socialiste.

Ah! si on l'avait laissé développer, avant les premiers succès électoraux de Le Pen, son association Solidarité et défense des libertés!... Charles Pasqua est surtout inquiet parce qu'il sait que les thèses de l'extrême droite sur l'immigration se nourrissent de vrais problèmes. Et ce qu'il reproche le plus à ses propres amis, et davantage encore à ses alliés centristes, qui se complaisent dans l'angélisme, c'est de ne pas avoir écouté ce qu'il disait lui-même il y a deux ans.

Il se revoit encore, à la tribune du congrès extraordinaire du RPR, au palais des congrès, porte Maillot, à Paris, développer longuement ce sujet dans l'indifférence générale, sauf pour les délégués de la Seine-Saint-Denis, proches, par l'esprit, de Jean-Marie Le Pen et qui n'en revenaient pas de l'entendre prêcher en faveur de l'intégration des immigrés.

Son intervention était passée pratiquement inaperçue. A l'époque tout le monde n'avait à la bouche que l'Europe, l'Europe, l'Europe! Quelques journaux seulement avaient fait allusion à son intervention, mais qu'avaient-ils retenu? Simplement ses propos polémiques. Sa condamnation du gouvernement socialiste, coupable d'avoir régularisé le statut des immigrés clandestins, entraînant des réactions « proches de la xénophobie »; son couplet anti-PCF, quand il avait dit que les communistes se servaient des immigrés « tantôt comme des boucs émissaires tantôt comme des béliers »; son coup de griffe à l'extrême droite « dont le lit a été fait par trois ans d'incurie gouvernementale ». Mais il était allé beaucoup plus loin que cela et ce n'était pas par hasard qu'il avait tellement insisté sur « la place des étrangers au sein de la nation ». C'était le samedi 3 mars 1984. Trois mois plus tard Jean-Marie Le Pen faisait un tabac aux élections européennes.

En cet automne 1986, Charles Pasqua n'a aucun mot à retirer à ce qu'il disait ce jour-là après s'être inspiré des travaux du club de l'Horloge et en particulier des contributions de Jean-Yves Le Gallou, membre du parti républicain, le compère d'Yvan Blot, un modéré que l'aveuglement de la nouvelle majorité n'avait pas encore poussé vers le Front national.

Oui, il faut « une répression ferme de l'immigration clandestine avec renvoi immédiat pour les délinquants afin d'éviter l'équation immigré égale délinquant ». Oui, il faut « une action d'insertion des travailleurs étrangers désirant rester en France, avec une plus large possibilité de naturalisation ». Oui, il faut « une politique d'aide au retour pour les immigrés privés d'emploi ou désireux de rentrer dans leur pays d'origine ».

Qui a remarqué aussi ce qu'il a tenu à écrire dans *l'Ardeur nouvelle*, l'an passé : « Je n'ai qu'aversion pour le racisme. Ceux qui ont combattu dans la France libre n'oublieront jamais que dans nos rangs nombreux étaient ceux qui n'avaient ni notre couleur de peau ni notre religion. Dans nos bataillons, dans nos maquis ou dans les camps de concentration, ils luttaient pour la France et la liberté. Ils étaient nos frères. On ne peut pas être raciste quand on est gaulliste. C'est précisément pour cette raison que je rejette également le racisme à rebours que la classe politique de gauche et les intellectuels qui servent la même idéologie tentent d'imposer comme le seul discours moralement acceptable sur le problème de l'identité. Je suis tout à fait favorable au développement de bons rapports entre civilisations différentes et aux contacts avec des peuples qui parlent une autre langue, célèbrent d'autres fêtes et respectent des valeurs qui ne sont pas les nôtres. Nous avons, en outre, des responsabilités particulières envers les peuples qui ont constitué notre Empire. Mais nous avons aussi un héritage à préserver et il n'y a pas de raison que nous adoptions les usages et les coutumes des voisins, que nous nous laissions submerger par leurs façons de faire, ni que nous fassions systématiquement apprendre à nos enfants les langues des populations qui viennent travailler chez nous. »

Charles Pasqua enrage, en vérité, de n'avoir pas été suivi sur ce terrain. Harlem Désir et ses amis de SOS-Racisme? « Ils sont bien gentils, mais on ne réglera pas le problème de l'immigration par des bals sur la Concorde. » L'aspect primordial du problème, c'est la démographie : « Le taux de fécondité des Français est de 1,8 %, proportion insuffisante pour assurer le renouvellement des générations, alors que celui de la population immigrée s'élève à 5,5 %. Cela signifie que les autochtones deviennent de moins en moins nombreux tandis que les étrangers se multiplient et se multiplieront selon une progression géométrique. On prétend ici ou là que c'est un bienfait, que l'un compense l'autre, mais la solution qui consiste à remplacer une population par une autre n'est certainement pas la bonne. Un pays qui ne veut pas mourir doit faire ses enfants lui-même. Une nation qui se sert d'une ou plusieurs autres comme mères porteuses est vouée à la disparition pure et simple. Bien sûr que Le Pen n'a pas tort dans toutes ses analyses! Le problème, c'est qu'il veut traiter l'immigration à la tronçonneuse et que son discours aiguise la xénophobie et le racisme. »

Dommage aussi, pense le ministre de l'Intérieur, que l'Alliance pour le développement, préconisée par Jacques Chirac, n'ait pas, elle non plus, retenu l'attention. Dommage.

C'est bien, pourtant, l'alliance entre les pays industriels et les pays en voie de développement qui permettrait d'organiser en commun le décollage économique de ces derniers : « La France ne serait pas la France sans une grande politique en direction des pays méditerranéens et du tiers monde. C'est son rôle de montrer la voie de ce nouveau type de coopération qui réduira le déséquilibre croissant entre le Nord et le Sud et créera les conditions d'une reprise harmonieuse de la croissance à l'échelon mondial. »

In petto, Charles Pasqua ajoute : « Non, ma mission n'est pas terminée après ce nouveau découpage. Le Pen a raison, je suis bien le seul rempart entre lui et Chirac, et, si Chirac ne le comprend pas, c'est lui qui risque d'en subir les conséquences à l'élection présidentielle... »

Pourquoi faut-il que sur ce sujet – l'immigration – comme sur beaucoup d'autres – la peine de mort, par exemple – Chirac ait toujours des états d'âme ! Non seulement Charles Pasqua a maintenant des idées sur tout, depuis que le Sénat lui a servi de tremplin vers la notoriété, mais son désir d'autonomie a tendance à s'exacerber sous l'effet des critiques que lui valent ses premiers déboires de ministre de l'Intérieur.

L'autre jour, il a raccroché le téléphone au nez de Chirac qui lui rapportait les remarques critiques d'un archevêque après ses derniers propos ironiques sur la France « multiculturelle » et « pluri-ethnique ». A quoi il pense, Chirac ? C'est bien joli de défendre la France; encore faut-il qu'il reste demain quelque chose à défendre...

Il arrive ces jours-ci à Charles Pasqua d'avoir des velléités d'indépendance. Il se surprend lui-même à ressentir une certaine irritation quand ce cher « Jacques », tiraillé entre ses conseillers multiples, fait preuve d'irrésolution. Irritation affectueuse, certes, mais irritation quand même. Ce n'est pas pour l'avenir de ses relations avec le Premier ministre que s'inquiète le ministre de l'Intérieur, mais pour l'échéance présidentielle, à cause de la conjonction dangereuse, pour son parti, de l'effet Le Pen et de l'effet Barre.

Jacques Chirac, il y a longtemps que Charles Pasqua sait comment le prendre. L'important est de le détendre. Ce n'est pas toujours facile avec cet homme-fusée, toujours pressé, mais avec une bonne plaisanterie, une grosse blague, on arrive à le freiner dans ses courses éperdues. L'idéal est de parvenir à lui imposer un déjeuner. On lui parle de ses enfants, de la Corrèze, des copines des uns et de celles des autres et, à la fin du repas, entre deux phrases, au milieu d'une rigolade, on lui lâche à l'oreille le message que l'on veut lui communiquer : « Tiens, à propos de l'affaire que tu sais, tout est paré, j'ai fait le nécessaire... », ou : « Je ne te l'ai pas dit parce que ce n'était pas capital, mais sache que... » Et l'affaire est dans le sac. Cela permet ensuite d'impressionner les autres en leur servant à tout bout de champ, comme Charles Pasqua ne s'en priva pas à l'époque où il construisait le RPR : « Jacques m'a dit... », « Jacques demande... », « J'ai vu Jacques qui... ».

Jacques Chirac, il faut aussi le rassurer. Charles Pasqua, bien sûr, sait là encore depuis longtemps comment s'y prendre. Il s'agit d'aplanir le terrain devant lui, de le débarrasser des contingences, des problèmes d'intendance. Surtout pendant les voyages. En déplacement avec lui, d'ailleurs, Charles Pasqua utilise un gag qui ne rate jamais quand Jacques Chirac paraît tendu : il se débrouille, le soir, pour substituer son eau de toilette à la sienne : le résultat est garanti. Ça marche à tous les coups. Chirac se fait chaque fois piéger et ses éclats de rire réveillent toute la suite officielle!

D'accord, il y a aussi des gags qui ne le font pas rire du tout. Comme ce jour où Charles Pasqua avait pris en charge l'affrètement d'un Boeing particulier pour que le maire de Paris n'arrive pas au Congo, où il devait participer à un congrès international des maires des capitales francophones, « comme un vulgaire pékin ». « Ne t'inquiète pas, lui avait dit le président du groupe RPR du Sénat, je m'occupe de tout. » Si vous aviez vu la tête de Chirac quand le pilote de l'appareil lui avait annoncé ensuite que, sur consigne de son ami Pasqua, la facture de 140 millions devait être adressée à l'Hôtel de Ville de Paris...

Non, ce que Charles craint, c'est que Jacques Chirac laisse finalement à l'opinion publique cette image négative que ses adversaires ont intérêt à colporter, l'image d'un homme indécis, variable, nerveux, cassant. L'image d'un homme en perpétuelle recherche de son propre équilibre, celle du jeune cabri qui n'a pas su mûrir et qui ne sait que sauter, sauter, sauter, pour paraphraser Marie-France Garaud.

Si Chirac n'y prenait garde le résultat pourrait être catastrophique. Ce n'est pas à Charles Pasqua qu'il faut raconter les défauts de son candidat à l'élection présidentielle; il les connaît par cœur. Il n'y a pas longtemps encore – un an seulement – le président du groupe RPR du Sénat était obligé de le secouer un peu pour le rappeler aux vertus de la rigueur et de la cohérence. Il avait même grondé un peu : « Si tu veux te contenter d'être le président du conseil général de la Corrèze, c'est à ta portée. Sans nous! »

Ce qu'il pense, Charles Pasqua, c'est qu'il faut « resserrer les boulons », ne pas céder aux « enfantillages » de la bande à Léotard « qui s'imagine être dans la cour des grands », encore moins à ceux des centristes, mais sans se comporter comme si Le Pen était « un loup garou ». « Qu'on ne me parle plus de Pernod! » « Quand on pilote un bateau, il faut savoir maintenir le cap. » Le problème de Chirac est que parfois il préfère la godille... Mais, en politique, « ce qui menace ce sont d'abord les courants et les vents », comme sur l'océan. Pour lui, Charles Pasqua, pas question de changer de route. En avant toute!

Pourtant il arrive également à Charles Pasqua, en cet automne 1986, de s'interroger : qu'est-ce qui a bien pu faire croire à Pierre Juillet et à Marie-France Garaud qu'il pourrait un jour trahir Jacques Chirac? Encore une de leurs manigances! « Vous finirez comme le maréchal Ney à Waterloo : vous chargerez à la tête de vos troupes et vous mourrez battu... », lui avait dit l'ancien père Joseph de Georges Pompidou. Cette prédiction résonne encore à ses oreilles. « Quelle plus belle mort pour un soldat? avait-il répondu, toujours aussi théâtral. Non! Je conduirai le RPR à la victoire! » Tiens, cela ferait un bon gag : « Dis, Jacques, où c'est, à ton avis, Austerlitz, par rapport à Le Pen et à Barre? » Ce n'est vraiment pas le moment de musarder. La victoire, elle, n'aime pas les inconstants...

S'il n'en reste qu'un

L'affaire aurait politiquement tué n'importe qui. Quel autre ministre, soupçonné, malmené comme il l'a été par la presse, par son Premier ministre, par ses adversaires et par ses amis, aurait pu résister? D'autres ont démissionné pour moins que cela. Ils ont fini, un jour, par baisser leur garde, par se couper. Par commettre une erreur de défense.

Pas lui. L'affaire Chalier a certainement bien sonné Charles Pasqua. Elle ne l'a pas mis à terre. Affaibli un temps, certainement. Enrichi sa légende de soufre, sans aucun doute. Mais elle ne l'a pas abattu. Un an après, cette histoire de fausses factures et de vrai-faux passeport lui laisse un goût d'amertume dans la bouche : tout le monde ou presque a douté de lui pendant des semaines de suspicion générale. Le carré de ses fidèles a dû serrer les rangs. Il s'est senti seul, parfois abandonné de l'Hôtel Matignon, à deux doigts de la brouille définitive avec Jacques Chirac. Mais démoli, fini, pas un instant!

« Le plus pénible, racontera-t-il plus tard, ce fut d'affronter le regard perçant, amusé, du président de la République pendant les Conseils des ministres. Son sourcil levé, interrogateur. » Un jour, François Mitterrand eut même cette phrase, prononcée d'un ton enjoué : « Vous êtes bien attaqué ces temps-ci, Monsieur le Ministre de l'Intérieur. N'y prenez pas garde. C'est votre fonction qui veut cela... »

Chaque mercredi, le chef de l'État prenait plaisir, par une question faussement naïve, à tester la résistance nerveuse de Charles Pasqua, sous l'œil inquiet de Jacques Chirac. Même au plus fort de la tempête, l'homme de l'Élysée reconnut devant ses collaborateurs que le ministre de l'Intérieur avait « du coffre ».

Charles Pasqua n'est pas tombé. Il nie, il niera toujours avoir fait remettre par la DST à Yves Chalier un passeport contre la rédaction d'un rapport accablant pour l'ancien ministre socialiste de la Coopération, Christian Nucci. Jacques Chirac aurait pu être le seul à recevoir la terrible confession. Il en sera pour ses frais. Son fidèle jurera, main sur le cœur, même lorsque le Premier ministre menacera son compagnon d'une rupture.

Et, pourtant, combien sont dupes? Il n'y a aucune preuve. Ceux qui pourraient savoir étaient ou sont devenus, depuis les faits, des inconditionnels de Pasqua. Ou bien se tairont par intérêt. Le voilà donc hors de cause? Rideau? Quelques nuits blanches et, comme d'habitude, la main tendue de sa vieille complice, la chance? Pas si simple. Cette rocambolesque histoire de manipulateur manipulé porte bien sa griffe.

Si ce n'est pas lui, s'il n'a jamais permis, par des intermédiaires, à Yves Chalier de prendre le large alors que la justice le recherchait, personne, jamais, ne le croira. Parce que c'est bien dans sa manière, dans son style. Parce que cela ressemble bougrement à quelques moments forts – forts en parfum épicé – de sa carrière. Cette affaire mêle trop de Corses, trop d'anciens du SAC, trop de personnages hauts en couleurs, des jeux ou des milieux parallèles, d'Amérique du Sud ou d'Afrique, pour que l'opinion n'y voie la marque, la signature de son ministre de l'Intérieur.

On peut procéder par élimination. Peu d'hommes, dans la vie politique française, auraient aujourd'hui le cran, l'imagination diabolique – ou l'inconscience – de monter pareille machine de guerre contre l'adversaire et, une fois celle-ci retournée comme un boomerang, le front de nier les plus simples des évidences. S'il n'en reste qu'un, une fois de plus, ce ne peut être que lui. Tomasini, Sanguinetti, vieille ritournelle, sont morts. Foccart n'est plus ce qu'il était. « Ponia » écrit ses mémoires et Charles Hernu s'est fait prendre. Alors...

Et puis, d'où vient cette histoire d'un autre temps, qui superpose les flics officiels et les demi-sels reconvertis dans les affaires, les avocats du RPR et les représentants à l'étranger de ce parti? On se croirait aux beaux jours de la lutte contre l'OAS, de l'affaire Ben Barka, au mieux à ceux de l'assassinat du comte de Broglie. La Ve République avait fini, croyait-on, par remiser ces complots grossiers, aux intermédiaires douteux. Les milieux des jeux s'étaient vu proscrire peu à peu du sérail. Les embrouilles de la décennie portent la marque d'une certaine modernité, inusitée à l'aube du gaullisme orthodoxe ou du règne du « prince Ponia » : Greenpeace, les Irlandais de Vincennes, les fausses factures de Marseille, les bijoux d'Albin Chalandon...

Non, il n'en reste qu'un et ce ne peut être que lui.

Aussi l'histoire, quoi qu'il en dise, lui en attribuera-t-elle la paternité.

Quand débute ce qui n'est d'abord qu'une rumeur de malversations touchant le cabinet de Christian Nucci et le sommet franco-africain de Bujumbura en 1984, le ministre de l'Intérieur est le premier à s'en indigner. « Je te l'avais dit que les socialistes piqueraient dans la caisse », se lamente-t-il, un matin, devant Robert Pandraud.

Le ministre délégué regarde son supérieur d'un drôle d'air : comme beaucoup de gens à Paris, comme Charles Pasqua lui-même, il sait que le ministère de la Coopération de l'ancien gouvernement va connaître des jours difficiles. La presse de droite commence à distiller les informations sur les indélicatesses d'Yves Chalier. Comme beaucoup, comme Charles Pasqua lui-même, Robert Pandraud sait que l'ancien chef de cabinet de Christian Nucci fait en vain, depuis des semaines – et avant même le 16 mars –, le tour de ses amis socialistes et de ceux qu'il peut compter dans la nouvelle majorité, pour trouver de l'aide.

Ils sont déjà des dizaines dans Paris à connaître le contenu de ce dont il cherche à se débarrasser : plusieurs cartons soigneusement fermés protégeant les archives, bien encombrantes, du « Carrefour du développement », l'association qu'il animait et qui aurait servi de plaque tournante à bien des détournements financiers qui sont déjà secrets de polichinelle.

Plus de six millions de francs de fausses factures ont servi à financer, dit-il, la sécurité du sommet du Burundi, des dépenses personnelles de Christian Nucci et d'Yves Chalier, certaines associations dont une présidée par Danièle Mitterrand, l'autre par le président du Sénat, Alain Poher, etc. Pendant la préparation de la rencontre franco-africaine, des mercenaires engagés par Yves Chalier, un ancien officier qui a même servi au SDECE, voire des policiers du SCTIP (le Service de coopération technique internationale de police), sont forcément mis dans la confidence de ces détournements. La rumeur enfle, dès 1985, portée par tout ce que l'Afrique, à gauche ou à droite, comprend de barbouzes à plein temps, anciens des réseaux Foccart, agents francs-maçons proches du PS, anciens du SAC, hommes d'affaires très à l'écoute des investissements français sur le continent noir... Cela fait du monde, beaucoup de monde, et la rue de Lille comme l'Élysée n'ignorent rien, ou presque, de cette bombe à retardement, dès le mois de septembre 1985. L'Afrique paraît loin et les ministères ont perdu, en ces terrains conquis, toute prudence depuis des décennies.

Donc, avant le 16 mars, la future opposition et la future majorité ont parfaitement compris que le dossier Carrefour du développement allait exploser. Déjà, les locaux de l'association ont été visités, quelques semaines avant les élections législatives. Que cherchait-on? Les factures, bien sûr. Mais ces archives n'intéressent pas encore, apparemment. On préfère laisser Yves Chalier s'enferrer tout seul. Le fruit mûrir.

Il est suivi à la trace, mais personne n'intervient. Lui-même racontera qu'il a fait embarquer par son chauffeur du ministère ces précieux cartons. Il ne sait plus qu'en faire. Il se doute que la justice, un jour, la Cour des comptes, voudront fouiller les documents. Il risque des poursuites. Mais il n'a pas encore choisi de trahir Christian Nucci et les siens.

Il balade ses cartons d'un bureau à l'autre, essuyant à chaque fois une fin de non-recevoir. Son ministre ne veut plus entendre parler de Carrefour du développement. L'Élysée lui refuse plusieurs rendez-vous. L'ancien chef de cabinet obtient pourtant de rencontrer, en avril 1986, le chef de l'État. Il se fait éjecter de son bureau. Yves Chalier vient prévenir le président de la République de l'ampleur du scandale à venir et demander sa protection.

François Mitterrand ne l'entend pas ainsi et prie le maître chanteur de quitter les lieux sur-le-champ. Dehors, des hommes discrets suivent avec un intérêt croissant ces démarches impuissantes. Tous les partis politiques ont maintenant entendu parler des précieux cartons. Un ami de Charles Pasqua surprendra même celui-ci y faisant allusion quelques jours après son installation place Beauvau. Des policiers du SCTIP, inquiets du tour que prennent les événements, font des rapports oraux à leurs supérieurs. L'ancien patron du SAC, Pierre Debizet, l'un des Français les mieux introduits en Afrique dans les milieux parallèles, en parle à Robert Pandraud. Les flics de la brigade financière, par qui la justice viendra, commencent leur enquête.

Charles Pasqua, lui, joue les indignés qui tombent des nues. Il connaît désormais le contenu des archives d'Yves Chalier, qui n'intéressent officiellement personne, mais il se contente de grommeler son écœurement. Au mieux, explique-t-il, cette affaire regarde le nouveau ministère de la

Coopération ou celui de la Justice. Justement, le cabinet de son collègue, Michel Aurillac, a décliné l'offre faite par Chalier de récupérer les cartons. Décidément, nul ne paraît en vouloir...

Bientôt, Chalier perd pied. Il est lâché par ses amis. Guy Penne, le conseiller présidentiel pour les affaires africaines, refuse de le recevoir. « J'ai donc pris contact avec Me Jacquot, avocat à Brazzaville », racontera-t-il plus tard au *Point* qui, par deux fois, publiera les révélations de l'ancien chef de cabinet. Me Jacquot est un personnage influent parmi les militants RPR d'Afrique. Yves Chalier voit aussi plusieurs autres membres du parti de Jacques Chirac, toujours selon son témoignage, dont le colonel Robert, ambassadeur de France au Gabon jusqu'en 1981 et spécialiste des questions africaines au RPR.

Les mauvaises langues, plus tard, remarqueront que tous ces personnages, auxquels Yves Chalier vient s'offrir comme une proie en livrant l'étendue de sa faute et de celle de son ministre, connaissent Charles Pasqua. Certains sont ses amis. Mais Charles Pasqua a tellement d'amis!

Arrive, toujours à en croire l'homme par qui le scandale a éclaté, le fameux jour de la rencontre avec Charles Pasqua. Yves Chalier la situe le 16 ou le 17 avril 1986 au Club 89, un club présidé par Michel Aurillac, au 45 de l'avenue Montaigne. Charles Pasqua, lui, nie s'être trouvé en présence de l'ancien chef de cabinet.

« Si j'avais rencontré Chalier, je le dirais, répète-t-il inlassablement. La tactique d'Yves Chalier et ses affabulations visent à organiser le pourrissement du dossier et à mettre le maximum de personnalités politiques dans le coup pour détourner l'attention de l'essentiel, à savoir les malversations de Carrefour du développement. »

Pour d'autres affirmations, dont celle du vrai-faux passeport, Yves Chalier fournira des preuves matérielles. Pour cette rencontre avec le ministre, il n'en a pas. Au Club 89, bien sûr, personne ne se souvient avoir vu Pasqua ces jours-là, ni Chalier, ni à fortiori les deux hommes ensemble. D'autres émettent une hypothèse, comme la première invérifiable : Charles Pasqua n'aurait jamais pris le risque d'un entretien avec ce personnage déjà maudit, rejeté par les socialistes. En tout cas, jamais dans un lieu public. Si une rencontre a eu lieu, cela ne peut être qu'ailleurs, dans un appartement discret. Par exemple, celui que Charles Pasqua loue, depuis le début de l'année 1986, avenue Foch, à Paris. Un appartement connu de bien peu d'amis, même et surtout au RPR, et trouvé par le fidèle Vescovali.

« Charles a toujours possédé ainsi une tanière secrète, raconte l'un de ses familiers. Pas pour y faire quelque chose de spécial, pour y recevoir des amis, voire des adversaires. Pour y préparer, en secret, les campagnes électorales de Jacques Chirac. Si Pasqua a vu Chalier, à mon avis, ça ne peut être que là. »

« Charles peut commettre des erreurs, c'est certain, ajoute ce conseiller. Mais pas de ce genre. Vous le prenez pour qui? Il préférera toujours envoyer des émissaires, il n'en manque pas, à des rendez-vous plus ou moins secrets. Pourquoi prendrait-il le risque de se faire voir? Vous avez remarqué comme il a une sainte horreur d'être pris en photo? Il fait bien attention à qui il serre la main, surtout à Marseille ou sur la Côte d'azur. Croyez-moi, sur ce chapitre, il n'a plus rien à apprendre! »

Le jour venu, lorsque Charles Pasqua sera soupçonné par la presse d'avoir passé un marché avec l'ancien chef de cabinet, ce sera parole contre parole. La sienne contre celle d'Yves Chalier. Match nul, puisqu'il n'existe aucune preuve de cette rencontre.

Pas de preuve, non plus, de la suite de ce feuilleton sulfureux. Juste un effluve. Toujours le même : on ne prête qu'aux riches. Et Charles Pasqua l'est, dans les épisodes suivants.

Yves Chalier racontera, toujours au *Point*, comment il a retrouvé le commissaire Jacques Delebois, chef du SCTIP et proche à la fois de Charles Pasqua, par fonction, et de Robert Pandraud, pour avoir fait partie des policiers invités à venir prendre l'apéritif, de 1983 à 1986, à l'Hôtel de Ville.

Le policier, selon l'enquête du juge Jean-Pierre Michau et des inspecteurs de la brigade financière, devient alors l'agent traitant d'Yves Chalier. Puisque l'accord, apparemment, est scellé, puisque l'ancien chef de cabinet a accepté de produire les preuves des malversations de Carrefour du développement, le plan peut se mettre en place. L'Élysée fait suivre celui qui vient de passer à l'adversaire par les hommes du GIGN et de la cellule du préfet Christian Prouteau. C'est escorté d'un autre policier du SCTIP et d'un ancien des réseaux Foccart en Afrique qu'Yves Chalier gagne la gare pour Londres d'où il doit s'envoler pour Rio.

Au Brésil, il est accueilli comme un ami de longue date par tout un groupe de Corses, proches eux aussi du RPR. Parmi eux, Jules-Philippe Fillipedu, soupçonné par la police locale d'être un des caïds de la mafia des vidéo-pokers pour cette partie de l'Amérique du Sud. Les Corses de Rio s'occupent bien d'Yves Chalier. Une société est sur le point d'être fondée, qui ferait du fuyard un actionnaire bien rémunéré.

Mais Yves Chalier, contre la liberté, a promis un rapport sur les activités de Carrefour du développement. Paris le lui rappelle. Jacques Delebois sert toujours d'agent de liaison avec le mystérieux commanditaire. Mais ce n'est pas lui qui téléphone. Un autre Corse, Edmond Raffalli, patron d'un cercle de jeux parisien, entretient le contact.

Edmond Raffalli... Sans doute l'un des hommes proches de Pasqua, dans le monde étrange des jeux. Celui, dit-on, qui a su très tôt garder un peu de la manne financière qui échoit, en taxes, au maire de Paris, pour les activités de l'ancien directeur de Ricard. Edmond Raffalli, qui recevait souvent à déjeuner, pendant l'été 1986, Daniel Léandri et Dominique Vescovali, à la table de son cercle, l'Élysée-Concorde. Les deux collaborateurs du ministère de l'Intérieur, deux fidèles Corses, trinquaient à quelques mètres du bureau d'où leur hôte, selon l'enquête, appelait le Brésil...

Paris s'impatiente. Chalier n'a toujours pas envoyé son rapport. L'ancien chef de cabinet réclame un passeport pour pouvoir circuler sans être inquiété, parce que depuis le 9 juillet, il est l'objet d'un mandat de recherche. Qu'à cela ne tienne! Mais il faut des photos d'identité de Chalier. C'est un autre Corse, Jean-Pierre Chiarelli, qui se fera messager.

Il prend l'avion, emportant le rapport accablant pour Christian Nucci et les photographies. Le 747 à peine posé sur la piste de Roissy, une hôtesse vient chercher le porteur des plis à son fauteuil. La douane lui est épargnée. Deux hommes l'attendent : un policier, qui admettra d'abord, avant de se rétracter, avoir simplement rendu service à Jacques Delebois, et... Edmond Raffalli.

Le rapport finira – géniale trouvaille – dans la boîte aux lettres personnelle du nouveau ministre de la Coopération, Michel Aurillac, dont l'honnêteté naïve est tellement légendaire que les comploteurs sont sûrs qu'il se fera un devoir de la porter à son collègue de la Justice. Ce qu'il fait. L'enquête rebondit, bourrée d'éléments nouveaux. Formidable machine de guerre!

A Rio, Chalier a reçu son passeport, authentique, au nom d'Yves Navaro, emprunté à un policier de Nouvelle-Calédonie qui a eu... des démêlés avec la justice. Les Corses sont toujours aussi accommodants. Une nouvelle vie pourrait commencer. Mais, Paris étant une bourgade, trop de monde commence à entendre parler du Brésil. Jean-Pax Mefret, que Charles Pasqua connaît bien, est convié, pour *le Figaro Magazine* à recueillir les accusations de Chalier contre

Christian Nucci. Edmond Raffalli est placé sous surveillance par les hommes de la Financière. Delebois, déjà, est soupçonné par ses collègues. Le juge a aussi inculpé et fait incarcérer l'amie de l'ancien chef de cabinet, Maggy Baquian. Bien renseigné, le juge. Il sait que l'arrestation de la jeune femme est peut-être le seul moyen de pression qui peut décider le faux « Navaro » à se livrer.

La machine de guerre, brusquement, s'est enrayée. D'autres que ceux qui veulent nuire à la gauche, à travers l'affaire de Carrefour du développement, ont localisé Chalier. Des policiers jouent l'autre camp, l'Élysée. Un jour, Chalier reçoit un curieux émissaire, mandaté, dit-il par la présidence et qui s'inquiète d'éventuelles informations pouvant nuire à l'épouse du chef de l'État et à la comédienne Marthe Mercadier, proche du PS.

C'est la fin de l'exil au Brésil. Chalier, à bout de fatigue nerveuse, rompt brutalement le nœud de ses protections et, muni de son passeport, retourne en France.

Il a décidé de se livrer contre la libération de son amie. Mais, sur l'ordre de Robert Pandraud, les hommes de la Financière demandent immédiatement à Chalier son passeport. Comme si, persuadé que son supérieur n'est en rien mêlé à ce feuilleton, le ministre délégué éprouvait tout de même le besoin de se couvrir. Règlement, règlement, Robert Pandraud! Puisque circulent tant de rumeurs sur un mystérieux vrai-faux passeport, le ministre délégué veut être le premier à savoir. Et il sait, le soir même de l'interpellation de Chalier. Le juge n'aurait pas pensé lui-même à faire saisir et étudier la pièce d'identité que cela lui aurait ainsi été aimablement soufflé... La solidarité ministérielle commence à mollir.

On apprend vite que le passeport provient d'un stock remis par la préfecture de police à la DST, le 7 décembre 1984. Les opérations techniques ont été effectuées dans ce service secret.

Les policiers de ce service n'ont pas envie de voir remise en cause une réputation déjà malmenée à l'époque des fameux micros du *Canard enchaîné*. Ils parlent. Le passeport a été préparé à la demande personnelle du directeur de la DST, Bernard Gérard. Mais on explique son geste : ce haut fonctionnaire n'a pu agir que sur ordre de son ministre.

Son ministre? Charles Pasqua? Celui-ci paraît toujours aussi indifférent à cette « histoire triste, dit-il, du point de vue de la République ». Jacques Chirac, qui ne peut guère passer une semaine tranquille sans redouter un « nouveau pépin », place Beauvau, a bien tenté déjà quelques questions.

« C'est toi? demande-t-il un jour d'août à son compagnon?

– Tu ne penses quand même pas que je vais m'emmerder avec des trucs pareils...

– Si c'est toi, je veux tout savoir.

– Il n'y a rien à savoir. »

C'est déjà l'automne. Les explosions des bombes secouent Paris et le Premier ministre donne des signes de fatigue. Depuis longtemps, ses espions lui ont raconté par le détail cette histoire africano-brésilienne. Le chef de l'État a déjà fait savoir à Matignon qu'il laisserait faire les poursuites contre Nucci, pris la main dans le sac, mais qu'il n'est pas question d'aller plus loin. Jacques Chirac n'en a pas l'intention. Le versant Nucci de Carrefour du développement plaît déjà à moitié à ses conseillers. Giscard répète que la République des affaires, il en sait quelque chose, court à sa perte. Raymond Barre, très bien informé lui aussi, se réjouit. Et Édouard Balladur ne peut pas croiser le chef de l'État sans rougir. L'hiver s'annonce difficile pour le Premier ministre.

Le directeur de la DST a commis, sur ordre ou non, une erreur grave en fabriquant à la demande un vrai-faux passeport. Il suffisait de coller la photographie d'Yves Chalier sur n'importe quel passeport perdu, de citoyen mort, empêché ou absent, comme les services secrets ont l'habitude de le faire, et jamais le juge Michau n'aurait pu exiger d'entendre Bernard Gérard.

Les vrais malheurs de Charles Pasqua viennent de cette négligence. La machine de guerre tourne à la catastrophe, au coup tordu monté par des amateurs. Désormais, le directeur de la DST est bien obligé de justifier ce vrai-faux passeport et d'expliquer qu'il a agi sur ordre. Surtout que ses hommes ne se privent pas de répéter qu'on ne trouve pas trace dans les fichiers de la DST d'une quelconque demande écrite, administrative, bref officielle, de cette curieuse commande.

Il est bien contraint de mouiller son ministre, ce pauvre Bernard Gérard. Un ministre, pour la petite histoire, qu'il n'aime pas et qui le lui rend bien. Sans citer de nom, il doit bien expliquer qu'il a agi sur ordre oral. Qui peut bien exiger cela du directeur de la DST, sinon un supérieur? Bernard Gérard en compte exactement trois. Pierre Verbrugghe, directeur de la police nationale, Robert Pandraud... et Charles Pasqua. Le directeur de la DST, Verbrugghe et Pandraud n'ont pas été très sympathiques avec Charles Pasqua. Ils se sont réunis, comme pour s'unir dans une même confidence, avant même qu'Yves Chalier ne se rende au juge Michau.

Bernard Gérard a depuis longtemps compris qu'il avait commis une grave erreur en remettant un passeport appartenant à la DST. Il expliquera qu'il ne savait pas à quoi pouvait bien servir ce papier. Le ministère, laissera-t-il entendre à certains de ses collaborateurs, lui a simplement parlé d'un certain Yves Navaro. Il n'a pas eu la curiosité de comparer les photos du passeport avec celles de Chalier. Ses hommes hurlent au ridicule. Il le sait.

Mais mieux vaut passer pour un imbécile que pour un comploteur. Aussi demande-t-il audience à Robert Pandraud. Celui-ci se couvre en exigeant la présence, pour la confession de Bernard Gérard, du directeur de la police, Pierre Verbrugghe, dont il sait parfaitement qu'il est proche de François Mitterrand. Comme cela, se dit le ministre délégué, il n'y a rien à cacher. Tous ceux qui veulent savoir sauront.

Charles Pasqua encaisse le coup. Il ne se fait plus d'illusions sur l'esprit de camaraderie de son premier collaborateur. Robert Pandraud alimente ses propres filières d'information, qui ont patiemment reconstitué toute l'affaire depuis le sommet de Bujumbura. Le ministre de l'Intérieur croise parfois Pierre Debizet dans les couloirs de son cabinet. Celui-ci se rend chez Pandraud : il revient d'Afrique. Il a vu les policiers en poste, du SCTIP, des avocats proches du RPR rencontrés par Yves Chalier. Robert Pandraud a ainsi minutieusement préparé son dossier pour ne pas être inquiété, le jour venu.

Il ne cherche que l'essentiel : que Matignon ne puisse jamais le soupçonner de la moindre participation à ce complot destiné à échouer. Mieux, il semble tenir à ce que le Premier ministre et l'Élysée disposent des mêmes éléments d'appréciation. Aussi, avant même le retour en France de l'ancien chef de cabinet de Christian Nucci, les amis de Jacques Foccart, conseiller de Matignon, ceux de Guy Penne à l'Élysée, et les siens, suivent-ils l'enquête d'un même pas. On ne sait jamais...

Un piège s'est refermé sur Charles Pasqua. Celui de la responsabilité officielle. Tous les hauts responsables immédiatement placés sous ses ordres ont à l'avance décliné toute responsabilité. Ne reste plus qu'à faire la soustraction. Si ce ne sont pas les autres, c'est donc lui.

« Il est cuit », se disent les collaborateurs de Jacques Chirac et de François Mitterrand. C'est, encore une fois, compter sans le « coffre » du ministre de l'Intérieur. Sans sa passion instinctive pour la tempête. Il aime à le répéter : il s'ennuie quand ça va bien. « La routine m'emmerde. » Il n'est pas à l'aise par mer calme.

Cette fois, il est servi. Mais il applique à la lettre sa vieille méthode : ne jamais se départir de son calme dans l'explication. Il nie, c'est tout. Il n'a rien à ajouter. Ce n'est pas lui. Un autre rougirait, s'embourberait. Pas lui. Pendant des semaines, il ne fera aucune confidence, même à un proche. Ses fidèles le croient innocent. Les autres, coupable. Tout cela est clairement défini dès le départ. Il n'y a rien à y changer. Plus qu'à attendre, sans bouger, sans parler.

Rarement un ministre aura tenu aussi ferme. Ni aussi effrontément. Pendant que le chef de l'État s'amuse à imaginer les réunions de l'Hôtel Matignon, Charles Pasqua, suspect numéro un, provoque dix fois la colère du Premier ministre. L'accusé résume, à chaque fois qu'on l'interroge, l'affaire en quelques phrases ennuyées. Il n'arbore plus que le masque d'un Fernandel tragique. Visage pathétique. Comme cela, si on veut l'abattre, si Jacques Chirac veut se priver de ses services, cela coûtera davantage d'efforts. Il est lourd, massif comme jamais. Inénarrable aussi, quand, la voix blanche, il explique à Jacques Chirac qu'il est peut être préférable qu'il offre sa démission. Pas sur cette histoire Chalier. Non! Puisqu'il n'y est pour rien. Mais, s'il le faut vraiment, pour le bien du gouvernement. Plus fort encore : « Pour que nos adversaires socialistes et Raymond Barre n'y trouvent pas des raisons de voir se concrétiser une victoire à l'élection présidentielle. »

Admirable! Les témoins de ces scènes, à Matignon, retiendront longtemps la leçon de l'aplomb d'un ministre que tout accuse, ou presque.

Jacques Delebois est inculpé par le juge. Ses collègues policiers viennent le fouiller au corps. Lui aussi est bien obligé d'indiquer la direction de son ministre pour sauver sa tête. Il est sur le point de donner un nom, lorsqu'il se ravise in extremis. Remis en liberté, le contrôleur Delebois – promu pendant l'été – restera placé sous contrôle judiciaire. Pandraud voudrait marquer sa défiance à l'égard de ce policier, mais Charles Pasqua insiste pour que le directeur du SCTIP conserve l'intégralité de sa solde. Le ministre délégué s'empressera de faire connaître son désaccord avec cette mesure protectrice.

Toute la majorité a compris que l'attelage Pasqua-Pandraud avançait de plus en plus mal. Beaucoup y trouvent une raison supplémentaire d'accuser le ministre de l'Intérieur. Jean-Claude Gaudin, le président du groupe UDF de l'Assemblée nationale, se promène dans les couloirs du palais Bourbon en prenant les paris : « L'affaire Chalier va sauter à la gueule du gouvernement. La barque Pasqua prend eau de toute part. Chirac devra en tenir compte, mais il l'aime trop. »

Lâchera? Lâchera pas? Chirac prend conseil. Notamment auprès du garde des Sceaux. Une solution honorable peut-elle être trouvée sur le plan juridique? Albin Chalandon comprend à quoi les conseillers de Matignon font allusion. Au « secret-défense », qui permet, pour des raisons d'État, en particulier aux services secrets, de ne pas répondre aux questions d'un juge. Pratique, mais peu démocratique. Comment invoquer le « secret-défense » pour quelqu'un qui n'est pas en mission officielle et que la justice recherche?

A chaque fois que Bernard Gérard vient au ministère demander assistance, il lui est répondu qu'il sera « couvert ». Mais le pauvre directeur de la DST n'a encore que de vagues promesses verbales. Le juge Michau s'impatiente et le haut fonctionnaire ne peut pas multiplier ainsi, de sa seule autorité, les fins de non-recevoir. Son service est secret, mais quand même.

Charles Pasqua ne change pas sa ligne de défense. Il rassure les amis. Joue l'offensé auprès de Matignon. S'inquiète de l'état d'esprit de Bernard Gérard, qu'il croise de plus en plus souvent devant le bureau de Pandraud. Un mot de Jacques Delebois ou du directeur de la DST et c'est peut-être la fin.

D'autant que Pierre Verbrugghe, maintenu place Beauvau à la demande du chef de l'État, ne se prive pas d'exprimer son désaccord « avec les pratiques » en vigueur au ministère. Il convie à déjeuner, sentant son départ inéluctable, les responsables de la police. Il doit bien raconter, faire des confidences, lui qui connaît le récit de la DST. Charles Pasqua sent autour de lui une atmosphère de rébellion. Le bel édifice de remise en confiance de la police paraît ébréché. Les nominations se font désormais en fonction de l'affaire Chalier ou du moins par la force des sympathies inégalement réparties entre Robert Pandraud et Charles Pasqua. Matignon doit prendre une décision.

Plus par loyauté que par réelle conviction, Jacques Chirac opte finalement pour la défense de son vieux compagnon. C'est oui pour le « secret-défense ». Bernard Gérard et Charles Pasqua peuvent l'invoquer. Préparer des lettres courtoises mais fermes au juge Michau. Ils ne se rendront pas dans son cabinet. Ils n'ont rien à dire sur l'affaire Chalier.

Le Premier ministre manque de foi lorsqu'il doit exprimer son soutien au ministre de l'Intérieur. Interrogé, au début de l'année 1987, sur le rôle éventuel de Charles Pasqua dans l'affaire Chalier, Jacques Chirac se contentera du minimum : « Le ministre de l'Intérieur a dit ce qu'il avait à en dire, je sais qu'il a dit ce qu'il devait dire, je lui fais toute confiance. » C'est court, paradoxal pour la défense d'un homme qui s'obstine, justement, à se taire.

Mais Charles Pasqua est sauvé par celui qu'il veut absolument faire élire à la présidence de la République. Les moyens, cette fois, n'étaient peut-être pas des plus élégants. Mais c'est la politique, finit par se convaincre Jacques Chirac. Après tout, cette histoire ne visait-elle pas à affaiblir François Mitterrand et à prouver que la gestion de la gauche n'avait pas été exemplaire? C'est chose faite. Après tout, qu'importe la manière!

Le Premier ministre éprouve cependant des difficultés à se convaincre de cette philosophie cynique. Chaque mercredi, depuis des semaines, le président de la République lui pose une question anodine, mais cela suffit à l'irriter, sur son ministre de l'Intérieur. « Chirac a les boules », assure alors l'un de ses conseillers. Il en veut à tout le monde : aux comparses bien sûr, qu'il sent ne pas être tous étrangers à la rue de Lille, à Robert Pandraud pour ses indiscrétions, à Pasqua et à Mitterrand pour le bras de fer auquel ils se sont livrés, entre eux, depuis le début de l'affaire.

« Jacques Chirac a surtout été écœuré de ce qu'il a dû concéder au chef de l'État », estime Denis Baudouin. Pasqua pouvait tomber ou alors, Christian Nucci livré aux poursuites judiciaires, la chasse s'arrêtait là. Pas question de reparler des subventions octroyées par Carrefour du développement à l'association de Danièle Mitterrand. L'affaire Chalier ne devait plus fournir de nouveaux coupables. Bref, pour sauver le ministère de l'Intérieur du ridicule, il fallait ordonner le cessez-le-feu. Ce que Jacques Chirac a accepté. Sans que le président de la République ait eu à le demander.

Charles Pasqua n'avait pas attendu la conclusion de Matignon pour trouver lui-même une juste ligne de partage des eaux avec l'Élysée. A cette occasion, Édouard Balladur et Jacques Chirac comprirent que le ministre de l'Intérieur avait su, depuis le 16 mars, nouer des liens personnels avec certains des collaborateurs ou des amis du chef de l'État. Il pourfendait la gauche, mais multipliait les petits gestes, les voitures de fonction, les téléphones, la protection, etc., pour se ménager quelques adversaires loyaux et sentimentaux dans la place.

Cette proximité, paradoxale, contre-nature, de la place Beauvau et de l'Élysée n'allait plus se démentir pendant le reste du règne Chirac. Charles Pasqua intriguait le président de la République. Les « coups tordus », selon l'expression d'un conseiller du chef de l'État, du ministre de l'Intérieur retenaient l'attention en ces temps mous de la cohabitation. Au moins lui, détonnait. Cela suffisait à le distinguer et, en cela, à lui attirer une çertaine forme de sympathie de la part de François Mitterrand.

Ce lien privilégié, Charles Pasqua s'empressera d'ailleurs de l'entamer d'un coup de canif, dans l'onde de choc de l'affaire Chalier. Le pacte initial prévoyait que le renvoi devant la Haute Cour serait épargné à Christian Nucci. La place Beauvau, avant Matignon, avait promis, affirme-t-on à l'Élysée.

Le calme revenu place Beauvau, au printemps de l'année 1987, on ne fit rien au gouvernement pour empêcher l'ancien ministre de la coopération de connaître l'humiliation. Le juge avait poursuivi son instruction, bien ficelée, en tout cas, en ce qui concernait le versant socialiste. Il avait fait suivre. La machine judiciaire avait continué de rouler, inexorablement. On surprit, dit-on, Charles Pasqua à tenter de l'empêcher. A essayer de convaincre, d'abord, Albin Chalandon de trouver une autre formule jurique honorable pour laisser tomber. Puis, comme cela s'avérait impossible, comme le garde des Sceaux trouvait dans un refus motif à se venger de l'inimitié du ministre de l'Intérieur à son égard, Charles Pasqua redevint le bretteur qu'il était. Il prit la tête, sans vergogne, de la croisade parlementaire contre Nucci.

Le chef de l'État d'abord ne comprit pas ce retournement, puis, comme le ministre de l'Intérieur lui faisait savoir par des tiers que la condamnation de Christian Nucci avait peu de chance d'être prononcée avant l'élection présidentielle, le président de la République laissa faire. Il souria, dit-on, de la manœuvre. Charles Pasqua retrouvait de l'astuce. C'est donc qu'il allait mieux.

Il arriva durant cette période difficile pour Charles Pasqua d'évoquer quand même l'affaire Chalier. Juste quelques phrases allusives, comme à son habitude. Une confidence, jetée rapidement, avant de reprendre de longs commentaires sur le terrorisme ou la situation pré-électorale. « Je dirai la vérité plus tard, expliqua-t-il un jour de juillet 1987. On comprendra mieux pourquoi je ne donne jamais de consigne directe à la police. » Voulait-il désigner Pandraud? Motus. « Moi-même, je ne suis pas sûr de connaître toute la vérité », ajouta-t-il. Avait-il des pistes? Avait-il été trahi? Motus, toujours, derrière le sous-entendu.

Il exprima tout de même une satisfaction, largement

reprise, durant l'été 1987, par ses fidèles apaisés : « Si l'affaire du faux passeport n'avait pas existé, il aurait fallu l'inventer, confia-t-il encore. Car les services de renseignements ne peuvent pas fonctionner s'ils ne se sentent pas couverts par leur ministre. »

C'était donc la faute, seulement, de la DST ? Motus, encore. Charles Pasqua voulait simplement dire que l'épreuve avait été utile. Depuis l'affaire Chalier, la DST redoublait d'ardeur dans la lutte contre le terrorisme. Et, comme deux comparses pris la main dans le sac, ce service et son ministre se vouaient désormais une confiance aveugle...

La mort de Malik

Il s'est fait piéger. Il ne veut pas encore se l'avouer mais, depuis des semaines, en ce début de l'hiver 1986, il éprouve un curieux malaise.

S'il le confiait, on en rirait. Alors, il se tait. Il cherche à vérifier son impression. Voire à la contrarier. Rien n'y fait : Charles Pasqua, dans le plus grand secret, commence à prendre goût à sa fonction. Pas au charme aléatoire du pouvoir, du fric ou aux honneurs. Non, à la fonction. A la grandeur et à la servitude de la fonction. Il se surprend à rêver d'une République dont il serait à la fois la sentinelle et le grand intendant. Il s'imagine œuvrant pour une France réconciliée qui exprimerait, toutes opinions confondues, sa gratitude à son ministre de l'Intérieur...

Charles Pasqua sent naître en lui un certain sens du sacré gouvernemental. Et, bien sûr, il s'y prend au pire moment. Rarement un ministre aura été aussi décrié. Dans l'affaire Chalier, le voilà suspect numéro un, mal protégé par l'invocation du « secret-défense ». Des caricatures de son visage s'étalent dans tous les journaux, méchantes et marrantes. Fernandel revu par San Antonio. Des gueules patibulaires qui choquent Jeanne, l'épouse attentive.

Comme souvent, il court après sa propre histoire. En retard sur lui-même. Comme au Sénat, où il avait pris la vénérable institution pour une simple tribune partisane avant de découvrir, plus profondément, la légitimité de son mandat. Pour Charles Pasqua, l'habit fait le moine. Au ministère de l'Intérieur, voilà qu'il entrevoit une autre idée, une haute idée, le service de l'État, alors qu'il accumule, depuis le 16 mars, toutes les preuves d'un esprit militant ! Il est en porte à faux. Il le sait. Le confier serait se ridiculiser. Il n'a plus qu'à laisser passer le temps, éponger son passif des derniers mois. Rude tâche. Il se rassure en se disant que le chef de l'État a peut-être noté ses premiers efforts.

Autour de lui, ils ne sont que quelques-uns à avoir deviné, à quelques signes, les changements à venir. Sa femme, toujours en avance, pour lui, sur son propre trajet. Deux ou trois collaborateurs, qui ont en vain tenté de briser la surveillance de Matignon sur la place Beauvau.

Charles Pasqua est pourtant en train de se mettre dans la peau d'un surveillant général de collège. Il s'est mis à aimer le protocole de la République cohabitationniste et il n'aime pas plaisanter sur le sujet.

Au Conseil des ministres, il intervient discrètement pour que les « gamins » du gouvernement, Gérard Longuet, le ministre des P et T, et Alain Madelin, le ministre de l'Industrie, cessent d'échanger des billets sous la table. Il est le premier à s'incliner lorsque entre le président de la République. Il met un point d'honneur à freiner les velléités partisanes de ses collègues dans le lieu saint de la coexistence pacifique. Il y est toujours le plus ému par le cérémonial. Énervé lorsqu'un ministre fait sa publicité. Attentif à soutenir l'intérêt de François Mitterrand par des sujets « allant dans le sens des préoccupations générales ».

D'autres signes : il se met à considérer les maires des grandes villes socialistes comme des élus. Plus simplement comme des adversaires. Une subvention, bloquée après le 16 mars, est subitement attribuée avec un petit mot aimable. Il s'inquiète de la protection de celui qu'il déteste le plus à gauche, Laurent Fabius. Il fait disparaître discrètement une enquête qu'il avait lui-même commandée sur l'usage présidentiel des avions de l'État.

Il se met à se soucier des préfets, qu'il méprisait, à cesser de réduire mentalement l'Hexagone à un puzzle tout juste bon à être redécoupé, ou les départements à des citadelles à prendre ou à perdre.

Le soir, il lit en cachette des rapports sur les dangers du nucléaire. Il se passionne pour les menaces de pollution. Il consulte les archives des grandes catastrophes nationales et, quand tout le monde le croit occupé à consolider sa défense dans l'affaire Chalier, il va assurer le jeune ministre de l'Environnement, Alain Carignon, de son soutien.

Bref, en ce début d'hiver, Charles Pasqua aimerait être un autre. Un ministre honorable et unanimement apprécié. Utopique, il le sait bien, à force de jouer les méchants. S'il racontait ses songes, pas un journaliste ne le croirait. Jacques Chirac appellerait Denis Baudouin ou Maurice Ulrich pour leur demander : « Qu'est-ce qu'il a, cette semaine? »

La métamorphose que Charles Pasqua se surprend à appeler de ses vœux survient à contretemps. Il doit pour longtemps encore subir l'effet retard de ce qu'il a lui-même provoqué : un champ de mines au pays de la cohabitation.

L'hiver qui s'annonce ne lui permettrait pas de toute façon, il en est sûr, de modifier son image. Il paie du ridicule sa fameuse prophétie : « Il faut terroriser les terroristes. » Les attentats se sont succédé jusqu'à l'automne dans la capitale, tous plus meurtriers les uns que les autres. Deux jours plus tôt, deux filles d'Action directe ont assassiné Georges Besse, le président-directeur général de Renault, devant son domicile. Des affiches sont collées dans toute la France, demandant aux Français d'apporter leur concours à la recherche du « clan Abdallah », soupçonné d'être le groupe responsable des attentats en France, pour le compte de l'Iran.

Aveu d'impuissance, a fait remarquer Matignon en découvrant les affiches. Charles Pasqua avait jugé inutile d'avertir les services du Premier ministre pour une si modeste initiative. Voilà qu'elle lui est reprochée, celle-là aussi! Et puis, dans son ministère même, parmi ses collaborateurs, cette dénonciation publique du « clan Abdallah » est discrètement critiquée. La DST, qui se fait petite depuis la bavure du vrai-faux passeport Chalier, soutient quand même qu'on se trompe certainement de cible. Les assassins de la rue de Rennes pourraient être plus directement liés à l'Iran qu'on le dit. Ce n'est pas l'avis de la brigade criminelle, qui le fait savoir. Pas l'avis non plus de Robert Pandraud qui, depuis l'affaire Chalier, soutient ostensiblement les nominations de policiers dont Charles Pasqua ne veut pas.

Pour le ministre de l'Intérieur, décembre est un mauvais mois. Les affaires courantes de la violence ou de l'actualité continuent à lui donner une gueule de voyou dans les caricatures des journaux. Charles Pasqua a du mal à ne pas demander quelques comptes à son voisin de bureau, Robert Pandraud, sur les fuites, dans la presse, de l'affaire Carrefour du développement. Depuis les premières accusations du *Canard enchaîné*, les deux hommes ont retardé leur face-à-face.

Leurs confidences se limitent au tout-venant de la place Beauvau. Charles Pasqua boude un peu, taciturne. Robert Pandraud ménage son avenir de ministre de l'Intérieur à part entière. Au cas où. Imperturbable, Ginette Pandraud, l'épouse du ministre délégué, fait son jogging dans les jardins du ministère. Jeanne fait remarquer que c'est peine perdue. Et qu'en plus, cela abîme les pelouses. Michèle Ferniot, conseiller de presse des deux maris, se voit reprocher par l'un de ne servir que les intérêts de l'autre. Et vice versa.

Aussi Charles Pasqua reprend-il son rôle du type pessimiste, vaguement écœuré par la vie, qu'il a aussi emprunté à Pagnol. Puisque les choses se refusent à sourire, alors qu'il mettrait, se dit-il, un cœur gros comme ça au service de l'État, il veut feindre de s'en détacher. Son ambition enfle en secret. Il va mimer exactement le contraire. Lorsque nous le rencontrons pour un « portrait » pour *le Monde,* c'est un ministre en fin de carrière qui semble faire ses adieux à la scène gouvernementale.

« Ma mission ici était précise, explique-t-il, avec une moue de Raimu déprimé : il fallait remotiver la police, engager le fer contre le terrorisme et procéder à un nouveau découpage électoral. Pour moi, ces objectifs sont atteints. » Sous-entendu : il pouvait donc s'en aller, dès que Chirac le lui demanderait.

Une nuit pluvieuse était tombée sur la place Beauvau. Il paraissait s'ennuyer sous les portraits des quatre présidents de la République depuis de Gaulle. Il s'entêtait à parler des réformes essentielles auxquelles il allait maintenant consacrer son temps : la modernisation du ministère de l'Intérieur, une cantine, une maternelle, la réfection du porche d'entrée... Il avouait une amertume lourde, bien que de sens caché. « L'action, vous savez, est faite de succès et d'échecs. »

Il était lourd, massif. Triste. Bien sûr, il usait de la mélancolie comme d'un attrape-mouches. Il parlait pour parler, pour éviter les questions inévitables. Mais, surtout, il se jouait à perte. Comme un « looser » de bar, au cinéma. « Ce que je vois de moi ne me satisfait pas toujours », lançait-il encore. Il allait ranger dans son coffre quelques dossiers oubliés sur son bureau. « Ah, si vous saviez ce qu'ils contiennent... » Les affaires de la France, de la vie politique le dégoûtaient : « J'avais de quoi attaquer Mitterrand dans l'affaire Greenpeace, j'avais les preuves pour le faire, mais je ne l'ai pas fait... » Comme si c'étaient les autres qui étaient durs à la besogne des coups bas. Pas lui.

Déjà, il évoquait l'avenir, comme si son règne allait s'achever, forcément dans l'incompréhension. Si on lui demandait quel autre ministère aurait son agrément, il répondait par des postes moins exposés, les technologies nouvelles ou l'économie. Il pouvait faire autre chose que de la politique. Il avait bien fait des affaires. Il n'aimait pas plus que cela la fonction ministérielle. Trop ingrate. Non pour lui, bien sûr : il ne s'était pas fait d'illusions en arrivant ici;

mais, en général. Il n'était venu qu'à la demande de Jacques Chirac, et repartirait au premier mot. Tout cela, au fond, ne le passionnait pas.

Il mentait, pour sûr, mais comment l'avouer? Il rêvait d'en remontrer à ses détracteurs, surtout à ceux de la majorité. Les autres, il s'en arrangerait toujours. Il avait envie d'être aimé. Mais cela aurait fait la « une » des journaux satiriques. Il répétait que si l'on était trop sensible en politique, « il fallait faire autre chose ». En ce mois de décembre commençant, c'était lui le plus sensible. Mais personne ne le lui aurait fait admettre. Plutôt avouer au juge Michau qu'il avait bien donné l'ordre de fabriquer un vrai-faux passeport!

Décembre allait encore alourdir le passif ministériel, et Charles Pasqua devoir remettre ses envies de respectabilité à plus tard. Dans la nuit du 5 au 6 décembre, un étudiant de vingt-deux ans, Malik Oussekine, meurt sous un porche de la rue Monsieur-le-Prince, après avoir été roué de coups par des policiers du peloton motocycliste de la préfecture.

Malik... L'ombre la plus noire au tableau du gouvernement Chirac. Malik, de nationalité française mais d'origine algérienne, dont la mort allait couper la jeunesse de la majorité, sceller la résistance des « Beurs » et donner un porte-drapeau à la dénonciation du racisme en France. Charles Pasqua allait « se dévouer une fois de plus », comme il dit, dans le rôle du méchant. Mais cette fois, sans grande conviction.

Comme d'autres ministres, comme Jacques Chirac lui-même, Charles Pasqua ne s'est jamais intéressé au projet de loi d'Alain Devaquet sur les réformes des études universitaires. Il se souvient simplement que son plan était prêt l'un des premiers puisque le Conseil des ministres l'avait adopté durant l'été. Le ministre de l'Intérieur connaît peu le monde des étudiants. Il est tellement occupé à rassurer la France profonde. Il ne s'est pas fait des jeunes des amis. SOS-Racisme l'a désigné depuis des mois comme sa cible privilégiée, avec Jean-Marie Le Pen et Albin Chalandon. Il s'en moque : les jeunes votent peu...

Il va devoir apprendre très vite. Une fois de plus, les Renseignements généraux n'ont rien vu venir. Leurs rapports sur la situation dans les universités sous-estiment la grogne étudiante qui monte à mesure qu'on se rapproche de la présentation du projet Devaquet à l'Assemblée nationale. Les RG ont ignoré que les dispositions prévoyant un « prix d'inscription à la carte » dans les facs pouvaient provoquer la colère des étudiants.

Une première manifestation parisienne est prévue le

dimanche 23 novembre, à l'appel de la FEN. Deux jours plus tôt, pendant une réception à l'Élysée, Charles Pasqua fanfaronne devant quelques journalistes. « Ils ne seront que dix mille », assure-t-il.

Ils sont au moins deux cent mille, dont beaucoup de jeunes. Avant la dispersion du cortège, Charles Pasqua, furieux, convoque son ministre délégué et les chefs des Renseignements généraux. Il veut des enquêtes dans toute les facs. Il se fait expliquer le projet Devaquet par les membres les plus jeunes de son cabinet. Les plus malins de ses collaborateurs sont allés voir sur place ce premier cortège. Les éléments de gauche ne dominent pas, racontent-ils. Les étudiants mécontents qui défilent avec leurs profs appartiennent à toutes les couches sociales, à tous les milieux. Leur principal trait commun : ils se déclarent apolitiques. Charles Pasqua tique. Comment peut-on être apolitique?

Le ministre comprend vite cependant que le mouvement qui s'amorce dans toute la France est une force en marche. Il connaît bien les phénomènes de rue. Il pense à 1968, à la faiblesse congénitale du pouvoir face aux mouvements de masse.

Le lendemain, le lundi 24 novembre, il est le seul à conseiller à Jacques Chirac de retirer le projet Devaquet. Certains ministres éclatent de rire. René Monory, le ministre de l'Éducation, hausse les épaules. « Ce projet va être perçu par les jeunes comme un projet dévalorisant, explique patiemment le ministre de l'Intérieur. Les diplômes n'auront plus la même valeur marchande et universitaire selon les facs. Croyez-moi, c'est une affaire grave. Je dispose d'informations sérieuses. Les gosses ne laisseront pas faire ça. »

Sourires du côté des ministres libéraux. Pasqua transformé en sociologue de la jeunesse. Ils croient rêver. « Vous pouvez vous marrer, rétorque le ministre de l'Intérieur. Je prends les paris avec vous... » Puis il se tourne vers Jacques Chirac, qui entame sa plus longue semaine d'hésitation. « Jacques, crois-moi, on ne pourra pas tenir devant la montée du mécontentement. Ce projet, on sera de toute façon obligé de le retirer. Maintenant on peut encore sauver la face, prendre l'initiative. Il va être trop tard. »

Jacques Chirac regarde son ministre de l'Intérieur, persuadé que celui-ci bluffe. Il n'a aucune confiance dans les rapports des Renseignements généraux et pense que Charles prépare plutôt un mauvais coup contre les députés UDF, très en pointe pour durcir le projet de loi, ou contre Monory...

Ce lundi, le projet est maintenu. Charles Pasqua n'a pas été assez convainquant. Il paie là directement l'affaire Chalier.

En décembre, dans l'esprit du Premier ministre, Pasqua est une valeur à la baisse.

Il n'a pas le temps de remâcher son amertume. Le 27 novembre, deux cent mille étudiants défilent dans le centre de Paris, beaucoup plus, au total, dans les grandes villes universitaires. A leur tête, les animateurs de l'UNEF-ID, à la fois proche du PS et de quelques vieux groupuscules trotskistes, mais surtout des coordinations sans attaches avec les partis. Le militantisme est banni des manifs. Les « gosses », comme dirait Pasqua, ne savent d'ailleurs même pas en quoi cela peut bien consister.

Le ministre de l'Intérieur téléphone à Jacques Chirac. A-t-il compris maintenant? Le Premier ministre conteste les chiffres de la place Beauvau. « Vous êtes parano! », lance-t-il, énervé, à son vieux compagnon. Alors Charles Pasqua essaie Édouard Balladur. Même refus d'entendre l'évidence. Le soir, il va lui-même à Matignon, avec Balladur. Il force la porte de Chirac, qui n'a envie de voir personne : il boude. Totalement à côté de la plaque. Anesthésié.

« Nous sommes en présence d'un phénomène irrationnel, affirme Charles Pasqua, et on ne répond pas à un phénomène irrationnel par la logique. » Jacques Chirac, René Monory défendent le contenu du projet. Sa philosophie libérale. Charles Pasqua s'emporte : « Vous ne comprenez rien! En ce moment, motivés comme ils sont, les étudiants descendraient dans la rue sur n'importe quel projet. Ce n'est pas le problème! »

Le ministre de l'Intérieur a vite réalisé que la vague étudiante annonçait surtout une envie de la jeunesse d'être ensemble, d'inventer – encore! – une planète différente, fraternelle, égalitaire, solidaire. Charles Pasqua sait tout cela par cœur. Depuis le 16 mars, c'est le discours de SOS-Racisme, dont il est l'un des plus fidèles observateurs...

Pendant une semaine, le ministre de l'Intérieur entreprend le siège de Matignon, puis il abandonne à d'autres le soin de convaincre Jacques Chirac et René Monory. A Alain Juppé et à François Léotard. Cela recommence à aller mal au ministère de l'Intérieur. La presse fait état de violences inutiles de la part des forces de l'ordre, pendant la manifestation du 27 novembre. Un étudiant a été grièvement blessé à l'œil. Des témoignages affluent, accablants pour les CRS, qui auraient procédé à des tirs tendus au lance-grenades. Des parents d'étudiants, à la télévision, critiquent ouvertement les méthodes de la police.

La police, c'est essentiellement l'affaire de Robert Pandraud. C'est à lui que revient le soin de coordonner les interventions des forces de l'ordre, en relation avec le préfet de police de Paris. A lui aussi de négocier les parcours des défilés avec les animateurs du mouvement étudiant. Mais c'est Charles Pasqua qui trinque. Dans les slogans de la rue et dans la presse. Les caricatures fleurissent à nouveau. Les dessinateurs ne montrent plus le ministre de l'Intérieur que casqué et armé de son « lance-patates ».

Place Beauvau, Charles Pasqua a toutes les peines du monde à faire admettre à son ministre délégué qu'il doit « lui-même monter au créneau ». Il est bien discret, c'est vrai, Robert Pandraud depuis le début de la crise étudiante. Charles Pasqua, lui, a tendance à se croire revenu aux jours mouvementés de Mai 68. Et à en rajouter. Le ministre délégué, par nature, préfère banaliser la situation. Lui, c'est un flic, et en matière de débordements de rue il a connu pire. Alors il réagit en professionnel froid. Il comptabilise ses troupes, téléphone au QG des opérations de maintien de l'ordre. Mais sa discrétion agace Charles Pasqua.

Le 4 décembre, Jacques Chirac est sur le point d'envisager de prendre une décision. « Il aura mis quinze jours, un record... », confie Charles Pasqua à l'un de ses collaborateurs. Le Premier ministre annonce à ses ministres que l'équipe de l'éducation, Devaquet et Monory, a préparé une solution de repli, mais que celle-ci ne sera connue qu'en fonction de l'importance de la manif prévue le jour même.

Charles Pasqua ne cache pas son mécontentement. Il demande des précisions, en vain, à Matignon. S'il comprend bien, on compte sur lui « pour faire emporter le morceau, dit-il, par la peur de la rue ». Soit. Il y est près. Au soir de cette nouvelle journée de protestation, il fait sensiblement diminuer à la baisse le nombre des manifestants dans les comptes de la police et, pour la première fois, grossit la présence des « casseurs » autour des défilés.

René Monory a bien tenté de discuter avec une délégation d'étudiants, mais ce n'est pas la bonne. Elle comptait trop de non-grévistes. La coordination nationale est maintenant très déterminée. David Assouline, son représentant, se montre intransigeant. Matignon commence à laisser entendre, sur les conseils de la Place Beauvau, que le mouvement est désormais infiltré par les gauchistes – ce vieux fantasme – et donc plus dur. Négocier se révèle impossible. Alors, on gagne du temps.

Inutilement. Le lendemain, le vendredi 5 décembre, nouveau conseil de guerre chez le Premier ministre. La tendance, ce matin-là, est plutôt au maintien du texte d'Alain

Devaquet, pour des raisons non de fond, mais de sondages. La politique de fermeté entreprise par Jacques Chirac, et servie avec fougue par le ministre de l'Intérieur, risque de s'évaporer définitivement si le gouvernement cale devant les « gosses ». Le syndrome de Mai 68 occupe la meilleure place à la table ministérielle. Charles Pasqua raconte ses souvenirs de la « chienlit ». Il est toujours favorable, sur le fond, au retrait du projet, mais il estime que c'est désormais trop tard. L'équipe Chirac est déjà ridicule. Les « gosses » ont leurs parents avec eux. Les sondages, explique Charles Pasqua, seront de toute façon catastrophiques. Alors autant ne plus prêter le flanc.

Jacques Chirac est favorable à la recherche d'une solution négociée. Au retrait partiel du projet, annoncé en douceur. Avec en prime la démission d'Alain Devaquet. François Léotard explique que le problème posé au gouvernement, ce n'est pas la nature du texte, même adoucie. Mais la cassure avec la jeunesse. Pasqua explique aux responsables de la majorité que le moindre incident peut dégénérer. Les lycéens, présents dans le mouvement, peuvent occuper leurs établissements d'un jour à l'autre. « Vous me voyez envoyer les CRS sur les mômes? », tonne-t-il.

René Monory lui répond que les problèmes de maintien de l'ordre sont de son ressort. Le ministre de l'Intérieur, précise le ministre de l'Éducation, n'a que le mot « sécurité » à la bouche depuis des mois. « C'est le moment de prouver ce qu'on affirme! » Édouard Balladur tente de calmer les deux hommes. Lui aussi est pour le retrait du projet. Il sait que, de toute façon, cette histoire universitaire est un fiasco pour le gouvernement.

René Monory ne démord pas de ses maigres concessions. Il connaît sa force auprès de Jacques Chirac : il est le seul ministre CDS à avoir opté pour une candidature Chirac à la présidentielle. Cela mérite bien quelques égards. Le Premier ministre est pressé. Il doit partir à Londres, au sommet européen, où l'attend le chef de l'État.

On se sépare sur une cote mal taillée. René Monory doit enregistrer le soir même une intervention télévisée. Le gouvernement doit expliquer que les points les plus contestés par les étudiants sont retirés. Mais le ministre de l'Éducation se débrouille pour rendre son texte ambigu. Il ne parle pas de « retrait ». Il temporise, avec des mots de surveillant général de lycée. Difficile, dans cette intervention, faite à contrecœur, de comprendre que c'en est fini du projet Devaquet.

Charles Pasqua et Édouard Balladur avaient raison : cette

histoire ne pouvait que mal se terminer. Avec ou sans le recul de Monory, la démission de Devaquet. Avec ou sans cette recherche maladroite, non voulue, d'un dialogue stérile avec la jeunesse. On peut s'arranger avec la sémantique à l'Assemblée nationale. Pas dans la rue.

L'accident était écrit. Inexorable. Les étudiants n'ont rien compris au texte du ministre de l'Éducation. Ils occupent encore la Sorbonne vers 22 heures. Des policiers les en délogent sans casse. Mais, peu après une heure du matin, rue Monsieur-le-Prince, des flics trop zélés du peloton motocycliste de la préfecture de police de Paris tabassent à terre, dans la cour d'un immeuble, un garçon de 22 ans. C'est l'hallali du gouvernement Chirac sur le front de la jeunesse.

Depuis plusieurs soirs, Charles Pasqua ne s'intéresse plus aux questions du maintien de l'ordre dans les rues du Quartier latin. Puisque c'est l'affaire de Pandraud. Pendant cette nuit du 5 au 6 décembre, il s'est couché tôt et il a bien dormi. Jusqu'à ce coup de téléphone, terrible, de l'un de ses collaborateurs. Un étudiant d'origine algérienne est mort dans la rue, frappé par des policiers. Charles Pasqua racontera ce réveil impossible. « Il ne pouvait pas arriver quelque chose de pire. » Étudiant, arabe, français et tabassé par des flics dont la réputation de violence est connue par des générations de Parisiens!

A peine habillé, avec Jeanne effondrée sur ses talons, il débarque dans son bureau. Pour apprendre qu'au moment des faits, Pandraud dormait aussi. Comme le préfet de police! Comme le chef du dispositif, au QG de la préfecture! Il engueule ses collaborateurs. Il prévient Pandraud : « Ce coup-ci, c'est pour toi! »

Il sait qu'il est bon pour prendre de nouveaux coups dans la presse et du côté de l'opposition. Il va falloir faire front, sans s'excuser, pour la défense de Jacques Chirac. Il y est prêt, bien sûr. Mais cette mort-ci, Pandraud se débrouillera avec. Dès le matin qui suit la mort de Malik, les collaborateurs de Charles Pasqua feront savoir discrètement que celui-ci a été réveillé en pleine nuit. Preuve qu'il n'était pas aux commandes...

En décembre, Charles Pasqua perdra un peu plus – c'est peu dire – la sympathie de la jeunesse et des immigrés, meurtris par la mort du jeune étudiant. Mais il va reconquérir l'attachement de Jacques Chirac. Beaucoup de ministres, même au RPR, vont aller vite s'occuper d'autre chose que du mouvement étudiant. Le ministre de l'Intérieur se retrouve presque seul, avec Jacques Toubon, aux côtés du Premier ministre. Après les soupçons de l'affaire Chalier, voilà l'équipée fidèle réunie à nouveau.

Ce cas de figure, la solitude dans le soutien, plaît terriblement au ministre de l'Intérieur. Car il y retrouve une liberté d'inspiration. Hélas!... diront vite ses amis.

Parce que c'est un Pasqua tireur des plus vieilles ficelles de la mauvaise foi gaulliste qui réapparaît dès le lendemain de la mort de Malik. Le chef de l'État, rentré de Londres, commentera le style rugueux, manichéen, archaïque comme aux pires moments de la Ve République, du ministre de l'Intérieur : « Ce cynisme-là, confiera le président de la République, il faut l'oser. Ce n'est pas donné à tout le monde. »

Charles Pasqua veut en remettre dans le mauvais goût. « C'est parfaitement conscient, expliqueront ses collaborateurs. Chirac avait l'air ridicule. Le gouvernement prenait eau. Comment faire autrement? » Il y avait bien d'autres moyens, l'excuse à la jeunesse, d'abord à la famille de la jeune victime. Le retrait aux premières heures du jour du projet Devaquet. Mais ce n'est pas dans la manière de Charles Pasqua.

A Matignon, Chirac hésitait encore. Le texte ne sera retiré définitivement que le lundi 8 décembre... Restait donc la manière forte. La contre-attaque pour parer l'attaque prévisible. L'agression tous azimuts, le recours à la peur. La pire des manières.

Le chef de l'État a très vite compris quelle voie choisir. Celle du chagrin. Il se rend donc au domicile des parents de Malik. Charles Pasqua aurait pu y penser. Il s'en était entretenu avec ses collaborateurs. « Mais cela aurait été jugé comme une provocation », raconte Dominique Vescovali. Il faut donc résolument choisir l'autre voie. L'autre camp : le ministre de l'Intérieur va rendre visite, en réponse à François Mitterrand, à des policiers blessés.

Plus tard, comme souvent chez lui, il s'en expliquera, reconnaissant que ce geste était une « autre connerie ». Charles Pasqua en commet plus qu'à son tour, mais il est aussi l'un des rares à se les reprocher par la suite. Un tel comportement doit être épuisant. Le ministre de l'Intérieur pourrait réfléchir d'abord. Mais c'est compter sans l'hypertrophie de son tempérament.

Et ce maudit week-end de décembre, il laisse s'ouvrir en lui la vanne de ses vieux démons.

Déjà, il alimente le gouvernement en rapports policiers sur les dégâts provoqués, toute la nuit du 5 au 6 décembre, par les « casseurs ». Il voit des gauchistes partout. Il fait dire, surtout, qu'il faut en voir partout. Les chaînes de télévision ont particulièrement bien fait leur métier pendant les manifestations étudiantes. Certains reportages montrent des « casseurs » en cagoule, curieusement occupés à détruire des cabines téléphoniques, à quelques mètres de cordons de CRS qui n'interviennent pas.

Les étudiants sont persuadés qu'il s'agit de policiers en civil qui jouent les provocateurs. Charles Pasqua, lui, est sûr du contraire. Ce sont des « gauchistes » professionnels, payés par la gauche pour détourner le sage mouvement étudiant. Le ministre de l'Intérieur va même jusqu'à demander la saisie des films à la justice. Quant à Malik, il faut vite empêcher qu'il devienne le martyr de la jeunesse en colère.

Quelques « Pasqua's boys » se chargent de suggérer à *Minute* deux ou trois informations fausses. Malik n'était pas un vrai militant. Sa famille, trop vite enrichie, est suspecte. Sa sœur aurait pu se livrer à la prostitution... Le procédé est inqualifiable. Charles Pasqua laisse monter la contre-rumeur mais il prend soin aussi de prévenir discrètement l'Élysée. Les rapports qu'il fournit aux collaborateurs du chef de l'État ne sont pas des faux. Des actes de vandalisme ont bien été commis.

Il laissera entendre aussi que les forces de police n'ont pas démérité, qu'elles sont épuisées et qu'une bavure était inévitable. Par ces messages, Charles Pasqua espère simplement que François Mitterrand, dans l'avantage qu'il va tirer de la crise étudiante, n'attaquera pas trop les forces de l'ordre, requises depuis des mois dans la chasse aux terroristes. Le message a-t-il été perçu? Lorsque le chef de l'État évoquera quelques jours plus tard les incidents du Quartier latin, il aura en tout cas des paroles apaisantes pour les policiers. « Ils ont un métier très difficile, confiera-t-il. [...] Grande était leur fatigue, grande la tension nerveuse; ce sont des gens qui, pour la plupart, connaissent leur devoir et le respectent. Mais enfin, [...] il est tout à fait probable que certains ont cédé à leurs nerfs. » François Mitterrand accréditera aussi la thèse des « casseurs », « amateurs de troubles et d'émeutes ». Apparemment, le message est bien passé.

Pour Charles Pasqua, l'urgence consiste d'abord à sauver le RPR de la tourmente universitaire. Le dixième anniversaire du parti de Jacques Chirac tombe malheureusement le lendemain de la mort de Malik Oussekine. Une très belle fête a été prévue, comme savent les organiser les hommes du ministre de l'Intérieur. Des milliers de militants montent de province, alarmés par les mauvaises nouvelles. Les jeunes du RPR étaient venus pour réconcilier le gouvernement avec les étudiants, devant les caméras de télévision. Montrer que certains restaient heureux de leur sort... et non grévistes. Malgré eux, ils sont en deuil.

Au dernier moment, Jacques Toubon annule le bal de clôture. On ne dansera pas sous les lampions tricolores.

Le rassemblement se retrouve bien sûr placé sous le seul signe de la crise universitaire. L'aigreur submerge la fête. L'ambiance est des plus lourdes. On renonce à chanter l'*Hymne à la Joie*. De mauvais goût, justement, devant les caméras. Mais comme il n'est pas question de tout annuler, le spectacle commence. Pénible. Les ministres du RPR ont tous adopté la « ligne Pasqua » : en séparant les étudiants des « casseurs », les chiraquiens espèrent assimiler les provocateurs à leurs adversaires politiques, sans se couper de la grande masse des étudiants, c'est-à-dire de leurs familles.

L'amalgame et la peur. Sur ce chapitre, Jacques Chirac sera le plus modéré. « Les événements de ces derniers jours, déclare-t-il, ont conduit à des affrontements qui ont entraîné la mort injuste et douloureuse d'un étudiant et provoqué de nombreux blessés parmi les policiers, les gendarmes, les manifestants étudiants et lycéens. » La mort est saluée avec gravité. Mais la recherche du partage des fautes est déjà sensible. Les policiers ont été blessés... La ligne Pasqua.

Jacques Toubon est plus abrupt : « Aidons les élèves sincères à dialoguer avec les pouvoirs publics et dénonçons ceux qui ne songent qu'à utiliser la force et qui, dans la violence, défigurent un mouvement qui est sympatique... »

Mais le maître de cette vue de l'esprit perverse reste Charles Pasqua. Lui estime que, quitte à être cynique, mieux vaut l'être jusqu'au bout. Son intervention est un modèle de fourberie et de tactique.

Les ministres, les responsables du RPR n'ont pas tous su ou voulu – notamment Édouard Balladur – saisir les perches que leur tendait le ministre de l'Intérieur. Les « casseurs », la désinformation à la télévision. Les gauchistes dans la rue et sur les ondes... Un air connu, qui avait déjà bien servi, vingt ans plus tôt.

Sans vergogne depuis deux jours, Charles Pasqua reprend la vieille recette de Mai 1968. La seule façon de rassurer les militants, pense-t-il, c'est de leur désigner l'ennemi, toujours le même, celui qu'on fait ressortir de sa boîte, tel un diable. L'ennemi intérieur.

Son discours aurait pu être écrit dix ans plus tôt. Salut à l'étudiant décédé : « La mort de l'étudiant qui est survenue ne peut que nous remplir d'une grande tristesse, d'une grande colère et d'une grande amertume. » Et puis, avec la phrase suivante, on passe aux choses sérieuses. « Il faut distinguer entre les étudiants et les casseurs », affirme le ministre.

Suit la liste des policiers blessés. Puis le chapitre des provocations. Enfin, la philosophie que les militants pourront partager : « Ce que je vois se mettre en place, lance Charles Pasqua, derrière les lycéens et les étudiants, inquiets et généreux, abusés et débordés, ce sont les professionnels de la déstabilisation, gauchistes – ovation dans la salle –, anarchistes – autre ovation – de tout poil et de toutes nationalités. » Les « gauchos », les terroristes, les étrangers... Bientôt, les socialistes : « Ce sont des revanchards, ceux qui refusent le verdict du suffrage universel, ceux qui manipulent et truquent la vérité aux travers des médias, ceux qui veulent, par la rue, renverser le gouvernement et les institutions de la Ve République. » Coup de griffe au passage à François Mitterrand.

Bref un modèle du genre. Toute la tripe gaullo-poujadiste en quelques phrases. Y croit-il seulement lui-même? La question n'est pas là. Il faut y faire croire! Et le final, inoubliable. Renversant. « Oui, nous tiendrons, mais en ce qui vous concerne, militants du Rassemblement, tenez-vous prêts, si les événements le nécessitent, à appeler les Français à défendre avec nous la démocratie et la République. »

De Gaulle n'est pas mort, puisqu'il parle encore. Les mêmes mots, ou presque, que ceux du 13 mai 1958. Le même appel à l'action civique que le 30 mai 1968. Le réveil des réseaux pour aller bousculer l'ennemi. Le recours à la guerre civile...

Avec ses sentences d'un autre âge et l'évocation de la « chienlit », Charles Pasqua sauve la fête du RPR. La salve qui salue son discours dure plusieurs minutes. Les militants ont le cœur retourné. Plus le goût à douter de Jacques Chirac.

« Charles s'est sacrifié », diront ses amis. Édouard Balladur trouvera que ce compagnon-là appartient vraiment à une autre époque. Ou à un autre monde, c'est pareil. Le ministre de l'Intérieur ne livrera jamais la vérité de ce discours-là. Sans doute la réalité se situe-t-elle, comme d'habitude, entre deux pôles. Entre une conviction inébranlable, et donc parfois grossière, et un don de soi au service d'un avenir, l'élection de Jacques Chirac à la présidentielle de 1988.

Mais qu'est-ce qu'il faut se salir les mains, par moments, pour être Charles Pasqua! Ce n'est plus de l'antipathie qu'il suscite, au-delà du carré des militants. Sa tête est mise à prix dans le cœur des « Beurs », de dizaines de milliers d'étudiants écœurés de constater que leur contestation peut être rabaissée à ce point-là.

Dans Paris, depuis samedi, fleurissent les slogans. Le plus terrible : « Malik est mort. Pourquoi ? Pasqua. » De retour dans son bureau de la place Beauvau, le ministre de l'Intérieur lit ces critiques jetées sur les murs par des mains de vingt ans, dans les rapports des Renseignements généraux. Il l'a cherché. Il encaisse. Ses songes de respectabilité s'éloignent.

Robert Pandraud a encore trouvé le moyen de ne rien dire, ou presque. Pour se venger, Charles Pasqua a demandé à son ministre délégué de recevoir lui-même Bernard Deleplace, le secrétaire général de la Fédération autonome des syndicats de police (FASP), proche de la gauche, qui vient mettre en garde ses supérieurs contre toute utilisation abusive des forces de l'ordre. Robert Pandraud devra rencontrer également Harlem Désir, l'animateur de SOS-Racisme, et le délégué étudiant de la coordination étudiante et les assurer que la police se montrera discrète lors du grand défilé d'hommage à Malik, prévu pour le mercredi suivant.

Dix jours durant, Charles Pasqua sera la cible unique des parlementaires socialistes, qui ont trouvé dans les incidents de la crise étudiante le moyen de prendre leur revanche sur l'attitude de la place Beauvau depuis six mois. Le ministre de l'Intérieur fera front, développant les mêmes arguments, à l'Assemblée nationale et au Sénat. Jacques Chirac peut souffler. Son lieutenant sert de fusible, et il paraît en redemander.

Et pourtant, ses proches assurent qu'il se lasse. Qu'au fil des jours et des interventions orageuses devant les parlementaires, sa conviction s'émousse. « Il a été beaucoup plus secoué qu'il ne le dit, confie un membre de son cabinet. Deux fois, il a été tenté d'inviter un journaliste pour expliquer qu'il est comme tout le monde, que la mort du jeune étudiant lui donne envie de pleurer. »

Il n'explique rien, garde pour lui ses réflexions, peut-être, pourquoi pas, sa peine. Il est retourné à sa morosité. Il découpe les caricatures de Cabu, dans le *Canard enchaîné*. Il voudrait en rire devant son conseiller de presse. Il en rit jaune. Jeanne s'inquiète : « Charles s'est remis à trop manger. Même en voiture, il peut passer de longs moments sans parler, plongé dans ses pensées. »

Jacques Chirac téléphone souvent, la voix gaie, enjouée. Lui a déjà presque oublié. Il a retrouvé son optimisme. Il ne comprend pas pourquoi son ministre fétiche ne partage pas sa sérénité. « En fait, raconte un proche de Pasqua, celui-ci en voulait terriblement au Premier ministre de ses atermoiements, de ses hésitations. Il pensait très sérieusement que ce temps perdu avait coûté la mort de Malik. »

Cet ami ajoutait : « D'ailleurs, il l'a dit un jour à Chirac. Vous savez ce que celui-ci lui a répondu, un peu rêveur? Que Mitterrand, en plus poli, lui avait dit la même chose... »

Noël approchait. Le naufrage du gouvernement se déplaçait sur d'autres mers tourmentées. La grève de la SNCF, celle de l'EDF. Le mauvais temps. Les semaines allaient continuer à être maudites pour Jacques Chirac. Mais au moins, Charles Pasqua pouvait espérer souffler un peu. Pourquoi ne pas s'offrir quelques jours de vacances?

Il avait envie de retourner au Maroc, qu'il connaissait bien. A la Mamounia de Marrakech, cet hôtel de tous les rendez-vous secrets des barbouzes du Maghreb et de l'Afrique. On lui ferait, il le savait pour en avoir déjà goûté, un excellent accueil. La veille de son départ, Charles Pasqua fit grise mine : Édouard Balladur se trouvait déjà en villégiature à Marrakech.

Le grand pardon

Il est aussi ministre du culte. Le tuteur gouvernemental de toutes les religions pratiquées en France s'appelle Charles Pasqua. La foi des différentes communautés entre aussi dans ses attributions. Il s'en étonne d'abord, puis, au printemps 1987, commence à s'y intéresser avec l'appétit naïf du nouveau converti.

Il avait aussi découvert, presque par surprise, la protection civile et les incendies de forêt, le nucléaire et les plans ORSEC. Avec l'air de ne pas s'en occuper, il se passionne pour ces autres spécialités de sa fonction.

Pour les cultes, il sent naître en lui une curiosité à la plus mauvaise période de son ministère. Les « Beurs » ne lui ont pas pardonné la mort de Malik Oussekine, les meurtres de jeunes Arabes abattus dans des chasses à l'homme, victimes du climat xénophobe dont Charles Pasqua est accusé de se faire le complaisant complice. Il a eu la dent dure pour vanter les mérites du projet du « code de la nationalité », qui suscite des craintes nombreuses parmi les différentes communautés étrangères.

Et puis, comme si cela ne suffisait pas, Robert Pandraud remet, en mars, le feu aux poudres sur la mort de Malik. Depuis des mois, Charles Pasqua reprochait à son ministre délégué de ne pas prendre sa part de la défense et de l'illustration du ministère de l'Intérieur. Sa prudence commençait à creuser un fossé entre les deux hommes.

Pour son portrait dans *le Monde,* Robert Pandraud brise son éternel silence. Mal lui en prend. Il dérape : « La mort d'un jeune homme est toujours regrettable, explique le ministre. Mais je suis père de famille et, si j'avais un fils sous dialyse, je l'empêcherais de faire le con dans la nuit. »

Le tollé est général. Nouvelle manif de protestation à Paris. Jacques Chirac dissimule mal son embarras. Claude Malhuret, le secrétaire d'État aux Droits de l'homme, exprime son « hostilité totale » aux propos de Robert Pandraud. Michel Noir, le jeune ministre chiraquien du Commerce extérieur, estime qu'on « ne décline pas ainsi le pedigree d'un mort ». Du côté de chez François Léotard, les libéraux cognent sur la balourdise de la pensée ministérielle.

Miséricordieux, Charles Pasqua assure son ministre délégué de son soutien. « Je connais Robert Pandraud, dit le ministre, il n'est pas plus raciste que n'importe quel autre membre du gouvernement. Je crois que dans ce domaine, il faut être extrêmement prudent et veiller à ce que l'on dit. » Les exégètes du ministère auront noté au passage l'allusion indirecte aux imprudences commises au plus fort de l'affaire Chalier. Charles Pasqua n'a toujours pas pardonné.

La gaffe de Robert Pandraud retarde les projets secrets de Charles Pasqua concernant ses relations avec les communautés religieuses. Mais elle ne les annule pas. Pendant des semaines, le ministre de l'Intérieur s'efforce de reconquérir le terrain psychologiquement perdu.

Pourquoi? Parce qu'il a l'ambition, malgré les circonstances, depuis le 16 mars, et les inconvénients de son tempérament, de devenir le meilleur ministre de l'Intérieur de la Ve République. Il n'a pas abandonné ses rêves. Il cherche à « épaissir » son domaine, à incarner une autre dimension gouvernementale. A enraciner un style, le sien, qui lui survivrait après son départ de la place Beauvau. D'ailleurs, il répète de plus en plus qu'un ministre de l'Intérieur devrait être en poste pour longtemps. Même sur plusieurs gouvernements. Même sous un régime d'alternance.

A défaut de cette utopie, Charles Pasqua parle volontiers d'un plan à long terme qu'appliqueraient les occupants successifs de la place Beauvau. Pas de doute, il est accroché!

Sans taire les projets du gouvernement sur le « code de la nationalité » et la politique d'immigration, jugés l'un et l'autre plus « musclés » que les précédents, le ministre de l'Intérieur entreprend donc de renouer le dialogue avec les communautés religieuses. Il commence par les milieux israélites. Non par choix personnel. Simplement parce que l'antisémitisme se porte toujours bien en France. Plusieurs crimes, dont celui d'une ancienne déportée juive de Nice par un néo-nazi adolescent, ont marqué la chronique raciste de ces dernières années.

Charles Pasqua est aussi très sensible à l'atmosphère lourde, vaguement anxieuse, qui précède le procès Barbie, au printemps. « J'avais des craintes avant ce procès, explique-t-il. Je redoutais que cela tourne à la caricature. » Des rapports des Renseignements généraux faisaient état de l'excitation des milieux révisionnistes, notamment parmi les « historiens » de Lyon qui s'obstinent à nier l'existence des chambres à gaz. « Puis, comme tout le monde, j'ai été retourné par la qualité des témoignages des victimes de Barbie, notamment les témoignages des survivants d'Izieux. Jamais je n'oublierai les enfants d'Izieux. Et je suis heureux que les jeunes aient pu voir cela et que ce procès les ait intéressés. »

Aujourd'hui encore, lorsque l'on parle devant Charles Pasqua de l'Holocauste, il ne peut s'empêcher de garder une vieille rancune à l'égard du peuple allemand. « C'est propre surtout aux gens de ma génération, précise-t-il. Mais quand je vois cette histoire des enfants d'Izieux, je me dis que les gens qui ont été capables de faire ça, je me dis que les Allemands n'ont pas payé très cher. »

Chatouilleux, Charles Pasqua, sur le chapitre des crimes commis contre des Juifs. A la fin du printemps, il a failli jeter de son bureau deux journalistes du *Spiegel* qui l'interrogeaient sur le penchant français pour le racisme. « Je leur ai dit : Vous vous croyez les plus compétents pour parler du racisme? Je les aurais bien vus en Kapos, ces deux mecs! » L'entretien est malgré tout publié outre-Rhin. « Herbert von Karajan l'a lu. Il m'a envoyé un très gentil petit mot : Grâce au *Spiegel*, je sais qu'il existe encore des hommes comme vous, m'écrivait-il. »

Il se querelle souvent à propos de la guerre. Il raconte qu'un jour, il a eu une chaude altercation avec un ancien colonel des Panzer, concessionnaire Ricard pour la RFA.

« Vous êtes un peuple de guerriers, lance-t-il à son collaborateur.

– Et vous, il n'y a pas une capitale d'Europe, répond le colonel, dans laquelle vous ne soyez entrés les armes à la main! »

« Il avait raison le bougre, confie Charles Pasqua, nous avons été un peuple très porté sur la conquête, mais pas au point tout de même de faire ce que les Allemands ont fait pendant la dernière guerre. »

Charles Pasqua estime que la communauté nationale doit sans cesse rassurer les Français de confession israélite. Et, en l'occurrence, la communauté nationale, c'est lui. Aussi décide-t-il de se rendre dans une synagogue à chacun de ses déplacements en province. Il le fait sans ostentation, sans invités. Il y va simplement pour s'y recueillir et s'entretenir avec les responsables de la communauté. Son propos est à chaque fois le même. Il faut prendre garde, explique-t-il, de ne pas réveiller l'antisémitisme ou le racisme en général par de trop vives critiques de la France et des Français sur ce chapitre. « Le racisme est une bête sauvage, toujours tapie à l'orée du bois. Attention à ce qu'elle n'entre pas. »

S'il existe des provocateurs, si le racisme s'organise, c'est à lui, le ministre de l'Intérieur, d'intervenir. Le 7 juillet 1987, il reçoit d'ailleurs les représentants des principales associations antiracistes, la LICRA, le MRAP, DAVID, la WIZO, la section française du Congrès juif mondial, ainsi que des personnalités juives. A chacun, il remet un rapport des Renseignements généraux sur les activités néo-nazies en France contenant à la fois des tracts « révisionnistes » niant l'existence des chambres à gaz et la preuve que certaines officines fascistes étaient financées par l'Iran.

« Il faut que nous fassions quelque chose ensemble, explique-t-il à ses hôtes. Nous courons tous un grand danger. Car, tant qu'il reste des témoins vivants de cette période, ils peuvent témoigner. Mais après leur mort? Si l'on n'y prend garde, cette vérité sur les atrocités pourra être contestée par certains intellectuels, simplement même par simple esprit de contradiction. Méfions-nous d'ériger une vérité officielle, monolithique, car c'est le meilleur moyen de donner envie à certains de la contester. »

Ce jour-là, Charle Pasqua propose à ses visiteurs d'inventer ensemble un arsenal juridique garantissant, dans l'avenir, la vérité sur les chambres à gaz. Les représentants des associations n'en sont pas encore revenus. Sans prévenir son gouvernement, Charles Pasqua avait imaginé protéger l'Histoire. Il s'est fait quelques amis ce jour-là.

Il explique aussi à ses visiteurs qu'il a fait enquêter sur les filières de financement du fascisme néo-nazi en France. Les membres de la LICRA et des autres associations écoutent en silence le ministre leur dévoiler le contenu du rapport secret. Le passage de l'argent de Téhéran par des banquiers européens, Genoud, Mordel, la banque Melli. Même une banque française. « J'ai mis le nez dans le conseil d'administration, dit-il. Quand j'ai vu certains noms, j'ai tout de suite compris. Méfions-nous, je les connais, ces gens... »

Charles Pasqua raconte aussi longuement, ce 7 juillet, comment des banques françaises récupèrent des fonds provenant des trafics de drogue en Amérique du Sud, au profit d'organisations néo-nazies.

Il reprend ensuite son cours. Sa philosophie est simple, et pendant des mois il va aller l'expliquer à tout ce qu'il peut rencontrer de responsables des communautés juives, musulmanes, catholiques... « La lutte contre le racisme peut fabriquer des racistes. » Il sait qu'il ne peut pas, pas encore, persuader SOS-Racisme de la justesse de son raisonnement, alors il tente de passer par les aînés des plus fougueux des antiracistes. Patiemment, alors que personne ne lui demande rien, il s'en va conter ce qui différencie les opinions de Le Pen des projets gouvernementaux. « Le Pen dit qu'il y a trop d'étrangers en France et qu'il faut les mettre dehors. Nous, nous disons qu'il faut simplement réduire le flux de l'immigration. Je raconte partout que les Allemands sont plus expéditifs puisqu'ils ont expulsé un million et demi de Turcs de leur pays. »

Il y croit dur comme fer et, dès le début du printemps 1987, il consacre un temps incroyable à tenter de persuader, par centaines, ses interlocuteurs. « Pour éviter la dérive vers le racisme et la xénophobie, il est nécessaire de fermer nos frontières et de n'accepter chez nous que les étrangers assurés d'avoir un emploi, un logement. Important aussi de ne pas accepter les clandestins et les repris de justice. »

C'est en gros la philosophie du gouvernement qu'on a tant de mal à inscrire au programme de l'Assemblée nationale. Cela coince partout. Albin Chalandon voit ses projets de loi – « de notre inspiration », s'empresse d'ajouter Charles Pasqua – se perdre peu à peu dans les oubliettes de la cohabitation.

Charles Pasqua avait eu, en 1986, les paroles les plus mordantes, à toutes les tribunes. Il s'y était fait, auprès des jeunes surtout, la pire des images. Est-ce la mort de Malik? En 1987, il change peu à peu de méthodes. Il part en pèlerin solitaire livrer sa vérité. Sans honte, mais cette fois à la sincérité. En choisissant des auditoires les plus restreints possibles. « Pour qu'on puisse enfin se parler d'homme à homme », dit-il.

« Il faut éviter l'amalgame entre Arabes et terroristes, affirme-t-il, entre immigré et délinquant. » Mais c'est lui, le ministre de l'Intérieur, qui l'a fait le premier, cet amalgame! s'insurgent certains de ses contradicteurs. C'est vrai, mais on ne l'a pas toujours compris...

Discrètement, Charles Pasqua se livre au difficile exercice du repentir qui n'ose pas dire son nom. A Marseille, lors d'un voyage, il encaisse de durs sermons de la part de la communauté juive. Il se tait, écoute. Bougonne quelques paroles incompréhensibles. Puis, sans transition, promet une meilleure protection des synagogues. Mieux, une loi, un jour, sur la vérité des chambres à gaz.

Dès son retour de Marrakech, après Noël 86, Charles Pasqua entreprend une difficile reconquête des courants de l'opinion que ses interventions abruptes avaient le plus marqués. Il le fait toujours sur la base des attributions de son ministère. Il a retrouvé ses rêves de respectabilité gouvernementale. Ses songes au service de l'État...

Il est aussi le tuteur légal de la communauté musulmane de France. Comme l'incompréhension est ici plus forte qu'ailleurs, comme tous les Arabes se sentent assimilés à des intégristes aux poches bourrées de bombes, Charles Pasqua choisit une manière plus directe. Il va défendre les mosquées, les écoles coraniques contre les peurs des maires des grandes villes, les conseils généraux. Il imposera la religion musulmane de manière autoritaire s'il le faut. C'est ainsi que, dès le début de 1987, il reprend tous les dossiers de litige en attente. Il donne raison aux communautés religieuses contre les positions frileuses.

Il se met discrètement à subventionner des associations, une fois qu'il a reçu l'aval des Renseignements généraux et l'assurance que ses dons ne serviront pas aux menées terroristes. Il a décidé de traquer l'intégrisme en appuyant les communautés de l'orthodoxie musulmane. Par une belle journée ensoleillée, il se fait même recevoir en grande pompe à la Mosquée de Paris. Rarement on l'aura vu aussi grave, aussi ému. Rarement il se sera autant attardé pendant une visite. Il n'en dit rien, mais il est allé chercher une sorte de pardon inconscient auprès du recteur de la Mosquée, Cheik Abbas Bencheikh el Hocine, à l'occasion de la fête des fêtes de l'islam, l'Aid-el-Kébir.

C'est une paix discrète qui est signée ce jour-là par la palabre. Et d'un symbolisme appuyé. Le recteur demande au gouvernement français « la protection des autorités pour la communauté musulmane ». Charles Pasqua donne son accord, avec des mots qu'on entend rarement dans sa bouche. « Si nous avons tenu à vous rendre visite, répond le ministre de l'Intérieur, c'est d'abord pour vous exprimer les vœux du gouvernement. Ces vœux s'adressent à la communauté musulmane de France, qui a le droit de vivre paisiblement à l'abri des lois françaises. »

Puis, d'un commun accord, les responsables de la Mosquée et le ministre évoquent l'intégrisme et le meilleur moyen d'en préserver la France : l'appui généreux aux communautés musulmanes. « Moi aussi je crois en Dieu, explique Charles Pasqua. Il y a entre ceux qui croient en

Dieu aujourd'hui et ceux qui n'y croient pas un fossé infranchissable. Ceux qui croient en Dieu devraient partout dans le monde se donner la main. »

Cheik Abbas ne demande pas mieux : « Si nous pouvons permettre aux musulmans d'acquérir les valeurs islamiques, nous nous protégerons des pressions extérieures et nous vivrons mieux dans ce pays, dans le respect de ses lois et de sa tranquillité. » Les deux hommes se sont compris. Il faut séparer l'intégriste du bon musulman. Ce dernier doit pouvoir vivre sa religion. Il a besoin d'écoles, de mosquées. Le ministre y contribuera. La communauté et le ministre ont des intérêts, des ennemis communs. Un front uni s'impose.

Un pacte, ce jour-là a été scellé. Le recteur donnera même pouvoir au ministre de l'Intérieur de défendre la communauté musulmane de France. Il lui fera cadeau d'un sabre. « C'est un symbole qui doit être pour vous le moyen d'assurer la démocratie et de défendre la liberté et la fraternité. »

Les collaborateurs du ministre de l'Intérieur n'en reviennent pas. Charles Pasqua a changé. Il lui vient des idées, en apparente contradiction avec celle du bretteur de 1986. Il se fâche si l'on s'en étonne. N'est-il pas le ministre garant des libertés et de la tranquillité? Excroissance de la fonction. Charles, « le Samaritain sabreur », veut désormais ferrailler pour ses protégés et, vu de la place Beauvau, ne s'agit-il pas de tous les Français ou de leurs hôtes? Alors!...

Alors, il demande à Jean Taousson, le collaborateur chargé des relations avec les Français musulmans, de s'intéresser de près à tous les musulmans. L'ancien de l'OAS, représentant en France du lobby favorable à l'Afrique du Sud, s'aquittera bien de sa tâche. Les proches de Pasqua sont fatigués d'être détestés par les jeunes, les socialistes, simplement par beaucoup de démocrates. Déçus d'être sans cesse assimilés aux nervis de Jean-Marie Le Pen.

Jean Taousson défendra donc les enfants des harkis, oubliés, considérés, par le racisme ordinaire du Sud de la France, comme « des Arabes ». Quelques-uns font la grève de la faim, près d'Aix-en-Provence, pour sortir de leur vieux bidonville et trouver un emploi. L'un d'eux peut approcher Charles Pasqua. Celui-ci l'écoutera puis ordonnera au secrétaire d'État aux rapatriés, André Santini, de régler ce problème « dans les deux jours ».

Charles Pasqua, dès lors, adopte une démarche empirique. Puisque son « bon sens » passe mal du haut des tribunes et qu'il a l'art oratoire un peu court, il agira avec pragmatisme, loin des micros.

Il est toujours en butte aux critiques et aux peurs des évêques de France sur les immigrés et le « code de la nationalité ». Alors, à chaque fois qu'il le peut, il va les voir. Il a trouvé le moyen d'expliquer pourquoi il est plus sain qu'un enfant d'origine étrangère mais né sur le sol de France choisisse, par serment, de devenir citoyen : « Je me permets de vous faire remarquer, dit-il aux évêques qu'il rencontre, que vous nous reprochez ce que vous faites vous-mêmes lorsque les enfants font leur communion. Ils prêtent bien serment, non? » L'idée ne passe pas à tous les coups, mais il met au moins les rieurs de son côté.

Il a la dent dure contre l'épiscopat. Sa foi religieuse a mal supporté les interrogations des évêques, en 1986, sur les projets gouvernementaux concernant les étrangers.

Mais il s'est aperçu que certains évêques jouaient un double jeu. Il ne rate plus une occasion de mettre le doigt sur les contradictions de l'Église de France. A Lille, il rencontre Mgr Vilnet et d'autres responsables de l'épiscopat. « Ils m'ont dit : nous voulons vous parler de l'intégrisme. Moi, je pense qu'il est question de l'intégrisme chiite. Je leur réponds que je comprends, que c'est un problème grave, qui alimente le terrorisme, etc. Non, non, ce n'est pas de cet intégrisme-là dont nous voulons vous entretenir, me précisent-ils. Mais de celui de Mgr Lefebvre. Nous venons vous demander de ne pas tolérer que ces gens-là utilisent les lieux de culte désaffectés. Il faut que vous interveniez!... J'étais renversé. Je n'en revenais pas. »

Puis la conversation glisse sur la question des mosquées en France. « Moi, je croyais qu'ils étaient pour, explique Charles Pasqua. Alors je dis que les musulmans ont effectivement le droit de pratiquer leur religion... Vous savez ce qu'ils me répondent? Qu'ils ne sont pas d'accord. Que si la France veut pouvoir intégrer les Arabes, il ne faut pas construire de mosquées. Je n'en croyais pas mes oreilles. Le Pen, à côté d'eux, c'est un mou. »

Charles Pasqua se souviendra longtemps de ce petit déjeuner pris en compagnie des dignitaires catholiques. « Ils m'ont vraiment étonné, ces défenseurs d'immigrés! Ils m'ont raconté qu'ils préparaient une grande manifestation eucharistique. Deux mille jeunes, dont des immigrés. Je réponds que c'est une bonne idée. Puis ils ajoutent qu'au moment de l'eucharistie, on mettra les Arabes dans un coin. »

Beaucoup de gens, en France, note le ministre de l'Intérieur, tiennent un double langage. « Même Mauroy! Quand il m'a remis la médaille de sa ville de Lille, il m'a confié que lui non plus ne tenait pas à avoir une mosquée chez lui. Vous voyez! »

Aussi Charles Pasqua, pour assoir sa différence et regagner le terrain perdu auprès des immigrés, se posera-t-il désormais en farouche partisan de la construction de mosquées en France. Lorsqu'il manquera des subventions, il en rajoutera sur son volant budgétaire. Il s'oppose à des élus de tous les partis, d'abord à ceux de son bord? Tant pis. Tant mieux! Rien ne lui ferait plus plaisir que de passer pour un ami des Arabes, après ce qu'on a dit de lui.

Au ministère, certains flics respirent. Notamment ceux de la DST, qui savent que la lutte contre le terrorisme chiite passe nécessairement par des appuis solides au sein de la communauté musulmane de France. En prenant ses fonctions au ministère de la place Beauvau, Charles Pasqua avait longuement écouté certains policiers lui raconter que des agents arabes, des Beurs, des Palestiniens travaillaient depuis des années pour le compte de la France. Le ministre avait fait semblant de mal entendre. Cette alliance-là n'était pas à l'ordre du jour.

Il se met peu à peu à rencontrer des Arabes. En France, mais aussi à l'étranger. Certains de ses compagnons du SAC, voire de l'OAS, lui ont ouvert le chemin d'Alger. Il s'y rend fréquemment. Pour la délicate question des otages, bien sûr, pour parfaire sa connaissance du terrorisme proche-oriental, mais aussi pour déplacer hors de France le débat sur les immigrés.

Pour convaincre les musulmans de ses bonnes intentions, il a besoin des Algériens. C'est au-delà de la Méditerranée qu'il a une chance de faire admettre ses vues sur le flux migratoire et la nationalité. « Je leur ai parlé franchement, raconte-t-il. Je leur ai dit que la France n'avait pas à rougir de ce qu'elle avait fait avant la décolonisation. Nous avons connu l'amour, puis la haine. Maintenant est venu le temps de la compréhension. Je leur ai rappelé aussi que nous avions versé notre sang ensemble, sur les champs de bataille de 1914-18 et de 1939-45. »

Discours connu, mais Charles Pasqua l'arrange à sa manière. Sincère, brutale. Imagée. Il réussit le tour de force de faire rire les Algériens. « J'ai des atomes crochus avec les Arabes, assure-t-il. Je dois même avoir du sang arabe. Je ne me sens jamais dépaysé avec eux. » Comme eux, il aime les discussions interminables. Avec eux, il prend son temps. Surtout, il en rajoute. « Si vous aviez vu leur tête quand je leur ai dit que les musulmans et les chrétiens descendaient de la même religion, le monothéisme juif... » Alors, pourquoi faire tant d'histoires?

Pour Charles Pasqua, les choses peuvent toujours être moins compliquées. Aux Arabes, le ministre de l'Intérieur parle des Juifs. Aux Juifs, il parle des Arabes. « Ils me prennent pour un fou, mais un fou sincère. » Un jour, il participe à un débat sur « le judaïsme et l'histoire ». Ses amis de la majorité redoutent le pire. Charles Pasqua prend la parole, devant un auditoire essentiellement composé de Juifs, pour expliquer longuement que les Palestiniens ont droit à une patrie. « Deux types, seulement, m'ont sifflé. Deux types sur trois cents personnes. » Aux Arabes, il affirme que la paix ne sera jamais possible tant que les pays du Proche-Orient ne reconnaîtront pas Israël...

« Il faut faire avancer les choses, dit-il, sinon nous n'en sortirons jamais. » Aussi prend-il, début 1987, de plus en plus le chemin du Moyen-Orient, lesté des recommandations de ses nouveaux amis algériens. Il veut rencontrer lui-même, sans en avertir le Quai d'Orsay, les dirigeants palestiniens. Discuter des menaces intégristes qui pèsent sur La Mecque et sur l'Arabie Saoudite. Il se mêle de tout ce qui peut concerner « ses » musulmans de France.

Il fait la tournée des capitales du Maghreb. Ses hôtes ont bien compris sa démarche. Ils attendent sa venue, et la cérémonie du thé, pour aborder certains problèmes concernant des ressortissants algériens ou marocains en France. Un foyer qui peine à sortir de terre. Un commissariat trop porté sur la ratonnade...

Pour plaire à ses interlocuteurs, Charles Pasqua peut déplacer des montagnes. Quelques préfets ont ainsi reçu, un jour ou l'autre de 1987, des ordres inattendus. Promesses faites ailleurs, qu'il fallait tenir pour la renommée de la France.

Le parrain

Passons aux aveux. Cet homme est aussi clair qu'un vrai-faux passeport. Cela fait des mois que nous le pistons, jusque dans son intimité, et plus nous croyons le connaître plus il nous intrigue. Il semble même qu'il y ait dans son comportement privé, autant que dans sa démarche politique, un réflexe de protection, à moins qu'il ne s'agisse d'une perversité ludique, qui le pousse à orienter ceux qui l'observent vers des impasses.

Nous l'avons vu pleurer, au cinéma, en voyant *Kramer contre Kramer*, et *Au revoir les enfants*. Il ne supporte pas, fût-ce en fiction, le mal fait aux enfants. Nous l'avons découvert secrètement blessé par la mort de Malik Oussekine mais aussi, plus banalement, par *Shoah* et *Holocauste* à la télévision.

Nous l'avons surpris, pendant certains voyages officiels, en train de téléphoner deux fois par jour à sa femme avant de lui faire envoyer des fleurs. Ah! sa femme... Un soir, nous l'avons vu lui exprimer sa tendresse devant des millions de téléspectateurs.

C'était au cours de sa première prestation à « Questions à domicile », sur TF 1. Peu de temps après l'arrestation des terroristes d'Action directe. Charles Pasqua, après ce beau coup de filet policier, débordait de sérénité. Il répondait calmement, et avec beaucoup de détachement, à toutes les interrogations. Jeanne était assise auprès de lui, sur un canapé gris à fleurs roses, dans leur appartement de fonction – « l'Hôtel du ministre » – place Beauvau. Elle portait une robe d'un bleu électrique piqué d'étoiles blanches et se tenait attentive à la conversation, les mains à plat sur les genoux de ses jambes croisées. Elle disait « le ministre », en mettant beaucoup de déférence dans ses intonations, pour parler de son époux.

Les Français découvraient une femme blonde aux yeux clairs dont le visage reflétait une douceur infinie, malgré quelques indices de fébrilité intérieure, le trac sans doute.

Un reportage sur l'appartement privé des Pasqua, à Neuilly, venait de révéler une personnalité attirée par l'Extrême-Orient. La finesse de ses collections de figurines d'ivoire japonaises créait un fort contraste, sous l'œil de la caméra, avec les lignes plus aiguës du pistolet et du sabre d'Empire offerts à son mari par Pierre Juillet et Jacques Chirac après le succès du RPR aux législatives de 1978. Ses broderies en points de croix apparaissaient singulières à proximité du tonneau verni rappelant à Charles ses aventures chez Ricard.

L'émission venait de reprendre son cours en direct et Anne Sinclair avait posé au ministre de l'Intérieur plusieurs questions sur son passé, en particulier sur ses anciennes activités au SAC. Il y avait répondu, sans le moindre trouble, en soulignant qu'il ne regrettait rien de cette époque, et que s'il fallait le refaire au service du général de Gaulle il le referait. Anne Sinclair s'était déjà levée pour aller poursuivre l'émission dans un salon voisin quand nous vîmes Jeanne dire à voix basse quelques mots à l'oreille de son mari : « Si vous le permettez, dit Charles Pasqua, ma femme voudrait dire quelque chose. » Anne Sinclair se rassit. D'une voix posée, aussi raffinée que son élégance, légèrement frémissante sous l'émotion, Jeanne Joly dit alors à la face de la France entière ce qu'elle portait sur le cœur, comme un fardeau depuis si longtemps : « J'ai été blessée par les calomnies. Je voudrais dire que si je ne connaissais Charles Pasqua que par ce que j'ai lu ou entendu sur lui, je le trouverais très antipathique. Nous sommes mariés depuis quarante ans; cela fait un long chemin, et je le sais bien : c'est un homme bon, droit, généreux. Si je le dis, c'est parce que je le sais. »

Gros plan sur un visage émouvant. Soudain une présence d'une force extraordinaire. Un pathétique témoignage d'amour devant des millions de gens, comme ça, à la télé. Un moment fort. « C'est un homme courageux, solide, poursuivit-elle. Il prête toujours une oreille attentive aux personnes dans le besoin... » Quelques secondes d'hésitation. Jeanne Pasqua était troublée. « J'aurais encore beaucoup de choses à dire... » Elle hésitait, lança un regard oblique, presque inquiet vers son mari qui lui prit la main avec délicatesse...

Nous nous sommes demandé, naturellement, si cette intervention avait été préméditée par le ministre de l'Intérieur et sa femme, qui partage ses convictions militantes, mais sincèrement nous ne le croyons pas. Nous sommes sûrs, en revanche, que ce soir-là Jeanne Pasqua a plus fait pour la réhabilitation de l'image de son mari que tous les procès gagnés par son avocat.

Mais y a-t-il un rapport entre ce Charles Pasqua là, sensible, touchant, prévenant, amoureux, et l'autre Pasqua. Celui du « charter » pour le Mali, par exemple?

Un matin d'octobre 1986 un escadron de policiers, diligenté par Robert Pandraud, déboule sans crier gare dans plusieurs foyers de travailleurs immigrés maliens de la région parisienne, opère un tri sommaire entre les « réguliers » et les « suspects », et conduit manu militari cent un de ces hommes hébétés jusqu'à l'aéroport où ils sont aussitôt embarqués de force dans un avion spécial pour Bamako. La légalité dans la brutalité. Du balai! Officiellement, il s'agit d'une « reconduite à la frontière ». Plus communément, d'une atteinte à la dignité humaine.

L'affaire fait grand bruit. La Ligue des Droits de l'homme s'indigne et parle d'une mesure « arbitraire ». Les socialistes dénoncent un nouveau « dérapage ». Le MRAP manifeste dans la rue. Les Églises catholique et protestante dénoncent cette « procédure expéditive ». SOS-Racisme se plaint directement à Robert Pandraud. Quant au secrétaire d'État aux Droits de l'homme, Claude Malhuret, il est l'un des premiers à s'offusquer et à le faire publiquement. Il proteste même auprès de Jacques Chirac, et le Premier ministre lui donne l'assurance qu'il n'y aura plus d'expulsion par « charters ».

Qu'en pense le bonhomme Pasqua? Rien! Ou plutôt si: « La loi, c'est la loi. Elle s'applique à tous et nous continuerons à le faire chaque fois que cela sera nécessaire. »

A quoi il ajoute, un peu plus tard, au cours d'une visite dans l'Hérault : « Un charter, c'est trop, disent certains, mais si demain je dois faire un train, je le ferai. » Propos de fin de banquet? Plaisir de faire un bon mot? Il ne sait pas résister à l'envie d'une boutade. Surtout si elle est inopportune et si elle doit faire enrager ses adversaires.

Le jour même où Charles Pasqua envisage ainsi de « faire un train » d'immigrés, se déroule à Lyon un procès qui polarise l'actualité, celui de Klaus Barbie, où l'on parle aussi de certains trains. Les trains nazis de la mort. Rapprochement douteux, déplorable. Charles Pasqua provoque un nouveau tollé. Il a commis une gaffe – et il le sait – mais il se prévaut tellement de garder son sang-froid en toute circonstance que personne ne croit à une simple sottise. « Ces propos ne sont pas dignes d'un ministre de la République, déclare Harlem Désir. Soit il s'agit d'un lapsus, ses déclarations ont dépassé sa pensée et c'est inquiétant parce que ça révèle ce qu'il a dans la tête; soit il pense ce qu'il dit et on dépasse le stade de la provocation, c'est une honte. »

Honte, Pasqua? Vous voulez rire, cher Harlem! Nous l'avons entendu le répéter cent fois : « Je n'ai jamais honte de rien. » Peut-être une phrase clé pour éclairer sa psychologie. Une parmi d'autres, tout aussi cyniques : « Les promesses n'engagent que ceux qui les reçoivent », « La politique, ça se fait à coups de pied dans les couilles! », et surtout, la phrase la plus juste, qui explique le mieux ses dérapages : « On est plus fidèle à sa nature qu'à son intérêt. »

Quel rapport, alors, entre ce provocateur impénitent et le Charles Pasqua humaniste et tout miel que nous avons retrouvé dans le débat parlementaire sur l'immigration? Quand le gouvernement a rendu plus sévères les conditions d'entrée et de séjour des étrangers en France, pendant l'été 1986, ses interventions à l'Assemblée nationale et au Sénat n'ont valu aucun déboire au pouvoir.

Le ministre de l'Intérieur s'est posé en champion du juste milieu, entre les positions des socialistes, qu'il jugeait trop laxistes, et celles du Front national, qu'il a qualifiées d'extrémistes en accusant les amis de Jean-Marie Le Pen de confondre « une réalité préoccupante avec des risques de guerre civile ». Charles Pasqua avait promis à Jacques Chirac de mesurer ses propos. Il a tenu cette promesse d'autant plus volontiers que le Premier ministre lui avait enfin permis, moyennant quelques adoucissements, de modifier la législation dans le sens qu'il avait préconisé en 1984, dans l'indifférence quasi générale.

Au palais du Luxembourg le ministre de l'Intérieur s'est même montré lyrique : « La France a toujours su ouvrir les bras à ses fils adoptifs. La France mérite son nom de terre d'asile. » Les réfugiés politiques basques, dit-on, ont bien accueilli cette profession de foi...

La discussion s'est tellement bien passée, en dépit des clivages, que certains observateurs ont eu l'impression, en écoutant Charles Pasqua, d'entendre par moment... Georgina Dufoix! Jacques Chirac, qui ne dit pas facilement merci, l'a félicité pour sa modération. Édouard Balladur aussi.

C'est à cette époque que nous avons un peu mieux compris sa fascination pour le personnage historique de Mazarin. Son penchant pour Napoléon allait de soi. Sa référence à Mazarin, en revanche, constituait un mystère. Jusqu'au moment où, de recoupements en recoupements, nous avons réalisé qu'il s'identifiait à certaines des facettes de l'ancien conseiller du jeune Louis XIV.

Notre interprétation paraîtra peut-être osée mais le petit fils du berger corse Capellone Pasqua, jadis émigré à Grasse, se retrouve un peu dans la destinée de Giulio Mazarini, cet enfant d'une pauvre famille sicilienne émigrée aux Abruzzes, qui accrocha son étoile au char de Richelieu (comme lui à Chirac ?) et qui connut toute sa vie des hauts et des bas au gré des vents politiques.

Charles Pasqua est particulièrement bien placé pour comprendre ce qu'a dû ressentir ce Français d'adoption que les « barons » de la Cour tournaient en dérision à cause de son accent italien.

Il est également vraisemblable que l'ancien vice-président du SAC, si décrié, compatisse mieux que quiconque aux épreuves que le futur ministre de l'Intérieur de la régente Anne d'Autriche dut subir lorsqu'il fut traité d' « âme sordide, vraie canaille, cœur vil » par son ennemi intime, le cardinal de Retz.

Il est, toutefois, un point sur lequel la comparaison n'est pas possible entre le destin de Mazarin et celui de Charles Pasqua, la différence étant tout à l'honneur de celui-ci : le premier profitait de son pouvoir pour s'enrichir sans vergogne; le second ne saurait être taxé d'affairisme.

Un jour nous avons même rencontré Charles Pasqua agacé parce que le grand tailleur parisien chez lequel il était allé se faire couper un costume neuf, après son installation place Beauvau, voulait lui en faire cadeau. « Pour qui me prend-il?, criait-il. Je paie mes costumes! »

En revanche, ce que Charles Pasqua admire sans doute le plus chez Mazarin, c'est la capacité qu'avait ce stratège à s'entourer d'hommes aux compétences diverses. Il y a incontestablement du Mazarin dans le Pasqua qui se meut à l'intérieur des cercles de la marginalité politique avec la même aisance que dans les sphères supérieures de l'État.

Il est encore plus évident que Charles Pasqua déteste trop se faire des ennemis pour souhaiter mourir aussi impopulaire que cet éminent cardinal, dont le médecin personnel fut complimenté par les beaux esprits de l'époque pour ne pas l'avoir arraché au trépas...

A ce point de nos investigations nous sommes donc tentés de soutenir que l'importance prise par Charles Pasqua en France tient au rôle de parrain qu'il joue parmi les siens dans la vie politique française, avec toutes les ambiguïtés qui s'attachent à cette fonction. Une fonction qu'il assume, au demeurant, sans déroger à la règle selon laquelle les hommes de caractère qui l'exercent sont généralement adulés par les uns et haïs par les autres.

Parrain, Charles Pasqua l'est au sein du RPR, auquel il a tant donné. Il l'est, en particulier, pour les jeunes du mouvement chiraquien qui aiment son style, sa pugnacité, et qui sont très sensibles à son profil de général sorti du rang. Il l'est devenu, en tant que ministre de l'Intérieur, aux yeux de la plupart des agents de police de France. En souvenir de son père. Parce qu'il se considère comme un des leurs et se comporte en porte-parole autant qu'en chef, face à l'opinion publique.

Parrain, c'est-à-dire organisateur, protecteur, arbitre, Charles Pasqua l'est surtout, dès à présent, dans le dispositif mis en place pour assurer l'élection de Jacques Chirac à la présidence de la République. Il l'est avec une fermeté intransigeante à l'égard de ses propres amis s'il lui semble que l'avenir du mouvement en dépend. Alors, il impose sa loi sans ménagement.

C'est ce qu'il a fait au printemps 1987, pour faire prévaloir sa stratégie sinueuse devant la concurrence du Front national, au moment, par exemple, de l' « incident Michel Noir » qui provoqua tant de tiraillements à l'intérieur du gouvernement, de la majorité et du RPR.

Charles Pasqua a beaucoup d'estime pour Michel Noir. C'est même lui qui a insisté auprès de Jacques Chirac pour qu'il occupe, au sein du gouvernement, le poste de ministre du Commerce extérieure, où débuta l'autre ténor de Lyon, Raymond Barre. Il apprécie ses convictions et sa franchise. Il partage, bien entendu, le culte de la Résistance que lui a légué son père.

Que Michel Noir refuse toute compromission avec Jean-Marie Le Pen, cela ne le surprend pas. Il comprend la réaction passionnelle d'un jeune homme allergique à certaines résurgences, dont le père a été déporté, et qui s'est exprimé avec beaucoup de sensibilité, à la veille de l'ouverture du procès de Barbie, en racontant ainsi son voyage en Allemagne, à l'âge de seize ans, avec son père :

« Le troisième jour, tôt le matin, ce visage qui ne lui avait presque jamais souri était plus dur que jamais. Il ne dit rien de ce départ matinal. Une heure, deux peut-être, en silence, pour arriver sur une sorte de plateau; face à ce portail, devant des baraques en arc de cercle, au dessus une inscription : « *Nacht und Niebel* ». [...]

« Une à une furent montées les marches de la carrière de pierres d'où les kapos précipitaient celui qui trébuchait; une à une découvertes les baraques et les quelques fours crématoires conservés pour témoigner.

« " Je voulais que tu vois cela pour que tu comprennes et que tu sois un homme. "

« J'avais seize ans. C'était mon père. Un jour vers la fin d'un été, ses derniers mots furent : " N'oublie jamais Mauthausen "... »

Mais quand, le jeudi après-midi 14 mai, Charles Pasqua découvre à la « une » du *Monde*, sous le titre « Au risque de perdre », l'article de Michel Noir, il ne peut s'empêcher de jurer : « Oh! Le con! » Quand on se prétend militant il y a des choses qu'on pense mais qu'on s'interdit de dire, et encore plus d'écrire.

Or, ce qu'écrit le ministre du Commerce extérieur, c'est tout simplement de la dynamite. Passe encore qu'il affiche son ostracisme à l'égard du président du Front national. Mais qu'il aille jusqu'à dire : « Mieux vaut perdre l'élection présidentielle que son âme en pactisant avec Le Pen et ses idées »!... Charles Pasqua, qui en a pourtant entendu d'autres, en tombe presque à la renverse. Michel Noir transgresse l'interdit sacré du militant de base, le tabou numéro un de tout parti : un homme politique a le droit de tout dire et même de dire n'importe quoi, sauf d'envisager la défaite de son chef! L'hypothèse de l'échec est indécente.

Charles Pasqua est furieux parce que, en lançant ce pavé dans la mare, Michel Noir ruine des mois d'efforts pour amadouer les suffrages d'extrême droite. C'est justement parce que l'effet Le Pen menace la candidature de Chirac qu'il ne fallait pas faire un tel cadeau aux socialistes.

Charles Pasqua imagine déjà les applaudissements des bonnes âmes centristes. De nouveaux tiraillements en perspective au sein de la majorité. Comme le mois dernier, après que Claude Malhuret eut fait son numéro à l'Assemblée nationale en attaquant le Front national, avec les encouragements de Patrick Devedjian lui-même. Il imagine aussi la tête de Chirac au retour de son voyage officiel à Moscou. Il n'a pas le cœur à passer un savon à Michel Noir mais il lui faut bien réagir sinon celui-ci est capable de multiplier cette déclaration à sensation. Il l'appelle au téléphone :

« Qu'est-ce qui t'a pris, Michel? Tu te rends compte! Non seulement tu fais le jeu de Mitterrand mais tu fais plaisir à Le Pen, qui veut la peau de Chirac...

– Pour moi la question ne se pose pas en ces termes. J'en fais une affaire de conscience. Tu as vu, l'autre jour, au Palais-Bourbon, Roger Holeindre faire des bras d'honneur à Michèle Barzach? Il est grand temps de réagir contre ces types, tu ne crois pas?

– Sur le fond tu as raison, mais tu en fais trop. Si tous les membres du gouvernement affichent leurs états d'âme, où allons-nous? Tu devrais savoir qu'un ministre doit la fermer!

– Je suis désolé mais il s'agit là d'un sujet trop grave. Je ne retire rien de ce que j'ai écrit. »

Michel Noir est courageux. Charles Pasqua aime les gens qui ont du cran. Malheureusement, les bons sentiments ne font pas toujours la bonne politique. Il fait passer la consigne au secrétaire général, Jacques Toubon, et au porte-parole officiel du RPR, Franck Borotra : « Il faut contrer Noir. » Borotra fait aussitôt savoir que les propos du ministre du Commerce extérieur n'engagent pas le RPR. Le ministre de la Coopération, Michel Aurillac, réplique qu'il ne faut pas « enfermer Le Pen dans un ghetto ». Charles Pasqua, dans la nuit, prévient Jacques Chirac et lui conseille de réagir dès son arrivée.

Michel Noir n'est pas isolé. Parmi ceux qui le félicitent, il y a non seulement le président du Centre des démocrates sociaux Pierre Méhaignerie, le secrétaire général du Parti républicain François Léotard, l'inévitable Claude Malhuret, mais aussi le ministre RPR de l'Environnement, Alain Carignon, et l'un des plus proches collaborateurs de Jacques Chirac, Alain Juppé, ministre du Budget.

En son for intérieur, Michel Noir espère que le Premier ministre tranchera en sa faveur. Il connaît la répulsion qu'inspire Jean-Marie Le Pen à Jacques Chirac. Il se trompe. Parrain Pasqua a rallié le président du RPR à sa stratégie. Le dimanche 17 mai, revenu d'URSS, Jacques Chirac décide de faire un exemple. Il fait savoir à Édouard Balladur, Charles Pasqua et Jacques Toubon qu'il va reprendre en main cette majorité qui se désagrège. Il enregistre la déclaration qu'il a prévue pour le lundi matin sur Europe 1. Commentaire glacial : « Je ne me laisserai pas engager par quelque polémique que ce soit. Je suis confronté à trop de problèmes sérieux. Moi, je travaille... » Le ton est sans équivoque. Michel Noir comprend-il ce message de travers? Le mardi matin, 19 mai, il persiste et signe sur la même antenne : « Dans la majorité, dit-il, il y a ceux qui font des rapports avec Le Pen une affaire de tactique et ceux qui en font une affaire de principes. » Charles Pasqua, cette fois, voit rouge. Il tape du poing sur la table : « Dis-lui d'arrêter sinon ça va mal finir », demande-t-il à Jacques Chirac. En fin de matinée, le même mardi, à l'Hôtel Matignon, Jacques Chirac sermonne vertement Michel Noir : « Il faut arrêter les conneries... » Vingt minutes d'« engueulade ». Le ministre du

Commerce extérieur n'accepte aucun diktat en ce domaine. Il laisse entendre qu'il pourrait démissionner le soir même.

Le directeur de cabinet du Premier ministre, Maurice Ulrich, prévient la Place Beauvau. « Il ne manquerait plus que ça... », soupire Charles Pasqua en rappelant Michel Noir : « Nous sommes amis, tu le sais : je t'en prie, ne déconne pas. Si tu t'en vas, tout le gouvernement va exploser...

– Michèle Barzach et Claude Malhuret m'ont déjà fait savoir, en effet, qu'ils partiraient éventuellement avec moi... »

Au déjeuner hebdomadaire des dirigeants de la majorité, à l'Hôtel Matignon, le chef du gouvernement se fâche : « Il faut en finir avec les propos d'exclusion. Tous ceux qui ont envie de s'exprimer n'ont qu'à quitter le gouvernement! »

Les contingences de la tactique l'emportent sur les grands principes. Charles Pasqua est satisfait de la fermeté de son Premier ministre, mais l'affaire Noir n'est pas pour autant terminée. Charles Pasqua a trouvé, en la personne du ministre du Commerce extérieur, un caractère aussi obstiné que le sien. D'où sa difficulté à enrayer cette crise.

Que fait un bon parrain, dans ce cas là? Il sollicite l'intervention du chanoine. Charles Pasqua demande donc à Édouard Balladur de cajoler un peu le contestataire. Le ministre d'État accepte et invite Michel Noir à venir lui parler, ce mardi-là, en fin d'après-midi, rue de Rivoli, après un comité interministériel consacré au dossier de l'Airbus, réunion qui se déroule dans une atmosphère surréaliste, le Premier ministre et le ministre du Commerce extérieur faisant à peine semblant de s'intéresser à l'ordre du jour...

Rue de Rivoli, Édouard Balladur traite Michel Noir avec beaucoup de sensibilité. Il lui fait raconter la déportation de son père, évoquer les souvenirs de sa visite à Mathausen. Sans revenir vraiment sur l'incident. Il lui fait simplement remarquer qu'il aurait dû prendre la précaution de faire relire son projet d'article à l'Hôtel Matignon. Il déclare au ministre du Commerce extérieur que sa prise de position ne porte pas « à conséquences ». Le contraire de ce que Charles Pasqua a dit à Michel Noir. Peu importe. L'essentiel est d'apaiser le rebelle. Le ministre des Finances y parvient, et le fait savoir au ministre de l'Intérieur.

Charles Pasqua continue d'activer ses ficelles. Il demande à Jacques Chirac de faire un geste : « Si tu le lui demandes toi-même, il ne bougera plus. » Le maire de Paris invite le ministre du Commerce extérieur à un petit déjeuner de réconciliation le lundi 25 mai à l'Hôtel de Ville... Fin de l'incident.

Reste à effacer la fâcheuse impression laissée dans le pays par cette cacophonie. Et que fait un parrain en pareille circonstance? Une réunion de famille! Charles Pasqua demeure fidèle aux vieilles recettes : rien ne vaut une grand-messe pour remonter le moral des troupes. Parmi les militants, l'effet Noir a été des plus désastreux. Plusieurs de ses informateurs privés – tous anciens compagnons de chez Ricard – ont téléphoné au ministre de l'Intérieur pour lui donner la température à la base du mouvement. Leurs témoignages sont accablants. « Michel Noir a eu tort de rejeter les électeurs qui étaient chez nous auparavant, et le faire sans chercher à les comprendre », dit l'un. « Si Chirac l'avait vidé nous aurions eu vingt mille adhérents de plus », déclare un autre. « Noir est devenu le héros de la gauche et Chirac a réagi trop mollement », estime un troisième.

Les hasards du calendrier, heureusement, font bien les choses. A la fin de cette semaine mouvementée le RPR doit tenir ses assises nationales. Charles Pasqua sait comment en profiter pour récupérer l'effet Noir à son profit et à celui de son parti.

« Laissez-moi faire », dit le ministre de l'Intérieur à Jacques Chirac et à Jacques Toubon.

Le président et le secrétaire général du RPR craignent d'abord que l'arrivée de Michel Noir ne donne lieu à des manifestations d'hostilité. Il n'en est rien. Le ministre du Commerce extérieur s'installe discrètement au dernier rang de la tribune officielle, ostensiblement salué par l'amiral Philippe de Gaulle, qui s'assied à côté de lui. Ses amis ne se manifestent pas, à l'exception d'une banderole disant « Le Rhône avec Michel Noir et avec Jacques Chirac », aussi vite remballée qu'elle avait été déployée. Ses adversaires se montrent eux aussi discrets. Charles Pasqua a donné des consignes.

Ouvrant la dernière séance, ce dimanche 24 mai 1987, dans le grand hall des expositions de la porte de Versailles, en présence de trente-cinq mille personnes – environ deux fois plus que la veille – Jacques Toubon, comme convenu, se limite à deux exclamations : « Pari tenu! Nous sommes cent mille! » Puis, tout de suite, il annonce Charles Pasqua.

Bombardements de laser, explosions de décibels, la salle debout pour accueillir son grand exorciste, qui s'avance d'un pas impérial, le masque romain, ovationné avant même d'avoir ouvert la bouche.

Le ministre de l'Intérieur a décidé de sortir le grand

répertoire. Il va aligner les couplets héroïques en parlant sans notes. Il a soigneusement mémorisé les formules magiques et tous les militants sont déjà sous le charme. Les autres membres du gouvernement qui, d'habitude, quand il s'agit d'autres orateurs, bavardent parfois entre eux, l'écoutent religieusement.

Pour conjurer le spectre de la défaite réveillé par Michel Noir, Charles Pasqua a décidé d'exalter l'union de la majorité, de ne pas citer une seule fois le nom de Jean-Marie Le Pen et de faire plaisir aux militants en donnant publiquement la leçon au jeune ministre du Commerce extérieur.

« Nous sommes en ordre de bataille! », lance-t-il d'entrée. Les « cent mille », qui venaient à peine de se rasseoir, se relèvent comme un seul homme. Les chiraquiens, en bons fils spirituels de De Gaulle, aiment les appels à la mobilisation.

Ils aiment aussi les anecdotes. Alors, Charles Pasqua leur raconte, comme il le ferait à la veillée, à Casevecchie, pour l'oncle « Mémé » et ses cousins, le dernier Conseil des ministres. On croirait entendre le récit d'un face-à-face chez le dentiste : « Le président nous regarde, nous le regardons... Je le regarde, il me regarde... Nous savons que nous pensons la même chose : il voudrait un autre gouvernement, nous aimerions un autre président... »

A la tribune Édouard Balladur jette un regard inquiet vers Jacques Chirac. Le ministre d'État se demande s'il est convenable de raconter de cette façon très personnelle les réunions du mercredi matin à l'Élysée... La foule s'amuse. Charles Pasqua raconte en pesant chaque mot, en ponctuant ses phrases de silence et en jouant de son accent. Un bon tribun pour un bon public. Une communion collective. L'extase. « Il faut redonner la fierté aux Français; la France a besoin d'un président qui entraîne. Jacques, nous sommes tous derrière toi! »

La salle est chauffée, Charles Pasqua peut aborder le point délicat. « Nous les anciens, qui avons lutté contre le racisme et contre le fascisme les armes à la main, nous ne sommes pas choqués, mais nous nous réjouissons de voir de plus jeunes que nous prendre la même route. » Tous les regards de l'assistance cherchent à la tribune la haute silhouette de basketteur du ministre du Commerce extérieur. Michel Noir comprend que Charles Pasqua lui accorde son indulgence. La leçon suit : « Le gaullisme, c'est d'abord le refus de l'inéluctable. » Le RPR ne saurait donc tolérer les discours alarmistes, encore moins défaitistes. La foule applaudit à tout rompre. L'exorcisme a réussi.

Le terrain est libre pour Jacques Chirac, qui fixe la ligne : pas de compromission avec le Front national mais pas d'exclusion non plus. « Il est une violence qui est portée par les mots et qui est celle de l'intolérance, du dogmatisme, ou encore celle des exclusions fondées sur le rejet de l'autre. Cette violence, on ne peut la combattre par des lois ou des décrets, car c'est l'honneur et le principe de la démocratie que toutes les pensées, que toutes les idéologies s'expriment. Cette violence, on peut la combattre, en revanche, en étant à l'écoute de ce qu'elle traduit de difficultés, d'inquiétudes, de mécontentements, et qui ne doit pas être méconnu. On peut la combattre en agissant réellement pour résoudre les problèmes qui la nourrissent, car des réponses simplistes ou mensongères ne doivent pas occulter la vérité des questions. On peut la combattre par l'exemple, en cherchant à rassembler plutôt qu'à diviser, en pratiquant le respect de l'autre, de celui qui pense autrement. Autant la confrontation d'idées est nécessaire à la démocratie, autant l'intolérance, le sectarisme, la haine pervertissent le débat et ont les conséquences les plus graves. »

L'incident Michel Noir est oublié. Face à l'effet Le Pen, c'est l'effet Pasqua qui l'emporte au RPR.

Trois mois après, les jeunes du mouvement font à leur parrain, à l'occasion de leur université d'été réunie en Arles, un accueil encore plus délirant qu'à Madonna. « Charlie, t'es super! », « Un Pasqua, sinon rien », disent leurs slogans. « N'ayez aucun complexe, n'acceptez aucune leçon de personne », répond-il à leurs acclamations après avoir – obligatoirement – enlevé sa cravate. « Les autres parlent, nous agissons. Les chiens aboient la caravane passe. Les donneurs de leçons n'ont qu'à aller se rhabiller. »

Selon ces jeunes gens, qui se réfèrent à l'astrologie chinoise, si Charles Pasqua était un animal il serait un sanglier et s'il était une personnalité historique il ne serait pas Mazarin mais Bayard, le « chevalier sans peur et sans reproche »...

Populaire, Charles Pasqua? Oui, et la nouveauté, au début de 1987, est que les militants du RPR ne sont plus les seuls à reconnaître ses mérites. Malgré les « bavures » et ses « dérapages », l'opinion publique retient d'abord que le ministre de l'Intérieur semble bien faire son travail. C'est *le Quotidien de Paris* qui publie, en mars, le premier sondage – réalisée par BVA auprès d'un échantillon de 873 personnes – attestant cette tendance : Charles Pasqua est jugé dynamique par 53 % des Français, courageux par 47 % d'entre eux, compétent (42 %) et honnête (41 %).

Les mêmes personnes jugent plutôt positive son action de ministre de l'Intérieur : 45 % lui font confiance pour lutter contre l'insécurité; 79 % se déclarent plutôt d'accord avec l'affichage public des photos des terroristes recherchés; 57 % trouvent qu'il a eu raison de dire qu'il fallait « terroriser les terroristes ».

L'homme d'État de 1987 perce déjà sous le masque renfrogné du ministre, qui affronte le terrorisme.

Parrain des flics? C'est sans doute la charge dont Charles Pasqua est le plus fier. Car le policier, dans sa famille, depuis toujours – c'est-à-dire depuis Grasse – revêt la dimension d'un être sacré. Comme le père, le frère, les cousins qui ont tous fait carrière sous l'uniforme.

Voilà pourquoi la journée du mercredi 9 juillet 1986 restera dans la mémoire de Charles Pasqua, nous pouvons en témoigner, le souvenir le plus noir de sa charge de ministre de l'Intérieur.

Il était 16 h 30. Au palais Bourbon l'Assemblée nationale poursuivait la discussion du projet de loi concernant la réglementation des conditions de séjour des étrangers en France. Le ministre de l'Intérieur avait du mal à se concentrer sur le débat.

La journée avait très mal commencé. Les auteurs du hold-up commis le 3 juillet à la Banque de Saint-Nazaire avaient fait un pied de nez à la police en adressant par la poste à trois quotidiens, *Libération, le Matin* et *le Monde,* quelques-uns des billets de 200 F volés accompagnés d'un tract moqueur signé « les braqueurs funambules ».

Et maintenant, harcelé par les députés de l'opposition, il devait s'expliquer, quatre jours après la « bavure » de la rue de Mogador, sur le tir meurtrier du CRS Gilles Burgos contre le jeune Loïc Lefèvre.

Soudain, Charles Pasqua aperçoit Daniel Léandri, son conseiller, remettre à un huissier un pli à son intention. La lecture du message lui serre l'estomac : « Un grave attentat vient d'avoir lieu à la PJ, quai de Gesvres. Il y aurait des morts et des blessés. Pandraud part sur place. »

La gravité de l'attentat est confirmée un quart d'heure plus tard. Charles Pasqua adresse un mot au président de la séance, le député socialiste Jean-Pierre Michel, pour l'informer des événements. Jean-Pierre Michel suspend aussitôt le débat après avoir fait observer une minute de silence à la mémoire des victimes.

Le ministre de l'Intérieur quitte l'hémicycle, prend contact, de sa voiture, avec Robert Pandraud qui s'apprête à se rendre à l'Hôtel Matignon pour dire à Jacques Chirac ce qu'il vient de voir quai de Gesvres.

A 18 heures, Charles Pasqua arrive sur les lieux en même temps que le Premier ministre. Il découvre un paysage de guerre.

Aux environs de 15 h 55, au cœur de la capitale, l'annexe de la police judiciaire, située derrière le Théâtre de la Ville, place du Châtelet, a tremblé et s'est lézardée sous la puissance de l'explosion d'une bombe pesant une dizaine de kilos. Sous la déflagration de l'engin, déposé dans les toilettes du quatrième étage du bâtiment, la dalle de béton qui séparait les quatrième et cinquième étages s'est rompue et affaissée. L'un des murs de la façade intérieure, qui donne sur la cour, a cédé et s'est volatilisé en parpaings, douze mètres plus bas. Cloisons, faux plafonds et poutres métalliques ont été tordus, pliés. Les dégâts sont considérables. Les policiers qui ont donné l'alerte, à 15 h 59, ne s'y sont pas trompés. Ils savaient déjà que le bilan serait « lourd ». En effet.

Alors que les inspecteurs de la brigade financière et de la brigade des mineurs s'emploient à récupérer des dossiers et des procès-verbaux éparpillés, par le souffle de l'explosion, sur les toits, dans la rue, un peu partout, que d'autres transfèrent en vitesse deux détenus menottes aux poings aussi choqués qu'eux-mêmes, les responsables de la célèbre brigade de répression du banditisme (BRB) constatent qu'un des leurs a été tué sur le coup.

Le bureau du chef inspecteur divisionnaire Marcel Basdevant, cinquante-quatre ans, marié, père de deux enfants, se trouvait à un mètre des toilettes. Le corps du policier est écrasé sous le plafond. Dans les couloirs et les différentes pièces de la brigade, de nombreux blessés, dont deux dans le coma, sont recouverts de gravats.

La silhouette massive de Charles Pasqua se détache sur un fond de pompiers, de secouristes, d'ambulanciers, de CRS et de commissaires courant en tous sens. Le ministre de l'Intérieur pense aussitôt à Action directe, qui a revendiqué les deux précédents attentats parisiens du 6 juillet. Un homme ou une femme a réussi à entrer dans l'immeuble, monter au quatrième étage et y déposer sa machine infernale.

Les secours affluent toujours. Les rues sont jonchées de débris de verre. Les sirènes et les klaxons à deux tons hurlent de toutes parts. Dans cette tourmente Charles Pasqua aperçoit Guy Fougier, démissionnaire de la préfecture de police à cause de sa phrase malheureuse à l' « Heure de vérité ». Ses amis du Sénat, Roger Romani et Pierre-Christian Taittinger, sont là aussi, surpris par l'ampleur des dégâts. Il y a au total vingt-deux blessés dont trois dans un état grave.

Il y a aussi, bien sûr, beaucoup de journalistes. Certains sont un peu malmenés par le cordon de sécurité mis en place. Charles Pasqua entend la réflexion faite à voix haute par un policier en civil qui souhaite visiblement que le ministre de l'Intérieur la perçoive : « Ça fait une semaine qu'on nous crache à la gueule, ça peut donner des idées aux terroristes. » La presse est dans le colimateur des victimes de l'attentat. Les micros se tendent machinalement vers lui après la déclaration de Jacques Chirac qui s'est déclaré « bouleversé devant cet attentat qui dépasse les limites de l'abject ».

Charles Pasqua n'a pas envie de causer. Il exprime son « indignation », sa « révolte », puis, sans hésiter, fait sien le ressentiment de la police à l'encontre des médias qui ne cessent d'insister, ces dernières semaines, sur les « bavures ». Le ministre de l'Intérieur réagit en flic. Le « premier flic de France » réagit comme le ferait, au même moment, le « flic lambda ». Il a envie de dénoncer « l'hystérie antisécuritaire » de la presse mais, au dernier moment, se retient, car l'endroit rend toute polémique déplacée. « J'espère, dit-il simplement en rentrant dans sa voiture, que tout le monde, après ça, fera son examen de conscience. »

Au cas où les journalistes n'auraient pas bien compris le ministre de l'Intérieur met les points sur les « i », quatre jours plus tard, au cours d'une conférence de presse, en se déclarant « choqué » par les informations « unilatérales » données, selon lui, par certains médias. Il reproche aux médias de ne pas comprendre l'enjeu de la lutte contre le terrorisme et se prononce pour le respect, de leur part, d'un « code de bonne conduite ».

C'est Jacques Chirac en personne qui doit donner à son ministre de l'Intérieur des consignes de « calme » et de « dédramatisation ». Charles Pasqua n'en a cure. Il a rempli sa mission : il a dit une fois de plus ce que les siens voulaient entendre dans sa bouche en sachant que de toute façon cette « sortie », comme les précédentes, serait tolérée par le Premier ministre.

En sa qualité de parrain, Charles Pasqua bénéficie désormais du privilège de la libre expression. Ce n'est pas à lui – sacrebleu! – qu'on pourra imposer silence, comme à un Michel Noir! Si ses subordonnés l'apprécient, n'est-ce pas justement parce qu'il n'hésite pas à cogner quand il le faut...

N'est-il pas normal qu'un parrain protège aussi la vertu de ses ouailles?

Charles Pasqua laissera assurément, en ce domaine, un souvenir extrêmement croustillant de son passage au ministère de l'Intérieur. Il y avait longtemps, en effet, qu'on n'avait pas vu le patron de la place Beauvau chasser la pornographie et le sadisme avec autant de convictions.

Il faut rendre cette justice à Charles Pasqua qu'il trouva pour cette entreprise un collaborateur zélé en la personne du directeur des libertés publiques et des affaires juridiques de son ministère, Dominique Latournerie.

S'il n'y avait pas eu au même moment le Salon du livre, les mesures d'interdiction brutalement annoncées à la fin de mars 1987 par cet ardent fonctionnaire n'auraient peut-être pas eu un tel retentissement. Mais lorsqu'on apprit en France qu'à l'initiative du ministère de l'Intérieur une douzaine de magazines publiés par la Société française des revues et par les éditions de la Fortune allaient être interdits, ainsi que l'une des revues les plus lues par les homosexuels, *Gai pied hebdo*, éditée par le groupe Filipacchi, ce fut un séisme qui provoqua non seulement l'émoi du monde de la culture mais aussi une crise politique au sein de la majorité.

La proposition que Dominique Latournerie avait soumise à la réflexion de Charles Pasqua n'avait pourtant rien de révolutionnaire. Elle consistait à suivre, pour une fois, quelques-uns des avis de la commission chargée de préconiser, en vertu d'une loi du 16 juillet 1949, des mesures de protection contre les publications « présentant un danger pour la jeunesse en raison de leur caractère licencieux ou pornographique, ou de la place faite au crime ou à la violence ». Certes, ce simple fait pouvait apparaître audacieux, ladite commission étant l'une des plus fantomatiques que l'administration française ait abritées, et la plupart de ses cinquante-deux membres officiels y brillant en général par leur absence après avoir été découragés, dans le passé, à force d'inutilité.

Charles Pasqua avait toutefois noté qu'au cours des cinq années précédentes, de 1981 à 1986, 621 mesures d'interdiction avaient été prises sans que cela ait soulevé la moindre tempête. Il avait aussi partagé le dégoût de Dominique Latournerie à la vue de certaines des publications visées. Mais le ministre de l'Intérieur y avait surtout entrevu un champ d'action en direction de l'électorat de droite tenté par le Front national. Comme il n'avait aucune raison de laisser à Jean-Marie Le Pen le monopole de la défense de l'ordre moral, Charles Pasqua avait donné son feu vert.

Mal lui en prit. *Gai pied hebdo* n'était pas du genre à se laisser chatouiller sans réagir. Ses animateurs sonnèrent la mobilisation du Mouvement des gays libéraux (MGL) et de la presse. Vingt-quatre heures après, tout le monde criait à la censure, sauf, bien entendu, le Front national.

Charles Pasqua s'attendait à ce que les partis de gauche exploitent les protestations des éditeurs concernés. Il ne pensait pas que la cohésion du gouvernement et de la majorité en serait affectée. Il avait sous-estimé la volonté du ministre de la Culture et de la Communication, François Léotard et des autres dirigeants du Parti républicain, de profiter de toutes les occasions pour opposer leur sensibilité libérale aux choix du RPR.

François Léotard fit savoir son désaccord, suivi de Claude Malhuret. Mais quelle ne fut pas la surprise de Charles Pasqua de se voir également critiqué par plusieurs ministres du RPR, Albin Chalandon, Michel Noir, Alain Carignon, Michèle Barzach. Tous ils désapprouvaient. A tel point que Jacques Chirac crut plus prudent de préciser, en tant que maire de Paris concerné par certains affichages publics, qu'il n'avait « rien demandé au ministre de l'Intérieur... » Quant à François Mitterrand, lui, il s'amusait beaucoup en discourant sur la liberté d'expression et de création.

C'était la première fois, dans sa carrière, que Charles Pasqua subissait une bourrasque de cette nature. Il était donc déconcerté quand Jacques Chirac lui téléphona pour lui demander de mettre une sourdine à cette opération de moralisation :

« Alors, tu as maintenant des pudeurs de vierge effarouchée?

– Si tu voyais ce qu'on fait lire aux gosses dans certaines revues...

– Ce n'est pas avec ce genre de décision que nous allons pouvoir retenir les électeurs modérés que Barre essaie de raccoler!

– Je crois qu'il faut en priorité empêcher les nôtres d'aller flirter avec Le Pen.

– Il faut de toute façon annuler la menace visant le *Gai pied* pour calmer les « homos », qui agitent tout le monde...

– D'accord, mais je vais montrer que nous avons raison. »

Profitant de cette zizanie interne au RPR, François Léotard, parlant de « mesures d'un autre âge », s'empressa de confirmer que les mesures seraient « rapportées » et la législation rénovée par le dépôt d'un projet de loi qui retirerait au pouvoir administratif le soin de contrôler la moralité des publications pour le confier au pouvoir judiciaire.

Pendant ce temps, à l'Hôtel Matignon, certains conseillers du Premier ministre s'employaient à faire porter le chapeau de cette « connerie » – selon leur expression – à Dominique Latournerie en brocardant « Pasqua la gonflette ». « Le pouvoir piégé par la fesse », lisait-on dans les journaux.

Charles Pasqua commençait à s'énerver.

Dans un premier temps, il fit mine de reculer. Exceptionnellement, il autorisa Dominique Latournerie, qui le souhaitait, après être devenu le fonctionnaire le plus vilipendé de France, à justifier lui-même, dans la presse, les mesures d'interdiction.

Le directeur des libertés publiques le fit avec une belle vigueur de plume pour se défendre de toute volonté de censure. Il polémiqua notamment avec *le Quotidien de Paris* en assumant pleinement ses responsabilités : « L'administration se doit d'être tout particulièrement vigilante sur toutes les formes de prostitution de jeunes enfants des deux sexes. La violence est également un secteur clef de l'attention des pouvoirs publics. La forme la plus fréquente est celle de la torture, que ce soit par de petites annonces, par des photos, par des bandes dessinées. Ces tortures s'accompagnent parfois de manifestations racistes ou xénophobes. Il est à cet égard surprenant de constater que si l'opinion éclairée est à très juste titre particulièrement sensibilisée à toutes les formes de tortures dénoncées dans tel ou tel pays étranger, en revanche celles dont on peut avoir la manifestation quotidienne dans des revues de large diffusion laissent apparemment insensibles. Dans une revue dite " de charme " on voit par exemple, sur une page de bandes dessinées, une femme ligotée et torturée par un homme. La torture se double d'une tête coupée. Enfin, peut-être inconsciemment, ce bourreau est un oriental, fortement typé, comme pour donner une forme nouvelle au " péril jaune ". Dois-je avouer que lorsque ces documents préalablement étudiés et sélectionnés me sont soumis, je respecte totalement la liberté créatrice de l'auteur et tout autant celle du lecteur adulte. Pourtant je me souviens qu'il y a une loi, que celle-ci est en vigueur, qu'elle fait obligation à l'administration d'agir quand il y a danger pour la jeunesse. J'ai la faiblesse de penser qu'un tel danger existe quand on torture, quand on coupe une tête, quand on méprise à ce point l'amour et le corps de l'homme pour lui enfoncer toutes sortes d'objets dans ses différents orifices. Le titre est déjà pris. Tant pis, il est beau : l'amour à mort. »

Enfin, Charles Pasqua contre-attaqua pour avoir le dernier mot. C'étaient les documents mettant en cause des enfants qui l'avaient convaincu d'épouser le point de vue de Dominique Latournerie. Puisque tout le monde le clouait au pilori il voulait que tout le monde pût se prononcer en connaissance de cause. « La liberté n'est pas la licence et il est essentiel de protéger les jeunes, dit-il. Pour tout ce qui concerne les mineurs et l'incitation à la débauche, je n'ai pas l'intention de me montrer ni tolérant ni laxiste. Je n'ai pas l'intention de battre discrètement en retraite. Il ne s'agit pas de réparer quelque gaffe. J'ai réuni les documents les plus significatifs... » Charles Pasqua annonça une exposition.

L' « exposition de l'horrible »! Du jamais vu en France! La presse du mois d'avril 1987 s'en donne à cul joie : « Pasqua fait des liaisons dangereuses »; « La fesse cachée de Pasqua »; « La majorité branle dans la majorité »; « Des faux culs au gouvernement ».

Sur quatre étages d'un bâtiment appartenant au ministère de l'Intérieur, 28, avenue de Friedland, Dominique Latournerie fait étalage d'un échantillon des pires horreurs « érotico-pornographiques » visées par l'initiative de son ministère : 142 documents photographiques et bandes dessinées « cochonnes », répartis dans cinq salons aux plafonds à moulures, aux rideaux de tulle et à la moquette bleue. Toute la gamme. Le meilleur et, surtout, le pire, du plus « soft » au plus « hard », des publications « grand public » à celles confidentielles, clandestines ou même interdites à la vente mais monnayées dans les arrière-boutiques.

Au rez-de-chaussée une flèche indique le sens de la visite, réservée aux porteurs de carte d'invitation.

Premier étage : un exemplaire de la Déclaration des droits de l'homme! L'avertissement est clair : c'est le combat de la République contre la tyrannie des fantasmes. Puis les premiers documents, prélevés dans des magazines de « grande consommation », *New Look, Photo, Penthouse...* Ici un Asiatique, nonchalamment allongé, goûte le plaisir de la fellation que lui prodigue une jeune femme aux formes avantageuses mais dont les mains sont liées dans le dos par une corde. Dominique Latournerie, qui sert aimablement de guide aux curieux, demande : « Mettez à part la fellation, ne croyez-vous pas que l'image de cette femme, les mains entravées, risque de déclencher dans un esprit d'adolescent une réaction de xénophobie et de rejet des Japonais? » Ici, un « classique » japonais : « Deux Japonais nus. L'un est assis, jambes écartées. La tête rejetée en arrière. L'autre a les mains attachées derrière le dos. Les genoux à terre, son visage est enfoui dans le sexe de son compagnon. »

Deuxième salle : extraits de bandes dessinées. Là, « Lotus d'or est capturée et déshabillée. Une corde passe par sa bouche, encercle le cou, emprisonne les mains et les seins, le bas ventre et les chevilles. On l'attache à une planche verticale par l'estomac, la tête en bas, les genoux repliés. Son maître lui impose alors une fellation avant de lui trancher la tête. » Là, une aventure tirée de *l'Écho des savanes* : « Vous trouvez ça bien, une adolescente de treize ans qui travaille dans un bordel et qui a des officiers nazis pour clients? », demande encore le « guide »...

Les troisième et quatrième salles exposent quelques variétés des sous-produits en vente dans tous les sex-shops du monde et illustrant par la photographie les fantasmes les plus éculés et les moins appétissants.

La cinquième, la plus « horrible », est entièrement consacrée à la pédophilie. Pour les besoins de la démonstration, Dominique Latournerie a un peu triché : il exhibe des revues éditées et imprimées à l'étranger et déjà interdites depuis longtemps à la vente en France...

Cette exposition inédite n'eut ni succès d'estime ni succès d'affluence. Dans ce rôle de père la pudeur, Charles Pasqua ne fit pas un tabac.

Quelques jours plus tard le ministre de l'Intérieur confiait ces mêmes locaux à l'un de ses lieutenants, Alain Marleix, pour qu'il y installe, aux frais de l'État... la permanence électorale provisoire de Jacques Chirac pour la campagne présidentielle. Ce qui nous permet d'être affirmatif sur au moins un point : le parrain du RPR n'est pas superstitieux.

Manuel de campagne

Place Beauvau, un soir de janvier 1988...

Assis à sa table de travail, Charles Pasqua, entre deux coups de téléphone, s'invente un faux problème. Comment ferais-je si j'étais encore ministre de l'Intérieur? Pas question bien entendu de toucher au portrait du général de Gaulle; je l'ai mis en face de moi pour le voir chaque fois que je lève la tête. Il reste mon seul berger et il resterait accroché là. Mais une fois que j'aurais placé le portrait de Chirac à la place de celui de François Mitterrand, au-dessus de ma tête – emplacement obligé si l'on respecte les institutions – où mettrais-je celui de Mitterrand? Dans le coin à gauche, pour le voir en biais, comme celui de Georges Pompidou aujourd'hui? Ou carrément dans l'angle mort de la pièce, à la place de celui de Giscard? Non, Mitterrand mérite mieux que ça!...

Charles Pasqua sort de sa rêverie. Il répète au premier venu ce qu'il dit invariablement à tous ses visiteurs : « Si Chirac devient président de la République, je considérerai mon œuvre comme terminée. Je serai fou de joie! »

Il ne faut surtout pas prendre au sérieux la première partie de cette affirmation. Même aujourd'hui, dès qu'il envisage le moment de sa retraite, il se remet vite en appétit. En général, il s'empresse d'ajouter qu'il se verrait bien, si Jacques Chirac succédait à François Mitterrand, en charge de l'industrie, du commerce, de l'armée ou des affaires étrangères, avec une prédilection pour l'Afrique et l'Asie!

Il faut croire Charles Pasqua, en revanche, quand il dit qu'il serait le plus heureux des hommes si Jacques Chirac accédait enfin à la magistrature suprême. Le plus heureux des hommes et des militants.

Le jeune « Prairie », ce gosse bagarreur sorti des maquis

buissonniers de sa Provence natale pour jurer une fidélité éternelle au général de Gaulle, trouverait dans cette victoire la consécration et la justification de son engagement passionné.

Pour le ministre de l'Intérieur, si souvent décrié, ce serait aussi une magnifique revanche personnelle après l'échec de 1981 que bon nombre de ses amis lui avaient alors imputé.

Ce serait surtout le couronnement d'une amitié forte, bourrue, parfois tumultueuse, mais toujours chaleureuse, entre deux hommes de caractère liés par leur pacte secret de 1974, scellé ici, dans ce même bureau.

Dieu sait si ces deux-là ne se sont pas ménagés depuis le 16 mars 1986! Mais il en a toujours été ainsi. Leurs rapports suivent inéluctablement une ligne sinusoïdale alternant les grands coups de colère et les bouffées d'affection. Jacques Chirac ne supporte pas les mille combines ni les provocations permanentes de son acolyte. Mais comme il doit bien reconnaître que les avantages que cette amitié lui procure pèsent plus que les inconvénients qui en résultent, il s'en accommode. Tant bien que mal.

Et aujourd'hui, plus que jamais, Jacques Chirac a besoin de l'aide de Charles Pasqua. L'irremplaçable Charles Pasqua. Mieux : c'est sur lui, essentiellement sur lui, que Jacques Chirac compte pour créer la dynamique de campagne qui seule lui permettra peut-être de distancer Raymond Barre au premier tour de l'élection présidentielle.

Qui pouvait prétendre rivaliser avec le ministre de l'Intérieur pour l'organisation de cette campagne? Qui possédait plus d'expérience? Qui était plus populaire auprès des militants? Qui avait plus de chance que lui en ce moment?

Le débat, au sein de l'état-major du mouvement chiraquien, a tourné court. Super-Pasqua n'avait pas de concurrent et, avant même que Jacques Chirac n'entre officiellement en lice, les tâches étaient déjà réparties. Le Premier ministre en exercice s'appuiera sur un trio : Édouard Balladur tiendra le front de l'économie, Jacques Toubon coordonnera les groupes de travail, Charles Pasqua fera le reste, c'est-à-dire tout : l'intendance, la stratégie, la tactique, éventuellement le coup de poing.

« Connaissez-vous quelqu'un d'autre que Pasqua qui soit capable de réunir cinquante mille personnes au Parc des Princes pour un meeting? », demandait Jacques Chirac, en 1981, à ceux qui lui réclamaient la tête du président du groupe RPR du Sénat au lendemain de sa désillusion.

« Pasqua est le seul à pouvoir faire prendre une mayonnaise pour une élection présidentielle », souligne-t-il aujourd'hui, mais plus personne ne lui réclame la peau de Charles Pasqua.

C'est lui qui mobilisera les réseaux de soutien, préparera les voyages en province, supervisera toutes les questions techniques, commandera au besoin les meilleurs sondages pour son candidat et donnera éventuellement le feu vert aux coups bas. Tous ses amis personnels, si rompus à toutes ces tâches depuis 1968, sont déjà au parfum et à l'œuvre. Ils savent ce que « Charles » attend d'eux. En campagne tout est bon pour gagner. Pas de quartier.

Que Raymond Barre n'en doute pas : il aura droit à son « lot » de gracieusetés si Charles Pasqua le juge opportun, et qu'il soit assuré que le ministre de l'Intérieur, en pareille hypothèse, sera le premier à lui exprimer sa compassion.

Cette fois, en plus, Charles Pasqua dispose d'une redoutable force de frappe. C'est le ministère de l'Intérieur dans son intégralité qu'il va engager dans la bataille au service du président du RPR, par l'intermédiaire des préfets. Et il y mettra d'autant plus de conviction que la Chiraquie doute. Elle n'ose pas le dire mais elle a peur. Charles Pasqua lui-même doute parfois. Il arrive qu'une terrible angoisse le taraude : et si nous étions battus, comme en 1981...

Charles Pasqua est trop lucide pour ne pas voir les limites personnelles de Jacques Chirac. Il invoque de mauvaises raisons quand on évoque certains comportements du Premier ministre : la fatigue, les querelles intestines de la majorité, etc. Pourtant une chose est certaine : ce doute-là n'influera en rien sur sa détermination pendant la campagne. Quand il charge, Pasqua le sabreur n'a jamais d'états d'âme.

Dans les affaires électorales le ministre de l'Intérieur ne procède jamais, d'ailleurs, par supputations. Il procède uniquement par affirmations. Règle numéro un, apprise chez Ricard : un représentant ne doute jamais ni de la qualité de son produit ni du succès de sa marque. Règle numéro deux (dite « de Micelli », du nom de son « inventeur » ricardien) accommodée à la sauce pasqualienne : « La politique, surtout en campagne électorale, c'est comme le commerce : c'est de la co-mé-die ! » Règle numéro trois : « Plus vous douterez de vos propres convictions, plus vous les martèlerez dans vos discours afin de les faire partager au maximum d'électeurs. »

Donc, l'analyse de Charles Pasqua repose sur trois certitudes.

1) Les socialistes ne gagneront pas, quel que soit leur candidat, parce qu'ils ne peuvent pas gagner. Et s'ils ne peuvent pas gagner, c'est tout simplement parce qu'il n'y a pas de majorité naturelle de gauche en France. « Même si François Mitterrand est candidat la gauche sera battue parce qu'il n'y a pas de majorité de gauche en France. Mitterrand le sait et il me l'a dit. Il arrive simplement, dans notre pays, que, parfois, dans certaines circonstances exceptionnelles, une majorité se construise autour de la gauche, comme au moment du Front populaire ou en 1981, mais cela reste exceptionnel. Même actuellement selon tous les sondages, le rapport des forces entre la droite et la gauche reste de 55-45 en faveur de la droite. Voilà pourquoi je dis que quel que soit le candidat de la gauche – je dis bien quel qu'il soit – il sera battu. »

Voilà pourquoi, ne lésinant pas sur les approximations prospectives – l'essentiel est de rendre un moral de vainqueurs aux militants –, le ministre de l'Intérieur a aussi expliqué aux parlementaires et aux cadres du RPR qu'il ne fallait pas confondre les notions de cote de popularité et d'intentions de vote. Il leur a prédit qu'au premier tour de scrutin la droite totaliserait 56 % des suffrages devant François Mitterrand et 62 % si le candidat socialiste était Michel Rocard.

2) En conséquence, le vainqueur de l'élection présidentielle ne peut être que Jacques Chirac ou Raymond Barre.

3) Ce vainqueur sera nécessairement Jacques Chirac. Pourquoi? Parce que c'est le meilleur! « Raymond Barre me rappelle Jacques Chaban-Delmas en 1974. L'important n'est pas tant de savoir qui a les meilleures chances au deuxième tour de scrutin mais de savoir qui va gagner le premier tour. Moi, je n'ai jamais été inquiet sur ce point, ni à cause de Barre, encore moins à cause de Le Pen. » [En campagne – règle numéro quatre – ne jamais paraître inquiet.] « Si Barre avait dû percer, il aurait déjà percé, notamment au lendemain des événements de décembre 1986, quand le gouvernement avait sur les bras les manifestations étudiantes et la grève des cheminots. Que Jacques Chirac et lui se retrouvent à égalité alors que Chirac a eu un paquet d'emmerdements à gérer, cela signifie quelque chose. En plus, Chirac gouverne. Il peut dire aux électeurs : voyez, moi, j'ai mis les mains dans le cambouis... J'ai confiance pour lui parce qu'il a fait le maximum de choses possibles dans un contexte difficile et les Français commencent à s'en apercevoir. Alors que Barre, lui, n'a pas pris de responsabilités dans le gouvernement de la France; il a continué à faire du jogging en survêtement

dans le paysage. Nous, les responsabilités, nous les avons prises. Et que peut faire Barre? Il ne peut pas faire grand-chose. Il est obligé d'être solidaire. S'il attaque François Mitterrand il ne sera pas considéré, c'est vrai comme le diviseur de la majorité. Mais alors, qu'est-ce qui le différenciera de Jacques Chirac? A l'inverse, si pendant la campagne il attaque le gouvernement il est mort et nous avec lui... » Conclusion de Charles Pasqua : « Raymond Barre est aujourd'hui par rapport à Jacques Chirac dans la même situation que Chirac face à Giscard d'Estaing en 1981. »

Mais en cette veillée d'armes, deux indices tendent à confirmer que la belle assurance affichée par le ministre de l'Intérieur relève plus de la méthode Coué que de l'analyse. A l'automne 1987, Charles Pasqua nous expliquait : « Chirac, comme Mitterrand, a intérêt à être candidat le plus tard possible. Chirac sera élu s'il donne l'impression qu'il se moque d'être élu... » Or, Jacques Chirac, en janvier, a précipité sa candidature, sur l'insistance d'Édouard Balladur et de Charles Pasqua, afin de ne pas laisser le terrain libre à Raymond Barre et de ne pas se laisser enfermer dans l'attentisme de François Mitterrand attendant le sommet européen du mois de février pour faire connaître sa décision personnelle.

En outre, le ministre de l'Intérieur s'est déjà lancé dans les grandes manœuvres psychologiques en sortant de sa poche, début janvier – alors que tous les sondages continuaient de donner un net avantage à Raymond Barre sur Jacques Chirac à l'issue du premier tour de scrutin – un sondage indiquant pour la première fois que Raymond Barre et Jacques Chirac serait à égalité... Un sondage... des Renseignements généraux! Une enquête « maison », dont les résultats ont fait bien entendu l'objet de « fuites » en direction de la presse. Des sondages analogues avaient été utilisés par Jacques Chirac lui-même, en 1974, alors qu'il dirigeait le ministère de l'Intérieur, contre Jacques Chaban-Delmas. A la grande irritation de Charles Pasqua.

Le « truc » est simple : il suffit d'attendre que les sondages des instituts sérieux indiquent une légère tendance au resserrement des écarts, comme cela se produit chaque fois au fur et à mesure que l'échéance approche, et l'on donne un « coup de pouce » à la tendance en mettant en circulation un « sondage » des RG qui accentue le mouvement... Si les médias se laissent prendre à ce genre de manipulation, leurs commentaires peuvent engendrer une dynamique positive pour un tel, négative pour tel autre.

Charles Pasqua n'a visiblement pas l'intention de renoncer, si nécessaire, à de pareils artifices. Récemment il expliquait à ses amis : « Les sondages actuels perturbent les militants parce qu'ils donnent systématiquement Barre devant Chirac, mais il y en aura prochainement de meilleurs. Il faut attendre un peu. Moi, je pronostique un renversement de tendance au printemps. Chirac repassera alors devant Barre. »

Dans le même esprit le ministre de l'Intérieur avait fait courir le bruit, au début de 1987, que la cote de popularité de Barre allait tellement dégringoler que l'ancien Premier ministre serait contraint de se retirer de la compétition... (Règle numéro cinq : n'ayez pas peur, les électeurs ont la mémoire courte...)

Il n'en demeure pas moins vrai que l'issue de la rivalité qui oppose Jacques Chirac et Raymond Barre dépendra, pour une part prépondérante, du déroulement de la campagne électorale et que, les hasards de l'actualité, des débats, des humeurs, risquant du jour au lendemain de réduire à néant les meilleures cartes, Charles Pasqua peut remporter ce nouveau challenge.

Son armée, en tout cas, est en ordre de marche. Officiellement, le directeur de campagne sera Bernard Monginet, ancien préfet de Loir-et-Cher, conseiller technique à l'Hôtel Matignon, remarqué pour son efficience au moment de l'organisation des états généraux de la sécurité sociale. Mais c'est bien Charles Pasqua qui sera le chef d'orchestre.

Le duo formé par Édouard Balladur, qui supervisera l'élaboration de la plate-forme électorale de Jacques Chirac, et Jacques Toubon, qui assurera la liaison entre toutes les « têtes pensantes » de l'état-major, sera complété par un trio composé d'Alain Juppé, ministre du Budget, qui « vendra » le programme du Premier ministre, dont il est le porte-parole, Franck Borotra, porte-parole du RPR, qui assistera Bernard Monginet, Antoine Pouilleute, le directeur-adjoint du cabinet d'Alain Juppé, qui avait déjà secondé celui-ci en 1985-86 pour la mise au point de la plate-forme RPR-UDF.

L'état-major comptera huit autres militants : Michel Ulrich, le discret directeur de cabinet de Jacques Chirac; Jean-Michel Goudard, expert en marketing, qui assurera la campagne de communication; Michel Balluteau, préposé aux « argumentaires »; Bernard Bled, collaborateur du président du groupe RPR du Sénat, tiendra l'agenda du candidat; Dominique Perben, député, maire de Chalon-sur-Saône, sera le trésorier de l'équipe; Didier Quentin sera responsable des relations avec la presse; Alain Marleix, député européen, animera les comités de soutien; Patrick Devedjian fera le lien entre l'état-major et les fédérations du RPR qu'il anime.

Les plans de campagne sont prêts. Au début de 1987, Charles Pasqua a d'abord pris l'habitude de réunir place Beauvau, chaque mardi soir, à dîner, Jacques Toubon et ses adjoints, Franck Borotra et Patrick Devedjian, ainsi que le ministre de la Coopération, Michel Aurillac, Roger Romani, Alain Marleix et un spécialiste de la carte électorale, Hervé Favre-Aubrespy.

Depuis le dernier trimestre 1987, les réunions préparatoires ont été déplacées. L'état-major se retrouve en formation réduite chaque mardi à 9 heures, dans le bureau du Premier ministre, à l'Hôtel Matignon. Il y a là, outre Charles Pasqua, Édouard Balladur, Jacques Toubon, Alain Juppé et Maurice Ulrich, les présidents des deux groupes parlementaires, Roger Romani et Pierre Messmer. Le lendemain, chaque mercredi, en fin de matinée, à l'issue du Conseil des ministres, Charles Pasqua et Jacques Toubon réunissent au siège du RPR, rue de Lille, les ministres et les principaux parlementaires du mouvement pour arrêter les dispositions de campagne à prendre en fonction de l'actualité.

Le congrès extraordinaire du RPR prévu fin janvier devait sonner le grand branle-bas de combat. Mais dès la fin du mois de décembre la répartition des tâches était établie. Jacques Chirac, dont le principal handicap est d'inspirer encore des doutes sur ses capacités de sang-froid, défendra le bilan de son gouvernement. Il a dit en quels termes il le fera devant le comité central du RPR réuni le 12 décembre : « Ce gouvernement aura pour la première fois inversé une tendance pluri-décennale à l'accroissement de l'insécurité. Pour la première fois depuis treize ans ce gouvernement aura amorcé une baisse du chômage et engagé la sauvegarde de la sécurité sociale. Nous avons commencé le redressement de l'économie et assuré le retour à des finances saines. Les résultats obtenus depuis vingt mois sont les plus spectaculaires depuis 1958. Pour la première fois l'accroissement du budget est inférieur à la hausse des prix. »

Jacques Chirac se posera aussi – comme Raymond Barre – en rassembleur : « Mon but est de rassembler les Français sur des objectifs à long terme, d'élargir les sphères de consensus, en particulier pour l'éducation et la formation et pour développer la protection sociale. L'heure n'est ni au repli ni à l'introspection. La bataille pour une France compétititve, ouverte et généreuse sera le principal enjeu de l'élection présidentielle à partir des résultats obtenus par le gouvernement. »

Entre Raymond Barre et Jacques Chirac la bataille portera surtout, justement, sur l'avenir économique et social du pays, l'ancien Premier ministre jugeant trop optimiste le chef du gouvernement actuel. A quoi Jacques Chirac répond : « Notre vigilance ne doit pas nous conduire à un excès de pessimisme, voire de catastrophisme, comme on le voit ici ou là, même dans la majorité, ce qui n'est pas exempt d'arrière-pensées. »

Question bilan, le ministre de l'Intérieur, lui non plus, ne manquera pas d'arguments. N'est-il pas devenu l' « Homme de l'année 87 », aux yeux de la plupart des observateurs, pour ses succès contre le terrorisme et son savoir-faire à l'égard des preneurs d'otages au Liban?

Mais dans la campagne de Jacques Chirac, Charles Pasqua aura personnellement à charge de « marquer » Jean-Marie Le Pen « à la culotte ». Officiellement, il ne s'intéressera pas au président du Front national. Il se montre agacé quand on fait allusion à lui : « Je me fiche de ce que dit Jean-Marie Le Pen. C'est le cadet de mes soucis » (règle numéro six : ne jamais parler des maisons concurrentes). « Ses idées sont aussi rétrogrades et sclérosées que celles de l'extrême gauche. Il n'a que des comportements qui jouent sur l'ignorance et la peur des gens. »

En réalité, Charles Pasqua ne pensera qu'au président du Front national. Parce que si Jacques Chirac doit être « nécessairement victorieux », cette perspective ne saurait dissiper les doutes sur les reports de voix au second tour. Or le candidat de la droite en tête au premier tour aura impérativement besoin de la plupart des voix de l'extrême droite pour espérer l'emporter au second.

Bien entendu, Charles Pasqua se veut optimiste : « Si Chirac était devancé au premier tour, hypothèse d'école [certes, certes!] 80 % de ses suffrages se reporteraient sur Barre. Si Barre arrive en seconde position ce sont 70 % de ses voix qui se reporteront sur Chirac. Mais la moitié des voix de Le Pen se reporteront au second tour sur le candidat de la majorité quel qu'il soit. » Charles Pasqua sait pourtant que le Front national préférerait, à tout prendre, faire réélire François Mitterrand ou élire un autre socialiste, afin de pouvoir postuler au leadership de l'opposition, plutôt que de favoriser la victoire de Jacques Chirac, son ennemi numéro un depuis le renversement de la majorité de mars 1986.

Si Jacques Chirac dépassait Raymond Barre dans la dernière ligne droite, il serait bel et bien confronté à un problème de report de voix. Charles Pasqua l'a admis lui-même en soulignant que les résultats des élections cantonales qui ont eu lieu depuis les législatives montrent bien que ces reports peuvent inverser le résultat final. Le ministre de l'Intérieur a précisé : « Avec 55,1 % des voix en 1986 et 58,4 % en 1987 au premier tour, la droite a perdu huit cantons. »

Depuis la triste affaire du « point de détail », qui a révélé au grand public la caution que Jean-Marie Le Pen donne aux prétendus historiens « révisionnistes » qui essayent de nier l'existence des chambres à gaz dans les camps de concentration pour réduire l'histoire du nazisme à celle d'une dictature somme toute « ordinaire », Charles Pasqua se fait un peu moins de soucis. Il estime que l'ampleur de ce scandale a réduit un peu les espérances électorales du président du Front national. Mais il ne se réjouit pas pour autant. Au contraire, ce « détail »-là lui a même plutôt compliqué la vie puisqu'il l'a contraint à envisager une rupture de tous les accords locaux et régionaux entre les élus du RPR et ceux du Front national si ceux-ci faisaient leurs ces thèses révisionnistes, alors qu'il ne cesse de prôner la compréhension à l'égard des élus locaux lepénistes dans l'espoir, justement, de les récupérer le plus tôt possible et dès le deuxième tour de l'élection présidentielle. Le soir de la fameuse déclaration de Jean-Marie Le Pen, Charles Pasqua a eu d'ailleurs un commentaire laconique : « Ce type est un con et il nous fout dans la merde! »

Quoi qu'il en soit le Premier ministre et le ministre de l'Intérieur joueront chacun sur son registre.

Jacques Chirac parlera, à propos de l'immigration, et du racisme qui enveloppe souvent ce dossier, le langage de l'ouverture et de la tolérance. Il ne forcera pas sa nature, car il éprouve une vive aversion pour le président du Front national. Il l'a fait, une fois de plus, début janvier, en disant : « C'est l'honneur de notre peuple d'avoir su dans le passé surmonter semblables pulsions. Je suis, pour ma part, convaincu que notre peuple exorcisera une fois encore le démon de l'intolérance. L'histoire nous enseigne que nous devons être vigilants pour faire face à l'intolérance. C'est encore plus vrai en période d'incertitude économique. Nous savons bien, en effet, que les inquiétudes nées des difficultés, et notamment du chômage, font naître ici ou là des réactions de rejet. Certains prennent le risque de les entretenir et même de les attiser. Mais chaque jeune Français, sans distinction de race ou de religion, a le droit légitime à une complète intégration dans notre société. Cela passe d'abord par une meilleure insertion dans le monde professionnel. Cela suppose le renforcement de notre politique de formation. Nous nous y employons. Je souhaite que cet effort national accru profite à toute notre jeunesse sans distinction aucune. Les responsables doivent entendre le message de la jeunesse et l'intégrer à leur dessein plutôt que de chercher à mener à l'égard des générations montantes une politique clientéliste que je trouve assez malséante. »

Ce discours, le Premier ministre le destinera à la droite modérée, qui le trouve souvent trop bonapartiste et qui récuse, à l'avance, toute idée d'alliance éventuelle avec le Front national.

Charles Pasqua, lui, s'emploiera à retourner les électeurs qui accordent au Front national des voix qui n'ont aucun rapport idéologique avec l'extrême droite et procèdent de motivations purement protestataires. Cela représente, selon lui, 80 % des suffrages dont bénéficie Jean-Marie Le Pen. Sur ce terrain, Charles Pasqua tiendra le rôle que Jacques Chirac attend de lui : « Pour démystifier Le Pen, il faut continuer notre politique de contrôle de l'immigration et d'expulsion des clandestins. Je ne fais pas le moindre complexe face au problème de l'immigration. »

Quitte à renouer avec les jugements à l'emporte-pièce générateurs de polémiques? Toute la question est en effet de savoir si Charles Pasqua parviendra à maîtriser complètement sa nature provocatrice qui lui a joué tant de mauvais tours par le passé...

Jacques Chirac sera-t-il entendu? Devant le comité central du RPR, le 15 décembre, le Premier ministre a conseillé à ses amis d'éviter les outrances. « Vous devez refuser, leur a-t-il dit, l'exploitation systématique des coups tordus. Nous devons parler le moins possible de nos adversaires, mais le plus possible de la France, plus du destin du pays que des hommes qui brillent dans la politique. Il faut préserver l'union de la majorité, en étant loyaux et ne pas se laisser aller, quels que soient les sentiments et les irritations. »

Les socialistes, victimes de l'exploitation politique à outrance de l'affaire Carrefour du développement, devenue l'affaire Christian Nucci, ont évidemment trouvé que le Premier ministre ne manquait pas de culot.

Charles Pasqua, lui, a applaudi.

« Serez-vous loyal avec Raymond Barre s'il vous devance au premier tour?, lui a-t-on demandé.

– Oui. En espérant bien sûr qu'il en soit de même dans le cas inverse. Il n'y aurait rien de pire pour la France que de retrouver un président socialiste à l'Élysée. »

Mais qui croira un instant que Don Pasqua le bretteur laissera reposer sa lame si l'occasion se présente de terrasser un adversaire?

« Quand on est du pouvoir, répond-il aux sceptiques, il y a des choses qu'on ne peut pas faire... »

Comediante? Comediante!

C'est entre la place Beauvau et l'Hôtel Matignon, après l'affaire Nucci, qu'a été de nouveau concoctée l'affaire Luchaire mettant en cause les socialistes dans des livraisons illicites d'armes à l'Iran. Un scandale programmé depuis plusieurs semaines par les deux cabinets et au sujet duquel Charles Pasqua déclarait un peu hâtivement, un soir de novembre, devant le comité exécutif du RPR des Hauts-de-Seine : « Avec cette affaire-là on a de quoi faire sauter Mitterrand! »

Même si, personnellement, le ministre de l'Intérieur a ménagé ensuite le chef de l'État pour concentrer ses critiques sur les deux anciens Premiers ministres socialistes, Pierre Mauroy et Laurent Fabius, plusieurs de ses collaborateurs ont prêté la main à cette opération et le dossier est bien sorti de son coffre-fort où il était déjà enfermé en décembre 1986.

Ah! ce coffre... Nul profane ne peut entrer dans son bureau sans que Charles Pasqua, très vite, en fasse un gag. Il en joue avec son visiteur comme un prestidigitateur joue de sa baguette pour susciter le mystère et capter l'imagination. Il en parle, avec un faux détachement, comme d'une caverne d'Ali Baba bourrée d'explosifs précieux, comme d'une infernale boîte de Pandore qu'il serait le seul à pouvoir apprivoiser...

La dernière fois qu'il nous a fait ce numéro, l'actualité était pleine de fausses factures. Le coffre aussi :

« Des histoires de fausses factures, disait-il, j'en ai un paquet dans le coffre! Et j'en ai autant qui concernent des socialistes et des UDF que des RPR!

– Qu'est-ce que vous en faites?

– Rien!

– Pourquoi?

– Parce que je n'ai pas une âme d'indicateur. Et parce que je sais aussi que, contrairement à ce qu'on entend dire ici ou là, la classe politique est surtout composée de gens honnêtes qui vivent comme des cloches... »

Charles Pasqua est bien placé, surtout, pour savoir que les histoires de factures permettent rarement de débrouiller le vrai du faux, le licite du malhonnête. Deux de ses proches ont eu à s'en plaindre. Son fidèle Dominique Vescovali, d'abord, le passe-murailles du RPR, l'informaticien responsable du fichier central du RPR, a été entendu, en 1982, par la police judiciaire qui avait trouvé son nom mêlé à un trafic de fausses factures dont l'instruction s'est enlisée, faute d'éléments concluants.

La police avait constaté qu'une société de vente de livres par correspondance couvrait depuis 1979 des opérations de falsification de factures d'achats de timbres et de peaux destinées à la couverture d'ouvrages d'art pour une somme d'environ dix millions de francs. D'après les premiers indices, trois millions avaient été partagés entre les deux comptables de la société entérinant les fraudes, et la société des peausseries concernée avait perçu une commission de 10 % des sommes facturées. Le solde, soit plus de cinq millions de francs, avait été versé au RPR.

Le directeur de la société d'édition avait invoqué, pour justifier ces versements occultes, son désir d'acheter à des fins de prospection commerciale le fichier du RPR; il avait affirmé qu'il avait pris contact à ce sujet avec Dominique Vescovali. Ce directeur s'était également prévalu de contacts intermédiaires avec Joël Gali-Papa, l'ancien chef des jeunes « Marie-Louise » de Charles Pasqua en Mai 68...

« Ce directeur indélicat a tout simplement essayé de se couvrir politiquement », assure aujourd'hui Dominique Vescovali en protestant de sa bonne foi dans cette affaire sans suite.

Autre proche du ministère de l'Intérieur impliqué dans une affaire du même cru : le sénateur RPR Paul d'Ornano. Il s'agit d'un imbroglio juridico-politique qui remonte aux législatives de 1986 et a été découvert à la suite d'une plainte déposée par René Dumont, candidat écologiste des Verts à ces élections.

Cette affaire réunit plusieurs ingrédients : association fantôme, facture de complaisance, entraves à la marche de la justice. Et elle se révèle très politique puisqu'elle concerne non seulement le sénateur Paul d'Ornano, inculpé à la fin de 1986 par le juge Claude Grellier, mais aussi un ancien ministre RPR, Robert Galley, et le porte-plume de Charles Pasqua au ministère de l'Intérieur, Bruno Tellenne.

Tous sont suspectés d'avoir pris quelque liberté avec le code électoral pour les besoins d'une campagne d'affichage en dehors des panneaux officiels.

Au cours de sa campagne le RPR avait imaginé d'amplifier l'impact de ses affiches « Vivement demain avec le RPR! » par d'autres affiches analogues : « Demain se joue sur un seul tour! »

C'est ainsi qu'on vit apparaître ces affiches complémentaires sur les murs de Paris, après l'ouverture de la campagne officielle alors que la loi n'autorise l'affichage, durant cette période, que sur les panneaux prévus à cet effet pour assurer un minimum d'équité entre les candidats en présence. Les apparences étaient irréprochables puisque, officiellement, l'Association pour l'information des citoyens (APIC) qui signait lesdites affiches répondait à une préoccupation civique : rappeler aux électeurs que cette fois, et en raison du scrutin proportionnel, ils ne voteraient qu'un seul dimanche.

La ressemblance sautait tellement aux yeux, toutefois, que les Verts de Paris-écologie décidaient de porter plainte. Première constatation des enquêteurs : l'APIC est inconnue à l'adresse déclarée : 2, rue de Stockholm. Son bureau, composé de Paul d'Ornano, Bruno Tellenne, et d'un avocat, Edgard Vincensini, qui en est le trésorier, a donc fait une fausse déclaration. Deuxième constatation : l'association a été déclarée à la préfecture de police le 27 février 1986 alors que dix mille affiches étaient déjà commandées par une Société de développement et de publicité, sise 34 *bis*, rue de l'Université, dont le P-DG est Robert Galley et le directeur général un membre du Service d'information et de diffusion du Premier ministre, François Ferrus. Troisième constatation : la société Dauphin, qui s'est chargée de placarder les affiches, a consenti aux responsables de la campagne une réduction de 4,2 millions de francs sur sa facture, payée 1 475 635,70 francs par un chèque venu du RPR. C'est la même société qui avait été chargée de la première campagne d'affichage. Quatrième constatation : lorsque les policiers conduisent leur enquête ils se heurtent à trop de silences. Il est clair, pour eux, que « des consignes » ont été données.

Le sénateur Paul d'Ornano, de toute façon, ne sera pas inquiété pour ces broutilles sur les marges du code électoral : le Sénat, qui protège bien les siens, a adopté, comme le permet la Constitution, une résolution visant à obtenir la suspension des poursuites.

Dominique Vascovali, Paul d'Ornano, deux « anciens » de la fameuse association Solidarité et défense des libertés de 1981-82... Souvenirs, souvenirs...

Pourquoi Charles Pasqua aurait-il donc envie de vider son coffre ?

D'ailleurs il y a longtemps que sa religion est faite sur tout ce qui touche au financement des partis et des campagnes électorales. Ce ne sont pas les nouvelles dispositions prévues en la matière qui sont de nature à l'émouvoir.

A l'époque où il présidait le groupe RPR du Sénat, il avait conçu une proposition de loi organique « tendant à garantir l'exercice moral de la vie publique ». Il préconisait qu'aucun membre du gouvernement ne puisse avoir quelque intérêt que ce soit dans le monde des affaires, et que chaque membre du gouvernement déclare le montant de son patrimoine au moment de sa nomination et à la fin de son ministère, histoire de sanctionner l'enrichissement sans cause. Il suggérait également diverses mesures pour clarifier le financement des campagnes électorales.

« Chirac m'a dit : tu es fou! Je n'ai pas déposé mon texte. Si, là encore, on m'avait écouté plus tôt... »

Dans le coffre-fort de Charles Pasqua dorment surtout beaucoup de regrets...

Charles d'Arabie

Pourquoi faut-il qu'avec Charles Pasqua tout repasse un jour ou l'autre par la Corse?

Le 28 novembre 1987, le jour de la libération de deux otages de Beyrouth, Jean-Louis Normandin et Roger Auque, l'avion qui sort les prisonniers de l'enfer se pose d'abord à la base aérienne de Solenzara, où l'attend le ministre de l'Intérieur. Pourquoi Solenzara? Comme si l'île, pour avoir fourni tant d'hommes sûrs à Charles Pasqua, et montré un tel dévouement, même ambigu, à la République, méritait une sorte de reconnaissance spéciale, dans une histoire très libanaise...

Pourquoi apprend-on très vite, pour toute information ou presque, que Charles Pasqua a conversé en corse, au téléphone, avec son émissaire au Liban, le très mystérieux Jean-Charles Marchiani, originaire de l'île? Les écoutes syriennes et israéliennes trompées par le patois de Casevecchie...

Nul doute, ce dénouement-là porte bien sa signature. Il suffisait de voir le rayonnement du ministre de l'Intérieur, à l'arrivée des deux otages, pour se convaincre que cette libération était bien son œuvre. Les références corses y étaient vraiment trop nombreuses.

Charles d'Arabie. Devenu, en moins de deux ans, un expert discret – c'est bien l'un des rares sujets sur lesquels il n'ait rien à dire – du labyrinthe proche-oriental. Édouard Balladur peut lui présenter des excuses, lui qui avait trouvé argument de son ignorance présumée des méandres irano-libanais pour tenter de dissuader Jacques Chirac d'en faire, après le 16 mars, un ministre de l'Intérieur...

« Il va vous mettre des Corses partout, avait prévenu le

futur vice-premier ministre. Le sort des otages ne peut tout de même pas dépendre de croupiers de casinos! »

Jacques Chirac n'était pas loin de partager cet avis. Il ne pouvait en vouloir à son vieux compagnon de ses amitiés. Celles-ci lui avaient souvent indirectement profité. Le Premier ministre n'était pas ingrat avec Charles Pasqua. Mais il avait déjà eu l'occasion de s'en entretenir avec lui : pour faire libérer les otages et sortir les relations franco-iraniennes de l'impasse, le sénateur des Hauts-de-Seine préconisait naguère la manière forte. Foin des subtilités diplomatiques, des doubles langages et des salamalecs! Foncer! Il ne connaissait que ce mot. Foncer et payer, s'il le fallait vraiment.

Pour Charles Pasqua, pensait Jacques Chirac, on perdrait son temps et son âme à considérer tout ce que la planète pouvait compter de chiites autrement que comme des terroristes. D'ailleurs ne répétait-il pas sans arrêt, comme de Gaulle, qu'il fallait « aborder l'Orient compliqué avec des idées simples »?

Le président du RPR, avant le 16 mars, admettait qu'il existait bien quelques inconvénients à laisser Charles Pasqua se mêler du contentieux franco-iranien. D'abord, il ne faisait nul doute que des Corses allaient se mettre à vouloir jouer les bons offices. On n'a pas Charles Pasqua sans sa garde prétorienne d'insulaires et les honorables correspondants de la diaspora, sur les quatre continents. Jacques Chirac le savait : son compagnon possédait de solides appuis en Amérique du Sud et en Afrique, mais il n'en était pas dépourvu non plus au pays du Levant.

Plusieurs fois, Charles Pasqua avait présenté à son chef de file des Libanais ou des Français installés à Beyrouth ou à Damas. « Des gens de chez nous », disait-il simplement, en guise d'introduction. Parfois, des gens de chez Ricard. Des anciens des réseaux qui avaient fait une longue halte sur le chemin de retour de l'Indochine. Des amis du RPR qui n'avaient jamais renâclé, depuis dix ans, à soutenir financièrement le parti chiraquien. Jacques Chirac ne pouvait connaître tous ses sympathisants. Seul le sénateur possédait l'adresse de ces lointains partisans.

Jacques Chirac répugnait à risquer de voir resurgir, après sa nomination à Matignon, ces compagnons de route venus tout droit du monde des jeux ou des affaires parallèles du Proche-Orient.

C'était injuste pour Charles Pasqua : depuis deux ans, tellement de monde s'était occupé du Liban! Le gouvernement socialiste avait envoyé de Téhéran à Tripoli, en passant par Alger, Tunis, ou Jérusalem, tant de personnages hétéroclites! Des spécialistes des complexités persanes, des diplomates sans expérience, des journalistes, des policiers officiels, des policiers occasionnels... Des hommes d'affaires, acheteurs d'armes pour le compte de l'Iran, qui s'étaient vu proposer des commissions en cas d'assistance pour d'éventuelles libérations. Des agents mandatés, des improvisateurs. Des gendarmes de la fameuse « cellule élyséenne », dont l'un, le colonel Esquivier, allait se révéler un expert des plus efficaces.

Oui, c'était injuste pour Charles Pasqua parce que le nouveau gouvernement n'avait guère d'autre solution, en mars 1986, que de reprendre les mêmes, ou presque, et de les renvoyer négocier, vaille que vaille, la libération des otages français. Les détours du nœud irano-libanais était maintenant connus. Les intermédiaires, à Damas, Beyrouth et Téhéran, restaient les mêmes. Les émissaires éventuels n'étaient pas légion.

L'un d'eux, justement, pouvait causer quelque tort à l'ami Pasqua, s'était dit Jacques Chirac. Un curieux ambassadeur, utilisé par le gouvernement de gauche, l'étrange docteur Razah Raad. Ce médecin d'origine libanaise, maire-adjoint RPR d'Argentan, dans l'Orne, présentait l'avantage d'être apparenté à l'un des « poissons pilotes » obligés du dédale libanais, Ryad Raad, membre du parti socialiste progressiste du druze Walid Joumblatt, mais de sentiment pro-syrien.

Jusqu'en mars 1986, le docteur Raad avait été l'un des ambassadeurs officieux de la France. On disait qu'il pouvait réussir, qu'il avait approché les ravisseurs de l'équipe d'Antenne 2. Puis une mauvaise rumeur s'en était mêlée. Une rumeur post-électorale, qui laissait entendre que tout en négociant pour le compte des socialistes, le médecin d'Argentan aurait pu suggérer aux intermédiaires des Iraniens d'attendre l'arrivée du nouveau gouvernement. Des offres financières plus fortes auraient même été suggérées, des conditions plus favorables proposées à Téhéran. Les otages, en tout cas, n'ont pas été libérés avant le 16 mars, alors que Beyrouth s'attendait à un élargissement de plusieurs prisonniers français juste avant les élections.

Le premier, Pierre Péan a donné l'information concernant la concurrence chiraquienne dans le marchandage des otages. Son article, dans *Libération,* a été immédiatement et fermement démenti. Puis la rumeur s'est éteinte. Ils étaient, en avril 1986, quelques-uns à partager le secret de ce « report », dont le chef de l'État.

Jacques Chirac savait que si l'histoire du docteur Raad

revenait sur la place publique, Charles Pasqua pouvait en souffrir. Non qu'il ait utilisé à coup sûr les services d'un tel émissaire, mais on ne prête qu'aux riches. Pour laisser retomber ces turbulences électorales sur fond d'Orient, le Premier ministre devait maintenir le RPR hors de la question iranienne, par prudence. On aurait si vite accusé Pasqua, grand connaisseur des arcanes de son parti, d'être l'ami du médecin d'Argentan!

Les premiers mois de son installation à l'Hôtel Matignon, Jacques Chirac tient surtout à gérer lui-même le contentieux franco-iranien. Il croit pouvoir faire libérer rapidement deux membres au moins de l'équipe d'Antenne 2, tenus en otage par une organisation apparemment moins intransigeante que le Djihad islamique, l'Organisation de la justice révolutionnaire (OJR). En guise d'introduction à son règne, il serait utile que le Premier ministre réussît là où le chef de l'État avait échoué, croit-on, quelques semaines plus tôt. La piste du mois de mars était la bonne. Elle a pu simplement être volontairement abandonnée... Il n'est pas impossible en tout cas de la reprendre.

Pour cela, Jacques Chirac a son équipe, déjà au travail avant même l'arrivée officielle du chef du RPR à Matignon. Une équipe, dit-on, rompue à ces sinueux parcours d'obstacles qui mènent aux otages. De retour à la place qu'il affectionne, celle de l'ombre, Jacques Foccart a ouvert ses vieux carnets d'adresses. Mais c'est surtout Michel Roussin, le nouveau chef de cabinet de Jacques Chirac, ancien numéro deux du SDECE d'Alexandre de Marenches, qui anime les laborieuses négociations côté français.

Le Quai d'Orsay a été prié de remettre à jour notre grille de lecture des mystères de l'État persan. De préparer les règlements « globaux » avec Téhéran, financiers, politiques et juridiques. Pour l'heure, en avril 1986, il est d'abord question de marchander une rançon contre l'équipe d'Antenne 2. De reprendre un dossier particulier, digne d'un arrangement de marchands de tapis, brusquement mis entre parenthèses à quelques heures des élections législatives.

D'autres qualités que celle de la diplomatie officielle sont requises pour ce genre d'affaires. Michel Roussin passe pour un bon connaisseur de ces tractations secrètes. Son équipe est soudée, puisqu'elle est à la tâche depuis des semaines. Quelques policiers, habitués des verres de l'amitié de Robert Pandraud à l'Hôtel de Ville, un conseiller, ancien du SDECE, de la mairie de Paris, contribueront ainsi à faire libérer, le 20 juin, Philippe Rochot et Georges Hansen d'Antenne 2.

Charles Pasqua est hors jeu. Le nouveau ministre de

l'Intérieur participe bien aux réunions du nouveau « comité sur la sécurité », créé à Matignon après l'attentat du 20 mars aux Champs-Élysées. Il entend parler du Liban, bien sûr, mais les rapports officiels sont minces.

Robert Pandraud paraît en savoir plus long que lui. Charles Pasqua manque encore d'expérience et Jacques Chirac, curieusement, se montre très évasif lorsque son compagnon vient lui faire des offres de services. Le ministre de l'Intérieur a suffisamment à faire à Paris, explique Jacques Chirac, pour enrayer la vague d'attentats et en faire arrêter les auteurs.

Charles Pasqua comprend pourquoi on paraît le battre froid sur la question des otages. Pourquoi les commissaires de la DST se voient interdire certaines missions chaudes à Beyrouth. Pourquoi les agents de la DGSE, successeur du SDECE, en poste à Damas ou au Liban, sont remplacés.

Jacques Foccart a tout simplement détourné au profit de l'équipe de Matignon quelques-uns des réseaux traditionnels de l'homme de la place Beauvau. C'est Pierre Péan, encore une fois, qui en fait la révélation : Jacques Chirac se rend au Gabon, le 12 avril 1986, accompagné du vieux « parrain » du SAC. On lui présente un homme d'affaires chiite libanais, Nagib Zaher, personnalité influente de la communauté libanaise d'Afrique. Zaher connaît bien le parti de Jacques Chirac, car il draine depuis des années les soutiens financiers de ses compatriotes vers le RPR en vue du rééquilibrage de l'aide de la France, sur le continent noir, en faveur des chiites...

Les Libanais en exil, c'est une manne découverte par la majorité depuis que les exilés de Beyrouth ont compris que la guerre allait durer au Levant et que l'Afrique valait bien quelques investissements. Jacques Foccart avait ses financiers, Pierre Debizet les siens. Les intérêts de Charles Pasqua, toujours pour le compte du RPR, étaient représentés, depuis le Maroc, par Jean-Charles Marchiani.

Jacques Chirac retrouve au Gabon une autre connaissance, un spécialiste libanais des questions africaines et membre du RPR, Robert Bourgi. Un homme du sérail, sur le continent. La filière est en place. Zaher, Bourgi, le colonel Robert, ancien ambassadeur au Gabon, ancien du SDECE et chargé de mission du RPR, remonteront patiemment, sous la direction de Michel Roussin, le fil ténu qui peut mener à certains des otages.

Les mêmes intermédiaires prêteront leur art du dialogue à l'orientale à l'équipe de Matignon. Les mêmes que sous le gouvernement Fabius. Akram Ojjeh, célèbre marchand d'armes, le milliardaire syrien Omrane Adham, enfin le général Mustapha Tlass, ministre syrien de la Défense. Les mêmes, exactement. Au-delà commence le champ de mines des envoyés de Téhéran, des émissaires des Pasdarans. L'inconnu...

Charles Pasqua commence à réaliser qu'on marche sur ses terres. Lui aussi pouvait bâtir une telle base de lancement. Surtout qu'il apprend vite, par la DST, que les négociations entreprises après mars ressemblent étrangement à celles conduites sous la direction de Roland Dumas. Tout Beyrouth et bon nombre de services secrets occidentaux connaissent les noms et les adresses qui mènent à l'OJR. Le reste est affaire de mode de pression et de liquidités...

Il sait que cette mission-ci réussira. Des otages seront très vite libérés. Puisqu'ils devaient l'être, déjà, avant mars. Mais, Charles Pasqua prévoit que la première équipe se retrouvera vite « grillée ». Des Palestiniens, rencontrés au Maroc, l'ont prévenu de l'usure rapide des négociateurs avec l'Iran ou ses officines au Liban. Il pense pouvoir former la seconde.

C'est ainsi que, dès l'été 1986, Jean Charles Marchiani concocte en secret la même mixture. Des Libanais d'Afrique, des anciens du SDECE fidèles au RPR, des bureaux à Genève pour la gestion des comptes... Enfin, les contacts avec les milliardaires si actifs. Parmi ceux-ci, Marchiani, par des relations d'affaires et des agents marocains, peut toucher Omrane Adham, qui possède depuis des mois une lettre de l'Élysée l'autorisant à se présenter comme l'un des mandataires officiels de la France. Marchiani, lui, doit se contenter, selon des sources proches des services français de renseignements, d'un vrai-faux passeport, au nom de Stefani! Les mêmes sources assurent que le sien lui a été retiré après une mesure de contrôle judiciaire dans une affaire financière en cours...

La cellule de Matignon apprend vite que le ministre de l'Intérieur s'est lancé sur ses traces. Jacques Chirac, officiellement, ne peut rien dire. Les Libanais d'Afrique sont des amis communs. Les services du Premier ministre laissent faire quelque temps. Marchiani, âgé de quarante-quatre ans, homme d'affaires à la réussite fluctuante, est signalé à Genève, à Vienne, à Damas, puis à Beyrouth. On fait mine de l'intégrer au groupe opérationnel des dernières tractations.

Puis un jour, *le Canard enchaîné* apprend par hasard la résurgence de ce personnage énigmatique et la chronique de ses démarches malheureuses.

Charles Pasqua a compris qu'on appréciait peu de le voir

jouer en solitaire. Mais Jacques Chirac parle toujours d'autre chose. Pour persuader le ministre de l'Intérieur de consacrer son énergie à la sécurité de l'Hexagone, le Premier ministre flatte son compagnon dans le sens du poil. Il le félicite d'enrayer par ses interventions, ses discours, la progression du Front national sur le chapitre des peurs. Il rappelle sans cesse l'importance du découpage électoral.

Charles Pasqua doit bientôt oublier Beyrouth. Les attentats parisiens de « Septembre noir » requièrent toute son attention. C'est l'époque de la méprise. Les frères de Georges Ibrahim Abdallah sont accusés d'avoir commis les attaques à la bombe de la fin de l'été. Le CSPPA est soupçonné de travailler pour la Syrie.

Les photographies des membres du clan Abdallah sont affichées sur tout le territoire. Les policiers font des heures supplémentaires, sur de fausses pistes. Seuls, quelques policiers à la DST ont senti dans ces entreprises meurtrières la main de Téhéran et d'agents « dormeurs » beaucoup plus directement liés à l'Iran que la famille Abdallah.

Munis de quelques rapports de la DST, Charles Pasqua repart à la charge auprès de Matignon. Pourquoi le ministre de l'Intérieur ne serait-il pas plus directement associé à la guerre de l'ombre qui se mène dans les rues sombres de Beyrouth et dans les salons modernes des Hilton de quelques capitales ?

Pour de mystérieuses raisons, sans doute proches de celles invoquées, en mars, par Édouard Balladur, Jacques Chirac ne tient toujours pas à voir Charles Pasqua mettre sa fougue au service du règlement franco-iranien. Peut-être craint-il aussi que ne se renouvellent des maladresses, comme celle de la rencontre organisée en octobre 1986, par certains des « Pasqua's boys », avec de hauts responsables des services secrets palestiniens.

En octobre, des gendarmes de L'Isle-Adam (Val-d'Oise) surprennent un étrange manège dans une grosse villa discrète, pas très éloignée de la résidence de l'ancien ministre de l'Intérieur, Michel Poniatowski. Mais cette fois, le « prince » de Giscard ne joue aucun rôle dans cette comédie policière. La villa appartient à un médecin qui exerce à Paris. Des voitures de grosse cylindrée entrent et sortent sans cesse. La lumière reste allumée très tard la nuit, derrière les rideaux. On pense à une affaire d'espionnage : les gendarmes interrogent tous les services de police. Personne ne paraît au courant. On croit alors à un trafic de drogue. Le GIGN s'apprête à intervenir. Trop tard. La villa s'est vidée de ses mystérieux occupants.

Grâce aux plaques minéralogiques des véhicules, il est possible de remonter quelques pistes. La principale mène à un garage, Polyservices France, installé dans le 17e arrondissement. La secrétaire ne se fait pas prier pour reconnaître qu'une 604 a bien été louée par les services du ministre de l'Intérieur.

L'enquête fera en réalité apparaître que deux membres au moins du cabinet de Charles Pasqua, deux de ces personnages dont Matignon redoute les frasques, Jean-Michel Schoeler et Daniel Léandri, ont participé à la préparation de rencontres avec le commandant Jaber, membre du FPLP de Georges Habache. Jean-Michel Schoeler n'est autre que l'époux de la gérante du garage.

Une fois encore, on frise le ridicule. Pourquoi Pasqua se prête-t-il à ces jeux d'un autre âge avec des collaborateurs dévoués mais peu présentables? Pourquoi ne fait-il pas appel aux services de police qu'il est censé diriger? Histoire de tempérament, encore. Méfiance, souci du cloisonnement. Charles Pasqua a encore peu confiance en sa police, trop dévouée à Robert Pandraud. Et puis il éprouve comme s'il n'avait pas vieilli, une sourde passion pour les secrets. Et, c'est bien connu, en France, le meilleur moyen d'éventer un secret, c'est de le confier à la police. Un autre trait de caractère qu'il partage avec le chef de l'État.

Des professionnels, il s'en trouve bien dans la préparation de cette mystérieuse rencontre de L'Isle-Adam. Comme dans celles qui suivront : Charles Pasqua, découragé par Matignon, s'obstinera à organiser des rendez-vous hors de toute hiérarchie officielle. Des policiers, il s'en trouve. Un de la DST. Un autre de la PJ. Mais pour leur compte personnel. Hors service. Comme si le ministre de l'Intérieur ne pouvait compter que sur des individus isolés dans leurs structures. Les réseaux, encore. La vieille règle de la cooptation. Les amis d'amis. Cela fait enrager Jacques Chirac et sourire François Mitterrand, qui apprécie en connaisseur. Mais on ne change pas Charles Pasqua, en sa première année d'exercice place Beauvau.

Des mois lui seront nécessaires pour admettre que les services de police ne comptent pas que des traîtres. Qu'un commissaire de la DST peut faire mieux qu'un protégé corse. Entre Charles Pasqua et les parties les plus sensibles de son ministère, l'incompréhension est à peu près aussi forte qu'au temps de Gaston Defferre. Affaire, peut-être, de génération, comme il le répète lui-même. D'une génération d'hommes marqués à vie par la nécessité de la suspicion.

A l'occasion de chacune de ses rencontres secrètes, celles

en tout cas que le gouvernement peut suivre à la trace, le Quai d'Orsay et le ministère de la Défense iront se plaindre de l'autonomie laissée au ministre de l'Intérieur. Jean-Bernard Raimond explique en vain qu'à chaque fois qu'un chef de service secret proche-oriental est invité dans une villa isolée, ce sont des semaines de relations diplomatiques qu'il faut redresser. « Charles Pasqua, dit-on au Quai, fait de la diplomatie à la manière d'un éléphant dans un magasin de porcelaine. »

André Giraud, le ministre de la Défense, apprécie peu que le service d'espionnage à l'extérieur, la DGSE, placé sous ses ordres, se retrouve régulièrement hors circuit. La « piscine », depuis l'affaire Greenpeace, n'est plus en odeur de sainteté, ni à Matignon, ni au ministère de l'Intérieur, ni à l'Élysée. « Je préférerais travailler en collaboration avec les hommes de l'Élysée plutôt que d'être en mission avec nos agents branquignols », confie un proche de Charles Pasqua, policier de profession. La DGSE éprouve tout au long de ces mois les plus grandes difficultés à se faire admettre dans les négociations secrètes au Proche-Orient. Seul le patron de la « piscine », le général Imbot, fait parfois partie des délégations.

Deux ans durant, Charles Pasqua assiste peu à peu à l'enlisement des tractations. Rochot et Hansen ont bien été libérés. Suivent, en novembre 1986, – après le paiement de 330 millions de dollars à l'Iran en remboursement, notamment, du prêt Eurodif – Aurel Cornea et Camille Sonntag. Mais ces progrès font partie des premières tractations. La négociation piétine et Paris voit mal comment atteindre les ravisseurs des trois Français les plus menacés, les diplomates Marcel Carton et Marcel Fontaine et le journaliste Jean-Paul Kauffmann.

Entre Matignon et le Quai d'Orsay, dix thèses se suivent sans se ressembler sur la volonté réelle de l'Iran d'épurer ses comptes avec la France. Les diplomates font le tour de la Méditerranée et du Golfe. Téhéran finasse, envoie à chaque fois d'autres émissaires aux Français, qui se perdent dans les dédales des pouvoirs iraniens.

Pour preuve de sa bonne volonté, le gouvernement français a dû se résoudre à prier Massoud Radjavi, chef des Moudjahidin du peuple, les opposants au régime de Khomeyni, de quitter le territoire. Paris comptait beaucoup aussi sur la libération de Georges Ibrahim Abdallah, impliqué dans plusieurs attentats. Le chef de l'État, le gouvernement se sont entendus sur son élargissement, après une courte condamnation de prison. Mais le gouvernement américain s'est porté partie civile lors de son second procès à Paris et les juges, contre toute attente, ont condamné le chef du clan à la peine de perpétuité. Normandin, on en est sûr aujourd'hui, doit la prolongation de sa détention à l'indépendance des magistrats parisiens.

De son côté, le chef de l'État refuse de libérer Anis Naccache, chef d'un commando qui avait tenté d'assassiner l'ancien Premier ministre du chah, Chapour Bakhtiar, en 1980. Naccache, c'est la seule carte maîtresse du gouvernement français dans ce marchandage lancinant avec l'Iran, et François Mitterrand ne veut pas octroyer sa grâce sans garantie. Bien sûr, Jacques Chirac n'est pas en mesure de garantir quoi que ce soit.

Sans se réjouir, Charles Pasqua confie parfois qu'il enrage de voir notre diplomatie piétiner, tournée en ridicule par les imams, toujours prompts à faire monter le prix de nos otages. Matignon s'essouffle. Le Quai d'Orsay y perd parfois sa foi en la diplomatie. Les télégrammes s'amoncellent. Les émissaires se succèdent. On trouve des Français discrets, presque en permanence, à Beyrouth, Damas, Washington ou Alger.

Le ministre de l'Intérieur a réexpédié Marchiani dans le circuit fou des capitales de l'usante tractation. Charles Pasqua, insensiblement, prend de l'influence sur le dossier. L'affaire Chalier, ou plutôt sa mauvaise foi dans l'affaire Chalier, lui vaut la fidélité enthousiaste de la DST, qui est parvenue à infiltrer plusieurs communautés chiites de France. Le ministre s'est mis à voyager, souvent sans en demander la permission. A Alger, presque une fois par mois. Au passage, il s'intéresse aux négociations entre l'Espagne et l'ETA. Il a même servi d'intermédiaire. A Libreville, au Gabon, où il rencontre les amis libanais d'un autre personnage riche de contacts syriens et iraniens, Manucher Ghorbanifar, l'homme qui a favorisé, outre-Atlantique, l' « Irangate ».

Un autre voyage aux États-Unis, où il va le plus simplement du monde demander à la CIA sa coopération. Les Américains aiment bien Charles Pasqua. Ils lui trouvent de la poigne et un air de voyou repenti qui aurait mis ses talents au service de la bonne cause. Le gouvernement américain, friand comme ses concitoyens de feuilletons manichéens, lui réserve un accueil de chef d'État. Charles Pasqua en profite, et durant de longs mois il pourra se vanter d'être le seul à connaître les filières américaines d' « ex-filtration » des otages du Liban.

Mais, cette connaissance de plus en plus précise du dossier iranien, ces nouvelles amitiés qu'il tisse avec constance ne lui servent pas encore vraiment. Impossible de faire admettre à Matignon qu'il faut « aborder l'Orient compliqué avec des idées simples ».

Le gouvernement, comme à plaisir, pare au plus compliqué. Lui s'énerve de ces plans sur la comète. Il en veut surtout à Édouard Balladur de freiner les négociations sur les règlements du contentieux Eurodif. Pendant les conseils restreints, qui réunissent les ministres concernés par la crise franco-iranienne, il parle souvent de Jean-Paul Kauffmann. Le journaliste de *l'Événement du jeudi* avait consacré un très bel article au ministre de l'Intérieur, lorsqu'il était encore employé par *le Matin*.

« La belle histoire que celle de ce fils de gardien de la paix qui s'élève dans l'échelle sociale à la force du poignet et se mesure au premier personnage de l'État en mettant les rieurs de son côté... », écrivait Jean-Paul Kauffmann.

Charles Pasqua n'avait pas reçu longtemps notre confrère. Pourtant, explique Jeanne, « il évoque souvent son sort, même entre nous. Il se demande s'il a quelque chose à lire, la télévision... *L'Événement du jeudi* est un journal qui n'aime pas beaucoup mon mari. Pourtant, un soir, il n'arrivait pas à s'endormir. Il était ennuyé d'avoir un procès avec le journal de notre otage ».

C'est la DST, comme un cadeau indiscret de remerciement, qui donnera en fait à Charles Pasqua l'occasion de coordonner enfin le dossier iranien. En février, un Tunisien installé en France demande à être reçu par un policier de l'antenne de la DST à Tours.

Il n'est connu que de son pseudonyme : Lofti. Contre une forte somme d'argent, et un passeport pour l'étranger, il livrera au fil des semaines le réseau pro-iranien vraisemblablement responsable des attentats de 1986. Tout un réseau est appréhendé. Des litres d'explosifs sont récupérés. Et Wahid Gordji, l'interprète de l'ambassade d'Iran à Paris, est soupçonné d'être l'agent traitant des groupes terroristes de Khomeyni.

Mais la confession de Lofti permet aussi à la DST de localiser tous les anciens étudiants iraniens, tunisiens, libanais, palestiniens, vivant aujourd'hui en France, sortis de l'institut coranique de Qôm, la ville sainte, transformé en centre supérieur de formation à la guérilla anti-occidentale. Quelques-uns sont « retournés » en 1987. Téhéran comprend que la France récupère quelques cartes. L'Allemagne fédérale, les USA, l'Autriche profitent de ces renseignements et surtout de la science du jeune Tunisien qui a patiemment décrit les zones de pouvoir, souvent contradictoires, de l'État iranien.

Les rapports de Charles Pasqua sur la situation intérieure iranienne finissent par être plus précis que ceux du Quai d'Orsay. Jean-Bernard Raimond – Jean-Bernard Lagaffe, comme on dit place Beauvau – perd peu à peu de son crédit auprès du Premier ministre comme du chef de l'État. « Trop mou », confient même ses collaborateurs. Les conseillers diplomatiques de Matignon, longtemps méfiants à l'égard de Pasqua, se mettent désormais à solliciter son avis à la moindre alerte sur le sort des otages. La DGSE ne se fait plus prier pour mettre, au Liban, ses hommes et son matériel à sa disposition.

La DST a gagné le droit de sortir de ses frontières hexagonales. Charles Pasqua et Bernard Gérard avaient préparé un plan, depuis six mois, pour une installation en catastrophe au Proche-Orient. Marchiani, assisté d'un ancien du SDECE, spécialiste du Moyen-Orient, a préparé le terrain avec l'aide des intermédiaires milliardaires. Les amis algériens et palestiniens de Charles Pasqua complètent ce nouveau dispositif, que les Américains repèrent très vite, tant à Genève qu'à Beyrouth ou à Damas. Mais ce sont les hommes de Pasqua. Aussi la CIA prête-t-elle, elle aussi, son concours gracieux.

La France paie cher, très cher, en dollars, le droit de ramener chez eux ses compatriotes emprisonnés. Mais elle réalise quelques économies grâce aux plaisanteries de Charles Pasqua, son goût pour la convivialité. Sa théâtralité, très appréciée des Arabes.

Bernard Gérard, le haut fonctionnaire si éloigné des familiarités méridionales, apprendra à mieux connaître son ministre, à Damas ou à Vienne, quand celui-ci se fait chat, pour endormir. Quand il se fait buffle, pour mimer l'embarras. Oubliée l'affaire Chalier : le ministère de l'Intérieur a désormais le monde entier comme zone d'influence. Pour Bernard Gérard, le « patron » est devenu un grand ministre.

Aussi les rapports de la DST sur Wahid Gordji remis à Matignon seront-ils de plus en plus accablants. La manière forte peut s'exprimer. Charles Pasqua, à Jacques Chirac et à François Mitterrand, conseille le blocus pur et simple de l'ambassade d'Iran. La rupture des relations diplomatiques. Le Premier ministre hésite. Le chef de l'État approuve. Cela devient une habitude... « Si on veut se faire respecter de l'Iran, il faut se montrer plus provocateur que Khomeyni », plaide le ministre de l'Intérieur. Les événements de juillet 1987 lui donnent raison. La DST a un peu enjolivé le dossier d'instruction du juge Boulouque, mais personne n'y trouve rien à redire.

Gordji est d'abord une monnaie d'échange. L'Iran, malgré ses mystères, ne sait pas se débrouiller d'une rupture de ses relations diplomatiques. Lofti, le repenti, a aussi confessé ce détail. L'épreuve de force vaut à Charles Pasqua de passer des nuits blanches tout l'été. Il fait prendre au gouvernement, et surtout aux otages, un risque immense. Mais, il en est persuadé, il n'y a aucune autre solution. Il n'empêche : le ministère vit dans la crainte d'un appel de Marchiani annonçant une mauvaise nouvelle en provenance de ses « alter ego » de l'OJR...

Entre Damas et Beyrouth, l'envoyé spécial permanent de Charles Pasqua a constitué une équipe solide. Pas de diplomates. C'est devenu inutile. De très bons tireurs que l'ambassade voit arriver un par un, pour la distribution des armes de la valise diplomatique. Deux Corses, deux autres anciens du SAC, formés par la DST au travail de professionnels, font partie du voyage. Jean-Michel Schoeler voulait se joindre à eux. Matignon s'y est opposé.

On négocie toujours pour la libération de Jean-Louis Normandin. L'hiver approche. Pasqua a promis une réussite pour faire remonter la cote de Chirac dans les sondages. Le dossier Eurodif se traite à Genève et à Vienne. Celui des rançons annexes, pour les émissaires de l'OJR et tous les assistants bénévoles des Français sur place, est plus itinérant. Baalbeck, Tripoli, la plaine de la Bekaa...

C'est bientôt une petite armada qui se balade au Liban avec la bénédiction des factions locales, lassées de ces marchandages dont Beyrouth cesse peu à peu de tirer un bénéfice financier. Le ministère de l'Intérieur a dépensé beaucoup d'argent pour trouver son chemin dans les décombres d'une guerre sans fin. Mais la place Beauvau, en cet automne 1987, sait désormais qui joindre, sans risque d'erreur ou de mythomanie. On sait précisément sur qui tirer.

Jean-Louis Normandin, dont la prison a été localisée depuis des semaines, n'est pas délivrable par une opération commando. Les socialistes, avec le colonel Esquivier – qui n'est pas avare de conseils – y avaient déjà songé. Trop dangereux.

Mais les hommes de Marchiani, renforcés par quelques anciens du SDECE du Gabon, ont appris à trouver dans l'heure quelques responsables clandestins de l'ORJ. L'antenne française a prévenu : les meurtres sont au programme, éventuellement, de cette mission. Par deux fois, un intermédiaire chiite sentira les balles siffler à ses oreilles. Un avertissement.

Après plusieurs contre-temps, dont la reprise des affrontements entre milices, Normandin et Auque sont libérés le 28 novembre. Deux jours plus tôt, ne tenant plus en place, Charles Pasqua emmène Jeanne prendre l'air en Bretagne, sur la Côte Sauvage. Marchiani le joint au téléphone. Les deux hommes s'entretiennent en Corse.

Les gardes du corps du ministre cherchent une information sur son visage tendu que les embruns ne parviennent pas à apaiser. L'un d'eux entend Jeanne demander :

« Et Kauffmann ?

– Les nouvelles sont plutôt bonnes, mais ce ne sera pas pour cette fois. Je regrette... »

Sous le charme du Sphynx

Janvier 1988. La nuit est tombée sur la petite cour pavée de la place Beauvau. Devant la grille, les gardiens de la paix battent la semelle, engoncés dans leurs gilets pare-balles.

Une lumière d'antichambre, incertaine, éclaire son bureau lambrissé. Debout devant sa table de travail, le ministre de l'Intérieur se demande quel farceur de son cabinet a bien pu poser sur son buvard ce dernier numéro de *l'Événement du jeudi*. Il sourit. Une très belle photo le montre s'inclinant respectueusement devant le président de la République qui regarde « son » ministre de l'Intérieur d'un coin d'œil malicieux. Une photo qui le fascine et le dérange.

Pour la première fois un journal vise juste. Avec une impudeur qui trouble Charles Pasqua. Le symbole est cru. Mais terriblement vrai. Ce secret, qu'il n'osait pas avouer, ce glissement progressif vers l'admiration, qu'il avait si souvent tenté de retenir, est donc percé à jour. Lâché sur la place publique. Le choc Mitterrand-Pasqua à la « une »!

En plus il se surprend à en éprouver une certaine fierté. Il est plus que flatté : ce sentimental est soulagé, au fond, que cette liaison inattendue et sulfureuse ait été découverte. Pouvait-il encore la cacher? Piégé. Il est bien piégé. Depuis des semaines, lui même ne savait plus distinguer dans cette attirance paradoxale, engendrée comme un monstre par la cohabitation, ce qui relevait de ses arrière-pensées et ce qui procédait du grand mystère des affinités humaines.

Lancinante, depuis des mois, sa crainte en devient plus aiguë. Comment pourrait-il affronter cet homme? L'élection présidentielle a lieu dans trois mois. Jacques Chirac va confirmer sa candidature. Comment assumer à la fois sa loyauté et ce sentiment étrange? Charles Pasqua, en ce soir de janvier, sait qu'il ne pourrait plus répéter mot à mot ce qu'il disait un an plus tôt : « Si François Mitterrand est candidat, je ferai tout pour qu'il soit battu, il le sait, mais cela n'enlèvera rien au respect que je lui porte... » L'affirmation a perdu de son poids. Elle paraît désuète, feutrée. C'est plus que du respect que ressent Charles Pasqua. Et il se plaît à imaginer que là-bas, de l'autre côté du Faubourg-Saint-Honoré, la réciproque est vraie...

Sa peur... Plus que jamais, il redoute que son pronostic personnel – « Mitterrand ne sera pas candidat » – se révèle erroné.

Qui aurait parié, au printemps 1986, à l'aube blafarde de la cohabitation, que Charles le Diable et François le Rouge finiraient par faire copain-copain? Lui, le godillot du gaullisme, l'ancien vice-président du SAC, le voyou, le « facho », l' « assassin » maudit par les foules de jeunes en colère! L'autre, l'ennemi juré du général de Gaulle, le florentin, le prince de l'embrouille versant socialiste, l'allié des communistes, le fossoyeur des libertés!

Qui eût cru, alors, qu'on verrait le président socialiste de la République et le ministre chiraquien de l'Intérieur deviser courtoisement dans les salons de l'Élysée, échanger des clins d'œil durant les Conseils des ministres, s'amuser en comparses au cours des réceptions officielles, s'épargner mutuellement dans les joutes politiques. Vivre en paix, quoi!

Ainsi va la politique qui, au-delà des rivalités pour la conquête du pouvoir, du choc des idéologies et des programmes, du tribut payé à la démagogie, des banales querelles de personnes ou des manœuvres plus ou moins basses, reste avant tout la scène où se rencontrent des hommes de caractère dont les comportements ne sauraient heureusement être figés, encore moins codifiés.

Au diable les paradoxes! La petite histoire de la Ve République retiendra d'abord qu'entre 1986 et 1988, deux hommes d'État et non des moindres se sont apprivoisés l'un l'autre alors que dans les galeries des spectateurs tout le monde s'attendait à les voir s'entre-déchirer.

Charles Pasqua tient donc absolument à se persuader que François Mitterrand ne sera pas candidat pour la deuxième fois. Pour ne pas avoir, justement, à le « flinguer ». Extraordinaire monologue que celui de ce chantre de la Chiraquie proclamant les vertus du héros de la gauche française! « François Mitterrand a réalisé des choses exceptionnelles. Qu'a-t-il à gagner dans une nouvelle bataille? Il sait que s'il est candidat, à la minute même où il le sera, il en prendra plein la gueule. Tout le monde l'attaquera parce que la

France n'a jamais été autant à droite. Il perdra sur-le-champ l'avantage qu'il a dans les sondages. Jusqu'à présent il est populaire parce que les Français lui savent gré d'avoir joué le jeu de la cohabitation, de ne pas avoir empêché le gouvernement de gouverner; mais s'il annonce sa candidature, il perdra vingt points dans les sondages et sera ramené au score du Parti socialiste. Il écornera son image et ternira son bilan... Bien sûr, il ne faut jurer de rien et ne pas mésestimer le goût du pouvoir, mais s'il est sage – et je crois qu'il l'est – il ne se représentera pas, ne serait-ce que dans son propre intérêt. »

Charles Pasqua protecteur de François Mitterrand! Qui l'eût dit? Ainsi voguent les hommes.

Le ministre de l'Intérieur l'avoue volontiers. Pourquoi le cacherait-il? Qui oserait, aujourd'hui, au RPR ou ailleurs dans la majorité, lui en faire grief? « Oui, je m'entends bien avec François Mitterrand. Dès qu'il a été président, il a été aimable avec moi, et je ne ferai jamais rien de déloyal à son égard. Mais il n'attend pas de cadeau de moi comme moi je n'en attends pas de lui. »

Charles Pasqua souhaite tellement que son ennemi préféré prenne une retraite méritée qu'il prend pour sa part un engagement solennel : « Il ne faut pas que Mitterrand s'en aille sous les crachats. J'en fais une affaire personnelle. J'organiserai moi-même les fastes du départ. »

Si François Mitterrand abandonne la piste, il lui réservera une sortie triomphale. Un hommage de la nation à l'homme qui aura eu pendant sept ans la garde des institutions. Pour effacer aussi, dans l'histoire de l'Élysée, l'affligeant spectacle d'un Valéry Giscard d'Estaing conspué par la foule en 1981, alors qu'il quittait à pied ses lustres perdus.

Charles Pasqua chef du protocole mitterrandien!

Par quelle alchimie le rapprochement de ces deux stars a-t-il été possible? Par la plus naturelle qui soit : la coexistence de deux engagements politiques opposés qui avaient néanmoins en commun une puissante force de convictions. Parce que nourrie aux sources de la Résistance. La Résistance! La mémoire mythique qui, chez François Mitterrand, comme chez Charles Pasqua, transcende les clivages, abolit les nuances politiques... La Résistance et l'action, riche en complicités sous les apparences, souvent, de la guerre totale. Les militants, comme les soldats – parce que soldats! – se reconnaissent entre eux.

Charles Pasqua n'oubliera jamais son premier Conseil des ministres. C'était le samedi 22 mars 1986. Jacques Toubon, qui a toujours le mot pour rire, lui avait téléphoné, de bon matin, pour lui donner un conseil : « Sois correct avec Tonton ! »

Tout avait été chronométré. A 10 h 30 précises Jacques Chirac était arrivé au palais de l'Élysée pour s'entretenir avec François Mitterrand avant l'ouverture du Conseil. Il avait été rejoint, dans le cabinet du chef de l'État, par le ministre des Affaires étrangères, Jean-Bernard Raimond, et par celui de la Défense, André Giraud. Premier conciliabule autour du domaine en principe « réservé » du chef de l'État : la diplomatie et la défense. Normal.

Les ministres et les secrétaires d'État, arrivés entre-temps, s'étaient réunis dans le salon Murat où se tiennent toujours les délibérations du Conseil. Sur la longue table ovale des cartons indiquaient à chacun sa place protocolaire.

A 11 heures, le président de la République et le Premier ministre avaient pénétré dans la salle et pris place face à face, dans un mouvement de ballet bien réglé. François Mitterrand n'avait pas serré la main des ministres et secrétaires d'État, qui ne lui avaient pas été présentés. Par la suite, Charles Pasqua racontera ce qu'il avait ressenti à ce moment là : « Il nous regarde, nous le regardons, moi je le regarde, il me regarde, et je pense que nous avons, lui et moi, le même sentiment au même moment. Lui, il doit se dire : je préférerais d'autres ministres. Et moi, je me dis : je préférerais un autre président... »

Va pour la cohabitation !

Les ministres et les secrétaires d'État s'étaient assis à leur tour. François Mitterrand avait immédiatement à sa droite Édouard Balladur puis Jean-Bernard Raimond. A sa gauche, André Giraud puis Pierre Méhaignerie.

Lui, Charles Pasqua, il était de l'autre côté de la table, à la droite de Jacques Chirac dont il était séparé par Albin Chalandon. A la gauche du Premier ministre se trouvaient François Léotard puis Bernard Pons.

Comme cela se passait sous les deux gouvernements précédents, à une table à part avaient pris place le secrétaire général de l'Élysée, Jean-Louis Bianco, le secrétaire général du gouvernement, Jacques Fournier, et le conseiller spécial du président, Jacques Attali.

François Mitterrand avait pris la parole le premier pour souhaiter la bienvenue, d'un ton glacial, à ses nouveaux hôtes du rendez-vous hebdomadaire. Il avait rappelé les pouvoirs que la Constitution donne respectivement au président de la République, au gouvernement et au Parlement.

Jacques Chirac avait parlé, à son tour, pour rappeler que le temps de la campagne électorale était terminé, dire que les membres du gouvernement devaient « travailler dans la discipline », indiquer que ses objectifs prioritaires seraient « la lutte contre le chômage et pour la sécurité ».

Lui, Charles Pasqua, pendant ce temps, il observait le profil impassible de François Mitterrand, légèrement en biais de l'autre côté. Il était bien situé : chaque mercredi il pourrait épier ce visage indéchiffrable, le fameux « masque de cire ». Il pourrait, lui, l'acteur de Pagnol, suivre les frémissements, les pâleurs de l'acteur de Giraudoux...

Charles Pasqua est le plus instinctif des intuitifs. Les ministres de la jeune génération, il en est sûr, ne trouveront rien à lire dans ce teint brouillé aux mille secrets d'État. Lui, il trouvera. Et, quand l'information lui fera défaut, il ira comme à l'oracle, chaque mercredi, au Conseil des ministres, sonder à distance l'accent d'un sourcil, les plis d'un front. Et surtout les yeux si éloquents du Sphynx élyséen.

A ce premier Conseil Charles Pasqua éprouvait aussi une intense jubilation intérieure au souvenir des échanges d'amabilités du passé, entre celui-ci et celui-là.

En 1973 François Mitterrand reprochait à Jacques Chirac, alors ministre de l'Agriculture, de « faire petit vieux » en voulant « copier » Valéry Giscard d'Estaing. En 1975, il lui déniait le droit de se présenter en héritier du gaullisme : « S'inspirant des leçons autrefois enseignées au Théâtre-Français, tout est dans le masque chez Chirac, disait-il. Le gaullisme venait de beaucoup plus loin. » En 1978, pendant la campagne des législatives, il avait été plus vif. « Où serons-nous si M. Chirac continue de hausser le ton avec la façon qui est la sienne de dépasser en brutalité, sous prétexte d'efficacité, toutes les limites de l'honnêteté? », avait-il demandé.

Jacques Chirac n'avait pas été moins tendre. « M. Mitterrand s'est constamment trompé depuis trente ans », déclarait-il en 1977. « M. Mitterrand a fait partie de ceux qui ont conduit dans le passé la France au désordre et à l'indignité et croient que l'on a oublié leurs erreurs et le mal qu'ils ont fait au pays », ajoutait-il en 1978. « Ce ne sont pas les convictions qui l'étouffent », affirmait-il en 1985.

La cohabitation promettait des tempêtes. Elle ne pouvait être que conflictuelle.

Ce premier Conseil des ministres avait duré à peine vingt-cinq minutes, dans une atmosphère crispée, guindée, chacun se tenant sur la réserve, avec le sentiment diffus, sans doute, de vivre un moment historique. Les photographes et les cameramen avaient officié par vagues, dans le plus grand silence.

Jacques Chirac en tête, les membres du gouvernement étaient sortis dans la cour du palais de l'Élysée, à 11 h 30, et les journalistes massés autour du perron savaient déjà que la tradition ne serait pas respectée : il n'y aurait pas de photo officielle du gouvernement. François Mitterrand ne tenait pas à prendre la pose avec le gouvernement de ses adversaires.

Oui, Charles Pasqua se souvient bien de ces instants sans précédents sous la Ve République. La plupart de ses collègues avaient donné leurs impressions aux journalistes qui les sollicitaient. L'un avait trouvé l'ambiance « tout à fait pincée ». L'autre avait jugé François Mitterrand « correct et courtois ». « La solennité dans la simplicité était convenable », avait dit un tel. « Un excès de convivialité aurait détonné », avait ironisé tel autre. Selon Pierre Méhaignerie, il ne s'était passé « rien de déterminant pour l'histoire de France ».

Lui, Charles Pasqua, il était sorti de l'Élysée en mettant un doigt devant la bouche pour bien montrer aux journalistes sa volonté de ne faire aucun commentaire. Il avait tout de même fait la bise à deux journalistes féminines de la presse parisienne.

« Qui étaient ces filles? lui avait demandé Robert Pandraud dans la voiture

– C'étaient des filles de Mme Claude qui étaient venues voir si dans la bande il n'y avait pas de chefs d'État africains... », lui avait-il répondu avec son sens particulier de l'humour.

De retour à l'Hôtel Matignon, Jacques Chirac avait rédigé un bref communiqué, valant compte rendu du Conseil, qui avait été lu aux journalistes. Ce texte précisait que désormais le commentaire du Conseil des ministres aurait lieu à Matignon et non plus à l'Élysée. La coupure du pouvoir exécutif était fixée. Les difficultés étaient inévitables. Le ministre de l'Intérieur se souvint de cette judicieuse réflexion de Napoléon, condamnant à l'avance toute expérience de cohabitation : « Un mauvais général vaut mieux que deux bons... »

De retour place Beauvau, Charles Pasqua s'était remémoré le déroulement de ce Conseil pour en figer à jamais tous les détails dans sa mémoire et, peu à peu, il s'était aperçu que l'image dominante demeurerait sans conteste celle du visage minéral de François Mitterrand, seul, battu, isolé, face à la cohorte arrogante de ses vainqueurs.

Avec le recul du temps ce souvenir n'a pas perdu son intensité. Bien au contraire. « Ce jour-là, raconte Charles

Pasqua, Mitterrand a eu une présence impressionnante. Je connais peu d'hommes qui aient la même force de caractère que celle qu'il a manifestée à ce premier Conseil des ministres. Seul contre tous! Quel " pied " il a dû prendre! Il a dû bander, jouir, c'est sûr! »

Hommage viril d'un artiste à un maître.

Charles Pasqua se souviendra aussi toujours de ce coup de téléphone de Jean-Louis Bianco, vingt-quatre heures après cet inoubliable Conseil des ministres :

« Le président m'a prié de vous dire qu'il avait été surpris de lire dans certains journaux qu'au moment de ses conversations avec Monsieur le Premier ministre pour la formation du gouvernement il aurait manifesté de l'ostracisme à votre égard. Il m'a chargé de vous dire qu'il n'en était rien et qu'à aucun moment il n'a exprimé la moindre réserve à votre sujet...

– Je n'en doute pas mais je vous sais gré de me le faire savoir et je vous prie de transmettre mes remerciements à Monsieur le Président de la République. »

Charles Pasqua, en effet, savait déjà. Il avait appris, de source policière, que c'était de l'Hôtel de Ville de Paris – donc nécessairement de l'entourage de Robert Pandraud, son rival – qu'était partie la rumeur selon laquelle François Mitterrand aurait opposé son veto à sa présence au gouvernement. Ceux qui l'avaient propulsée en utilisant la presse avaient même poussé le détail jusqu'à préciser que le chef de l'État ne voulait pas voir siéger au Conseil des ministres celui qui l'avait accusé de « trahison » en réclamant pour lui la Haute Cour de justice au sujet de la Nouvelle-Calédonie.

Charles Pasqua savait également, par ses amis sénateurs, que les deux vetos exprimés par François Mitterrand l'avaient été à l'encontre de Jean Lecanuet, qui briguait les Affaires étrangères, et d'Étienne Dailly, qui rêvait du ministère de la Justice.

Pourquoi ces prévenances de l'Élysée à l'égard du ministre de l'Intérieur?

Charles Pasqua, en ces temps de cohabitation balbutiante, n'est pas dupe des calculs du président de la République. « Il est en train, d'une certaine façon, de me refaire le coup de Georges Pompidou en 1969. Il cherche à m'endormir parce qu'il se méfie de moi. »

Charles Pasqua pense juste. François Mitterrand a plusieurs raisons de vouloir créer des liens de bonne compagnie avec le ministre de l'Intérieur. D'abord parce qu'il devra quotidiennement travailler avec lui sur les difficiles dossiers de la sécurité, du terrorisme, des otages. Ensuite parce qu'il n'ignore pas que dans l'esprit de Charles Pasqua une cohabitation heureuse risque d'être suicidaire pour Jacques Chirac et qu'il s'attend – ce en quoi il n'a pas tort – à voir le ministre de l'Intérieur adopter très vite des positions offensives. Enfin, parce qu'il est lui-même déterminé à ne pas rester inerte et qu'il essaie de donner le change.

Mais François Mitterrand a aussi des raisons plus personnelles d'accorder à Charles Pasqua un traitement politique de faveur. Depuis les conversations qu'il a eues avec lui à l'époque où il présidait le groupe RPR du Sénat, et en particulier depuis cette évocation de leurs souvenirs de Résistance dans le même réseau, sous l'œil ébahi d'Alain Poher, avant les législatives de 1986, le président de la République a fait la part des choses entre la vérité et la mauvaise réputation de cet homme.

Intuitivement, François Mitterrand est le premier des socialistes à comprendre que sous son discours nationaliste outrancier, ses foucades, ses œillades de bateleur à la galerie, sous son gaullo-chiraco-bonapartisme, Charles Pasqua présente, au fond, le profil pudique d'un radical profondément républicain.

Il s'en méfie comme de la peste parce qu'il a été assez militant lui-même pour savoir qu'un gaulliste de son gabarit est prêt à tout pour servir sa cause, mais il ne le déteste pas, loin de là. Il apprécie, comme beaucoup d'autres, sa verve méridionale pétillante. En plus il a à ses côtés, à l'Élysée, en la personne de Michel Charasse, un conseiller qui connaît son Pasqua sur le bout des doigts pour l'avoir fraternellement combattu, au Sénat, et qui entretient avec lui les meilleures relations.

S'engage alors une fabuleuse partie de poker.

Qui prendra l'autre dans ses filets?

Dès le début de cette cohabitation dans la cohabitation, Charles Pasqua est désavantagé par rapport à François Mitterrand. Car il a lui aussi modulé son jugement sur le chef de l'État, même si son langage public ne fait pas, en 1986, transparaître cette évolution.

En accédant aux plus hautes responsabilités il porte sur les hommes, fussent-ils ses adversaires, un regard moins dur et, le premier, le président de la République en bénéficie : « Il faut faire confiance aux hommes politiques qui dirigent l'État, dit-il. Ils font en général honnêtement ce qu'ils croient conforme à l'intérêt du pays. Arrivés à un certain âge ils commencent à se préoccuper de l'image qu'ils laisseront à la postérité. »

Il en est convaincu : même si François Mitterrand entreprend de gêner Jacques Chirac, « il ne dépassera pas certaines limites ».

Aussi paradoxal que cela puisse paraître, Charles Pasqua se sent en phase avec François Mitterrand lorsqu'il s'agit du fonctionnement des institutions et il l'affirme sans gêne aucune : « Mitterrand a un grand sens de l'État et une pratique gaullienne des institutions. » Quel hommage dans sa bouche ! L'aveu d'une pointe d'admiration, déjà, pour la faculté d'adaptation du chef de l'État.

Ainsi, Charles Pasqua ne proteste pas quand François Mitterrand, dès la deuxième réunion du nouveau Conseil des ministres, le 26 mars, déclenche les hostilités en faisant savoir qu'il ne signera les ordonnances prévues par Jacques Chirac qu'en « nombre limité » et en « matière sociale ». « La discussion a été franche », se borne à dire le porte-parole du Premier ministre, Alain Juppé, en rendant compte des délibérations. Il réduit l'avertissement présidentiel à un « coup de sonnette » sans objet.

Le président « ne signera que les ordonnances qui présenteraient un progrès par rapport aux acquis », précise le porte-parole de la présidence de la République, Michel Vauzelle.

Bien que la langue le démange, Charles Pasqua ne s'autorise aucun commentaire public. En privé il reconnaît même au président de la République le droit de se servir à sa guise de ses possibilités constitutionnelles d'obstruction. François Mitterrand, après tout, ne pourra pas faire pire que ce que le Sénat a fait contre lui de 1981 à 1986... En devenant ministre, Charles Pasqua est devenu légitimiste.

Le ministre de l'Intérieur, en connaisseur, reconnaît la finesse de la démarche présidentielle qui fait juge l'opinion publique. D'un côté, Chirac : il gouverne, et vite, dans la plénitude de ses fonctions. De l'autre, Mitterrand : le gouvernement gouverne conformément à la volonté populaire et aux institutions, mais il ne pourra pas faire n'importe quoi. Version officielle : chacun exercera ses pouvoirs autant que possible en harmonie. Version occulte : chacun surveille l'autre pour tenter de le grignoter.

« Bien joué », constate Charles Pasqua, qui doit admettre qu'il s'était trompé, pendant la campagne électorale, quand il avait annoncé que, s'il ne se démettait pas, François Mitterrand devrait, dès le premier Conseil des ministres, « manger son chapeau ».

Le président de la République ne « mangera » pas son chapeau. C'est Jacques Chirac qui manquera plusieurs fois de s'étrangler...

Charles Pasqua se montre tout de suite ouvert au dialogue avec François Mitterrand. Leur première conversation en tête à tête a lieu fin mars. Le ministre de l'Intérieur vient à l'Élysée pour avoir le sentiment du chef de l'État sur plusieurs dossiers : le terrorisme, les relations entre la police et les gendarmes, le projet de redécoupage électoral. François Mitterrand l'accueille presque comme un ami. Il fait beau. Ils font quelques pas dans le parc de l'Élysée.

Le chef de l'État n'est pas pressé d'ouvrir ces dossiers. Il pense déjà au message qu'il a l'intention d'adresser au Parlement pour fixer les règles du jeu. Il livre à son intrigant visiteur quelques réflexions personnelles :

« Savez-vous, Monsieur Pasqua, que je pense souvent, ces temps-ci, à Jean-Jaurès, qui n'a pas gouverné, et à Léon Blum, qui n'a gouverné qu'une fois... S'ils avaient eu notre Constitution... »

Charles Pasqua sourit en pensant à tout le mal que le leader de la gauche a dit dans le passé sur le « coup d'État permanent » dans la Ve République.

« Mon devoir était d'assurer la continuité de l'État et le fonctionnement régulier des institutions, poursuit François Mitterrand. Je l'ai fait sans retard et la nation sans crise. Mais pour la première fois la majorité parlementaire relève de tendances politiques différentes de celles qui s'étaient rassemblées lors de l'élection présidentielle. Devant un tel état de chose, qu'ils ont pourtant voulu, beaucoup de nos concitoyens se posent la question de savoir comment fonctionneront les pouvoirs publics. A cette question je ne connais qu'une réponse, la seule possible, la seule raisonnable, la seule conforme aux intérêts de la nation : la Constitution, rien que la Constitution, toute la Constitution. Nos institutions sont à l'épreuve des faits... »

Cela fait vingt minutes que François Mitterrand monologue. Il reparle de Jaurès et Blum. Charles Pasqua n'ose pas l'interrompre. Enfin il trouve la brèche et l'occasion de dire ce qui l'oppresse depuis un moment :

« C'est vrai, vous êtes devenu le complément indispensable du général de Gaulle... »

Sourire, cette fois, de François Mitterrand.

« Oui, si vous entrez dans l'histoire, en ce moment c'est comme le continuateur du général de Gaulle, poursuit le ministre de l'Intérieur. L'histoire a voulu que ce soit un président socialiste qui réussisse l'alternance de gauche puis l'alternance de droite... C'est vous qui faites la preuve de la qualité des institutions de la Ve République. Si le général était encore là il vous serait sans doute reconnaissant de votre contribution à sa démonstration...

– Les circonstances, Monsieur Pasqua, les circonstances... »

Trois mois plus tard, Charles Pasqua décernait publiquement un brevet de civisme gaullien au président de la République : « François Mitterrand joue bien le jeu de la Constitution. »

Charles Pasqua, lui, a bien joué le jeu de sa propre cohabitation avec l'Élysée. Il a même été un des rares ministres à le faire jusqu'au bout. Par respect des institutions, par souci d'une bonne gestion et aussi pure courtoisie.

Le cabinet du président de la République a régulièrement été informé, souvent par ses soins attentifs, de l'évolution des principaux dossiers gérés par la place Beauvau. Les dirigeants d'Action directe ont été arrêtés un samedi soir à 20 h 45; à 21 h 05, Charles Pasqua annonçait la nouvelle à François Mitterrand. Un avion français était détourné à 11 h 30 à l'aéroport de Genève; à 11 h 45, Charles Pasqua informait le président.

Ce sont ces coups de téléphone, ces dossiers fidèles aux rendez-vous, ces gestes quotidiens, ajoutés aux prises de position privées du ministre de l'Intérieur sur les grands sujets d'actualité, souvent plus nuancées que ses prises de position publiques, qui ont conduit François Mitterrand à conclure : « C'est un modéré! »

Sans parler de ces nombreux apartés complices qui ont eu le don, pendant deux ans, d'agacer Jacques Chirac.

Un jour, le Conseil des ministres débat de l'opportunité d'instituer des cartes d'identité infalsifiables. François Mitterrand et Charles Pasqua échangent un regard et comprennent que, cette fois encore, ils pensent la même chose en même temps. « Il y a autour de cette table, souligne le président de la République en souriant, deux hommes qui savent qu'il est parfois très utile de pouvoir falsifier une carte d'identité... » Toujours la vieille complicité de la Résistance...

Un matin, François Mitterrand critique les dernières décisions de la Commission nationale de la communication et des libertés (CNCL). Les principaux dirigeants de la majorité montent sur leurs grands chevaux et prennent vivement à partie le chef de l'État. Que fait, le soir, Charles Pasqua? Il évite surtout de prendre l'affaire au tragique : « Je crois que le président s'ennuie... » déclare-t-il. Au Conseil des ministres suivant, François Mitterrand lui dit devant les autres membres du gouvernement : « Vous êtes le seul qui ayez fait un commentaire intelligent... »

Le jour de la cérémonie des vœux du gouvernement pour 1987, à l'Élysée, en pleine période de crise sociale, on aperçoit François Mitterrand et Charles Pasqua rire de bon cœur dans un coin de salon. Que se disent-ils? Pas grand-chose.

« Cette journée des vœux est la plus pénible et la plus ennuyeuse de l'année, souligne François Mitterrand.

– C'est vrai, encore que, pour nous, depuis quelque temps, des journées pénibles, il n'y a que ça, répond Charles Pasqua.

– Oui, mais celle-ci, ce n'est pas de mon fait, rétorque le premier.

– C'est exact, mais uniquement celle-ci », réplique le second.

Presque deux collégiens...

Lorsqu'en août 1986 François Mitterrand dit en privé au Premier ministre qu'il ne signera pas l'ordonnance sur les privatisations, Jacques Chirac n'en croit pas un mot. Il le dit en riant à ses principaux amis : « Je sais qu'il bluffe... »

« Tu te trompes, Jacques, il ne bluffe pas. S'il te l'a dit, c'est qu'il ne la signera pas... », répond Charles Pasqua. Les événements lui donnent raison.

Aussi superficiels qu'ils aient été au début, ces rapports cordiaux n'en ont pas moins été révélateurs, même si les deux protagonistes n'ont pas poussé le jeu jusqu'à conclure un armistice politique.

Si ce ne fut pas la haine ce ne fut pas non plus l'amour. La routine reprenant en général le pas sur les entractes, François Mitterrand et Charles Pasqua se livrèrent aussi quelques combats feutrés, la plupart du temps au sujet de la nomination de hauts fonctionnaires. C'est contre l'avis du président de la République que Charles Pasqua est parvenu à se débarrasser de Pierre Verbrugghe, qui fut l'un des membres de la hiérarchie policière les plus critiques pour son ministre dans l'affaire du « vrai-faux » passeport d'Yves Chalier. C'est à cause du feu rouge de l'Élysée que le contrôleur général de la police, Raymond Sasia, policier efficient mais contesté, n'a pas obtenu la direction du service des voyages officiels, à laquelle le destinait Charles Pasqua.

Il est également arrivé à Charles Pasqua de bouder Mitterrand. Il en fut ainsi pour la réception du 14 juillet 1986 à l'Élysée. Charles Pasqua ne s'est pas rendu à l'invitation du président de la République parce que celui-ci avait accueilli dans ses jardins deux jeunes immigrés qui faisaient la grève de la faim à Lyon pour protester contre les mesures concernant des étrangers. Charles Pasqua avait vu dans cette attitude du chef de l'État « une pression sur le pouvoir législatif ».

A ce jeu de bascule, chacun a d'ailleurs mis du sien. François Mitterrand, par exemple, avait donné son aval, à la fin de 1987, aux expulsions de réfugiés iraniens vers le Gabon. Cela n'a pas empêché ensuite l'Élysée de prendre le parti des grévistes de la faim protestant contre la décision du ministère de l'Intérieur.

Entre les deux hommes, toutefois, les escarmouches n'ont jamais dépassé l'emploi du petit plomb. Ni l'un ni l'autre n'ont utilisé de gros calibres dans leurs passes d'armes.

C'est le secrétaire général du RPR, pas Charles Pasqua, qui polémique avec le président de la République sur l'attitude des socialistes à l'égard des terroristes d'Action directe entre 1981 et 1986. Le président de Renault, Georges Besse, serait encore en vie si les gouvernements de Pierre Mauroy et Laurent Fabius avaient lutté plus efficacement contre le terrorisme affirme, au début de 1987, Jacques Toubon.

François Mitterrand n'en est que plus à l'aise pour riposter sèchement : « Ceux qui ont parlé de cette façon ont fait preuve d'une extrême légèreté ou d'une extrême indignité. Des terroristes qui ont commis de nombreux crimes ont été arrêtés. A quoi doit-on penser d'abord? A se réjouir, à remercier les services de police qui ont accompli cette réussite après des années d'efforts. Et ensuite à unir les Français, car la lutte antiterroriste est loin d'être terminée. Il convient de rassembler toutes les forces du pays pour que nous soyons capables de triompher, ce dont je ne doute pas. Songer tout aussitôt à lancer des polémiques bassement politiciennes, c'est d'une extrême légèreté. »

Charles Pasqua est content. Pour une fois, il n'est pas responsable de cette fausse note.

En revanche, François Mitterrand ne manque l'occasion, dans la même période, de féliciter le ministre de l'Intérieur pour ses « excellents résultats » dans la lutte contre le terrorisme.

Quant à Charles Pasqua, il se garde bien de mettre la responsabilité du président de la République en cause dans l'affaire Luchaire, alors que son propre parti et d'autres membres du gouvernement ne cessent de manœuvrer pour faire de cette opération de ventes illicites d'armes à l'Iran une « affaire d'État ». « Cette affaire Luchaire, pour regrettable qu'elle soit, concerne avant tout les deux anciens Premiers ministres socialistes, souligna-t-il le 22 novembre au " Grand Jury RTL-Le Monde ". On ne peut pas en permanence tout faire remonter au président de la République... »

La modération observée par Charles Pasqua dans ces

polémiques visant l'Élysée releva toujours, certes, de la répartition des tâches entre l'état-major du RPR et le gouvernement. Mais elle tint aussi à son appréhension de voir François Mitterrand se décider à entrer en lice. Celui-ci le lui a dit, d'ailleurs, à sa façon : « Si vos amis continuent de me prendre pour cible, ils vont finir par me décider... » A bon entendeur...

Le moment le plus spectaculaire de cette partie d'échecs a lieu dans les derniers jours de mars 1987, en Franche-Comté.

Le gouvernement est alors sur la défensive. François Mitterrand en profite pour sortir de sa coquille. Il entreprend de parcourir la France au pas tranquille d'un promeneur solitaire qui a son destin derrière lui et qui n'a, laisse-t-il entendre, plus rien à attendre de la vie politique. En président philosophe discourant sur la peine des hommes. Toutes ces visites en province n'ont « aucun caractère officiel », souligne-t-on à l'Élysée. Il s'agit de banals déplacements privés, explique le président de la République, de voyages sans importance qui n'appellent pas de soins particuliers de la part du ministère de l'Intérieur.

En fait, François Mitterrand tient à sa liberté de manœuvre. Seul en piste, il peut musarder à sa guise en lâchant ici un mot, là une petite phrase qui occupent l'actualité, font apparaître sa différence par rapport à la politique gouvernementale, rendent confiance à la gauche en irritant la droite. Là il reçoit les cheminots grévistes que le Premier ministre malmène; ici il dit tout haut le mal que les barristes pensent de la réforme de l'audiovisuel; s'il le faut, il prend à contre-pied les orientations chiraquiennes, par exemple dans le dossier de la Nouvelle-Calédonie, où il affiche ostensiblement sa sympathie pour les Canaques marginalisés par les conservateurs locaux.

Là encore Charles Pasqua n'est pas dupe : sous son costume de père de la nation, François Mitterrand continue de servir le camp de la gauche. Or, toutes les déclarations présidentielles font mouche : « L'amour du pays ne se découpe pas. » « Aucun responsable ne saurait se satisfaire des résultats actuels contre le chômage. » « La cohésion sociale commande la cohésion nationale. » « Moi, je ne vis pas en crise. » « Je ne cherche pas du tout à gêner l'action du gouvernement. Quelquefois je lance des avertissements, mais la pratique quotidienne du gouvernement, je la rends la plus aisée possible. » « Nous, Français, sommes heureux d'être ensemble, continuons! » « Il faut savoir dominer, maîtriser, ne pas obéir uniquement aux passions instinctives, aux volontés de puissance. Je ne connais pas de meilleures règles pour diriger un pays. Pour les grandes choses il faut avoir une volonté, un état d'esprit commun. »

Les rapports des Renseignements généraux permettent à Charles Pasqua de suivre le président de la République à la trace. Tous sont formels : François Mitterrand n'a jamais été aussi populaire. Partout les mêmes pancartes fleurissent chez les électeurs de gauche : « Tiens bon, Tonton, ils repartiront. »

Le ministre de l'Intérieur a envie d'en juger par lui-même. Il téléphone à Michel Charasse :

« J'apprends que ton président a l'intention d'aller faire un tour dans les Landes. Rappelle-lui que je suis à sa disposition s'il a besoin de mes services. Dans ce coin, avec les Basques, on ne sait jamais... »

Michel Charasse le rappelle vingt-quatre heures plus tard : « J'ai fait la commission. Le président est sensible à ta sollicitude et il aura bientôt besoin de toi, si tu en es toujours d'accord, mais ce sera pour une autre fois. Dans les Landes, tu sais, il s'est toujours senti en famille et il pense qu'il n'est pas utile de déranger le premier flic de France pour un week-end à la campagne. »

Va donc alors pour la Franche-Comté, les 30 et 31 mars 1987 !

Un voyage que le ministre de l'Intérieur n'est pas près d'oublier. Il reste en effet dans les mémoires comme l'un des plus chaleureux du septennat.

Jamais François Mitterrand n'avait été fêté de pareille façon. De Lons-le-Saulnier à Besançon, en passant par Montbéliard, Héricourt, Vesoul, Luxeuil, les foules lui font une sympathique haie d'honneur et d'affection. Les jeunes Beurs se pressent pour lui tendre la main, les femmes maghrébines poussent leurs youyous d'allégresse. Tous les citoyens rassemblés sur son passage lui crient leurs encouragements.

Charles Pasqua promène dans cette liesse un front faussement indifférent. Il constate que les Français épargnent au président de la République tout désagrément. Pas un cri hostile, pas une revendication collective, pas une seule banderole syndicale. Un seul incident, vite apaisé. A Luxeuil (Haute-Saône), sur la place de la mairie, une femme d'une quarantaine d'années, repérable à son blouson rouge, saute par-dessus les barrières de sécurité et tente de déployer, à l'envers, puis, enfin, à l'endroit, un calicot de confection artisanale : « Sans référence, je meurs ! » Il s'agit d'une agricultrice qui a été privée de production laitière par le système des quotas.

Deux gendarmes zélés la ceinturent et la refoulent sans ménagement derrière les barrières. François Mitterrand, du haut du perron, observe la scène et exige sèchement : « Empêchez cela, Glavany! » Jean Glavany, le chef de cabinet du président de la République, s'exécute au pas de course, enlève prestement la dame à ses gardiens et la conduit jusqu'au chef de l'État. En larmes, la dame explique son cas et son drame. « On me tue, vous savez, on me tue. » « Je vois bien à quel point vous êtes malheureuse, remarque François Mitterrand. Vous vous adresserez à moi maintenant. Bonne chance! Je ne vous laisserai pas tomber. » Le « père de la nation » a fait son métier. Charles Pasqua fait la moue : pendant que le chef de l'État triomphe au cœur de la France profonde, Jacques Chirac est en tournée aux États-Unis. Le ministre de l'Intérieur regarde où sont placées les caméras de télévision. La scène a été filmée. « Il est fort, ton président, jette-t-il, acide, à un collaborateur du chef de l'État. C'est vraiment lui le plus fort! » Chapeau bas.

Charles Pasqua doit en convenir : les RG n'exagéraient pas. François Mitterrand est aimé des Français. Il assiste à un récital. Le président de la République ne cesse de faire référence au « gouvernement du peuple, par le peuple, pour le peuple ». Tout l'intéresse, rien ne lui est étranger. Il en va ainsi de la sécurité sociale, conquête de la Résistance, imposée à la Libération sous le gouvernement du général de Gaulle et à laquelle il convient de ne pas toucher. Il en va de même du chômage, cette « gangrène » dont il ne faut pas croire qu'il est devenu « une fatalité ». Du revenu national, qu'il est nécessaire de « partager ». Des immigrés, des personnes âgées, des étudiants... Tout le monde, quoi! « Nul n'est de trop. Nul ne sera de trop. Nul n'est exclu! » François l'œcuménique dans ses saintes œuvres! Charles Pasqua sent la morosité l'envahir.

Pourtant, pour lui aussi, ce voyage présidentiel en Franche-Comté constitue un triomphe personnel. Les dirigeants socialistes ont bien fait les choses. Ils ont donné la consigne à leurs militants : « Ignorez Pasqua. Surtout, pas d'incidents! » Ces directives sont respectées. Le ministre de l'Intérieur apprécie. Il n'entend, lui non plus, aucun slogan hostile à son encontre. Il se taille même un franc succès quand, en passant à Lons-le-Saunier, tout le monde peut apercevoir, accrochée à un balcon, une pancarte disant : Vive Pasqua! « Et pourtant, ce n'est pas moi qui suis candidat », souligne-t-il, débonnaire.

Tout le monde est à ses petits soins. A la première étape, Tavaux – il fait frais dans le Jura –, Michel Charasse lui recommande, paternel : « Charles, tu devrais te couvrir. Tu vas prendre froid. » A Lons-le-Saunier, le même Charasse insiste, assez fort pour que tous les journalistes l'entendent de loin : « Tu ne devrais pas te promener sans manteau. Tu vas rentrer à Paris avec la crève et tu diras que ce sont les socialos qui t'ont rendu malade... »

François Mitterrand lui-même prend soin de lui. « Où est le ministre de l'Intérieur? », demande-t-il à Lons-le-Saunier, devant la plaque commémorant la naissance en ces lieux, le 10 mai 1760, de Rouget de Lisle, l'auteur de *la Marseillaise*. Charles Pasqua n'est pas loin. « C'est une jolie date », dit-il, beau joueur.

Le ministre de l'Intérieur entend sur son passage un « Salut Charles » d'origine politique indéterminée, puis découvre à Mamirolle (Doubs) une affichette « Bonjour Pasqua! » qui accompagne la suite présidentielle jusqu'à Besançon; mais malgré ces prévenances et ces signes d'amitié, il reçoit ce jour-là une leçon de choses sur la popularité de son ennemi favori.

C'est donc sans enthousiasme qu'il accepte une autre invitation à accompagner François Mitterrand, trois mois plus tard, les 22 et 23 juin en Basse-Normandie. François Mitterrand l'accueille de nouveau avec force amabilités. Au premier déjeuner, dans une auberge des îles Chausey, il l'installe à table en face de lui. Les journalistes s'étonnent, une fois de plus, de voir les deux hommes rire comme deux compères. « On vous a vus rigoler. » « On ne rigole pas avec le président, répond sérieusement Charles Pasqua. On sourit, tout au plus. N'employez donc pas de mots excessifs. »

Le voyage ne commence vraiment que l'après-midi. Et ce que le ministre de l'Intérieur constate, à travers la Manche et le Calvados, n'est pas plus réjouissant qu'en Franche-Comté, pour son camp. Encore une fois le président de la République fait un tabac. « Tonton, tiens bon! », insistent les banderoles. « Mitterrand au balcon! », réclament les quelques milliers de personnes rassemblées devant l'hôtel de ville de Saint-Lô. « Tonton » respire la santé. Il parle comme s'il incarnait un moment de l'histoire de France et Charles Pasqua trouve cela naturel : « Pendant cinq ans, une majorité; depuis quinze mois, une autre. Ce qui s'est déjà fait peut toujours se refaire, souligne le chef de l'État. Ceux qui succéderont maintenant ou plus tard devront avoir la même humilité devant l'histoire. C'est généralement cette humilité qui manque le plus aux uns et aux autres. Comme si, avec eux, elle devait finir. Mesdames et messieurs les responsables politiques, apprenez l'humilité de l'histoire. Quand vous ne voudrez pas refaire tous les quatre matins ce que d'autres ont fait avant vous, la France marchera mieux. »

Au dehors, la foule de Saint-Lô comprend que François Mitterrand vise d'abord la nouvelle majorité. Elle applaudit bruyamment. « Ce compliment s'adresse aussi à ceux qui m'applaudissent », ajoute le président de la République. La foule se tait. Charles Pasqua admire, un peu agacé par tant de talent.

Les jeunes manifestants qui l'attendent à Caen vont, finalement, lui rendre service. Ils ne respectent pas, en effet, comme en Franche-Comté, les consignes du Parti socialiste. Ils aperçoivent le ministre de l'Intérieur, dans le cortège, et spontanément ils le huent : « Pasqua, démission ! Pasqua, assassin ! » Charles Pasqua, qui se promenait les mains dans les poches, souriant, est sifflé, apostrophé. Sa voiture est accompagnée par une escorte grossissante de jeunes immigrés.

Ce n'est pas grave. Cela lui donne un prétexte. Il va arguer de cet affront pour décliner, désormais toute autre invitation. Il fait semblant de se mettre en colère :

« Alors comme ça tu m'invites et tu organises des manifestations contre moi ? dit-il le soir même à Michel Charasse. Eh bien, je ne reviendrai plus !

– Calme-toi, Charles, tu sais bien que nous n'y sommes pour rien !

– Non seulement vous n'avez rien fait pour faire taire les siffleurs, mais je pourrais considérer que ton président lui-même les a encouragés puisqu'il est allé leur serrer la main en passant...

– Là, tu exagères ! Le président marchait loin devant toi et il n'a rien vu de ce qui s'est passé ensuite. Puis, tu oublies que ceux qui sont chargés d'intervenir, dans un cas pareil, ce sont les hommes des RG et de la sécurité publique. Je te signale que ce sont des gens qui dépendent de toi... »

Charles Pasqua n'accompagnera plus le président de la République dans ses voyages officiels. Il le regrette déjà. Mais que diraient les autres membres du gouvernement et les autres dirigeants du RPR s'il continuait de lui servir de faire-valoir...

En ce mois de janvier 1988, place Beauvau, Charles Pasqua n'en finit pas de se convaincre que François Mitterrand ne sera pas candidat. Il porte au cœur, pourtant, des brassées de regrets. « Le drame, c'est qu'en dehors de Mitterrand, confie-t-il, il n'y a que des cons au Parti socialiste. Les seuls que je respecte, chez les autres dirigeants du PS, ce sont Mauroy, parce qu'il est un homme de convictions, et

Jean-Pierre Chevènement, à un degré moindre; il me paraît manquer de stature. Ne me parlez pas de Fabius ou de Rocard! Eux, c'est du bidon! Ils ne sont rien du tout par rapport à Mitterrand, et je suis sûr que ce n'est pas en pensant à eux qu'ils se décidera à être ou non candidat. Lui, il est arrivé au sommet de l'État et il sait que les autres socialistes ne sont rien sans lui. Il doit se dire : moi, j'existe sans eux, je n'ai pas besoin d'eux et je les emmerde. Il a recréé un grand parti, il a exercé le pouvoir; les autres socialistes, il s'en fout... »

Si ce n'est pas de l'admiration, cela en a étrangement l'apparence. Non, cette photo obsédante trouvée sur son buvard n'est pas un montage. Charles Pasqua s'inclinant est vraiment fasciné par François Mitterrand. Plus seulement snobé par le talent de l'adversaire, mais emporté, malgré sa propre histoire, par une sorte de piété secrète, fervente, qui le met mal à l'aise.

Il faut que le septennat s'achève. Sinon, demain, saura-t-il encore répondre de lui-même? Sale campagne en perspective! La pire peut-être : la première que Charles Pasqua ait peur de gagner. Celle, en tout cas, des états d'âme.

Pourquoi repense-t-il si souvent à ces curieuses questions de François Mitterrand :

« Vous avez toujours été comme ça, Monsieur Pasqua?

– Comment comme ça?

– Je veux dire... de droite.

– Mon père a été socialiste avant d'être vacciné contre le socialisme; mon oncle a été communiste avant de virer sa cuti; moi, je suis irrécupérable!

– Dommage, vous auriez fait un bon socialiste... »

Dommage, peut-être effectivement. Ce soir, place Beauvau, Charles Pasqua rêve : « Oui, ce qu'il faudrait à la France, c'est la synthèse des valeurs pures du gaullisme et des valeurs pures du socialisme... »

Un rêve, vraiment? Ou un pari?

L'homme de l'année

Il a réussi à être une star.

Après la libération de Jean-Louis Normandin et de Roger Auque, à la fin de 1987, il fait la « une » des magazines. Et, cette fois, plus pour donner à rire ou à grincer des dents. Plus pour donner à maudire ses outrances ou ses initiatives malheureuses.

Le Figaro Magazine en fait son « homme de l'année ». Normal. Le ministre est de la famille. Mais c'est toute la presse qui s'incline : le succès du ministre de l'Intérieur est indéniable et, même avec mauvaise grâce, tous les titres que Charles Pasqua a attaqués en justice, pour une affaire ou une autre, alignent ses faits d'armes. L'arrestation du noyau dur d'Action directe, celle de Max Frérot, l'artificier, celle de Paulin, le tueur présumé des vieilles dames de la capitale. Des terroristes pro-iraniens neutralisés, des dizaines d'autres discrètement mais fermement priés de quitter le territoire. Wahid Gordji démasqué! Des nationalistes corses, des Basques incarcérés...

La liste impressionne l'Élysée, qui laisse filtrer ses félicitations, comme la majorité, qui ravale ses petites phrases assassines. Raymond Barre daigne enfin trouver quelque mérite au ministre de l'Intérieur. Édouard Balladur se déclare l' « ami » de Charles Pasqua.

Le Premier ministre puise dans les succès de la place Beauvau son seul véritable argumentaire gouvernemental. « Pasqua a magnifiquement bétonné sur la sécurité », répète-t-on à Matignon. Un souci de moins pour la campagne présidentielle. Un plus, face à Le Pen, muselé sur le chapitre des peurs. Un mieux, confortable, face au candidat barriste. Les socialistes, à l'unisson, ont provisoirement oublié les bavures de 1986, le charter des Maliens, ces centaines d'expulsions d'immigrés ou de réfugiés, qui doivent peu de choses au droit. Comme l'écrit *l'Événement du jeudi* : « On tire peut-être sur une ambulance, mais pas sur une voiture blindée. »

Charles Pasqua est surtout consacré comme un homme d'État. Plus personne ne doute qu'il ait à cœur les affaires de la France. Il les traite parfois encore de manière rugueuse, réactive. Mais il rassure. Il « tient » son morceau de colline, comme ces régiments indélogeables sous le feu. Il ressemble désormais terriblement à un ministre de l'Intérieur. Ses yeux expriment des inquiétudes qu'il assume pour notre compte. Il n'est plus simplement le comparse le mieux placé de Jacques Chirac pour attaquer l'adversaire.

Charles Pasqua, même ses ennemis l'admettent, a été transformé par le pouvoir policier, le plus dangereux de la République. Ce balourd a su jouer sa partie avec la précision, le doigté d'un spécialiste des explosifs. La sentinelle n'a pas que du courage. Elle montre de l'astuce et de l'esprit de décision. Surtout, le ministre numéro un du « Top 50 » gouvernemental a su se rendre indispensable, tout en conquérant une large autonomie.

Il est bon, découvre-t-on, que le premier flic de France soit davantage qu'un fidèle vassal habile à supporter les coups, un fusible qui peut sauter à la moindre crise. Charles Pasqua a appris à parler pour la République.

Il en a redéfini les contours, un peu négligés en ces temps de libéralisme sauvage. Alors que meurent les idéologies et que des idées vagues remplacent d'anciennes idées fausses, il vient rappeler avec un pragmatisme bonasse que la démocratie est une fille fragile. Et qu'il lui faut un parrain. Sévère et tendre, au fond.

Charles Pasqua peut toujours déraper par tempérament ou par opportunisme. Après sa réussite dans la libération des otages du Liban, il est une fois encore allé trop loin. Ses émissaires avaient promis à Téhéran l'expulsion de France de quelques opposants iraniens. Avec d'autres, l'affaire n'aurait soulevé aucune difficulté. Mais, les Moudjahidin se sont mis à faire la grève de la faim pour exiger le retour du Gabon de leurs compagnons.

Le premier, le chef de l'État a compris que ces grévistes-là étaient des fanatiques et que mort pouvait s'en suivre. Il l'a même écrit à Jacques Chirac. Le président a dit son embarras à propos de ce douloureux rapport de forces. Danièle Mitterrand est allée rendre visite aux Iraniens alités, peu à peu admis dans les hôpitaux en raison de leur affaiblissement progressif.

Cette grève de la faim a surpris le ministère de l'Intérieur, habitué, depuis plusieurs gouvernements, à considérer que les expulsés connaissent par cœur la règle du jeu avec la France : on reconduit à la frontière, on jette dans un avion l'indésirable, avec une mise en scène appuyée. Au besoin on convoque la presse ou on s'arrange pour sensibiliser une association humanitaire. L'important est de rassurer le pays auquel le gouvernement a promis l'expulsion de l'opposant. De lui donner la preuve de son départ, avec tapage.

Discrètement, on laisse entendre au réfugié politique qu'il pourra revenir clandestinement, parfois même avec l'aide de la DST ou de la DGSE, lorsque la tempête se sera calmée. Il y a bien longtemps que des Basques espagnols, pour ne citer qu'eux, ont ainsi quitté leur résidence forcée du Cap-Vert, du Gabon ou de Panama. Quelques militants, dont la trace a ensuite été retrouvée du côté de Biarritz, se sont même vu offrir des billets d'avion de retour et des papiers d'identité. Les leurs ou de vrais-faux passeports...

Cette règle non écrite fait partie du manuel de base de tout réfugié politique qui entend continuer des activités militantes en France. Charles Pasqua pensait que les opposants iraniens, à leur tour, danseraient le menuet bien réglé de l'expulsion par la porte et du retour par la fenêtre. Ce fut, avec ces Iraniens, sa seule véritable erreur : il a eu affaire non à des politiques, mais à des croyants.

Le Président de la République avait marqué un point. Et pris date, en cas de malheur. Charles Pasqua est devenu beau joueur : après avoir claironné qu'il ne céderait pas parce que ces Moudjahidin expulsés avaient commis des actes répréhensibles en France, après avoir convaincu le Premier ministre de tenir le même langage de fermeté, il a calé. Par empirisme.

Seul Jean-Marie Le Pen pouvait trouver argument de ce renoncement. On l'entendait d'avance accuser le gouvernement de laisser rentrer, par avion spécial, des Iraniens suspectés : ce n'est pas le Front national qui l'affirme, mais le ministre de l'Intérieur, cet homme responsable qui avait accusé ceux qu'il rapatrie!

La majorité des Français a préféré voir dans ce recul un gage de pondération chez un ministre qu'elle avait cru casse-cou.

Charles Pasqua a perdu de son odeur de soufre. Mais il garde son histoire. Et, à tout prendre, en cette époque simplement moyenne, où chacun ressemble à l'autre – Le Pen excepté, hélas! –, il offre à la chronique des années 80 une originalité qui fait défaut ailleurs. A force d'être lisse et honorable, le passé de ces messieurs de la politique va en devenir inintéressant. Charles Pasqua, le public en est certain, a sans doute quelques cadavres dans le placard. Des trahisons à son actif. Des regrets. Peut-être des remords. Mais qui peut encore se vanter, dans la classe politique, de compter des ennemis depuis la guerre? Lui, ... et Mitterrand.

Bref, il est l'un des rares à rester un personnage de roman populaire. A nous raconter la France de nos pères en d'autres lieux que les salles de cours et les salons de l'ENA. Pasqua sent la rue, plus proprement que Le Pen. Le Sud. La Corse. Le SAC, les pourfendeurs de la « chienlit », les hussards de la Ve République font partie de notre patrimoine national.

C'est un méchant qui s'amende et la France manque de ces héros de feuilleton. C'est un repenti, réinséré par la démocratie républicaine : la tradition de Vidocq n'est pas morte!

La France s'ennuie et ce n'est pas le moindre paradoxe souriant que de voir une « mauvaise réputation » promise au firmament des stars. Charles Pasqua sacré « homme de l'année »! Il est des Corses qui doivent reprendre confiance!

Charles Pasqua méritait bien biographie, pour ses zones d'ombres, sa « baraka », sa cohorte de clichés, d'ambiguïtés, d'amitiés floues qu'il fait entrer dans le sérail de la respectabilité républicaine.

Et demain?

Question prématurée. Depuis quarante ans, Charles Pasqua vit la politique au jour le jour. Il milite. Au service du gaullisme, perpétué par le chiraquisme. Un point, c'est tout, affirme-t-il. Les autres ont soif d'absolu, de pouvoir, de gloire, d'honneurs? Pas lui! Il n'a pas d'ambition. Sinon celle de servir son chef. Sans inconditionnalité mais avec l'indéfectible loyauté des grognards. S'il faut mourir à Waterloo, il mourra à Waterloo, et il dira « Merde! » – en corse – à ses vainqueurs. Rompez les rangs! Son avenir s'arrête à la ligne floue de l'échéance présidentielle de mai 1988. Il s'appelle Jacques Chirac. Qu'on se le tienne pour dit!

Qui pourrait croire encore à cette fiction officielle?

Il y a vingt ans que le godillot Charles Pasqua s'est affranchi de ses guêtres. Très exactement depuis la mort du général de Gaulle. Il n'est plus l'inconditionnel de personne. S'il dit « merde », parfois, c'est aussi à Chirac. Il n'a pas de projet politique; il ne délivre aucun message.

Pourtant, même si ces actes publics de ministre de l'Intérieur conservent souvent la marque du manichéisme archaïque de l'époque où tous les Pasqua de la croix de Lorraine croyaient que la Ve République était chaque matin en danger, sa démarche personnelle se complique.

La preuve en est que Charles Pasqua donne aujourd'hui de lui-même une image très différente de celle que tout le monde attendait. Tout le destinait, à partir du 16 mars 1986, à incarner, à l'aile droite du RPR, la tradition la plus populiste du gaullo-bonapartisme et à mettre, dans ce rôle taillé sur mesure pour ce talentueux bonimenteur, d'autant plus d'ardeur que l'effet Le Pen menaçait son parti sur ce terrain.

Il ne s'est pas borné à jouer cette partition. Bousculant les préjugés, nombreux à son endroit à cause de son itinéraire très méridional, il y ajoute depuis plusieurs mois d'autres valeurs militantes qui renvoient, celles-là, à la Résistance, en apportant une contribution à la lutte contre les effets xénophobes et racistes de l'extrême droite.

Cela au moment même où la brutalité de sa politique à l'égard de certains réfugiés politiques illustre, au contraire, son penchant naturel pour l'autoritarisme dans la vie publique. Éternelle ambivalence de ce grand-père tranquille qui a horreur de la chasse parce que ça fait souffrir les animaux mais qui enverrait sans sourciller certains hommes à la guillotine...

Une révolution s'est produite, en vérité, chez cet homme d'action : Charles Pasqua, maintenant, pense. Il a des idées. Il fait la part de la réflexion. Ou plutôt il retrouve le temps de la réflexion. Et que dit-il? En tout cas plus, comme en 1985, en rivalisant avec le Front national, que son seul objectif est d' « en finir une fois pour toutes avec toutes les formes de socialisme ». Il crie halte au feu, vive le rassemblement! Fasciné par un pragmatisme plus subtil que le sien, celui de François Mitterrand, le voilà converti au syncrétisme. Sa France idéale réconcilierait la quintessence du socialisme et celle du gaullisme. Ah! Une France qui serait jacobine, nationale, patriotique et de gauche!... Et à tout prendre, ajoute-t-il, « je serais Communard plutôt que Versaillais »!

Autant de pistes déroutantes à la croisée des chemins. Plus rien ne sera comme avant pour Charles Pasqua. Quel que soit le résultat de l'élection présidentielle.

Si Jacques Chirac est élu président de la République, le valeureux ministre de l'Intérieur recevra son bâton de maréchal. Cette victoire sera aussi la sienne. Toutes les portes lui seront ouvertes. Que souhaitera-t-il? Conserver le poste clef, mais éprouvant, de la place Beauvau? Sera-t-il volontaire pour le ministère de la Défense? Pour celui du Commerce et de l'Industrie ou même des Affaires étrangères? Jacques Chirac pourra-t-il lui refuser quoi que ce soit? La présidence du RPR? A quoi bon, en pareille hypothèse, dès lors que le parti aurait atteint son but ultime... Son choix dépendra, de toute façon, du nouveau paysage politique et des priorités qui devront être définies en conséquence. Charles Pasqua est même capable d'une nouvelle sortie théâtrale. Une fausse sortie, bien sûr...

Mais si Jacques Chirac n'était pas élu? L'espoir anéanti, que lui resterait-il? Quel avenir pour ce ministre de l'Intérieur battu, lui aussi, pour la deuxième fois en sept ans dans la même compétition? Dépossédé de tout – sauf l'honneur – puisqu'il ne détient aucun mandat électif conséquent? Charles Pasqua chercherait-il, encore une fois, à rebondir pour servir inlassablement le même homme pendant plus de quinze ans? Pousserait-il l'abnégation aussi loin?

Si Charles Pasqua se pose parfois la question, il ne l'exprime pas. Ses proches, en revanche, la posent pour lui. Et que disent-ils? Qu'un nouvel insuccès de Jacques Chirac pourrait ouvrir à leur « parrain » la voie de son propre destin national... Perspective outrecuidante? Inconcevable? Irréaliste? Qui oserait le jurer?

Si Jacques Chirac subit un nouveau revers, nul autre que lui-même ne sera tenu pour l'artisan de sa défaite. Les barristes retiendront qu'il avait fait le pari hasardeux de la cohabitation, à ses risques et périls. Ses propres amis, comme l'opposition, constateront que sa politique n'aura pas convaincu l'électorat. Il aura joué, il aura perdu, tout bonnement. Peut-être condamné à vie au fauteuil de maire de Paris, il ne retrouvera plus aussi aisément une nouvelle chance.

Personne ne mettra d'abord en cause la qualité de l'orchestration de Charles Pasqua. Même si l'échec est collectif, la sanction restera individuelle.

Alors, dans un tel scénario-catastrophe, qui au RPR apparaîtrait comme le plus apte, aux yeux des militants, à relever le flambeau? Qui pourrait se prévaloir de ses racines gaullistes pour briguer la succession au nom d'un renouveau? Qui aurait assez de tonus pour ranimer les énergies?

Et pour peu que les résultats du scrutin confirment le coup d'arrêt porté au Front national, qui serait mieux placé que Charles Pasqua pour jeter les bases d'un Rassemblement élargi à tous les horizons de la droite française, y compris aux plus extrêmes?

Voilà ce qui se murmure aujourd'hui au « Charlie's Club ».

Qu'en pense le principal intéressé? « Comme le disait de Gaulle, ce qui fait les grands hommes c'est la rencontre de grands caractères et de circonstances exceptionnelles... » Il ne dit pas non.

« Pasqua président? » La galéjade ne fait plus rire tout le monde. Ou elle fait rire jaune. Ce qui revient au même.

Mais elle débouche sur un mystère : si les « circonstances » devenaient assez « exceptionnelles » pour accréditer une telle perspective, Charles Pasqua, au-delà de ses réponses amusées en formes de boutades, se prêterait-il au jeu? Question prématurée? Question absurde! N'y a-t-il pas, en chaque Corse, un flic et un joueur?

Cet ouvrage a été composé et réalisé sur système Cameron
par la SOCIÉTÉ NOUVELLE FIRMIN-DIDOT (Mesnil-sur-l'Estrée)
pour le compte des Éditions Olivier Orban,
14, rue Duphot, 75001 Paris

Achevé d'imprimer le 21 janvier 1988

Imprimé en France
Dépôt légal : janvier 1988
N° d'édition : 463 – N° d'impression : 8284